JUL 11 CS/

СОВРЕМЕННАЯ
ил
КЛАССИКА

РОБЕРТ ГЭЛБРЕЙТ

ЗОВ

КУКУШКИ

Издательство «Иностранка»

Москва

УДК 821.111
ББК 84(4Вел)-44
   Г 98

First published in Great Britain in 2013 by Sphere
THE CUCKOO'S CALLING
Copyright © 2013 Robert Galbraith Limited.

Перевод с английского Елены Петровой

Русское издание подготовлено при участии издательства АЗБУКА®.

ISBN 978-5-389-06735-6

Реальному Диби — с большой благодарностью

Зачем пришла ты в этот мир порой снегов?
Не той порой, когда звучит в лесу кукушки зов,
Не той порой, когда лоза лелеет виноград,
И не тогда, когда стрижей лихой отряд
    Стремится вдаль, в чужие страны света,
    От смерти лета.

Зачем из мира ты ушла, когда стригут руно?
Не той порой, когда плодам упасть на землю суждено,
Когда забыл кузнечик стрекот свой,
Когда висит над нивой полог дождевой,
    А ветер лишь вздыхает средь ненастья
    О смерти счастья.

Кристина Дж. Россетти. Погребальная песнь

ПРОЛОГ

Is demum miser est, cuius nobilitas miserias nobilitat.

Несчастлив тот, чья слава его несчастья прославляет.

Луций Акций. Телеф

Улица жужжала, как рой мух. За полицейским кордоном толпились фотографы с длинноносыми камерами на изготовку; дыхание взмывало вверх облаками пара. На шапки и плечи падал снег; пальцы в перчатках протирали объективы. Время от времени лениво щелкали затворы фотоаппаратов: кто-то наудачу снимал белую брезентовую палатку на проезжей части, вход в кирпичный жилой дом, а также балкон верхнего этажа, откуда упало тело.

За плотной толпой папарацци стояли белые фургоны с огромными спутниковыми тарелками на крышах; репортеры без умолку трещали (некоторые — на иностранных языках), а рядом нависали звукооператоры в наушниках. Переводя дух, репортеры притопывали ногами и согревали руки о горячие кофейники, доставленные из переполненного кафе поодаль. От нечего делать операторы в вязаных шапочках снимали чужие спины, балкон, палатку, скрывшую тело, а потом перемещались в более удобные точки, чтобы взять общий кадр того хаоса, который взорвал сонную заснеженную улицу в Мейфэре, где ряды черных дверей в обрамлении белых каменных портиков дремали под защитой живых изгородей. Перед домом номер восемнадцать была натянута лента ограждения. В вестибюле мелькали полицейские чины, некоторые — в белой форме судмедэкспертов.

По всем телевизионным каналам уже несколько часов передавали эту новость. Улицу с обоих концов запрудили оттесняемые полицейскими любопытные: кто-то специально пришел поглазеть, кто-то задержался по пути на работу. Прохожие делали снимки на мобильные телефоны. Один парень, не зная, который балкон стал роковым, сфотографировал все поочередно, хотя средний был полностью занят кустарниками — тройкой аккуратно подстриженных вечнозеленых крон, не оставлявших места для человеческого присутствия.

В объективы попала стайка девчонок с цветами: полицейские в замешательстве принимали у них букеты и неловко складывали на заднем сиденье своего микроавтобуса, понимая, что каждый их шаг фиксируется камерами.

Корреспонденты каналов круглосуточного вещания неумолчно комментировали происходящее, строя догадки вокруг сенсационных, но весьма скудных фактов.

— ...из своего пентхауса около двух часов ночи. Полицию вызвал охранник, дежуривший в подъезде дома...

— ...тело до сих пор не увезли, и это наводит на мысль о том, что...

— ...не сообщается, был ли кто-нибудь поблизости, когда она упала...

— ...несколько бригад вошли в дом для проведения тщательного осмотра...

В палатке разливался холодный свет. Возле трупа на корточки опустились двое, наконец-то получив разрешение уложить его в мешок с молнией. Из головы на снег вытекло немного крови. Лицо, превратившееся в сплошной отек, было разбито, один глаз полностью заплыл, другой проглядывал мутно-белой полоской сквозь набухшие веки. Расшитый блестками топ искрился от малейшего мерцания лампы, отчего всякий раз возникало тревожное впечатление движения, как будто грудная клетка шевельнулась от вздоха или напряглась перед рывком. Снег мягкими хлопьями трогал брезент, словно перебирая невидимые струны.

— Долго еще ждать эту чертову труповозку?

Инспектор уголовной полиции Рой Карвер выходил из себя. Его физиономия давно приобрела цвет мясных консервов, а сорочки, пропотевшие под мышками, вечно лопались на брюхе. Скудный запас терпения иссяк у него не один час назад: Карвер появился здесь немногим позже трупа; ноги уже окоченели и не слушались, в голове плыло от голода.

— Сантранспорт прибудет через две минуты, — невольно ответил на вопрос начальства сержант Эрик Уордл; он вошел в палатку, прижимая к уху мобильник. — Я уже обеспечил проезд.

Карвер только фыркнул. Его злило еще и то, что Уордл в открытую наслаждался всеобщим вниманием. По-мальчишески привлекательный, с густыми, вьющимися каштановыми волосами, припорошенными снегом, он, по мнению Карвера, заигрывал с каждым, кому удавалось пробиться ближе к палатке.

— Сами разойдутся, как только труп увезем, — сказал Уордл, высовываясь на улицу и позируя перед объективами.

— Черта с два они разойдутся, пока мы тут в убийство играем! — рявкнул Карвер.

Уордл промолчал, не поддаваясь на провокацию. Но Карвер все равно взорвался:

— Эта курица сама из окна сиганула! Никого с ней не было. А твоя, с позволения сказать, свидетельница до того обдолбалась, что...

— Едет!

Выскользнув из палатки, Уордл, к отвращению Карвера, эффектно встретил санитарную машину.

История эта заслонила собой политические коллизии, войны и катастрофы; каждая ее версия сопровождалась фотографиями безупречного личика и гибкой, точеной фигуры. В считаные часы крупицы достоверной информации как вирус распространились среди миллионов: прилюдный скандал со знаменитым бойфрендом, поездка домой в одиночку, подслушанные крики и финальное, фатальное падение...

Бойфренд спешно укрылся в наркологической клинике, а полиция хранила молчание; были установлены все, кто в тот роковой вечер общался с погибшей; материала хватило на тысячи газетных колонок и многочасовые выпуски теленовостей, а та женщина, которая поклялась, что непосредственно перед падением тела слышала шум очередной ссоры, даже прославилась, хотя и ненадолго: ее фотографии, пусть небольшого формата, появились рядом с портретами жертвы.

Но вскоре, под едва ли не явственный стон всеобщего разочарования, выяснилось, что свидетельница солгала, после чего укрылась в наркологической клинике, а знаменитый первоначальный подозреваемый, наоборот, перестал прятаться, словно это были фигурки в альпийском барометре-домике, мужская и женская, способные появляться только по очереди.

Итак, самоубийство; после непродолжительной паузы история обрела слабое второе дыхание. Стало известно, что погибшая отличалась неуравновешенным, нестабильным характером, была подвержена звездной болезни, водила знакомство с безнравственными олигархами, которые ее развратили, а погружение в непривычный для нее беспорядочный образ жизни окончательно разрушило и без того хрупкую личность. Ее трагедия стала скорбным назиданием для других; журналисты так часто использовали сравнение с Икаром, что желчный «Прайвит ай»[1] даже опубликовал целую статью на эту тему.

Но в конце концов ажиотаж пошел на убыль, и даже газетчикам больше нечего было сказать, кроме того, что все уже сказано.

---

[1] *Private Eye* («Частный взгляд», «Частный детектив») — английский сатирический журнал, издается с 1961 г. — *Здесь и далее примеч. перев.*

ТРИ МЕСЯЦА
СПУСТЯ

ЧАСТЬ ПЕРВАЯ

Nam in omni adversitate fortunae infelicissimum est genus infortunii, fuisse felicem.

Ведь при всякой превратности фортуны самое тяжкое несчастье в том, что ты был счастлив.

Боэций. Утешение философией[1]

---

[1] Перевод В. И. Уколовой и М. Н. Цейтлина.

1

Какие только драмы и перипетии не случались с Робин Эллакотт за двадцать пять лет ее жизни, но ни разу еще она не просыпалась в твердой уверенности, что наступающий день запомнится ей навсегда.

Накануне, уже за полночь, ее давний бойфренд Мэтью сделал ей предложение под статуей Эроса на площади Пиккадилли. Когда Робин ответила согласием, у него от волнения даже закружилась голова и он признался, что хотел попросить ее руки еще за ужином, в тайском ресторане, но его остановило присутствие сидевшей рядом молчаливой парочки, которая жадно ловила каждое их слово. Поэтому он убедил Робин побродить в сумерках по улицам, хотя она твердила, что завтра им обоим рано вставать; однако на него уже нахлынуло вдохновение, и он направился в сторону пьедестала, чем несказанно ее удивил. Там, на холодном ветру, отбросив свою сдержанность (чего с ним никогда не бывало), Мэтью опустился на одно колено поблизости от трех закутанных бомжей, распивавших, судя по всему, метиловый спирт, и попросил ее стать его женой.

По мнению Робин, это было самое великолепное предложение руки и сердца за всю историю брачных союзов. У Мэтью в кармане даже лежало кольцо, которое сейчас поблескивало у нее на пальце: идеально подходящее по размеру, с сапфиром и парой бриллиантов; на обратном пути она не сводила с него глаз, держа руку на его коленке. Теперь у них с Мэтью появилось захватывающее семейное предание — из тех, что рассказывают детям: как он продумал свой план (ей было приятно, что он все продумал) и не растерялся от неожиданных помех, а решил действовать экспромтом. Ей было приятно все: и эти бомжи под луной, и растерянный, взволнованный Мэтью, опустившийся на одно колено, и Эрос на грязноватой, до боли знакомой Пиккадилли, и черное такси, которое везло их домой, в Клэпхем. Она уже готова была полюбить весь Лондон, к которому так и не привыкла за целый месяц, что прожила в этом городе. Сияние кольца смягчило даже бледные, неприветливые лица пассажиров метро; выходя со станции Тотнем-Корт-роуд на утренний мартовский холод, она тронула большим пальцем платиновый ободок и почувствовала, как ее захлестнула радость при мысли о том, что в обеденный перерыв можно будет накупить ворох свадебных журналов. Под внимательными мужскими взглядами она преодолевала раскопанный участок Оксфорд-стрит, сверяясь с зажатым в правой руке листком. По всем меркам Робин была недурна собой: высокая, фигуристая, с длинными, светлыми, чуть рыжеватыми волосами, которые подрагивали от каждого стремительного шага; ко всему прочему, холодный воздух тронул румянцем ее щеки. Ей предстояло взять на себя обязанности временной секретарши сроком на одну неделю. Съехавшись в Лондоне с Мэтью, она подрабатывала тем, что выходила на замену по заявкам различных фирм, хотя уже наметила несколько собеседований для устройства на «нормальную», по ее выражению, работу.

Главная трудность этой тоскливой деятельности подчас заключалась в том, чтобы отыскать нужный офис. После ее родного йоркширского городка Лондон выглядел гигантским, запутанным и неприступным. Мэтью не раз предупреждал, чтобы на улице она не утыкалась носом в путеводитель, — это выдавало в ней приезжую и могло повлечь за собой любые напасти. Поэтому Робин в основном полагалась на схематичные планы, которые в агентстве по временному трудоустройству кто-нибудь чертил для нее от руки. Впрочем, она была далеко не уверена, что с этими листками выглядит коренной столичной жительницей.

Из-за металлических баррикад и синих пластиковых заграждений, которыми был обнесен раскопанный тротуар, она плохо понимала, куда двигаться дальше, потому что не видела нанесенных на план ориентиров. Перейдя на другую сторону перед высоким офисным зданием, которое значилось у нее как

«Сентр-пойнт»[1] и частыми квадратиками окон напоминало исполинскую бетонную вафлю, Робин понадеялась, что скоро окажется на Денмарк-стрит.

Эту короткую улочку она нашла почти случайно, миновав узкий проезд под названием Денмарк-плейс и увидев перед собой ряды живописных витрин с гитарами, синтезаторами и массой других музыкальных принадлежностей. На проезжей части зиял очередной раскоп, обнесенный красно-белым заграждением; рабочие в фосфоресцирующих жилетах приветствовали девушку оживленным утренним гиканьем, но она делала вид, что не слышит.

Робин посмотрела на часы. Как правило, она приезжала с запасом — на тот случай, если не сразу найдет указанный адрес, и сейчас у нее оставалось еще пятнадцать минут. Непрезентабельная дверь, выкрашенная в черный цвет, располагалась слева от бара «12 тактов»; у кнопки звонка третьего этажа на линованной бумажке, прилепленной скотчем, была нацарапана фамилия хозяина одного из офисов. В какой-нибудь другой день, не будь у нее на пальце новехонького, сверкающего кольца, она бы, наверное, сочла это форменным безобразием, но сегодня и неряшливая бумажонка, и облупленная краска выглядели подобно вчерашним бродягам, всего лишь причудливым фоном ее великого романа. Робин еще раз проверила время (от блеска сапфира у нее зашлось сердце: таким камнем можно любоваться до конца своих дней) и в приливе эйфории решила явиться пораньше, чтобы продемонстрировать служебное рвение, от которого по большому счету ничего не зависело.

Не успела она позвонить, как черная дверь распахнулась и на тротуар выскочила какая-то женщина. На один странно затянувшийся миг они впились друг в дружку глазами: каждая уже приготовилась к столкновению. Этим волшебным утром все чувства Робин обострились до предела; на нее произвело такое впечатление это белое как мел лицо, виденное лишь долю секунды, что она, увернувшись от столкновения лишь на

---

[1] «Сентр-пойнт» — офисное здание в центре Лондона, один из первых небоскребов британской столицы. Построен в 1967 г. по проекту Р. Сейферта у станции метро «Тотнем-Корт-роуд». Охраняется государством как памятник архитектуры.

какой-то сантиметр и проводив глазами быстро скрывшуюся за углом темноволосую незнакомку, с портретной точностью запечатлела в памяти этот облик. Бледное лицо запомнилось не только своей необычайной красотой, но и особым выражением: злобным и в то же время довольным.

Робин успела придержать дверь и вошла в неопрятный подъезд. Древнюю клеть давно умершего лифта огибала столь же старомодная винтовая лестница. С осторожностью переставляя ноги, чтобы шпильки не застряли в металлической решетке ступенек, Робин благополучно миновала площадку второго этажа, где на одной из дверей красовался заламинированный и вставленный в раму постер: «Фирма „Крауди“. Графический дизайн». Но, только лишь поднявшись этажом выше, она поняла, куда ее направило агентство. Хоть бы предупредили! На стеклянной двери было выгравировано то же имя, что читалось на бумажке у входа: «К. Б. Страйк», а ниже — «частный детектив».

С приоткрытым ртом она застыла на месте, охваченная восторгом, какого не понял бы никто из ее знакомых. Ни одной живой душе (даже Мэтью) Робин не открывала тайную, сокровенную мечту всей своей жизни. Выходит, сбылось, да еще в такой день! Как будто ей подмигнул сам Всевышний. (Вот что значит магия того дня — Мэтью, кольцо... хотя, если здраво рассудить, какая тут связь?)

Ликуя, Робин медленно сделала пару шагов вперед и вытянула левую руку (в тусклом свете сапфир казался густо-синим), но не успела коснуться дверной ручки, как стеклянная дверь точно так же распахнулась у нее перед носом.

На этот раз столкновения избежать не удалось. На нее обрушился невидящий, всклокоченный центнер мужского веса; не удержавшись на ногах, Робин неуклюже взмахнула руками, выронила сумку и полетела назад, к смертельно зияющей железной лестнице.

2

Страйк принял удар легко. Оглушенный пронзительным воплем, он, недолго думая, выбросил вперед длинную ручищу и сграбастал складку одежды вместе с живой плотью; тут от каменных стен эхом отозвался второй вопль, но Страйк мощным рывком сумел вернуть девушку в вертикальное положение. Ее крики все еще отдавались в лестничном пролете, и у Страйка невольно вырвалось:

— Тьфу, зараза!

У входа в его контору стонала и корчилась от боли незнакомая девушка. Видя, что ее перекосило на один бок, а рука зарылась под застежку пальто, Страйк заключил, что во время спасательной операции ненароком помял ей левую грудь. Раскрасневшееся девичье лицо скрывала завеса густых светлых прядей, но Страйк разглядел, что по щекам бегут слезы.

— Черт... простите! — Его зычный голос прогремел на весь подъезд. — Не заметил... Я никого не ждал...

Со второго этажа подал голос чудаковатый дизайнер-одиночка: «Что там у вас происходит?»; вслед за тем сверху глухо заворчал управляющий нижним кафе, который снимал жилье в мансарде, как раз над офисом Страйка: его тоже встревожили, а может, и разбудили крики на лестнице.

— Зайдите...

Кончиками пальцев, чтобы только не коснуться скрюченной фигуры, привалившейся к стене, Страйк толкнул стеклянную дверь.

— Ну что, разобрались там? — сварливо выкрикнул дизайнер.

Страйк помог ей войти в офис и с грохотом захлопнул дверь.

— Я в полном порядке, — дрожащим голосом солгала Робин, которая стояла к нему спиной и все еще держалась за грудь.

Через несколько секунд она выпрямилась и повернулась к Страйку: ее багровое лицо по-прежнему было мокрым от слез.

Невольный обидчик оказался настоящим громилой: высоченный, заросший, как медведь гризли, да еще с брюшком; под левой бровью ссадина, глаз подбит, левая щека, равно как и правая сторона мощной шеи, виднеющаяся из расстегнутого ворота рубашки, исполосована глубокими царапинами с запекшейся в них кровью.

— Вы м-мистер Страйк?

— Он самый.

— Я... я... на замену.

— Куда-куда?

— На замену, временно. Из агентства «Временные решения», понимаете?

Название агентства не стерло недоумения с его разукрашенной физиономии. Взаимная неприязнь, смешанная с нервозностью, нарастала. Как и Робин, Корморан Страйк знал, что на всю жизнь запомнит истекшие сутки. А теперь, похоже, злой рок прислал к нему свою вестницу в просторном бежевом тренче, чтобы напомнить о неминуемой и уже близкой катастрофе. Какие могут быть замены? Уволив прежнюю секретаршу, он посчитал, что контракт с агентством аннулирован.

— И на какой же срок?

— Д-для начала на одну неделю, — ответила Робин, которая впервые встретила такой неласковый прием.

Страйк быстро прикинул кое-что в уме. Одна неделя, учитывая грабительские расценки агентства, грозила ему финансовой пропастью — он и без того превысил все лимиты, а основной кредитор не раз намекал, что только ждет удобного случая.

— Я сейчас.

Он вышел за стеклянную дверь, свернул направо и заперся в тесном, промозглом сортире. Из пятнистого, в трещинах зеркала над раковиной на него смотрел довольно странный тип.

Высокий, крутой лоб, приплюснутый нос, густые брови — этакий еще не старый Бетховен в роли боксера; заплывший глаз с фингалом только усиливал это впечатление. Густые курчавые волосы, жесткие, как щетина, объясняли, почему в молодые годы ему дали кличку Лобок, не говоря уже о разных других прозвищах. Выглядел он куда старше своих тридцати пяти.

Вставив заглушку в сливное отверстие давно не мытой раковины, он открыл кран, а потом сделал глубокий вдох и опустил голову в холодную воду, чтобы унять стук в висках. Вода хлынула через край прямо ему на ботинки, но он предпочел этого не замечать и с десяток секунд наслаждался слепой ледяной неподвижностью.

У него в мозгу проносились разрозненные картины прошлой ночи: как он под ругань Шарлотты запихивал в рюкзак содержимое трех ящиков комода; как ему в бровь полетела пепельница, когда он напоследок оглянулся, как ноги темными улицами несли его в контору, где он пару часов подремал в своем рабочем кресле. Дальше — гнусная сцена, когда Шарлотта ворвалась к нему на рассвете, чтобы вонзить в него последние бандерильи, оставшиеся от ночного скандала; исполосовав ему ногтями лицо, она ринулась прочь, и он твердо решил отпустить ее на все четыре стороны, но в минутном помрачении рассудка бросился следом: погоня завершилась так же стремительно, как и началась, потому что на его пути по недомыслию возникла эта пустоголовая девица, которую пришлось ловить на лету, а потом еще и успокаивать.

Распрямившись, Страйк издал судорожный вздох и удовлетворенно фыркнул; лицо и вся голова приятно онемели, кожу покалывало. Он досуха вытерся заскорузлым полотенцем, висевшим на двери, а потом еще раз поглядел на свое отражение. Запекшаяся кровь отмокла, и царапины теперь выглядели примерно как следы от смятой подушки. Шарлотта, по всей вероятности, уже дошла до метро. Почему, собственно, он и ринулся за ней следом: у него мелькнула безумная мысль, что она может броситься под поезд. Однажды, когда им было лет по двадцать пять, у них уже случился похожий эпизод: она напилась, залезла на крышу, остановилась, покачиваясь, на самой кромке и грозилась прыгнуть. Наверное, он должен был бы сказать спасибо агентству «Временные решения»: ведь это оно в конечном счете пресекло его погоню. После утренней сцены пути назад все равно не было. И точка.

Оттянув от шеи намокший воротник, Страйк повозился с ржавой задвижкой и направился к стеклянной двери.

На улице грохотал отбойный молоток. Робин стояла у письменного стола, спиной к входу; от Страйка не укрылось, что при его появлении она резко выдернула руку из-под лацкана пальто — не иначе как снова массировала грудь.

— У вас... вам больно? — спросил он, избегая смотреть на травмированный орган.

— Со мной все в порядке. Послушайте, если секретарь-референт вам не нужен, я пойду, — с достоинством выговорила Робин.

— Нет-нет... ни в коем случае. — Страйк с отвращением прислушивался к собственным словам. — На одну неделю — как раз то, что надо. Э-э-э... Вот тут корреспонденция... — Он поднял с коврика кипу писем и бросил их на голый стол как искупительное жертвоприношение. — Будьте добры, просмотрите... отвечайте на телефонные звонки, слегка тут приберите... пароль компьютера — Hatherill-два-три, давайте я запишу... — Он проделал это под ее настороженным, опасливым взглядом. — Вот, держите... Если что — я у себя.

Он осторожно затворил за собой дверь и остановился, глядя на стоявший под голым столом рюкзак. В нем уместились его пожитки — одна десятая того, что осталось в квартире у Шарлотты и, скорее всего, никогда к нему не вернется. К полудню те вещи будут сожжены, вышвырнуты на улицу, изрезаны, затоптаны, растворены в хлорке. За окном безжалостно тарахтел отбойный молоток.

Гигантские долги, платить нечем, крах неизбежен, последствия непредсказуемы, Шарлотта начнет изощренно пакостить в отместку за его уход... Страйк обессилел; все эти напасти адским калейдоскопом закрутились у него перед глазами.

Не чуя под собой ног, он сам не заметил, как рухнул в то же самое кресло, где провел остаток минувшей ночи. За тонкой перегородкой слышалось какое-то движение. Не иначе как

«Временные решения» включили компьютер и очень скоро выяснят, что за три недели ему не поступило ни единого предложения по бизнесу. А потом — он же сам попросил — секретарша начнет вскрывать конверты и просматривать последние требования. Усталость, ссадины и голод сделали свое дело: Страйк опять уткнулся лицом в стол, спасательным кругом подложив руки под голову, чтобы не видеть и не слышать, как незнакомая девица у него в приемной станет вытаскивать на свет его позор.

3

Через пять минут в дверь постучали; Страйк, у которого уже слиплись глаза, подскочил в кресле.

— Можно?

В подкорке опять возникла Шарлотта, но в кабинет, как ни странно, вошла все та же малознакомая девица. Теперь она была без пальто — в кремовом джемпере, который мягко и даже соблазнительно облегал изгибы тела. Страйк заговорил с ее лбом:

— Что такое?

— К вам клиент. Вы сможете его принять?

— Не понял?

— Клиент, мистер Страйк.

Несколько мгновений он таращился на нее, переваривая эту информацию.

— Да, хорошо... нет, дайте мне пару минут, Сандра, а потом пусть заходит.

Она исчезла без единого слова.

Страйк на долю секунды задумался, почему вдруг назвал ее Сандрой, но потом торопливо вскочил; по его виду и запаху нетрудно было угадать человека, который спал в одежде. Запустив руку в рюкзак, он нашарил зубную пасту и выдавил длинную колбаску прямо в рот; намокший в раковине галстук еще не просох, рубашка была забрызгана кровью — он сорвал с себя и то и другое, да так, что отлетавшие пуговицы только отскакивали от стен и от картотечного шкафа, вытащил мятую, но зато свежую рубашку и мигом застегнул ее на себе толстыми пальцами. Рюкзак был тут же задвинут за пустой шкаф, а Страйк без промедления вернулся к письменному столу и на всякий случай прочистил внутренние уголки глаз, размышляя, не померещился ли девице так называемый клиент и хватит ли у того реальных денег на частного детектива. За те полтора года, что дела Страйка медленно, но верно шли под откос, он понял, что вопросы эти — далеко не праздные. Он до сих пор не вытряс из двух клиентов оплату своих услуг; третий клиент и вовсе отказался платить, когда Страйк раскопал какие-то нелицеприятные для того прохиндея факты, а увязший в долгах Страйк даже не смог позволить себе нанять адвоката, тем более что удорожание аренды в центральных районах Лондона грозило вот-вот лишить его офиса — предмета особой гордости. В своем воображении он нередко прокручивал жесткие и грубые методы выколачивания денег; приятно было наблюдать, хотя бы мысленно, как наглые должники забиваются в угол при виде бейсбольной биты.

Дверь снова открыли; Страйк уже сидел за столом. Он резко выдернул из ноздри указательный палец и расправил плечи, приняв бодрый, деловой вид.

— Мистер Страйк, к вам мистер Бристоу.

Следом за Робин в кабинет вошел потенциальный клиент. Он производил обнадеживающее впечатление. Пусть в его облике было нечто кроличье (короткая верхняя губа, крупные передние зубы, сам какой-то бесцветный), пусть глаза — судя по всему, близорукие — скрывались за толстыми линзами очков, зато от безупречного серого костюма, от блестящего ярко-голубого галстука, от часов и ботинок так и веяло большими деньгами.

Крахмальная белоснежность его сорочки стала немым укором Страйку, который внутренне содрогнулся от собственной помятости. Чтобы не спасовать перед лицом чужого щегольства, он вытянулся во весь свой двухметровый рост, протянул клиенту волосатую руку и напустил на себя вид предельно занятого специалиста, которому некогда думать о стирке и глажке.

— Корморан Страйк. Добрый день.

— Джон Бристоу, — представился вошедший, пожимая протянутую руку.

Голос у него был приятного тембра, интеллигентный, неуверенный. Взгляд устремился на подбитый глаз Страйка.

— Чай, кофе, джентльмены? — спросила Робин.

Бристоу попросил маленький черный кофе, а Страйк промолчал: краем глаза он увидел в приемной девушку с тяжелыми бровями, одетую в старомодный твидовый костюм. Она сидела на потертом диванчике возле входной двери. У Страйка шевельнулась дерзкая надежда, что к нему пожаловали сразу двое клиентов. Не прислали же ему вторую временную секретаршу?

— А для вас, мистер Страйк? — уточнила Робин.

— Что? Да-да... черный кофе, два куска сахара, будьте добры, Сандра, — машинально выпалил он.

Выходя из кабинета, Робин скривилась, и тут он вспомнил, что ни кофе, ни сахара у него не водится, да и чашек тоже.

Усевшись в кресло, Бристоу обвел глазами неуютный кабинет; Страйк огорчился, когда уловил в его взгляде нечто очень похожее на разочарование. Новый клиент вел себя нервозно и как-то виновато; у Страйка такая манера ассоциировалась с ревнивыми мужьями, но от посетителя исходила определенная властность, хотя такое впечатление создавал в основном вопиюще дорогой костюм. Страйку оставалось только гадать, как на него вышел подобный субъект. Вряд ли его привела сюда молва: на тот момент у Страйка была всего одна клиентка, да и та постоянно рыдала в телефон, жалуясь на свое одиночество.

— Чем могу служить, мистер Бристоу? — спросил Страйк, также опустившийся в кресло.

— Видите ли... мм... на самом деле мне просто нужно проверить... Кажется, мы с вами уже встречались.

— Разве?

— Вы меня, конечно, не помните, это было давным-давно... сдается мне, вы дружили с моим братом Чарли. Чарли Бристоу. Он погиб... несчастный случай... ему было девять лет.

— Мать честная! — воскликнул Страйк. — Чарли... да, конечно помню!

И в самом деле, память его не подвела. Чарли Бристоу был одним из множества ребят, с кем подружился Страйк за годы своего детства, которое прошло в разладах и разъездах. Симпатяга, хулиган, смельчак, главарь самой крутой банды в лондонской школе, куда перевели Страйка, Чарли увидел здоровенного новичка, говорившего с потешным корнуолльским акцентом, и тут же приблизил его к себе. За этим последовали два месяца закадычной дружбы и бесшабашных проделок. Страйка всегда привлекал домашний уют, которым не были обделены другие мальчишки: они росли в нормальных, приличных семьях и спали в отдельной комнате, которая годами сохранялась за своим обитателем, — Чарли не стал исключением. Страйк живо вспоминал большой, роскошный дом, где жил Чарли. Запомнились ему и длинный, залитый солнцем газон, и шалаш на дереве, и лимонная шипучка со льдом, которую готовила для них мать Чарли.

А потом настал тот день неописуемого ужаса, когда они вернулись в школу после пасхальных каникул и классная руководительница объявила, что Чарли больше нет, что он погиб в Уэльсе: гонял на велосипеде по кромке карьера и сорвался вниз, на камни. Эта училка, старая калоша, не упустила случая подчеркнуть, что ему было строго-настрого запрещено играть у карьера, но Чарли, который, как всем известно, зачастую не слушался старших, в очередной раз поступил по-своему — видимо, бравировал перед местными... Тут ей пришлось умолкнуть, потому что две ученицы за первой партой в голос расплакались.

С той поры Страйк, видя перед собой карьер (хоть наяву, хоть мысленно), всякий раз представлял, как разбивается смешливое белобровое мальчишеское лицо. Он подозревал, что все одноклассники Чарли сохранили в душе этот страх перед огромной темной ямой, крутым обрывом и безжалостным щебнем.

— Чарли забыть невозможно, — сказал он.

У Бристоу слегка дрогнул кадык.

— Конечно. Понимаете, мне врезалось в память ваше имя. Чарли все время о вас говорил — даже тогда, на каникулах, незадолго до своей гибели. «Мой друг Страйк», «Корморан Страйк». Необычное сочетание, правда? Не знаете, откуда произошла ваша фамилия? Мне она нигде больше не встречалась.

Бристоу был не первым, кто ходил вокруг да около: люди частенько заводили беседы о погоде, о плате за въезд в центр города, о сортах чая и кофе, лишь бы оттянуть разговор о том деле, которое, собственно, и привело их сюда.

— Я слышал, это слово имеет отношение к зерну, — сообщил Страйк. — Какая-то мера зерна.

— В самом деле? А первая мысль — что оно имеет отношение к стрелялкам или забастовкам[1], ха-ха... значит, нет... Видите ли, когда я раздумывал, к кому бы обратиться, мне в справочнике попалась ваша фамилия. — У Бристоу задрожало колено. — Думаю, вы понимаете, как я... какое у меня... в общем, это был знак свыше. Знак от Чарли. Подтверждение, что я на правильном пути.

Он сглотнул, и кадык опять дернулся.

— Это понятно, — осторожно подытожил Страйк, надеясь, что его не принимают за медиума.

— Видите ли, речь идет о моей сестре, — отважился Бристоу.

— Так. Она попала в беду?

— Она погибла.

У Страйка чуть не вырвалось: «Как, и она тоже?» — но вслух он с той же осторожностью произнес:

— Мои соболезнования.

Судорожным кивком Бристоу показал, что соболезнования приняты.

— Я... это нелегко. Во-первых, вам нужно знать: мою сестру зовут... звали... Лула Лэндри.

Надежда, на краткое время вспыхнувшая с появлением этого человека, стала могильной плитой клониться вперед и неумолимо придавила Страйка. Сидевший напротив него посетитель слегка тронулся умом, а может, и окончательно спятил. Проще было поверить в существование двух одинаковых снежинок, чем в родство этого блеклого кролика и бронзовой, длинноногой, экзотической красавицы, какой была Лула Лэндри.

— Наши родители ее удочерили, — покорно объяснил Бристоу, словно читая мысли Страйка. — Мы все были приемными детьми.

---

[1] Strike (англ.) — удар; попадание; забастовка.

— Так-так.

Страйк никогда не жаловался на память; вернувшись мыслями в тот огромный, прохладный, удобно спланированный дом с бескрайним садом, он вспомнил, как во главе складного столика, вынесенного на свежий воздух, восседала томная блондинка — мать семейства, как в отдалении рокотал грозный бас отца, как насупленный старший брат уминал фруктовый торт, а Чарли дурачился и смешил мать своими выходками, но никакой девочки там не было.

— С Лулой вы, скорее всего, не встречались, — продолжал Бристоу, как будто Страйк высказал свои сомнения вслух. — Ее взяли в семью уже после смерти Чарли, в четырехлетнем возрасте. До этого она пару лет жила в детском доме. Мне тогда было почти пятнадцать. Как сейчас помню: я стоял в дверях и смотрел, как отец идет к дому и несет ее на руках. На ней была красная вязаная шапочка. Мама до сих пор ее хранит.

Тут Джон Бристоу вдруг разрыдался. Зрелище было не из приятных: он горбился, содрогался и закрывал лицо; между пальцев текли слезы и сопли. Пару раз создалось впечатление, что он вот-вот успокоится, но рыдания накатывали с новой силой.

— Простите... простите... боже...

Он задыхался, всхлипывал, промокал глаза под стеклами очков скомканным носовым платком и никак не мог взять себя в руки.

Толкнув дверь, Робин внесла в кабинет поднос. Бристоу отвернулся, но его выдавали судорожно вздрагивающие плечи. Страйк успел еще раз взглянуть на девушку в костюме; та хмуро таращилась из приемной в его сторону поверх номера «Дейли экспресс».

Робин поставила на стол две чашки, молочник, сахарницу, вазочку с шоколадным печеньем (все это Страйк видел впервые), вежливо улыбнулась в ответ на благодарность и собралась выйти.

— Постойте, Сандра, — остановил ее Страйк. — Можно вас попросить...

Он взял со стола листок бумаги и незаметно положил его на колено. Пока Бристоу хлюпал носом, Страйк начал писать, очень быстро и по мере сил разборчиво:

Погуглите «Лула Лэндри»: правда ли, что ее удочерили, и если да, то кто. С посетительницей (что ей надо?) ничего не обсуждайте. Ответы запишите и принесите мне. Ни слова вслух.

Робин молча приняла у него записку и вышла из кабинета.

— Простите... Мне так неловко, — выдавил Бристоу, когда дверь закрылась. — Это не... Обычно я не... Я уже вернулся к работе, веду дела клиентов...

Он несколько раз сделал глубокий вдох. Покрасневшие глаза еще больше усиливали его сходство с кроликом-альбиносом. Правое колено опять задергалось.

— Для меня это было очень тяжелое время, — прошептал он, стараясь дышать ровнее. — Лула... а теперь вот мама при смерти.

От одного вида шоколадного печенья у Страйка потекли слюнки: он зверски проголодался, но жевать под всхлипы, охи и вздохи Бристоу было бы хамством. На улице пулеметной очередью грохотал отбойный молоток.

— После гибели Лулы мама совсем сдала. Сломалась. У нее онкология. Заболевание было в стадии ремиссии, но сейчас опять наступило ухудшение, и врачи говорят, что помочь ей уже нельзя. Понимаете, она пережила две такие трагедии. Когда не стало Чарли, она едва не лишилась рассудка. Тогда-то отец и подумал, что ей нужен еще один ребенок. Родители всегда хотели девочку. Они подали заявку, но не сразу получили разрешение, а тут подвернулась Лула, мулатка, — таких неохотно берут в семьи; вот так и получилось, что она вошла в наш дом, — сдавленно подытожил Бристоу. — Красавицей б-была с детства. Как-то раз мама взяла ее с собой по магазинам, и Лулу заметили на Оксфорд-стрит. Ею заинтересовалась «Афина». Это одно из самых престижных агентств. К семнадцати годам сестра стала профессиональной моделью. На момент смерти ее состояние оценивалось примерно в десять миллионов. Не знаю, зачем я вам это рассказываю. Вы, наверное, и так в курсе. Лула была на виду — люди считали, что знают о ней все.

Он неловко, трясущимися пальцами взялся за чашку и пролил кофе на безупречно отутюженные брюки.

— Что же конкретно вы хотели мне поручить? — осведомился Страйк.

Опустив дрожащую чашку, Бристоу крепко сцепил пальцы.

— По общему мнению, моя сестра покончила с собой, но я в это не верю.

Страйк вспомнил телевизионные репортажи: черный пластиковый мешок поблескивал под беспрерывными вспышками камер, когда его на носилках грузили в машину; папарацци, сбившись плотной кучкой, направляли объективы на слепые окна, и от черных стекол отскакивали белые блики. Как и любой вменяемый британец, Страйк знал о смерти Лулы Лэндри больше, чем ему хотелось или требовалось. Когда тебя со всех сторон грузят такой историей, ты волей-неволей впитываешь факты и составляешь собственное мнение, подчас настолько предвзятое, что у тебя даже не остается морального права войти в число присяжных.

— Но ведь расследование было проведено по всей форме?

— Да, но главный следователь изначально склонялся к версии самоубийства — только лишь потому, что Лула принимала препараты лития. Он упустил из виду множество фактов — об этом даже писали в интернете.

Бристоу бессмысленно потыкал пальцем в поверхность стола, где должен был стоять компьютер.

Вежливый стук — и в кабинете появилась Робин, которая передала Страйку сложенный листок и тут же вышла.

— Простите, — сказал Страйк. — Мне давно обещали прислать эту информацию.

Чтобы Бристоу не подсматривал, он развернул записку на колене и прочел:

В возрасте четырех лет Лулу Лэндри удочерили — сэр Алек и леди Иветта Бристоу. Росла под именем Лулы Бристоу, но в модельном бизнесе взяла девичью фамилию матери. Есть старший брат Джон, адвокат. В приемной ждет девушка м-ра Бристоу, по профессии — секретарь. Оба работают в фирме «Лэндри, Мей, Паттерсон», основанной дедом Лулы и Джона по материнской линии. Фото Джона Бристоу на сайте ЛМП идентично внешности вашего посетителя.

Скомкав записку, Страйк бросил ее в корзину для бумаг, стоявшую под столом. У него отнялся язык. Значит, Джон Бристоу вовсе не фантазировал, а он, Страйк, получил такую деловую и грамотную временную секретаршу, каких еще не встречал.

— Извините. Продолжайте, пожалуйста, — обратился он к Бристоу. — Вы остановились на... расследовании?

— Да-да, — подтвердил Бристоу, промокая кончик носа мокрым платком. — Конечно, у Лулы были проблемы, я не отрицаю. Мама с ней намучилась. Это началось со смертью отца... вы, очевидно, в курсе, только ленивый об этом не писал... сестру исключили из школы за наркотики, и она махнула в Лондон, где мама разыскала ее в каком-то притоне, среди наркоманов. Лула довела себя до нервного расстройства, сбежала из клиники... вечные скандалы, ни дня покоя. Но в конце концов ей поставили диагноз «маниакально-депрессивный психоз» и назначили соответствующее лечение; с тех пор она сидела на таблетках, зато чувствовала себя прекрасно — вы бы вообще ничего не заподозрили. Даже коронер допустил, что психотропы стали для нее спасением, а вскрытие это подтвердило. Однако же и полиция, и коронер зациклились на одном: у девушки был психиатрический диагноз. Вот они и твердили: она, мол, страдала депрессиями; но я-то знаю, что никакими депрессиями Лула не страдала. В день ее гибели, с утра, мы с ней виделись — она была в отличном настроении. Дела у нее шли в гору, особенно карьера. Недавно ей предложили пятимиллионный контракт сроком на два года, она меня попросила его проверить — там все как надо, не подкопаешься. С этим модельером, Сомэ, — полагаю, вы о нем слышали? — у нее сложились самые добрые отношения. У Лулы график был расписан на месяцы вперед: сейчас ей предстояла фотосессия в Марокко, а она обожала путешествовать. Как видите, у нее не было причин сводить счеты с жизнью.

Страйк вежливо кивал, хотя этот рассказ его не убедил. Самоубийцы, как подсказывал опыт, ловко симулируют интерес к будущему, в котором не видят для себя места. У этой Лэндри золотисто-розовое утро вполне могло смениться мрачным, безнадежным днем, не говоря уже о половине роковой ночи; Страйк мог бы рассказать не один такой случай. Взять хотя бы лейтенанта Королевского стрелкового полка: в ночь после своего дня рождения этот офицер, всеобщий любимец, проснулся и черкнул родным записку, в которой просил их не заходить в гараж и вызвать полицию. Тело, свисающее с балки гаража, обнаружил шестнадцатилетний сын покойного: парень на рассвете побежал через кухню за велосипедом и не заметил оставленную на столе записку.

— Это еще не все, — продолжил Бристоу. — Имеются доказательства, веские доказательства. Хотя бы показания Тэнзи Бестиги.

— Соседки, которая, по ее словам, слышала в верхней квартире ссору?

— Точно! Она слышала, как наверху орал мужчина, и сразу после этого Лула упала с балкона! Полицейские отмахнулись от ее слов по одной причине: эта соседка... она... перед этим нюхнула кокаина. Но это же не значит, что она ничего не соображала! Тэнзи до сих пор твердит, что за считаные секунды до своего падения Лула скандалила с каким-то мужчиной. Уж поверьте — мы с Тэнзи на днях беседовали. Наша фирма занимается ее бракоразводным процессом. Уверен, я смогу ее уговорить с вами встретиться.

Бристоу не спускал тревожного взгляда со Страйка, пытаясь угадать его реакцию.

— А кроме того, есть запись с камеры видеонаблюдения. Минут за двадцать до смерти Лулы некий человек идет в направлении Кентигерн-Гарденз, а затем, уже после ее гибели, тот же самый человек бежит как нахлестанный прочь от этого места. Его личность до сих пор не установлена — полиция даже не пыталась его разыскать.

С плохо скрываемой настырностью Бристоу теперь протягивал Страйку слегка помятый чистый конверт, извлеченный из кармана пиджака:

— Я все записал. Буквально по минутам. Полностью. Сами убедитесь: все сходится.

Появление этого конверта не добавило Страйку доверия к выводам посетителя. Чего только ему не вручали в таких же конвертах: корявые заметки — плоды одиноких размышлений, навязчивые идеи, нудные, однобокие домыслы, за которые цеплялись клиенты, сложные расчеты, подогнанные под случайные совпадения. Между тем у адвоката уже начался нервный тик, опять задергалось колено, рука с конвертом затряслась.

В считаные секунды Страйк сопоставил, с одной стороны, эти признаки неуверенности, а с другой — шикарные, явно изготовленные на заказ ботинки плюс элитные часы «Вашерон Константин». Человек определенно при деньгах и готов раскошелиться — можно будет погасить хотя бы самый неотложный взнос по одному из просроченных займов. И все же, нехотя повинуясь голосу совести, Страйк начал:

— Мистер Бристоу...

— Зовите меня Джон.

— Джон... скажу честно. Я не хочу разводить вас на деньги.

Бледная шея Бристоу, а за ней и невыразительная физиономия пошли красными пятнами; он все еще держал перед собой конверт.

— Что значит «разводить на деньги»?

— Смерть вашей сестры, судя по всему, расследовали со всей возможной тщательностью. За каждым шагом следствия наблюдали миллионы людей во всем мире, в том числе и журналисты. Это обязывало полицейских быть особенно внимательными. Самоубийство — такая штука, с которой нелегко примириться...

— Я не примирился. И никогда не примирюсь. Она себя не убивала. Кто-то столкнул ее с балкона.

Отбойный молоток под окном вдруг умолк, и голос Бристоу загремел на весь кабинет; эта внезапная вспышка неистовства показывала, что робкий посетитель доведен до крайности.

— Понимаю. С вами все ясно. Вы такой же, как все, да? Мозгоправ доморощенный, черт бы вас подрал! Ах-ах, сперва Чарли, потом отец, теперь Лула, да еще матушка при смерти — ты всех потерял, тебе не к сыщику нужно, а к психиатру. Да мне уже плешь проели — думаете, вы один такой умный? — Бристоу вскочил; выглядел он вполне внушительно, несмотря на кроличьи зубы и пятнистую кожу. — Я человек небедный, Страйк. Уж извините за прямоту, но что есть, то есть. Отец завещал мне солидный доверительный фонд. Я узнал расценки на услуги частных сыщиков и готов платить по двойному тарифу.

По двойному тарифу. Совесть Страйка, некогда суровая и непреклонная, давно пошатнулась под многочисленными ударами судьбы, а теперь и вовсе была отправлена в нокаут. Низменная сторона его натуры уже рисовала радужные перспективы: через месяц можно будет расплатиться с этой секретаршей и погасить часть задолженности по аренде; через два месяца — отдать самые срочные долги... через три — возместить почти весь перерасход по счету... а через четыре...

Но тут Джон Бристоу, который уже шел к выходу, комкая в руках ненужный конверт, бросил через плечо:

— Я обратился не к кому попало, а к вам в память о Чарли, но перед этим навел справки — я же не полный идиот. Отдел специальных расследований военной полиции, верно? Боевые награды. Ваш офис произвел на меня впечатление полного убожества, — Бристоу сорвался на крик, и приглушенные женские голоса за дверью умолкли, — но, видимо, я ошибся, коль скоро вы позволяете себе отказываться от заработка. Рад за вас! Не переживайте, я без труда найду кого-нибудь другого. Извините, что оторвал от дел!

4

В течение последних двух минут их разговор все настойчивее проникал сквозь хлипкую перегородку; а когда угомонился отбойный молоток и наступила внезапная тишина, слова Бристоу прозвучали в приемной вполне отчетливо.

Чтобы в такой день не портить себе настроение, Робин развлекалась как могла: она убедительно играла роль постоянного референта и тщательно скрывала от подруги Бристоу, что проработала здесь ровно полчаса. Когда из кабинета стал доноситься разговор на повышенных тонах, она не дрогнула ни одним мускулом, но инстинктивно приняла сторону Бристоу, не вникая в суть конфликта. Притом что род занятий и подбитый глаз Страйка придавали ему некое отрицательное обаяние, с ней он обходился просто безобразно, да и левая грудь у нее до сих пор болела.

Все это время подруга Бристоу неотрывно смотрела в сторону кабинета. Приземистая и очень смуглая, с жидкими волосами и асимметричной стрижкой, она постоянно хмурилась; это впечатление усиливали сросшиеся брови, хотя и выщипанные на переносице. Робин не раз замечала, что в парочки, как правило, объединяются люди одной степени привлекательности, хотя, конечно, есть факторы (например, толстый кошелек), способные заинтересовать и более привлекательного партнера. Робин даже тронуло, что Бристоу, который мог бы найти себе кого-нибудь посимпатичнее, судя по его шикарному костюму и престижному месту работы, выбрал именно эту девушку, — оставалось только надеяться, что она более сердечна и добра, чем предполагал ее внешний вид.

— Вы точно не хотите кофе, Элисон? — спросила Робин.

Посетительница обернулась, как будто начисто забыла о существовании Робин и удивилась, что с ней кто-то заговорил.

— Нет, спасибо, — ответила она глубоким и, как ни странно, мелодичным голосом. — Я понимаю, он злится, — добавила она с непонятным удовлетворением. — Уж как я только его не отговаривала — он и слушать ничего не желает. Похоже, этот, с позволения сказать, детектив ему отказал. И правильно сделал.

Вероятно, Робин не сумела скрыть удивление, потому что Элисон с легким раздражением продолжила:

— Если бы Джон смотрел в лицо фактам, ему бы самому стало легче. Она покончила с собой. Вся родня с этим примирилась, а он, видите ли, не может.

Изображать непонимание не имело смысла. Историю Лулы Лэндри знали все. Более того, Робин помнила, где именно застало ее в морозную январскую ночь известие о самоубийстве топ-модели: у кухонной раковины в доме родителей. По радио передавали новости; Робин даже ахнула от изумления и, в ночной рубашке, бросилась прочь из кухни, чтобы поделиться с Мэтью, который гостил у них в те выходные. Странно, что гибель совершенно чужого человека может так сильно тебя зацепить. Робин восхищалась внешностью Лулы Лэндри. Сама она смахивала на сельскую молочницу, а эта темнокожая топ-модель была яркой, хрупкой и дерзкой.

— Прошло еще не так много времени.

— Три месяца, — сказала Элисон, разворачивая «Дейли экспресс». — Этот сыщик — он хотя бы дело свое знает?

Она брезгливо разглядывала тесную, обшарпанную, давно требующую ремонта приемную; на сайте ЛМП, куда только что заходила Робин, был показан идеальный, похожий на дворец офис, где работала посетительница. Отнюдь не из желания заступиться за Страйка, а просто из чувства собственного достоинства Робин холодно ответила:

— Еще как! Лучше многих.

И с видом профессионала, который на рабочем месте решает такие сложные и секретные вопросы, какие и не снились Элисон, она вскрыла розовый конверт с изображением котенка.

Тем временем Бристоу и Страйк замерли на расстоянии друг от друга: первый кипел от ярости, второй соображал, как бы объявить о своем согласии, не потеряв при этом лицо.

— Мне требуется только одно, Страйк, — хрипло выговорил Бристоу, багровый от волнения. — Справедливость.

Он как будто ударил по магическому камертону: это слово зазвенело в убогом кабинете и отозвалось неслышной, но протяжной нотой в груди Страйка. Бристоу словно нащупал сигнальную лампочку, которую Страйк сумел уберечь, когда все остальное разбилось. Он отчаянно нуждался в деньгах, но Бристоу дал ему другую, более вескую причину отбросить угрызения совести.

— О'кей. Теперь понятно. Я серьезно, Джон: мне все понятно. Давайте вернемся и присядем. Если вы не передумали, я возьмусь за это дело.

Бристоу испепелил его взглядом. В офисе было тихо, лишь снизу изредка долетали приглушенные голоса дорожных рабочих.

— Вы не хотите, чтобы к нам присоединилась ваша... э-э-э... супруга?

— Нет, — отрезал Бристоу, все еще держась за ручку двери. — Элисон считает, что это блажь. Не знаю, для чего она сюда приехала. Наверное, рассчитывала позлорадствовать, когда вы мне откажете.

— Прошу вас... Присядем. Давайте обо всем по порядку.

Бристоу заколебался, но все же направился к своему креслу.

Не утерпев, Страйк засунул в рот целый кружок шоколадного печенья, потом нашел в ящике стола чистый блокнот, откинул обложку, потянулся за ручкой и успел проглотить печенье, пока клиент устраивался на прежнем месте.

— Вы позволите? — Он указал на измятый конверт в руке у Бристоу.

Адвокат неуверенно вытянул руку с конвертом, как будто еще не решил, можно ли доверять этому типу. Страйк не хотел читать записи в присутствии Бристоу: он отложил их в сторону, едва заметно погладил конверт, как бы отмечая, что теперь это важный элемент расследования, и занес ручку:

— Джон, не могли бы вы для ускорения дела вкратце описать все, что произошло в день гибели вашей сестры?

По натуре дотошный и четкий, Страйк был приучен вести следствие проверенными, скрупулезными методами. Перво-наперво дай свидетелю выговориться: в свободном потоке речи проскальзывают какие-то мелочи, явные нестыковки, которые впоследствии могут сослужить бесценную службу. А дальше, собрав первый урожай впечатлений и воспоминаний, направляй разговор сам, чтобы строго и точно упорядочить факты: кто, где, зачем.

— Ох... — выдохнул Бристоу, словно растерявшись после бурного выплеска эмоций. — На самом деле я... дайте подумать...

— Когда вы с ней виделись в последний раз? — пришел на помощь Страйк.

— Это было... да, утром, в тот день, когда она погибла. Мы с ней... честно говоря, мы повздорили, но, слава богу, помирились.

— В котором часу вы встретились?

— Рано. Где-то после восьми, перед работой. Примерно без четверти девять, что ли.

— А из-за чего повздорили?

— Говорю же, из-за ее приятеля, Эвана Даффилда. Они как раз сошлись после разрыва. Когда они расстались, вся родня ликовала — мы думали, это навсегда. Он жуткий тип, наркоман, патологически самовлюбленный; очень плохо влиял на Лулу. Видимо, я высказал ей свое мнение в излишне жесткой форме, теперь... теперь я это понимаю. Я был на одиннадцать лет старше Лулы. Считал своим долгом ее защищать, понимаете? Наверное, иногда перегибал палку. Она всегда меня упрекала за непонимание.

— За непонимание чего?

— Ну... всего. У нее было много больных вопросов. Удочеренная. С темным цветом кожи в семье белых. Она говорила: тебе-то хорошо... Не знаю. Может, и вправду. — Он несколько раз моргнул за линзами очков. — На самом деле наша размолвка была продолжением другой — накануне мы поссорились по телефону. Я просто поверить не мог, что она имела глупость вернуться к Даффилду. Выходит, мы рано радовались... Мало того что сама в прошлом злоупотребляла наркотиками, так еще и связалась с наркоманом... — Он перевел дыхание. — Слышать ничего не хотела. Как всегда. Всех собак на меня спустила.

Распорядилась, чтобы охрана на следующее утро не впускала меня в дом, но... в общем, Уилсон мне махнул: проходите, мол.

Довольно унизительно, подумал Страйк, полагаться на милость привратников.

— Я бы не стал подниматься, — уныло проговорил Бристоу, снова покрываясь пятнами, — но у меня на руках был ее контракт с Сомэ: она поручила мне проверить некоторые пункты, а сроки поджимали... Порой у нее просто не хватало терпения на такие вещи. Короче, Лула была недовольна, что меня пропустили наверх, и мы опять сцепились, но конфликт быстро погас. Она успокоилась. Тогда я ей передал, что мама просит ее заехать. Понимаете, мама только-только выписалась из больницы. Она перенесла гинекологическую операцию. Лула пообещала, что заедет немного позже, но не уточнила когда. Время у нее было расписано по минутам.

Бристоу сделал глубокий вдох; колено дергалось, узловатые руки нелепо терли одна другую, будто под струей воды.

— Не хочу, чтобы вы о ней плохо думали. Многие считали ее эгоисткой, но ведь в семье она была младшим и, естественно, избалованным ребенком, потом болезнь — мы с ног сбились, а в конце концов ее с головой затянул этот сумасшедший мир, где вокруг нее крутилось все: события, новые знакомые, папарацци. Это ненормальное существование.

— Согласен, — поддакнул Страйк.

— Так вот, я сказал Луле, что мама в тяжелом состоянии, и она пообещала заскочить к ней попозже. Я ушел. Заехал к себе в офис и взял у Элисон кое-какие документы — хотел поработать у матери дома, чтобы не оставлять ее одну. Лула приехала ближе к полудню. Посидела с мамой до приезда нашего дяди, заглянула в кабинет, где я работал, и попрощалась. Обняла меня перед тем, как...

У Бристоу дрогнул голос; взгляд уперся в колени.

— Еще кофе? — предложил Страйк.

Бристоу помотал склоненной головой. Чтобы дать ему время прийти в себя, Страйк забрал поднос и направился в приемную.

С его появлением спутница Бристоу оторвалась от газеты и нахмурилась.

— Закончили? — спросила она.

— Как видите, нет, — ответил Страйк, даже не делая попытки улыбнуться. Под ее гневным взглядом он обратился к Робин: — Организуйте нам, пожалуйста, еще кофе, э-э?..

Поднявшись со своего места, Робин молча приняла у него поднос.

— Джону к половине одиннадцатого на работу, — сообщила Элисон, слегка повысив голос. — Мы должны освободиться самое позднее через десять минут.

— Учту, — без выражения заверил ее Страйк и вернулся в кабинет; Бристоу сидел, опустив лоб на сцепленные руки, будто в молитве.

— Извините, — пробормотал он, когда Страйк сел за стол. — Мне все еще трудно об этом говорить.

— Не извиняйтесь. — Страйк подвинул к себе блокнот. — Стало быть, Лула приезжала к маме? В котором часу?

— Около одиннадцати. Следствие установило, чем она занималась после этого. Велела своему водителю отвезти ее в полюбившийся ей бутик, а потом домой. Там у нее была назначена встреча со знакомой визажисткой; к ним присоединилась еще одна подруга, Сиара Портер. Думаю, вы ее не раз видели, она тоже модель. Яркая блондинка. У них с Лулой была совместная фотосессия: их изобразили в обличье ангелов с крыльями — в обнаженном виде, но с сумочками. Сразу после смерти Лулы этот снимок растиражировали для рекламной кампании Сомэ. Многих возмутила такая пошлость. Так вот, Сиара просидела у нее до вечера, после чего они поехали ужинать с Даффилдом и его компанией. Затем все направились в ночной клуб «Узи» и допоздна тусовались там. Даффилд с Лулой поскандалили. У всех на виду. Даффилд пытался силком ее удержать, но она уехала из клуба одна. Из-за такой сцены все сочли его виновным, но оказалось, у него железное алиби.

— Его оправдали на основании показаний субъекта, поставлявшего ему наркотики, правильно я понимаю? — уточнил Страйк, непрерывно строча в блокноте.

— Совершенно верно. В общем... в общем, Лула вернулась домой примерно в двадцать минут второго ночи. Ее сфотографировали у подъезда. Вероятно, вы помните этот снимок. Он потом обошел все газеты.

Страйк прекрасно помнил: одна из самых фотографируемых женщин в мире, втянув голову в плечи и крепко обхватив себя руками, не в силах разлепить глаза, отворачивается от папарацци. Когда огласили вердикт «самоубийство», этот кадр приобрел зловещий оттенок: богатая, красивая, молодая женщина менее чем за полчаса до смерти прячет свое унижение от объективов, доселе желанных и благосклонных.

— Ее всегда караулили у входа папарацци?

— Да, особенно если знали, что она будет возвращаться с Даффилдом, или надеялись подловить ее в нетрезвом виде. Но в ту ночь они собрались не только ради нее. Им стало известно, что в этом же доме остановится некий американский рэпер по имени Диби Макк. Фирма звукозаписи, на которой он выпускается, сняла для него квартиру этажом ниже. Но в конечном счете он там даже не появился: при таком скоплении полиции ему оказалось проще отправиться в отель. Тем не менее поначалу его ждала толпа репортеров, к которым добавились те, что ехали за Лулой от ночного клуба. Они запрудили все подходы к дому; правда, когда Лула скрылась в подъезде, они разошлись. Кто-то им шепнул, что Макк сильно задерживается. Той ночью был жуткий холод. Валил снег. Температура опустилась ниже нуля. Поэтому, когда Лула упала с балкона, на улице было безлюдно.

Бристоу поморгал и отпил кофе, а Страйк подумал о тех папарацци, которые разбрелись ни с чем. Он даже не представлял, какую цену они могли бы заломить за фото Лулы, летящей навстречу смерти, — вероятно, обеспечили бы себя до конца дней.

— Если я правильно понимаю, Джон, вам нужно куда-то спешить к половине одиннадцатого.

— Что? — Бристоу встрепенулся. Посмотрев на свои элитные часы, он ахнул. — Господи, я потерял счет времени. Так что же... что дальше? — недоуменно спросил он. — Вы ознакомитесь с моими записями?

— Непременно, — заверил его Страйк, — и позвоню вам через пару дней, когда проделаю подготовительную работу. Думаю, у меня возникнет еще много вопросов.

— Договорились, — сказал Бристоу, в некотором ошеломлении поднимаясь с кресла. — Вот... возьмите мою визитку. Какая форма оплаты вас устроит?

— За месяц вперед, — ответил Страйк.

Подавляя слабое шевеление стыда и памятуя, что Бристоу сам предложил ему двойной тариф, Страйк назвал запредельную сумму; к его радости, Бристоу и бровью не повел: не стал допытываться, можно ли заплатить кредитной картой или подвезти деньги в другой раз, а просто вынул чековую книжку и ручку.

— Если можно, четверть суммы — наличными, — добавил Страйк, решив попытать счастья, и вновь был поражен, когда Бристоу со словами: «Я и сам подумал, что вы, вероятно, предпочтете...» — отсчитал пачку пятидесятифунтовых купюр в дополнение к чеку.

В приемную они вышли как раз в тот момент, когда Робин собиралась подать Страйку свежеприготовленный кофе. Подруга Бристоу вскочила, как только открылась дверь, и со страдальческим видом сложила газету. Почти такого же роста, как Бристоу, широкоплечая, с большими, мужскими руками, она сохраняла мрачность.

— Неужели вы согласились? — обратилась она к Страйку.

У Страйка возникло такое ощущение, что она заподозрила, будто он хочет поживиться за счет ее богатого друга. Пожалуй, она была недалека от истины.

— Да, Джон решил прибегнуть к моим услугам, — ответил Страйк.

— Ну ясно, — бесцеремонно бросила она. — Теперь ты доволен, Джон?

Адвокат ответил ей улыбкой; девушка вздохнула и погладила его по руке, как слегка рассерженная мать. Джон Бристоу прощальным жестом вскинул ладонь и вышел из офиса, пропустив вперед свою спутницу; из-за входной двери донесся лязг металлических ступенек у них под ногами.

5

Страйк повернулся к Робин, которая опять села за компьютер. У нее на столе, рядом с аккуратными стопками разобранной корреспонденции, стояла приготовленная для него чашка кофе.

— Спасибо. — Он сделал небольшой глоток. — И за вашу записку тоже. Почему вы не работаете на постоянной основе?

— А что? — насторожилась Робин.

— У вас прекрасная грамотность. Все схватываете на лету. Проявляете находчивость — где вы только раздобыли чашки, поднос? Кофе, печенье?

— Одолжила у мистера Крауди. Пообещала, что до обеда мы все вернем.

— Кто такой мистер... как вы сказали?

— Мистер Крауди, со второго этажа. Дизайнер.

— И он вам не отказал?

— Представьте, нет, — с легким вызовом сказала она. — Я подумала, что мы, предложив клиенту кофе, не можем пойти на попятную.

Местоимение множественного числа, как легкое похлопывание по плечу, укрепило душевный подъем Страйка.

— Надо же, те, кого раньше присылали мне «Временные решения», не обладали такими деловыми качествами, уж поверьте. Извините, что все время говорил вам «Сандра» — так звали вашу предшественницу. А на самом деле вас как зовут?

— Робин.

— Робин, — повторил он. — Несложно запомнить.

Он намеревался шутливо намекнуть на Бэтмена и его верного спутника, но эта плоская шутка так и не слетела у него с языка, потому что лицо Робин стало пунцовым. Страйк слишком поздно сообразил, что его невинная реплика может вызвать самые нежелательные умозаключения. На своем вертящемся стуле Робин вновь повернулась к монитору, и Страйку оставалось только созерцать полоску ее пунцовой щеки. За один леденящий миг взаимной неловкости приемная сжалась до размеров телефонной будки.

— Пойду освежусь, — изрек Страйк, оставил на столе почти нетронутую чашку кофе и, боком протискиваясь к выходу, снял с вешалки пальто. — Если будут звонки...

— Мистер Страйк, пока вы не ушли, думаю, вам стоит взглянуть вот на это.

Все еще заливаясь краской, Робин взяла из стопки листок ярко-розовой почтовой бумаги, помещенный вместе с таким же конвертом в прозрачную папку. От взгляда Страйка не укрылось новенькое кольцо.

— Вам грозят убийством, — проговорила она.

— Ну что ж поделаешь, — бросил Страйк. — Да вы не волнуйтесь. Мне такие угрозы приходят по меньшей мере раз в неделю.

— Но...

— Это недовольный клиент, уже бывший. Малость не в себе. Думает пустить меня по ложному следу этой розовой бумажкой.

— Понимаю, но... может, стоит заявить в полицию?

— Чтобы меня подняли на смех? Это вы хотите сказать?

— Не вижу ничего смешного, здесь угроза вашей жизни! — сказала она, и до Страйка дошло, почему она убрала это письмо вместе с конвертом в отдельную папку; он даже немного смягчился.

— Пусть лежит в общей стопке, — распорядился он и указал на конторский шкаф. — Если у человека было намерение меня убить, он сделал бы это давным-давно. Мне уже полгода приходят такие письма — где-то валяются. Итак, вы сможете удерживать рубежи, пока меня не будет?

— Как-нибудь справлюсь, — ответила она, и Страйка позабавили кислые нотки в ее голосе и явное разочарование оттого, что никто не собирается снимать отпечатки пальцев с угрожающих письменных принадлежностей с изображением котенка.

— Если что, номер моего мобильного на визитках в верхнем ящике стола.

— Хорошо, — сказала она, не глядя ни на него, ни на ящик.

— Захотите выйти на обед — пожалуйста. В столе есть запасной ключ.

— Понятно.

— Тогда до скорого.

Он остановился сразу за стеклянной дверью, у тесного, сырого туалета. Ему приспичило, но из уважения к деловой сметке, к бескорыстной заботе секретарши о его безопасности Страйк решил потерпеть до паба и двинулся вниз по лестнице.

На улице он закурил, свернул налево, миновал закрытый бар «12 тактов» и устремился по узкой Денмарк-плейс, мимо витрины с разноцветными гитарами, мимо синих пластмассовых загородок с хлопающими на ветру листовками, подальше от беспощадного грохота отбойного молотка. Обогнув кучи мусора и обломков у «Сентр-пойнта», он оставил позади гигантскую золотую статую Фредди Меркьюри над входом в театр «Доминион» на другой стороне улицы: склоненная голова, вскинутый кулак — ни дать ни взять языческий бог хаоса.

За кучами мусора и дорожной техникой уже виднелся затейливо оформленный фасад паба «Тотнем»; Страйк, с удовлетворением сознавая, как деньги жгут ему ляжку, толкнул дверь и окунулся в безмятежную викторианскую атмосферу темного, отполированного резного дерева и хромированной латуни. Невысокие перегородки из матового стекла, барные стулья, обитые состаренной кожей, золоченые панно с херувимами и рогами изобилия знаменовали собой уверенный, незыблемый мир, составлявший приятный контраст с развороченной улицей. Страйк, взяв себе пинту «дум-бара», прошел в дальний конец безлюдного зала, поставил стакан на высокий круглый столик, под вычурно расписанным куполом потолка, и первым делом сбегал в туалет, где висел неистребимый запах мочи.

После этого он в полном комфорте за десять минут на две трети осушил свою пинту, чем закрепил обезболивающий эффект усталости. У корнуолльского пива был вкус дома, покоя и давно забытой надежности. Прямо напротив красовалось большое смазанное изображение танцующей викторианской девушки с букетом роз. Эта лукавая шалунья, которая следила за ним сквозь дождь розовых лепестков и выставляла напоказ пышную грудь в пене белых кружев, столь же мало напоминала реальную женщину, как тот столик, на котором стояла его пинта, или тучный бармен с конским хвостом, разливавший пиво из кранов.

Теперь Страйк вернулся мыслями к Шарлотте — уж эта, несомненно, была реальной: эффектная, опасная, как загнанная лисица, умная, порой забавная и, как выражался самый старинный друг Страйка, «больная на всю голову». Неужели с ней покончено — на этот раз реально покончено? Скованный усталостью, Страйк вспоминал сцены минувшей ночи и сегодняшнего утра. Шарлотта в конце концов сделала нечто такое, чего он простить не мог, и, конечно, с прекращением действия анестезии боль грозила стать сокрушительной, но пока что ему предстояло решить кое-какие практические вопросы. Квартира на Холланд-парк-авеню, где они жили, — стильная, дорогая, на двух уровнях — принадлежала Шарлотте; это означало, что сегодня в два часа ночи он по собственной воле превратился в бомжа.

(«Переезжай ко мне, Вояка. Оставь, пожалуйста: ты же сам понимаешь, что это для пользы дела. Пока твой бизнес не встанет на ноги, подкопишь деньжат, а я буду тебя выхаживать. Вот когда ты полностью восстановишься, тогда живи как хочешь. Не глупи, Вояка...»

Никто больше не скажет ему «Вояка». Вояка умер.)

Впервые за долгую и бурную историю их отношений он от нее ушел. До этого три раза уходила Шарлотта. Между ними всегда существовало неписаное соглашение: если он когда-нибудь уйдет, если решит поставить точку, расставание будет совсем не таким, какие провоцировала Шарлотта, — пусть болезненные и тяжелые, но заведомо временные.

Шарлотта не успокоится, пока не отомстит ему со всей жестокостью, на какую только способна. Та дикая сцена, которую она устроила сегодня утром, вломившись к нему в офис, — это еще цветочки по сравнению с тем, что его ожидало в ближайшие месяцы, а то и годы. Никогда в жизни он не сталкивался с такой неуемной жаждой мести.

Страйк прохромал к стойке, заказал еще пинту и в мрачных раздумьях вернулся к своему столику. Разрыв с Шарлоттой поставил его на грань полного краха. Он по уши увяз в долгах, и, если бы не Джон Бристоу, ему пришлось бы обзавестись спальным мешком и ночевать под открытым небом. Кроме шуток: потребуй Гиллеспи срочного погашения ссуды, взятой на первый взнос за офис, Страйку не осталось бы ничего другого, кроме как заделаться бродягой.

(«Я звоню узнать, как у вас дела, мистер Страйк, потому что деньги за текущий месяц до сих пор не пришли... Можем ли мы надеяться, что они поступят в ближайшие два-три дня?»)

А ко всему прочему (раз уж лезет в голову вся эта холера, почему бы не составить исчерпывающий список?), за последнее время он сильно прибавил в весе — примерно десять кило, отчего стал ощущать не только тяжесть и неповоротливость, но и совершенно лишнее давление на культю, сейчас поднятую на латунную перекладину под столешницей. У Страйка даже развилась небольшая хромота, и все потому, что избыточный вес приводил к потертостям. А марш-бросок через ночной Лондон, да еще с рюкзаком на плече, только добавил неприятных ощущений. Но когда в кармане пусто, способ передвижения выбирать не приходится.

Пришлось тащиться к стойке за третьей пинтой. Вернувшись к себе за столик под куполом, Страйк вытащил из кармана мобильный и позвонил приятелю, который служил в лондонской полиции: познакомились они всего пару лет назад, но при чрезвычайных обстоятельствах, и это их сплотило.

Как Шарлотта была единственной, кто говорил ему «Вояка», так и Ричард Энстис, инспектор уголовной полиции, единственный звал его «Мистик Боб» — это имя прогремело из трубки в ответ на знакомый голос.

— У меня к тебе просьба, — сказал ему Страйк.

— Выкладывай.

— Кто вел дело Лулы Лэндри?

Листая служебный телефонный справочник, Энстис успел поинтересоваться у Страйка: как бизнес, как невеста, как правая нога? Страйк трижды соврал.

— Рад слышать, — обрадовался Энстис. — Вот, нашел телефон Уордла. Парнишка неплохой; слишком собой любуется, но лучше уж законтачить с ним, чем с Карвером, — тот говнюк редкостный. Могу замолвить за тебя словечко Уордлу. Если хочешь, прямо сейчас ему звякну.

Страйк выдернул из ячейки рекламного стенда какую-то листовку и записал номер Уордла рядом с изображением конных гвардейцев.

— Когда в гости выберешься? — спросил Энстис. — Заходите с Шарлоттой как-нибудь вечерком.

— Обязательно. Я перезвоню. Сейчас дел по горло.

Закончив разговор, Страйк погрузился в задумчивость, а потом набрал номер другого знакомого, который в отцы годился Энстису, но, условно говоря, шел по жизни противоположным курсом.

— За тобой должок, парень, — сказал Страйк. — Требуется кое-какая информация.

— На тему?

— А это ты сам скажи. Мне нужно, чтобы легавый клюнул.

Разговор тянулся минут двадцать пять: он прерывался паузами, которые становились все длиннее и многозначительнее, но в итоге Страйк получил, во-первых, приблизительный адрес и два имени, которые записал рядом с теми же конными гвардейцами, а во-вторых, серьезное предупреждение, которое записывать не стал, но принял к сведению. Беседа завершилась на дружеской ноте, и Страйк, широко зевая, набрал номер Уордла; почти мгновенно ему ответил громкий, резкий голос:

— Уордл.

— Да, здравствуйте. Я Корморан Страйк, мне...

— Как-как?

— Именно так, Корморан Страйк, — сказал он. — Это мое полное имя.

— Ага, — сообразил Уордл. — Мне уже Энстис звонил. Вы частный сыщик? Энстис говорит, вас интересует Лула Лэндри?

— Именно так, — повторил Страйк, подавляя зевок и разглядывая роспись потолка — сцену разнузданной вакханалии, в которой он при более внимательном рассмотрении узнал праздник фей: «Сон в летнюю ночь», человек с ослиной головой[1]. — Но мне, по правде говоря, нужно посмотреть дело.

Уордл хохотнул:

— Я тебе по жизни ничего не должен, приятель.

— У меня есть информация, которая может тебя заинтересовать. Вот я и подумал, что мы сумеем произвести обмен.

Наступила короткая пауза.

— Я так понимаю, все остальное — не телефонный разговор?

— Совершенно верно, — ответил Страйк. — Где бы ты предпочел посидеть за пинтой пива после трудов праведных?

Черкнув название паба, расположенного вблизи Скотленд-Ярда, Страйк подтвердил, что ровно через неделю (если уж раньше никак) его в принципе устроит, и отсоединился.

А ведь так было не всегда. Всего пару лет назад он имел право когда вздумается допрашивать свидетелей и подозреваемых — в точности как сейчас этот Уордл: время его ценится намного дороже чужого, а потому он сам определяет дату, место и длительность любой встречи. В точности как Уордл, Страйк раньше ходил в штатском; его грела близость к командованию и престижность службы. А нынче он, хромой черт в жеваной рубашке, вынужден пускать в ход старые связи, чтобы только заключить сделку с этим юнцом, который раньше почел бы за честь ответить на его звонок.

— Жопа ты, — сказал Страйк в гулкий высокий стакан.

Третья пинта прошла так славно, что он даже не заметил.

---

[1] В комедии У. Шекспира «Сон в летнюю ночь» ткач Моток, надев ослиную маску-голову, будит королеву фей Титанию своей песенкой:

> Кукушка, что поет ку-ку
> И дразнит рогачей,
> Наводит на мужей тоску,
> А возразить не смей...
>
> *(Перевод М. Лозинского)*

У него задребезжал мобильный: звонили из офиса. Не иначе как Робин хотела ему сообщить, что Гиллеспи требует денег. Страйк перенаправил звонок в голосовую почту и, опрокинув в рот последние капли, вышел на улицу.

В воздухе было ясно и свежо, на мокром тротуаре поблескивали лужи, которые вспыхивали серебром от движения легких облаков. Страйк опять закурил и еще немного постоял у дверей паба «Тотнем», наблюдая, как рабочие ходят кругами у выбоины на проезжей части. Докурив, он неторопливо побрел по Оксфорд-стрит, чтобы «Временные решения» уж точно убрались из конторы и дали ему возможность завалиться спать.

На тот случай, если Страйк вернется, Робин выждала десять минут, а потом сделала несколько приятнейших звонков со своего мобильного. Подруги встречали новость о ее помолвке либо восторженным визгом, либо завистливыми репликами — и то и другое одинаково грело ей душу. Отведя себе на обед целый час, Робин купила три свадебных журнала и пачку печенья для возврата (офисная копилка для мелочи, то есть жестяная банка из-под галет, задолжала ей сорок два пенса), а потом вернулась в пустую контору, где сорок минут в полном восторге изучала букеты и подвенечные наряды.

Когда ее самовольный обеденный перерыв закончился, Робин вымыла чашки и поднос, чтобы вместе с пачкой печенья вернуть их мистеру Крауди. Заметив, что он усиленно пытается вовлечь ее в разговор и рассеянно шарит по ней взглядом от губ до бюста, она решила всю предстоящую неделю держаться от него подальше.

Страйк не возвращался. От нечего делать Робин разобрала ящики стола и выбросила мусор, оставленный, по всей видимости, ее предшественницами: два пыльных квадратика молочного шоколада, стертую наждачную пилку для ногтей и ворох бумажек с безымянными номерами телефонов и какими-то каракулями. В столе обнаружилась коробка допотопных металлических зажимов (ей никогда такие не попадались) и стопка чистых синих блокнотов небольшого формата, которые даже без наклеек имели официальный вид. Опыт конторской работы подсказывал Робин, что их стянули из какого-то учреждения.

Время от времени в приемной звонил телефон. Похоже, ее новый босс был известен под самыми разными именами. Кому-то требовался «Огги», кому-то — «Шустрила», а сухой, отрывистый голос настаивал, чтобы «мистер Страйк» незамедлительно связался с мистером Питером Гиллеспи. Каждый раз Робин пыталась дозвониться до Страйка, но попадала в голосовую почту. Она прилежно наговаривала сообщения, а потом записывала номера телефонов и фамилии на желтые стикеры, относила в кабинет и там аккуратно приклеивала к столу.

На улице по-прежнему грохотал отбойный молоток. Часа в два оживился жилец мансарды, и над головой стал раздаваться скрип; а в остальном казалось, будто в здании никого больше нет. От одиночества и еще от восторга, который переполнял ее при каждом взгляде на заветное кольцо, Робин осмелела. Она взялась наводить порядок в своих временных владениях.

За общим убожеством и вековой грязью тесной приемной Робин вскоре обнаружила четкую упорядоченность, которая порадовала ее собственную аккуратную и организованную натуру. В конторском шкафу, что стоял у нее за спиной, в хронологической последовательности выстроились бурые картонные папки (нелепо старомодные в век яркого пластика); у каждой на корешке был от руки надписан порядковый номер. Открыв наугад первую попавшуюся, она увидела, что зажимы используются для скрепления разрозненных листов. Почти все записи были сделаны намеренно неразборчивым почерком. Она посчитала, что так принято у полицейских; видимо, Страйк прежде служил в полиции.

В среднем ящике конторского шкафа Робин нашла целую пачку упомянутых Страйком розовых записок с угрозами, а рядом — тонкую стопку бланков соглашения о конфиденциальности. Форма самая обычная: нижеподписавшиеся обязуются хранить в тайне и не разглашать третьим лицам конфиденциальную информацию, полученную ими при исполнении своих служебных обязанностей. После недолгого раздумья Робин поставила на одном бланке дату и подпись, а потом отнесла его в кабинет — боссу осталось только расписаться на пунктирной линии. В одностороннем порядке приняв зарок молчания, она вернула себе ощущение тайны, даже романтики, которая грезилась ей за стеклянной дверью с гравировкой, покуда эта дверь по милости Страйка не дала ей по лбу и чуть не спустила кубарем с лестницы.

Когда бланк лег на стол начальства, Робин заметила в углу рюкзак, задвинутый за картотечный шкаф. Из оскаленных зубцов молнии торчали несвежая рубашка, будильник и мыльница. Торопливо, как будто увидев нечто постыдное и глубоко личное, Робин захлопнула дверь в кабинет. Все срослось: явление красавицы-брюнетки, выскочившей утром из подъезда, многочисленные ссадины на лице Страйка и его запоздалая, как она поняла, но решительная погоня. В своем новом, счастливом качестве невесты Робин готова была проникнуться отчаянной жалостью к любому, кому не так повезло в личной жизни, — если, конечно, отчаянная жалость вписывалась в невыразимое удовольствие, которое доставлял ей собственный относительный рай.

В пять часов, так и не дождавшись временного начальства, Робин решила, что может идти домой. Мурлыча себе под нос, она заполнила табель учета рабочего времени, а когда надевала пальто, уже запела вслух; потом заперла входную дверь, бросила ключ в почтовую прорезь и с осторожностью начала спускаться по металлической лестнице — навстречу Мэтью и домашнему уюту.

7

Страйк до вечера кантовался в здании студенческого центра Лондонского университета, где, решительно и хмуро прошагав мимо вахты, избавил себя от необходимости отвечать на вопросы и предъявлять студенческий билет. Вначале он сходил в душевую, а оттуда направился в буфет, взял черствый рогалик с ветчиной и плитку шоколада. Затем, плохо соображая от усталости, побродил по улицам, покурил, зашел в пару дешевых магазинов и на полученные от Бристоу деньги накупил всяких мелочей, необходимых тому, кто остался без крова. С первыми сумерками он обосновался в итальянском ресторане, составил пакеты у себя за спиной, выпил пива и чуть не забыл, почему вынужден убивать время.

В контору он вернулся около восьми. Лондон в этот час был особенно дорог его сердцу: рабочий день окончен, окна пабов, как драгоценные камни, лучатся теплым светом, на улицах кипит жизнь, а солидное постоянство старых зданий, смягченное огнями фонарей, внушает поразительную уверенность. Ковыляя по Оксфорд-стрит с упакованной раскладушкой, он так и слышал их мягкий шепот: ты не один такой. Семь с половиной миллионов сердец билось в этом старинном холмистом городе, и многим было куда больней. Магазины закрывались, небо окрашивалось цветом индиго, а Страйк утешался бескрайностью города и собственной обезличенностью.

Втащить раскладушку по железной лестнице на третий этаж оказалось непросто; когда Страйк добрался наконец до своего офиса, боль в правой голени стала нестерпимой. Он ненадолго прислонился к двери, перенес вес на левую ногу и увидел, как запотевает стекло от его дыхания.

— Жирный ублюдок, — высказался он вслух. — Старая развалина.

Утирая пот, Страйк повернул ключ в замочной скважине и свалил покупки прямо за порогом. В кабинете он сдвинул в сторону письменный стол и установил раскладушку, бросил на нее спальный мешок, взял свой дешевый чайник и сходил на лестничную площадку за водой.

На ужин у него была лапша быстрого приготовления — он выбрал марку «Пот нудл», потому что она напомнила ему сухой паек: он машинально потянулся к знакомому контейнеру, когда почувствовал какую-то глубинную связь между пищей, которую достаточно залить водой и разогреть, и ожидавшим его временным пристанищем. Плеснув в контейнер кипятку, он уселся в свое рабочее кресло и стал есть лапшу пластиковой вилкой, позаимствованной в студенческой столовой. Улица за окном почти опустела, в конце проезжей части мелькал транспорт, а двумя этажами ниже, в баре «12 тактов», тяжело ухала бас-гитара.

Место для ночлега было вполне сносным. Знавал он и похуже. Взять хотя бы каменный пол многоэтажной парковки в Анголе, или разбомбленный металлический завод, где они спали в палатках, а по утрам харкали черной сажей, или — самое гнусное — ночлежку в Норфолке, куда мать притащила его вместе с одной из сводных сестер, когда ему было восемь, а сестре шесть. Помнил он и неуютную больничную койку, на которой провалялся не один месяц, и заброшенные трущобы (где также обретался вместе с матерью), и промерзший лес, где находился их военный лагерь. По сравнению со всем прочим узкий, неприветливый лагерный лежак под единственной голой лампочкой выглядел невероятной роскошью.

Обзаведясь предметами первой необходимости, Страйк будто погрузился в знакомый солдатский быт, когда делаешь то, что положено, без вопросов и жалоб. Он выбросил пустой контейнер, включил свет и подсел к столу, за которым Робин провела почти весь день.

Занимаясь подготовкой нового дела — жесткая картонная папка, чистые листы бумаги, металлический зажим, блокнот с записями откровений Бристоу, рекламная листовка из паба «Тотнем», — он отметил порядок в ящиках стола, протертый от пыли монитор, отсутствие чашек и остатков еды, а также легкий запах средства для ухода за мебелью. С некоторым любопытством он открыл жестянку для мелочи и обнаружил там выведенное аккуратным, округлым почерком Робин сообщение о том, что ей причитается сорок два пенса за пачку шоколадного печенья. Страйк взял сорок фунтов из наличности, полученной от Бристоу, и бросил в жестянку, а затем, поразмыслив, отсчитал сорок два пенса мелочью и положил сверху.

После этого он вынул из верхнего ящика секретарского стола одну из уложенных аккуратным рядком шариковых ручек и начал плавно и быстро писать, начав с даты. Конспект беседы с Бристоу он вырвал из блокнота и вложил в папку отдельно; перечислил все действия, совершенные к этому моменту, включая звонки Энстису и Уордлу плюс номера их телефонов (неучтенными остались только сведения о его знакомце, от которого был получен полезный адресок с парой имен).

Напоследок Страйк присвоил делу порядковый номер и надписал его на корешке вместе с темой «Лула Лэндри: внезапная смерть», а затем убрал папку в ящик конторского шкафа, в крайний правый угол.

Только теперь он сподобился открыть конверт, в котором, если верить Бристоу, содержались важные сведения, ускользнувшие от внимания полиции. Почерк типично адвокатский, убористый, аккуратный, с наклоном влево. Как и обещал Бристоу, содержание этих записей касалось в основном человека, обозначенного условным прозвищем Бегун.

Этого рослого чернокожего парня, закрывающего лицо шарфом, зафиксировала камера видеонаблюдения в ночном автобусе, который шел от Ислингтона в сторону Уэст-Энда. В автобус он вошел примерно за пятьдесят минут до гибели Лулы Лэндри. А после этого попал в объектив такой же камеры в Мейфэре, когда двигался в направлении дома Лэндри в час тридцать девять ночи. Как показало видео, Бегун сверился с листком бумаги («м/б, адрес или план?» — прокомментировал Бристоу в своих записях), а потом исчез из кадра.

Вскоре Бегун промчался мимо той же камеры в обратном направлении; было это в два часа двенадцать минут. «Следом бежал еще один чернокожий: м/б, этот стоял на стреме? Незадачливые угонщики? Как раз в это время за углом сработала автосигнализация», — сообщал Бристоу.

Наконец, имелась съемка, сделанная еще одной камерой, в нескольких милях от места происшествия: той же ночью, но ближе к рассвету чернокожий, сильно напоминающий Бегуна, идет по мостовой в районе Грейз-Инн-сквер. Лицо, отмечал Бристоу, по-прежнему закрыто шарфом.

Страйк прервался, протер глаза и содрогнулся от боли: он совершенно забыл про фингал. Теперь его охватила беспричинная нервозность — свидетельство полного изнеможения. С протяжным недовольным вздохом он стал обдумывать заметки Бристоу, сжимая в волосатом кулаке авторучку, чтобы по мере надобности делать собственные примечания.

Возможно, на своем рабочем месте, дающем ему право на шикарную гравированную визитку, Бристоу толковал законы бесстрастно и объективно, однако же в повседневной жизни, как убедился Страйк по прочтении этих заметок, над его клиентом довлела ничем не подкрепленная навязчивая идея. Не важно, из чего она родилась: то ли из потаенного страха перед этим городским человеком-призраком, чернокожим злодеем, то ли из каких-то других, более глубинных, более личных соображений, но невозможно было себе представить, чтобы полиция оставила без внимания Бегуна и его спутника (будь то угонщик или всего лишь пособник); а если с него сняли все подозрения, значит на то были веские причины.

Широко зевнув, Страйк перевернул страницу.

В час сорок пять Деррик Уилсон, дежурный охранник, почувствовал недомогание и отлучился в служебный туалет, где просидел примерно четверть часа. Иными словами, за пятнадцать минут до смерти Лулы Лэндри в вестибюле дома никого не было: кто угодно мог войти и выйти, оставшись незамеченным. Уилсон прибежал на пост уже после падения Лулы, заслышав крики Тэнзи Бестиги.

В этот интервал как раз укладывалось то время, которое потребовалось Бегуну, чтобы оказаться у дома номер восемнадцать по Кентигерн-Гарденз, коль скоро камера на углу Олдербрук и Беллами зафиксировала его в час сорок девять.

— Интересно знать, — пробормотал Страйк, потирая лоб, — как он увидел через входную дверь, что охранник засел в сортире?

Я побеседовал с Дерриком Уилсоном — тот охотно согласился на встречу.

Небось не задаром, подумал Страйк, приметив под этими заключительными словами номер телефона охранника.

Он опустил на стол ручку, с помощью которой собирался делать собственные пометки, и приобщил записи Бристоу к прочим материалам. Потом выключил настольную лампу и пошел отлить. Почистил зубы над потрескавшейся раковиной, запер стеклянную дверь, поставил будильник и разделся.

При неоновом свете уличных фонарей Страйк отстегнул протез, высвободил ноющую культю и убрал гелевую прокладку, больше не спасавшую от болезненных ощущений. Положив протез рядом с поставленным на подзарядку мобильником, он втиснулся в спальный мешок, сцепил руки под головой и уставился в потолок. Теперь, как он и опасался, свинцовая усталость тела не могла унять растревоженный ум. Вновь открывшиеся застарелые болячки не давали покоя.

Что она сейчас делает?

Вчера вечером в какой-то параллельной вселенной он еще обитал в самом желанном районе Лондона, в прекрасной квартире, вместе с женщиной, при виде которой встречные мужчины косились на Страйка с завистливым недоверием.

«Давай съедемся. Оставь, пожалуйста, Вояка, это же для пользы дела. Ну почему нет?»

С самого начала он знал, что это ошибка. Они уже пробовали, и каждая новая попытка оборачивалась еще большей катастрофой.

«Господи, мы ведь помолвлены, почему бы нам не жить вместе?»

Она стремилась ему доказать, что, едва не потеряв его навсегда, изменилась так же необратимо, как и он, у которого осталось полторы ноги.

«Плевать на кольцо. Не говори глупостей, Вояка. Все свои деньги ты должен вкладывать в бизнес».

Страйк закрыл глаза. После утренней сцены пути назад не было. Шарлотта изолгалась, причем даже в главном. Но он обдумывал те события снова и снова, будто давно решенный пример, в котором заподозрена элементарная погрешность. Он

методично сопоставлял вечные изменения дат, отказы прокон-
сультироваться с врачом или фармацевтом, взрывную реакцию
на любые его просьбы о разъяснениях, а потом — внезапное
заявление о том, что все кончено, без малейшего намека на бы-
лые чувства. Помимо массы других подозрительных фактов,
он выяснил (дорогой ценой), что Шарлотта склонна к патоло-
гическим измышлениям и постоянно стремится его провоци-
ровать, терзать, испытывать.

«Не смей докапываться. Привык солдатню укуренную строить. Я что тебе — уголовное преступление, чтобы ты меня расследовал? Твое дело — меня любить, а ты за каждую мелочь цеп-
ляешься...»

Но каждая новая ложь вплеталась в ее существо, в ткань ее
жизни, а потому находиться с нею рядом, любить, добиваться
правды и сохранять при этом рассудок становилось все труднее.
Как же произошло, что он, который с ранней юности испытывал потребность расследовать, узнавать наверняка, извлекать
истину из каждой головоломки, без памяти и без срока влю-
бился в женщину, которая врала так же легко, как дышала?

— Все кончено, — сказал он себе. — Давно к тому шло.

Но признаваться Энстису он не хотел, да и никому другому
не решился бы открыть правду, по крайней мере до поры до
времени. В Лондоне у него было полно друзей, которые с радостью пустили бы его под свой кров, предоставили бы и отдельную комнату, и холодильник, успокоили, помогли. Однако
же за удобную кровать и домашнюю жратву нужно расплачи-
ваться: сидеть за кухонным столом, когда дети в чистых пижам-
ках уложены спать, и выслушивать возмущенные соболезнования друзей, их жен и подруг. Нет, лучше уж мрачное одиночество, лапша и спальный мешок.

Нога, которую оторвало два с половиной года назад, все еще
болела. Она никуда не делась: вот и сейчас он при желании мог
бы пошевелить в спальном мешке несуществующими пальцами.
Измотанный до предела, Страйк долго не смыкал глаз, а потом
увидел в своих снах Шарлотту, роскошную, ядовитую, одержи-
мую.

ЧАСТЬ ВТОРАЯ

Non ignara mali miseris succurrere disco.

Горе я знаю — оно помогать меня учит несчастным.

Вергилий. Энеида. Книга первая[1]

---

[1] Перевод С. А. Ошерова.

1

— «Хотя смерть Лулы Лэндри стала предметом тысяч статей и многочасовых телевизионных репортажей, мы редко задаемся вопросом: почему нам не все равно?

Спору нет, она была сказочно хороша собой, а красивые девушки остаются мощным средством продвижения печатной продукции с тех самых пор, когда Дейна Гибсон начал создавать графические портреты томных русалок для журнала „Нью-Йоркер“[1].

Ко всему прочему, она была чернокожей, вернее, восхитительного цвета *café au lait*, что, как нам твердили, знаменовало собой шаг вперед в той сфере, где важна только видимость. (У меня это вызывает сомнения: с таким же успехом можно предположить, что в этом сезоне *café au lait* — просто модный цвет. Разве с появлением Лулы Лэндри в индустрию моды хлынул поток чернокожих девушек? Разве ее успех перевернул наши представления о женской красоте? Разве черные Барби нынче продаются лучше, чем белые?)

Несомненно, родные и близкие настоящей Лулы Лэндри убиты горем; приношу им свои глубокие соболезнования. Однако нас, читателей и зрителей, не постигла личная трагедия, которая могла бы оправдать такое повышенное внимание. Девушки гибнут ежедневно, в том числе и при „трагических“ (читай: противоестественных) обстоятельствах, таких как автокатастрофы, передозировка наркотиков, а подчас и голодание, с помощью которого они хотят добиться такой же фигуры, какую

---

[1] Чарльз *Дейна Гибсон* (1867–1944) — американский художник-иллюстратор; «девушки Гибсона» считались идеалом красоты на рубеже веков.

демонстрируют нам Лула и ей подобные. Вспоминаем ли мы хоть кого-нибудь из этих погибших девушек, перевернув газетную страницу с фотографией непримечательного личика?»

Робин прервала чтение, чтобы глотнуть кофе и откашляться.

— Развели тут ханжество, — пробурчал Страйк.

Сидя у торца ее стола, он вклеивал в дело фотографии, каждую нумеровал и составлял указатель. Робин продолжила чтение с монитора:

— «Наш несоразмерный интерес, граничащий со скорбью, вполне объясним. До того как Лэндри выбросилась с балкона, тысячи женщин отдали бы все, что угодно, лишь бы поменяться с ней местами. Даже после того, как ее тело увезли в морг, рыдающие девочки несли цветы к подъезду дома, где у Лулы был пентхаус стоимостью четыре с половиной миллиона фунтов стерлингов. Разве хоть одну начинающую модель остановили в ее погоне за таблоидной славой взлет и жестокое падение Лулы Лэндри?»

— Давай ты, не тяни резину, — проворчал Страйк. — Это я не вам, это я ей, — поспешно добавил он. — Автор — женщина, точно?

— Точно, некая Мелани Телфорд, — ответила Робин и прокрутила текст к самому началу, чтобы рассмотреть фото немолодой блондинки с тяжелым подбородком. — Дальше можно пропустить?

— Нет-нет, продолжайте.

Робин еще раз кашлянула и стала читать дальше:

— «Ответ, разумеется, будет отрицательным». Потом у нее про то, как все же можно остановить начинающих фотомоделей.

— Ну ясно.

— Так, что тут еще... «Через сто лет после Эммелин Панкхёрст[1], боровшейся за права женщин, половозрелые представительницы целого поколения стремятся лишь к тому, чтобы их низвели до уровня бумажной куклы, плоской аватарки, чьи растиражированные эскапады скрывают за собой такие наруше-

---

[1] *Эммелин Панкхёрст* (1858–1928) — лидер британского движения суфражисток, сыгравшая важную роль в борьбе за избирательные права женщин.

ния и расстройства, которые толкнули ее вниз головой с четвертого этажа. Внешний эффект — это все: модельер Ги Сомэ поспешил уведомить прессу, что Лула Лэндри выбросилась из окна в его платье, и вся коллекция была распродана за сутки после ее смерти. Можно ли придумать более действенную рекламу, чем сообщение о том, что Лула Лэндри отправилась к Всевышнему в платье от Сомэ?

Нет, мы оплакиваем не потерю этой молодой женщины, которая была для нас не более реальна, чем томные рисованные красотки Гибсона. Мы оплакиваем зримый образ, который мелькал на первых полосах бесчисленных таблоидов и на обложках глянцевых журналов, образ, продававший нам одежду, аксессуары и саму концепцию знаменитости, которая с гибелью Лулы оказалась пшиком и лопнула как мыльный пузырь. Если уж честно, нам больше всего не хватает увлекательных похождений этой тоненькой как былинка неугомонной девушки, чье картинное существование, в котором уживались наркотики, дебоши, умопомрачительные наряды и опасный, переменчивый бойфренд, никогда больше не завладеет нашим вниманием. Бульварные издания, которые кормятся за счет знаменитостей, освещали похороны Лэндри более подробно, чем любую звездную свадьбу; издатели еще долго будут помнить Лулу. Нам показали, как плачут всевозможные знаменитости, тогда как родные Лулы Лэндри не удостоились даже крошечного изображения: нефотогеничное, видимо, семейство.

Меня глубоко тронул рассказ одной девушки, присутствовавшей на церемонии прощания. В ответ на вопрос человека, в котором, вероятно, она не заподозрила репортера, девушка поведала, что познакомилась, а затем и подружилась с Лэндри в наркологической клинике. Во время панихиды эта девушка сидела в заднем ряду, а потом незаметно исчезла. Она не стала продавать свою историю, в отличие от многих, с кем при жизни общалась Лэндри. Но кто, как не она, мог бы рассказать нам что-нибудь человечное о подлинной Луле Лэндри, к которой потянулась простая девушка. Те из нас, кто...»

— А имя этой простой девушки из наркалечебницы там не указано? — перебил Страйк.

Робин молча пробежала глазами окончание статьи.

— Нет.

Страйк почесал кое-как выбритый подбородок:

— Бристоу тоже не упоминает никаких подружек из наркологической клиники.

— Вы считаете, она может сообщить нечто важное? — встрепенулась Робин, поворачиваясь к нему на своем вертящемся стуле.

— Интересно было бы побеседовать хоть с кем-то, кого сблизил с Лулой курс лечения, а не дебош в ночном клубе.

Страйк поручил Робин пробить по интернету связи Лэндри только потому, что не смог придумать для нее других дел. Она уже позвонила охраннику Деррику Уилсону и договорилась, что утром в пятницу Страйк подъедет в Брикстон и встретится с ним в кафе «Феникс». Корреспонденции оказалось всего-ничего — два циркуляра и какое-то последнее требование; телефон молчал; то, что можно было расположить в алфавитном порядке, уже стояло стройными рядами, а все остальное, рассортированное по категориям и цветам, лежало аккуратными стопками.

Вчера Страйк так поразился ее успешному поиску в «Гугле», что решил и сегодня дать ей аналогичное поручение, хотя и без особой надобности. В течение последнего часа с небольшим она зачитывала ему разрозненные заметки и статьи, посвященные Луле и ее окружению, а Страйк тем временем разбирал пачку квитанций, телефонных счетов и фотографий, имеющих отношение к его единственному, кроме нынешнего, делу.

— Может быть, поискать информацию об этой девушке? — предложила Робин.

— Угу, — рассеянно ответил Страйк, изучая фотографию коренастого лысеющего мужчины в костюме и чрезвычайно аппетитной рыжеволосой красотки в узких джинсах.

Мужчину звали Джеффри Хук; а эта рыженькая ничем не напоминала миссис Хук, которая до Бристоу представляла собой всю клиентуру Страйка. Теперь Страйк поместил этот снимок в папку и присвоил ему номер двенадцать, а Робин между тем вернулась к компьютеру.

Недолгая тишина нарушалась только шуршанием фотографий и стуком коротких ногтей Робин по клавишам. Плотно закрытая дверь в кабинет Страйка скрывала от посторонних глаз раскладушку и другие признаки обитания, а густой химический запах лайма говорил о том, что перед приходом секретарши Страйк щедро опрыскал всю контору дешевым цитрусовым освежителем воздуха. Чтобы Робин не подумала, будто он, садясь за стол сбоку от нее, подбивает к ней клинья, Страйк сделал вид, что впервые заметил кольцо, и минут пять вежливо и совершенно отстраненно расспрашивал ее о женихе. Он выведал, что Мэтью — новоиспеченный финансовый аналитик, что Робин в прошлом месяце переехала к нему из Йоркшира и что для нее работа временной секретарши — это лишь промежуточный этап.

— Как вы думаете, нет ли ее на этих снимках? — через некоторое время спросила Робин. — Той девушки из наркологической клиники?

Она вывела на экран серию однотипных траурных фотографий, изображавших одетых в темное людей, которые движутся слева направо. Фон каждого снимка составляли ограждения и размытые лица в толпе.

Самая поразительная фотография запечатлела очень высокую, бледную девушку с золотистыми волосами, собранными в конский хвост; на макушке у нее примостилось изящное сооружение из черного тюля и перьев. Страйк ее узнал, да и как было не узнать: модель Сиара Портер — Лула провела с ней свой последний день; подруга, вместе с которой Лэндри участвовала в самой знаменитой фотосессии за всю свою карьеру. На траурной церемонии Портер выглядела прекрасной и сумрачной. Судя по всему, одна приехала одна: на фотографии не просматривалось обрезанной руки, которая поддерживала бы ее под хрупкий локоток или покоилась бы на изящной спине.

Следующая фотография сопровождалась подписью: «Кинопродюсер Фредди Бестиги с женой Тэнзи». Телосложением Бестиги смахивал на быка: короткие ноги, широкая грудь колесом и толстая шея. Ежик седых волос, лицо — сплошные складки, мешки и родинки; мясистый нос — как опухоль. Тем не менее выглядел он импозантно благодаря дорогому черному пальто и бестелесной молодой жене. О внешности Тэнзи судить было невозможно: поднятый воротник шубки и большие круглые темные очки полностью скрывали ее лицо.

Последним в верхнем ряду был модельер Ги Сомэ, худощавый, чернокожий, в темно-синем сюртуке экстравагантного покроя. Он склонил голову, и свет падал так, что выражения лица не было видно, зато в мочке уха сверкали как звезды три большие бриллиантовые серьги. Подобно Сиаре Портер, он, видимо, приехал без сопровождения, хотя вместе с ним в кадр попало несколько людей в трауре, не удостоившихся отдельной подписи.

Страйк придвинулся поближе к монитору, стараясь держаться на расстоянии вытянутой руки от Робин. В одном безымянном лице, наполовину обрезанном рамкой кадра, он узнал Джона Бристоу — главным образом по короткой верхней губе и кроличьим зубам. Тот обнимал безутешную немолодую женщину с седыми волосами: ее исхудавшее, мертвенно-бледное лицо и обнаженность горя никого не оставили бы равнодушным. За этой парой следовал рослый, высокомерного вида человек, словно презирающий эту толпу, куда затесался помимо своей воли.

— В упор не вижу ни одной простой девушки, — сказала Робин, прокручивая изображения, чтобы на экране монитора уместился еще один ряд богатых и знаменитых, напустивших на себя печальный, серьезный вид. — О, смотрите-ка... Эван Даффилд.

Даффилд пришел на похороны в черной футболке, черных джинсах и черном пальто в стиле милитари. Волосы тоже черные; лицо — острые углы и резко очерченные впадины; ледяные голубые глаза смотрели прямо в объектив. Ростом выше своих спутников, он казался хрупким рядом с грузным мужчиной в костюме и взволнованной пожилой женщиной, которая, слегка приоткрыв рот, жестом будто бы расчищала им путь. Эта троица напомнила Страйку родителей, уводящих захворавшего сына с праздника. От Страйка не укрылось, что Даффилд, изображавший растерянность и скорбь, не забыл аккуратно подвести глаза.

— Цветов-то!

Даффилд поплыл вверх и исчез с экрана: Робин остановила просмотр на фотографии огромного венка, похожего на сердце; приглядевшись, Страйк понял, что это составленные из белых роз крылья ангела. На врезке было крупное изображение приложенной карточки.

— «Покойся с миром, ангел Лула. Диби Макк», — прочла Робин вслух.

— Диби Макк? Рэпер? Выходит, они были знакомы?

— Совсем не обязательно; просто он снимал квартиру в том же доме. По-моему, Лэндри упоминается в паре его песен. Газеты раздули целую историю, когда он собрался...

— А вы неплохо осведомлены.

— Ну, журналы, одно, другое, — неопределенно сказала Робин, возвращая назад фоторепортаж с похорон.

— Что за имя Диби? — вслух удивился Страйк.

— На самом деле оно образовано от его инициалов Д. Б., — уверенно объяснила Робин. — Его настоящее имя — Дэрил Брендон Макдональд.

— Вы, как я посмотрю, фанатка рэпа?

— Нет, — ответила Робин, не отрываясь от экрана. — Такие вещи сами собой запоминаются.

Закрыв вкладку, она вновь застучала по клавишам. Страйк вернулся к своей папке. Следующий снимок изображал Джеффри Хука, целующего рыжеволосую подружку возле станции метро «Илинг-Бродуэй»; рука тискала круглую, обтянутую джинсами ягодицу.

— Взгляните, на «Ютьюбе» есть короткое видео, — сказала Робин. — Диби Макк говорит о Луле после ее смерти.

— Ну-ка, ну-ка... — Страйк на метр придвинулся к ней вместе со стулом, но, спохватившись, отъехал на полметра назад.

Зернистое изображение три на четыре дюйма дрогнуло и ожило. В черном кожаном кресле, лицом к невидимому интервьюеру, сидел рослый темнокожий парень в толстовке с изображением кулака, образованного заклепками. Голова обрита наголо, на носу темные очки.

— ...о самоубийстве Лулы Лэндри? — спрашивал интервьюер, явно англичанин.

— Это капец, ман, полный капец, — ответил Диби, едва заметно шепелявя, и провел рукой по бритому черепу. Голос у него был мягкий, глубокий, с хрипотцой. — Кто поднялся, того беспременно вальнут. А все зависть, брачо. Журналюги, мазафакеры, ее и столкнули. Пусть покоится с миром, я так скажу. Теперь у нее все ровно.

— По прибытии в Лондон вы, наверное, испытали настоящий шок, — сказал интервьюер, — когда... ну, вы понимаете... когда она пролетела мимо ваших окон.

Диби Макк ответил не сразу. Он замер, уставившись на собеседника сквозь темные линзы. А потом сказал:

— Меня там не было. Что за прогон?

Интервьюер нервно хохотнул, но тут же осекся:

— Нет-нет, ничего такого...

Оглянувшись через плечо, Диби обратился к человеку, не попавшему в кадр:

— С адвокатами, что ли, сюда заруливать?

Интервьюер льстиво заржал. Диби посмотрел на него без улыбки.

— Диби Макк, — с придыханием сказал интервьюер, — спасибо, что уделили нам время.

На экране возникла протянутая белокожая рука; ей навстречу поднялась рука Диби, сжатая в кулак. Белая рука мгновенно перестроилась, и два кулака стукнулись костяшками пальцев. За кадром раздался чей-то издевательский смех. Видео закончилось.

— «Журналюги, мазафакеры, ее и столкнули», — повторил Страйк, отъезжая на прежнюю позицию. — Любопытное мнение.

Он вытащил из кармана брюк мобильный, поставленный на режим вибрации. На экране высветилось имя Шарлотты и новое сообщение; от этого Страйк испытал выброс адреналина, как при виде затаившегося хищника.

Вещи заберешь в пятницу. Меня не будет с 9 до 12.

— Как вы сказали? — Страйк не расслышал, что говорила ему Робин.

— Я говорю: здесь жуткая статья про ее биологическую мать.

— Ну! Читайте.

Страйк вернул мобильный в карман. Склонившись над делом миссис Хук, он почувствовал, как у него загудело в голове, словно там ударили в гонг.

Уж очень подозрительно вела себя Шарлотта: изображала спокойствие. Она перенесла их нескончаемую дуэль на какой-то иной уровень, до которого прежде не додумывалась и не дотягивалась: «Давай решим это по-взрослому». Не исключено, что в дверях ее квартиры он получит нож в спину; не исключено, что войдет в спальню и у камина в луже запекшейся крови увидит ее труп с перерезанными венами.

Голос Робин лез в уши, как гул пылесоса. Страйк сделал над собой усилие, чтобы сосредоточиться.

— «...продала трогательную историю своего романа с неким чернокожим юношей всем бульварным изданиям, какие только могли ей заплатить. Однако бывшие соседи Марлен Хигсон не усматривают в ее истории ни намека на романтику. „Гулящая была, — рассказывает Вивиан Крэнфилд, которая жила этажом выше Хигсон в то время, когда та забеременела Лулой. — Мужики к ней шастали днем и ночью. Она даже не знала, кто отец, — любой мог ее обрюхатить. Ребенок был ей в тягость. Помню, сидит, бывало, малышка одна в подъезде и плачет, а мать с очередным хахалем кувыркается. Девочка-то совсем крошечная была, только ходить научилась, из подгузников еще не выросла... соседи, как видно, в органы опеки сообщили, и очень вовремя. Повезло ей, что нашлись добрые люди, в семью взяли“. Эти откровения, безусловно, шокируют Лулу Лэндри, которая в своих интервью подробно рассказывает о воссоединении с родной матерью после многолетней разлуки...» Это было написано, — пояснила Робин, — еще при жизни Лулы.

— Угу, — пробормотал Страйк, резко захлопнув папку. — Пройтись не желаете?

2

Камеры видеонаблюдения, похожие на зловещие обувные коробки, посаженные на кол, пустыми одноглазыми взглядами смотрели перед собой. Их развернули в противоположные стороны, чтобы объективы захватывали всю Олдербрук-роуд с безостановочными потоками транспорта и пешеходов. По обеим сторонам улицы сплошными рядами тянулись магазины, бары и кафе. На выделенных полосах рокотали двухэтажные автобусы.

— Вот здесь камера зафиксировала Бегуна, о котором сообщает Бристоу, — отметил Страйк и повернулся спиной к Олдербрук-роуд, чтобы рассмотреть более тихую Беллами-роуд, уходившую вместе с роскошными высокими домами в самое сердце жилого района Мейфэр. — Он засветился в этом месте за двенадцать минут до ее падения... пожалуй, это кратчайший путь от Кентигерн-Гарденз. Тут ходит ночной автобус. Такси, конечно, надежнее. Другое дело, что такси — не самое мудрое решение, если ты только что прикончил женщину.

Он вновь уткнулся в разлохмаченный путеводитель. Похоже, Страйка ничуть не волновало, что его примут за туриста. А хоть бы и так, подумала Робин, ему-то что, с такими габаритами.

За недолгий срок своей работы в качестве временной секретарши Робин уже сталкивалась с просьбами, выходившими далеко за рамки ее служебных обязанностей, а потому слегка задергалась, когда Страйк предложил ей пройтись. Но вскоре она сняла с него все подозрения в низменных намерениях. Долгий путь до этого района они, по сути, проделали молча; Страйк явно думал о своем и лишь изредка сверялся с картой.

Когда они дошли до Олдербрук-роуд, он все же высказал одну просьбу:

— Если заметите или сообразите нечто такое, что я прошляпил, обязательно скажите, ладно?

Робин даже затрепетала: она гордилась своей наблюдательностью, недаром у нее с детства была мечта, которая пока не сбылась, но для этого великана, шагавшего рядом с ней, стала делом жизни. С умным видом она принялась разглядывать улицу из конца в конец, пытаясь представить, что можно делать в таком месте около двух часов ночи, в мороз и снегопад.

— Сюда, — указал Страйк, не дав ей возможности отличиться, и они бок о бок двинулись по Беллами-роуд.

Улица исподволь сворачивала влево, открывая примерно шесть десятков домов, почти одинаковых, с блестящими черными дверями и короткими перилами по обеим сторонам чисто-белых ступеней, на которых стояли кадки с затейливо подстриженными вечнозелеными растениями. Кое-где виднелись мраморные львы, а также латунные таблички с именами и профессиями жильцов; в окнах верхних этажей светились люстры, а одна дверь стояла нараспашку, открывая черно-белый кафель пола, выложенный в шахматном порядке, картины в золоченых рамах и георгианскую лестницу.

На ходу Страйк обдумывал информацию, которую Робин утром нашла в интернете. Как он и подозревал, Бристоу покривил душой, сказав, что полиция даже не пыталась разыскать Бегуна и его пособника. Среди многочисленных, зачастую экзальтированных текстов, сохранившихся в интернете, затесались призывы к тем двоим выйти на связь с полицией, но результатов, похоже, это не дало.

Страйк, в отличие от Бристоу, не находил в действиях полиции никаких упущений. А сработавшая автомобильная сигнализация доходчиво объясняла, почему парни дали деру и не спешили о себе заявлять. К тому же Бристоу, вероятно, плохо представлял качество съемки: камеры видеонаблюдения, как подсказывал богатый опыт Страйка, зачастую выдавали мутное черно-белое изображение, которое не позволяло даже приблизительно установить внешность человека.

А еще Страйк заметил, что Бристоу ни в своих записях, ни в личной беседе ни словом не обмолвился об анализе образцов

ДНК, взятых в квартире его сестры. Вероятно, следов чужой ДНК обнаружено не было, коль скоро полиция с такой готовностью исключила Бегуна и его пособника из числа подозреваемых. Однако Страйк прекрасно знал, что с готовностью отбросить такую «мелочь», как анализ ДНК, можно и без злого умысла: если ты, к примеру, допускаешь возможность контаминации, а то и умелое заметание следов. Если видишь только то, что тебе удобно, и закрываешь глаза на нежелательные, упрямые факты.

Впрочем, результаты утреннего копания в «Гугле», вероятно, объясняли, почему Бристоу зациклился на Бегуне. Лула в поисках своих биологических корней сумела найти родную мать — совершенно одиозную личность, даже если сделать поправку на извечную погоню прессы за сенсацией. Несомненно, те откровения, что Робин нашла в интернете, могли больно ударить не только по самой Лэндри, но и по ее приемной семье. Бристоу, которого Стайк при всем желании не мог считать человеком уравновешенным, полагал (возможно, в силу своей неуравновешенности), что у Лулы, во многом такой удачливой, не было никаких причин сводить счеты с жизнью. Что она сама накликала беду, когда попыталась вызнать тайну своего появления на свет, что разбудила дремавшего в далеком прошлом демона, который ее и убил. Не потому ли Бристоу так психанул, увидев поблизости от своей сестры чернокожего парня?

Углубляясь все дальше в этот анклав богатых, Страйк и Робин дошли до угла Кентигерн-Гарденз. Эта улица, как и Беллами-роуд, распространяла вокруг себя ауру внушительного, замкнутого, благополучного мира. Высокие дома Викторианской эпохи, краснокирпичные стены с каменным архитектурным орнаментом, а начиная со второго этажа — четыре яруса тяжеловесных вертикально вытянутых окон с небольшими каменными балкончиками. Каждую глянцево-черную входную дверь обрамлял белый мраморный портик; к каждому входу вели от тротуара три белоснежные ступеньки. Повсюду царили чистота и порядок; все дышало ухоженностью, которая достигается только большими деньгами. Припаркованных автомобилей были считаные единицы: из небольшой вывески следовало, что такая привилегия дается только по особому разрешению.

Без полицейского кордона и толпы репортеров дом номер восемнадцать гармонично сочетался с соседними.

— Упала она с балкона верхнего этажа, — сказал Страйк, — то есть метров с двенадцати.

Он изучал элегантный фасад. Балконы трех верхних этажей, как заметила Робин, были очень узкими: между балюстрадой и высокой балконной дверью едва протиснулся бы взрослый человек.

— Тут есть одна загвоздка. — Страйк прищурился, разглядывая верхний балкон. — Если столкнуть человека с такой высоты, нельзя быть уверенным, что он разобьется насмерть.

— Ну как же... почему? — засомневалась Робин, вообразив это кошмарное падение с верхнего балкона на мостовую.

— Вы не поверите. Я месяц провалялся в одной палате с неким валлийцем, которого сбросили примерно с такой же высоты. Переломы ног и таза, сильное внутреннее кровотечение, но парень до сих пор живехонек.

Робин покосилась на Страйка, надеясь услышать, из-за чего он месяц провалялся в больнице, но детектив уже думал о другом: он хмуро изучал входную дверь.

— Кодовый замок, — пробормотал он, заметив квадратную металлическую пластину с кнопками, — а над дверью — камера. Бристоу никакой камеры не упоминал. Может, недавно установили?

Минуту-другую он примерял свои догадки к неприступным краснокирпичным фасадам этих запредельно дорогих крепостей. Прежде всего: почему Лула Лэндри поселилась именно здесь? Сонная, традиционная, душная улица Кентигерн-Гарденз была естественным пристанищем совершенно особой категории богатых: здесь обитали российские и арабские олигархи, главы гигантских корпораций, курсирующие между городскими квартирами и загородными имениями, а также состоятельные старые девы, медленно увядающие среди своих художественных коллекций. Ему показалось странным, что такое место жительства выбрала для себя девушка двадцати трех лет, которая, по всем данным, водилась с хипповой, богемной публикой, чье хваленое чувство стиля родилось на улице, а не в модном салоне.

— По-видимому, дом надежно охраняется, да? — предположила Робин.

— Наверняка. А вдобавок той ночью здесь толпились папарацци.

Страйк прислонился спиной к черным перилам дома номер двадцать три, чтобы получше рассмотреть дом восемнадцать. На том этаже, где находилась квартира Лулы, окна были самыми высокими, а ее балкон, в отличие от двух других, не украшали кадки с декоративными кустами. Достав из кармана пачку сигарет, Страйк предложил Робин закурить; она помотала головой, но про себя удивилась: в офисе она ни разу не видела босса с сигаретой. Он глубоко затянулся и сказал, не отводя взгляда от черной двери:

— Бристоу считает, что в ту ночь кто-то вошел и вышел незамеченным.

Робин уже не сомневалась, что здание охраняется на совесть, и решила, что Страйк сейчас начнет высмеивать версию клиента, но этого не произошло.

— Если так, — продолжил Страйк, сверля глазами дверь, — значит все было заранее спланировано, причем тщательно. Никто не станет полагаться на случай, когда нужно миновать шеренгу папарацци, кодовый замок, пост охраны, запертую внутреннюю дверь, а потом проделать обратный путь. Как-то не вяжется. — Он почесал подбородок. — Такой дальновидный расчет — и такая грубая работа.

Робин неприятно поразило это циничное определение.

— Столкнуть человека с балкона можно под влиянием момента, — пояснил Страйк, будто почувствовав, как она внутренне содрогнулась. — От злости. В приступе слепой ярости.

В компании с Робин ему было легко и приятно не только потому, что она внимала ему с раскрытым ртом и не дергала его, когда он молчал, но еще и потому, что аккуратное колечко с сапфиром у нее на пальце выглядело деликатной точкой: до этого предела — пожалуйста, дальше — ни-ни. Его это вполне устраивало. По крайней мере, с ней он мог позволить себе одно из немногих оставшихся удовольствий — слегка распушить перья.

— А что, если злодей уже находился в доме?

— Это куда более правдоподобно, — сказал Страйк, и Робин осталась необычайно довольна собой. — А если злодей уже находился в доме, то нам остается заподозрить либо дежурного охранника, либо чету Бестиги, либо кого-то неизвестного, кто прятался внутри. Для супругов Бестиги, а также для охранника Уилсона проникновение в дом и обратно не составляет труда; единственное — они должны были вернуться в то место, где им положено находиться. Риск того, что Лула хоть и покалечится, но выживет и расскажет всю правду, оставался в любом случае, но если преступление совершил один из них, то логичнее допустить убийство незапланированное, совершенное в состоянии аффекта. Ссора, ослепление, жестокий выпад.

Затягиваясь сигаретой, Страйк продолжал разглядывать фасад, прикидывая в уме расстояние между балконами на втором этаже и на четвертом. Сейчас его мысли занимал продюсер Фредди Бестиги. Если верить сведениям, которые раскопала в интернете Робин, Бестиги спал у себя дома, когда Лула Лэндри перегнулась через балконные перила двумя этажами выше. По крайней мере, его жена не считала Бестиги виновным: ведь это она подняла тревогу и утверждала, что убийца все еще прячется наверху; муж в это время стоял рядом с ней. Тем не менее в момент гибели девушки он был единственным мужчиной, оказавшимся поблизости. По опыту Страйк знал: «чайники» всегда ищут, у кого был мотив, а профессионал в первую очередь прикидывает, у кого была удобная возможность.

Невольно подтвердив свою принадлежность к «чайникам», Робин спросила:

— Но кто будет затевать ссору среди ночи? Нигде не сказано, что у Лулы были конфликты с соседями, правда? Тэнзи Бестиги на убийство явно не способна, вы согласны? Неужели она, столкнув Лулу с балкона, тут же побежала бы к охраннику?

Страйк не дал прямого ответа; казалось, он погрузился в собственные мысли и потому выдерживал паузу.

— Бристоу зациклился на тех пятнадцати минутах, когда охранник отсутствовал, а Лула уже вернулась домой, причем после того, как разбрелись папарацци. В этот краткий промежуток времени никаких препятствий к проникновению в дом не было, но откуда постороннему человеку знать, что охранник отлучился с поста? Дверь же не прозрачная.

— А кроме того, — с видом знатока подхватила Робин, — нужно прежде узнать код.

— Люди беспечны. Если охрана забывает периодически менять код, он становится известен множеству посторонних лиц. Давайте-ка пройдем вот туда.

Они молча дошли до конца Кентигерн-Гарденз и обнаружили узкий проезд, который сворачивал на задворки квартала. Страйка рассмешило название: «Серфс-Уэй». Рабский переулок. Две машины там бы не разъехались, но освещение было вполне приличное, ни одного темного закутка, только глухие бетонные заграждения по обеим сторонам булыжной мостовой. Вскоре они увидели железные ворота с электрическим приводом, а рядом — прибитую к стене огромную вывеску: «Вход воспрещен». Здесь скрывался от посторонних взглядов подземный гараж, общий для всех обитателей Кентигерн-Гарденз.

Когда за ограждением, судя по всему, начался дом номер восемнадцать, Страйк подпрыгнул, ухватился за верхний край бетонной стены, подтянулся и увидел маленькие вылизанные садики. Между задним фасадом каждого дома и прилегающим пятачком гладкого, ухоженного газона имелась незаметная лестница, ведущая в подвал. Человеку, задумавшему перелезть через такую стену, потребовалась бы, как прикинул Страйк, либо стремянка, либо помощь сообщника, который мог бы его подсадить, либо прочная веревка.

Он соскользнул по стене на мостовую и сдавленно застонал, приземлившись на протезированную ногу.

— Ерунда, — сказал он, когда Робин тревожно ахнула; она заметила у него легкую хромоту, но подумала, что это растяжение.

От похода по булыжной мостовой натертая культя разболелась еще сильнее. Жесткая конструкция протеза не была рассчитана на ходьбу по неровной поверхности. Про себя Страйк мрачно заметил, что мог бы и не подтягиваться. Робин, конечно, милашка, но она в подметки не годилась той женщине, с которой он расстался.

3

— А ты уверена, что он сыщик? Этим может заниматься кто угодно. Пробивать людей по компьютеру.

У Мэтью было скверное настроение: на работе он разбирался с претензиями недовольного клиента и получил выволочку от нового начальства. А теперь еще поневоле выслушивал наивные и неоправданные, по его мнению, восторги невесты в адрес другого мужчины.

— Он этим не занимался, — возразила Робин. — Это я пробивала людей по компьютеру, а он тем временем разбирался с другим делом.

— Робин, мне не нравится такой расклад. Твой босс ночует в офисе. Тут что-то нечисто, неужели до тебя не доходит?

— Я же тебе объяснила: по-моему, его только что выставила подруга.

— Ее можно понять, — сказал Мэтью.

Робин с грохотом составила тарелки одну в другую и отнесла на кухню. Она злилась на Мэтью и слегка досадовала на Страйка. Ей понравилось выискивать в Сети знакомых Лулы Лэндри, но теперь, встав на точку зрения Мэтью, Робин подумала, что Страйк загружал ее ненужными, бессмысленными поручениями только для того, чтобы она не сидела сложа руки.

— Слушай, я же ничего не говорю. — Мэтью остановился на пороге кухни. — Просто, если тебя послушать, он какой-то странный тип. И что это за вечерние прогулки?

— Никаких вечерних прогулок не было, Мэтт. Нам потребовалось осмотреть место пре... нам потребовалось осмотреть то место, где, по мнению клиента, произошли некие события.

— Робин, к чему эти тайны мадридского двора? — засмеялся Мэтью.

— Я дала подписку о неразглашении, — бросила через плечо Робин. — И не имею права обсуждать с тобой подробности дела.

— «Подробности дела»! — презрительно фыркнул Мэтью.

Расхаживая по тесной кухне, Робин убирала приправы и хлопала дверцами кухонных шкафов. Наблюдая за движениями ее фигурки, Мэтью почувствовал, что хватил через край. Когда Робин стряхивала остатки ужина в мусорное ведро, он подошел к ней сзади, уткнулся лицом в ее шею и принялся ласкать грудь, на которой остались синяки, навсегда окрасившие его отношение к Страйку. Мэтью нашептывал слова примирения в медовые волосы Робин; она высвободилась, чтобы составить посуду в раковину.

У Робин сложилось ощущение, что сейчас ее принизили как личность. Ведь Страйк проявил интерес к той информации, которую она раскопала. Страйк выразил ей благодарность за инициативу и деловую сметку.

— Сколько собеседований — нормальных — у тебя назначено на следующую неделю? — спросил Мэтью, когда она повернула кран холодной воды.

— Три, — бросила она, перекрывая шум мощной струи, а сама яростно драила верхнюю тарелку.

Робин выждала, чтобы он ушел в гостиную, и только тогда прикрутила кран. Ей бросилось в глаза, что в оправе кольца застрял кусочек зеленой горошины.

4

В пятницу Страйк пришел в квартиру Шарлотты к половине десятого утра. По его расчетам, за полчаса она должна была оказаться где-то далеко, если, конечно, допустить, что Шарлотта и в самом деле ушла, а не караулила его за порогом. Внушительные, элегантные белые дома по обеим сторонам широкой улицы, старые платаны, мясная лавка, оставшаяся, видимо, от пятидесятых годов, облюбованные состоятельной публикой кафе; шикарные рестораны, в которых Страйку всегда виделась какая-то фальшь и театральность. Наверное, в глубине души он и раньше чувствовал, что не останется тут на всю жизнь, — здесь он был чужим.

Даже отпирая входную дверь, он до последнего не исключал, что вот-вот столкнется с Шарлоттой, но за порогом квартиры сразу понял, что дома никого нет. Когда он шел по коридору, его шаги отдавались инородным, преувеличенно громким стуком в особой, равнодушной тишине комнат.

Посреди гостиной стояли четыре открытые картонные коробки. В них были как попало свалены его незамысловатые, практичные пожитки, будто приготовленные для вывоза на блошиный рынок. Приподняв то, что лежало сверху, он заглянул внутрь, но не обнаружил ни осколков, ни рваных лоскутов, ни следов краски. Его одногодки давно приобрели автомобили, собственные дома с техникой, мебелью и садом, и горные велосипеды, и газонокосилки; а его имущество составляли четыре коробки хлама да обрывочные воспоминания.

Безмолвная комната с розоватыми стенами и антикварным ковром, добротной темной мебелью и множеством книг служила несомненным образцом хорошего вкуса. С той ночи здесь произошло только одно изменение: на стеклянном приставном столике у дивана, где раньше стояла фотография смеющихся Страйка и Шарлотты на пляже в корнуолльском городке Сент-Моз, теперь благосклонно улыбался из той же серебряной рамки профессионально выполненный черно-белый образ покойного отца Шарлотты.

Над камином висела картина маслом — портрет восемнадцатилетней Шарлотты. Флорентийский ангел в облаке длинных темных волос. Шарлотта росла в такой семье, где для увековечивания своих отпрысков нанимали художника: этот круг, совершенно чуждый Страйку, представлялся ему опасной, неизведанной территорией. От Шарлотты он узнал, что большие деньги запросто уживаются с жестокостью и несчастьем. Ее семья, невзирая на изящество манер, обходительность и прирожденный вкус, эрудицию и некоторую склонность к внешним эффектам, была почище родни Страйка. Они с Шарлоттой потому и сошлись, что почувствовали эту прочную связующую нить.

Сейчас его посетила непрошеная мысль: не для того ли был заказан этот портрет, чтобы по прошествии времени большие зеленовато-карие глаза проследили за его уходом? Знала ли Шарлотта, каково ему будет рыскать в пустой квартире под надзором ее блистательной восемнадцатилетней копии? Понимала ли, что даже своим личным присутствием не смогла бы насолить ему больше, чем этой картиной?

Страйк отвернулся и прошелся по комнатам, но Шарлотта не оставила ему никаких зацепок. Все следы его пребывания, от зубной нити до армейских ботинок, были заранее свалены в коробки. С особой тщательностью он осматривал спальню, а спальня, безмятежная и сдержанная, с темным паркетом, белыми шторами и хрупким туалетным столиком, осматривала его. Кровать, как и картина на стене, дышала живым человеческим присутствием. *Запомни, что тут происходило и чему больше не бывать.*

Он перетащил все четыре коробки за порог и, завершив последнюю ходку, столкнулся лицом к лицу с ухмыляющимся соседом, который запирал свою дверь. Этот хмырь всегда носил трикотажные рубашки поло с поднятым воротничком и взахлеб ржал в ответ на любые шутки Шарлотты.

— Генеральную уборку затеяли? — полюбопытствовал он.

Страйк решительно захлопнул дверь.

Ключи он оставил под зеркалом в прихожей, на полукруглом приставном столике, возле вазы с ароматической цветочной смесью. В зеркале отражалась его расцарапанная, грязноватая физиономия в желто-лиловых кровоподтеках, с заплывшим правым глазом. В тишине он явственно услышал голос из прошлого, прилетевший через долгие семнадцать лет: «Как же ты сюда пролез, урод кучерявый?» Теперь, стоя в прихожей, куда не собирался возвращаться, он уже и сам этого не понимал.

В последнем приступе мгновенного безумия, как пять дней назад, когда он бросился следом за Шарлоттой, Страйк вдруг решил не уходить, дождаться ее возвращения, взять в ладони прекрасное лицо и сказать: «Давай начнем сначала».

Они уже пробовали, не раз и не два, но как только первая сумасшедшая волна взаимного желания шла на убыль, между ними снова всплывали безобразные обломки прошлого, которое мрачной тенью накрывало все, что они пытались изменить.

Страйк в последний раз затворил за собой входную дверь. На площадке уже никого не было. Он сволок все коробки вниз по лестнице, составил на тротуаре и стал ждать возможности тормознуть такси.

5

В последний рабочий день недели Страйк с утра предупредил Робин, что задержится. Он заранее дал ей ключ и попросил начинать без него.

Она немного, совсем чуть-чуть, обиделась, когда он небрежно сказал «последний». Это словечко сразу расставило все по местам: пусть у них сложились хорошие рабочие отношения (не важно, что слегка настороженные, сугубо деловые), пусть в офисе был наведен порядок, а убогий туалет на площадке теперь блистал чистотой, пусть звонок у подъезда приобрел совсем другой вид, когда она отскребла скотч и закрепила на стене аккуратную ламинированную табличку (угробив на это полчаса рабочего времени и два ногтя), пусть она исправно отвечала на звонки и с умным видом участвовала в обсуждении почти наверняка вымышленного убийцы Лулы Лэндри, Страйк не чаял, как от нее избавиться.

Понятно, что держать временную секретаршу ему не по карману. У него всего-то двое клиентов; сам, похоже, бездомный (на что постоянно указывал ей Мэтью, как будто ночевать в офисе мог лишь отъявленный подонок) — Робин прекрасно понимала, что в его положении продлевать с ней контракт не имеет смысла. Но понедельника она ждала в унынии. Опять какой-нибудь незнакомый офис (ей уже звонили из «Временных решений» и продиктовали адрес) — как водится, чистый, светлый, людный, жужжащий от сплетен, не способный предложить ей ничего мало-мальски интересного. Ну хорошо, Робин не верила в существование убийцы и знала, что Страйк тоже не верит, но сам процесс!

За минувшую неделю она получила столько удовольствия, что даже постеснялась рассказать об этом Мэтью. Все ее обязанности, в том числе и необходимость дважды в день звонить в продюсерский центр Фредди Бестиги «БестФилмз», просить, чтобы ее соединили с владельцем, и получать неизменный отказ, давали ей ощущение собственной значимости, которое она редко испытывала на работе. Более всего ее занимал способ мышления других людей: в свое время она училась в университете на психологическом, но из-за непредвиденных обстоятельств не дошла до диплома.

В половине десятого Страйк так и не появился, зато прибыла посетительница: тучная, нервно улыбающаяся дама в оранжевом пальто и фиолетовом вязаном берете. Это была миссис Хук; Робин знала ее имя — единственная клиентка босса. Усадив миссис Хук на продавленный диванчик у своего стола, Робин заварила для нее чай (после того как Робин смущенно описала Страйку похотливого мистера Крауди, в офисе тут же появились недорогие чашки и коробка чайных пакетиков).

— Извините, я раньше времени, — в третий раз повторила миссис Хук, безуспешно пытаясь пригубить обжигающий чай. — Что-то я вас раньше не видела, вы новенькая?

— Я здесь временно, — сказала Робин.

— Как вы, наверное, поняли, дело касается моего мужа. — Миссис Хук ее не слушала. — Хочу узнать правду, какой бы горькой она ни была. Оттягивать больше невозможно. Лучше уж знать правду, верно? Лучше знать горькую правду. Я надеялась застать Кормлорана. Он выехал по другому делу?

— Да, это так, — подтвердила Робин, хотя и подозревала, что на самом деле Страйк решает какие-то таинственные личные проблемы; уж очень уклончиво он сообщил ей, что задержится.

— А вы знаете, кто его отец? — спросила миссис Хук.

— Нет, не знаю. — Робин подумала, что несчастная женщина имеет в виду отца своего мужа.

— Джонни Рокби, — выразительно произнесла миссис Хук.

— Джонни Рок...

У Робин перехватило дыхание: в один миг до нее дошло, что миссис Хук говорит об отце Страйка и что могучий корпус самого Страйка уже маячит за стеклянной дверью. Более того, она заметила, что ее босс приволок с собой какую-то громоздкую поклажу.

— Одну минуточку, миссис Хук, — сказала Робин.

— Что такое? — спросил Страйк, высовываясь из-за картонной коробки, когда Робин стрелой выскочила на лестничную площадку и прикрыла за собой стеклянную дверь.

— Здесь миссис Хук, — шепнула она.

— Тьфу, зараза! На час раньше.

— В том-то и дело. Я подумала, что вы, наверное, захотите... мм... немного подготовить кабинет, прежде чем ее принять.

Страйк опустил коробку на металлический пол.

— Мне еще нужно с улицы кое-что занести, — сказал он.

— Я помогу, — вызвалась Робин.

— Нет, возвращайтесь и займите ее беседой. Она ходит на курсы гончарного искусства и считает, что ее муж спит со своей бухгалтершей.

Прихрамывая, он заспешил вниз по лестнице, оставив коробку под дверью.

Джонни Рокби — неужели это правда?

— Он уже идет, — жизнерадостно сообщила Робин, усаживаясь за стол. — Мистер Страйк рассказывал, что вы занимаетесь гончарным искусством. Я всегда мечтала попробовать...

За пять минут Робин много чего наслушалась о достижениях гончарного искусства и об ангельском характере чуткого юноши — руководителя курсов. Потом стеклянная дверь широко распахнулась, и в приемную вошел Страйк, не обремененный никакой поклажей. Он вежливо улыбнулся миссис Хук, которая вскочила ему навстречу.

— Боже, Корморан, что у вас с глазом! — ужаснулась она. — На вас напали?

— Нет, — ответил Страйк. — Если вы минутку подождете, миссис Хук, я подготовлю ваше дело.

— Понимаю, Корморан, я приехала раньше времени, уж извините... Всю ночь не спала.

— Позвольте вашу чашечку, миссис Хук.

Робин удачно отвлекла внимание клиентки, чтобы та, чего доброго, не заглянула в кабинет, когда туда проскользнет Страйк. Раскладушка, спальный мешок, чайник...

Через несколько минут Страйк появился вновь, на этот раз в облаке химического лайма, и миссис Хук, бросив обреченный взгляд на Робин, уединилась с ним в кабинете. Дверь плотно закрылась.

Робин опять села за стол. Утреннюю почту она давно разобрала. Покрутилась из стороны в сторону на своем офисном стуле, затем придвинулась к компьютеру и машинально открыла Википедию. С равнодушным видом, как будто ее пальцы сами собой забегали по клавишам, она впечатала две фамилии: *Рокби Страйк*.

Статья появилась мгновенно, вместе с черно-белым, безошибочно узнаваемым изображением человека, чья слава гремела вот уже четыре десятилетия. Узкое лицо Арлекина, безумные глаза, которые будто напрашивались на карикатуру, тем более что левый эксцентрично косил; капли пота на лбу, разметавшиеся волосы и широко раскрытый перед микрофоном рот.

Джонатан Леонард «Джонни» Рокби, род. 1 августа 1948 г., вокалист популярной в 1970-е гг. рок-группы *The Deadbeats*, член Зала славы рок-н-ролла, многократный обладатель премии «Грэмми»...

Страйк ничем его не напоминал, разве что асимметрией глаз, но в случае Страйка это было временное состояние.

Дальше Робин проскролила всякие подробности:

...мультиплатиновый альбом «Hold It Back» (1975). Беспрецедентный тур по Америке был прерван в Лос-Анджелесе в связи с обвинением в хранении наркотиков и арестом нового гитариста Дэвида Карра, с которым... —

и остановилась на рубрике «Личная жизнь»:

Рокби три раза состоял в браке: в 1969–1973 гг. — с однокурсницей по Школе искусств Ширли Мулленс, от которой имеет дочь Мейми; в 1975–1979 гг. — с манекенщицей, актрисой, активисткой Движения за гражданские права Карлой Астольфи, от которой имеет двух дочерей: телеведущую Габриэлу Рокби и дизайнера ювелирных изделий Даниэлу Рокби; с 1981 г. по настоящее время — с кинопродюсером Дженни Грэм, от которой имеет двоих сыновей, Эдварда и Эла. У Рокби также есть внебрачные дети: дочь Пруденс Данливи, от актрисы Линдси Фэнтроп, и сын Корморан, от известной фанатки Леды Страйк, которая в 1970-е гг. сопровождала группу во всех поездках.

Из кабинета донесся душераздирающий вопль. Робин вскочила так резко, что стул откатился назад. Вопль стал еще громче и пронзительней. Она бросилась в кабинет.

Миссис Хук, которая, сняв оранжевое пальто и фиолетовый берет, осталась в джинсах и каком-то гончарном балахоне, бросилась на Страйка и молотила его кулаками в грудь; звук был как от бурлящего чайника. Монотонный вопль не умолкал ни на миг: казалось, она должна либо перевести дух, либо задохнуться.

— Миссис Хук! — вскричала Робин и схватила клиентку за дряблые предплечья, чтобы выручить Страйка.

Но миссис Хук оказалась сильнее, чем можно было подумать: она действительно сделала паузу и набрала полную грудь воздуха, но не прекратила лупить Страйка; ему не оставалось ничего другого, кроме как осторожно поймать ее запястья и удерживать их в воздухе. Однако миссис Хук сумела вырваться и с собачьим воем бросилась навстречу Робин.

Поглаживая рыдающую женщину по спине, Робин мелкими шажками вывела ее в приемную.

— Вот так, миссис Хук, вот так, — приговаривала она, заботливо усаживая клиентку на диван. — Давайте я чай заварю. Вот так.

— Мне очень жаль, миссис Хук, — официальным тоном проговорил Страйк с порога своего кабинета. — С такими известиями смириться нелегко.

— Мне к-казалось, это Валери, — скулила миссис Хук, обхватив растрепанную голову руками и раскачиваясь взад-вперед под стон диванных пружин. — Мне казалось, это Валери, а это... м-моя родная сестра.

— Я пошла заваривать чай! — в смятении прошептала Робин.

В дверях она спохватилась, что не закрыла страницу с биографией Джонни Рокби. Бежать назад с чайником было бы нелепо, и она поспешила за водой в надежде, что Страйк будет успокаивать миссис Хук и не посмотрит на монитор.

Прошло сорок минут; миссис Хук, выпив две чашки чая, израсходовала половину рулона туалетной бумаги, принесенного Робин из уборной на площадке. В конце концов, промокая глаза и судорожно вздрагивая, она удалилась и унесла с собой компрометирующие фотографии, а также индекс, указывающий место и время съемки.

Страйк выждал, чтобы клиентка скрылась за углом, и, весело напевая, сходил за сэндвичами, которые они с Робин приговорили за ее столом. Это был самый дружественный его жест за всю неделю; Робин не сомневалась, что ей устроили своего рода отвальную.

— Вам известно, что сегодня после обеда у меня встреча с Дерриком Уилсоном? — спросил он.

— С охранником, которого пробрал понос, — уточнила Робин. — Да, известно.

— Когда я вернусь, вас уже не будет, так что мне надо перед уходом закрыть ваш табель. Слушайте, спасибо вам за... — Страйк кивком указал на опустевший диван.

— Не за что. Бедная женщина.

— Угу. По крайней мере, теперь она его припрет к стенке. Да, кстати, — продолжил он, — спасибо за все, что вы сделали в течение этой недели.

— Это моя работа, — непринужденно ответила Робин.

— Если б я мог позволить себе секретаршу... но вас, я думаю, ждет хлебная должность личного референта у какого-нибудь воротилы.

Робин почему-то обиделась.

— Я к этому не стремлюсь, — сказала она.

Повисла напряженная пауза.

Страйк вяло заспорил сам с собой. Ему не улыбалось со следующей недели приходить в пустую приемную; общество Робин оказалось приятным и необременительным, а ее деловые качества не могли не радовать; но платить за приятное общество было бы нелепо да и расточительно — он же не какой-нибудь гнусный викторианский магнат, правда? «Временные решения» брали грабительские комиссионные; Робин оказалась для него непозволительной роскошью. Он поставил ей еще один плюс за то, что она не стала расспрашивать его об отце (от Страйка не укрылась страница из Википедии на экране монитора): где еще найдешь такую сдержанность — именно этим качеством он обычно мерил новых знакомых. Но в любом случае на первый план выступали практические соображения — увольнять так увольнять.

А вот поди ж ты, в голову лезло совсем другое: одиннадцатилетним пацаном он поймал змейку медянку в корнуолльском лесу Тревейлор; как только не умолял он тетю Джоан: «Ну пожалуйста, разреши мне ее оставить... пожалуйста!»

— Ладно, я пошел. — Он уже подписал ей табель учета рабочего времени и выбросил обертки от сэндвичей в корзину для бумаг вместе со своей бутылкой из-под воды. — Спасибо за все, Робин. Удачи на новом месте.

Страйк взял пальто и закрыл за собой стеклянную дверь.

У лестницы, на том самом месте, где он сначала чуть не убил, а потом спас временную секретаршу, ноги почему-то сами собой остановились. Чутье держало его мертвой хваткой, как упрямый пес. Стеклянная дверь со стуком распахнулась у него за спиной; он обернулся. Робин вспыхнула.

— Послушайте, — сказала она, — мы можем договориться. Чтобы обойтись без «Временных решений». Вы будете платить мне из рук в руки.

Он заколебался:

— Агентства по временному трудоустройству этого не любят. Вас занесут в черный список.

— Ну и пусть. У меня на следующей неделе три собеседования, устроюсь на постоянную работу. Если в назначенное время вы меня отпустите...

— Без проблем, — сказал он, не успев прикусить язык.

— Вот и хорошо, тогда я смогу остаться еще на неделю-другую.

Пауза. Здравый смысл вступил в короткий, жестокий бой с чутьем и душевным расположением — и проиграл.

— Угу... ладно. Что ж, в таком случае позвоните-ка еще разок Фредди Бестиги, хорошо?

— Да, непременно, — сказала Робин, пряча ликование под маской деловитой невозмутимости.

— Тогда увидимся в понедельник после обеда.

Впервые за все время Страйк ей улыбнулся. Казалось бы, он должен был на себя досадовать, но, выходя на послеполуденный холодок, почему-то не испытал ни малейшего сожаления, а, наоборот, почувствовал непонятный прилив оптимизма.

6

Когда-то Страйку пришло в голову подсчитать, сколько школ он сменил в детские годы; набралось семнадцать, но еще две-три вполне могли выпасть из памяти. В подсчет не вошел краткий период мнимого домашнего обучения, который пришелся на те два месяца, что он провел с матерью и сводной сестрой в заброшенном строении на Атлантик-роуд в Брикстоне. Тогдашний сожитель матери, белый музыкант-растаман, взявший себе имя Шумба, считал, что система школьного образования навязывает учащимся патриархальные, меркантильные ценности, совершенно ненужные его приемным детям. Главный урок, который усвоил Страйк за время домашнего обучения, сводился к тому, что гашиш, даже употребляемый по духовным соображениям, делает потребителя тупым параноиком.

По дороге в кафе, где была назначена встреча с Дерриком Уилсоном, Страйк без всякой нужды сделал крюк, чтобы пройти через Брикстонский рынок. Пропахшие рыбой сводчатые галереи; живописные лотки с незнакомыми фруктами и овощами из Африки и Вест-Индии; мясные лавки, торгующие халяльными продуктами; под большими вывесками, изображающими манерные косички и локоны, — парикмахерские с рядами париков на белых пенопластовых болванках — все это вернуло Страйка на двадцать шесть лет назад, когда они с младшей сестренкой Люси болтались где придется, пока мать с Шумбой валялись на грязных подушках, лениво обсуждая важные духовные принципы, которые следовало привить детям.

Семилетняя Люси мечтала о прическе как у девушек с Ямайки. Во время долгой поездки обратно в Сент-Моз она, сидя на заднем сиденье «моррис-майнора», принадлежавшего дяде

Теду и тете Джоан, истово умоляла, чтобы ей сделали косички-дреды с бусинами. Страйк запомнил, как тетя Джоан спокойно соглашалась, что это очень красиво, а сама хмурилась, и в зеркале заднего вида отражалась морщинка между ее бровями. Джоан старалась (с годами — все менее успешно) не осуждать мать в присутствии детей. Страйк так и не понял, как дядя Тед разыскал их жилище: просто в один прекрасный день они с Люси вернулись в заброшенное строение и застали там здоровенного маминого брата, который стоял посреди комнаты и угрожал Шумбе расправой. Через два дня они с сестренкой уже были в Сент-Мозе и опять стали ходить в начальную школу, где с перерывами проучились потом несколько лет, воссоединившись как ни в чем не бывало со старыми приятелями и быстро избавившись от местных говоров, которые для маскировки усваивали всюду, куда только привозила их Леда.

Страйк не воспользовался маршрутом, который под диктовку Деррика записала Робин: кафе «Феникс» на Колдхарбор-лейн было знакомо ему с детства. Иногда их с сестрой водили туда мать и Шумба: в этой маленькой сараюшке с коричневыми стенами можно было заказать (если, конечно, ты не ударился в вегетарианство, как мать с Шумбой) сытный, вкуснейший завтрак — огромную яичницу с беконом и сколько угодно золотисто-коричневого чая. Здесь почти ничего не изменилось: небольшой, уютный, грязноватый зал; зеркала, пластиковые столешницы под дерево; выложенный бордовым и белым кафелем заляпанный пол; оклеенный рельефными обоями потолок цвета маниоки. Пожилая приземистая официантка, у которой были выпрямленные волосы и длинные оранжевые серьги из пластмассы, посторонилась, чтобы Страйк мог протиснуться мимо стойки.

За столиком под пластмассовыми часами с рекламой лестерширских пирогов «Пукка-пайз» в одиночестве сидел с газетой «Сан» крепко сбитый уроженец Вест-Индии.

— Деррик?

— Ну... А ты — Страйк?

Пожав большую сухую ладонь Уилсона, Страйк подсел к нему за столик. По его прикидкам, Уилсон был одного с ним роста. Рукава форменного джемпера лопались от мышц и жира, волосы были подстрижены совсем коротко, а с чисто выбритого

лица смотрели миндалевидные глаза. Из меню, кое-как напи-
санного на доске, прибитой к задней стене, Страйк выбрал мяс-
ную запеканку и картофельное пюре, очень кстати вспомнив,
что четыре фунта семьдесят пять пенсов можно будет включить
в накладные расходы.

— Ага, запеканка с пюре у них что надо, — одобрил Уилсон.

Его лондонский выговор был едва заметно разбавлен ка-
рибским акцентом. Глубокий голос звучал спокойно и разме-
ренно. Страйк подумал, что такой человек в форме охранника
должен внушать жильцам спокойствие.

— Спасибо, что согласился на эту встречу. Ценю. Джон Бристоу не удовлетворен результатами расследования смерти своей
сестры. Он поручил мне еще раз проверить улики.

— Да-да, — сказал Уилсон, — я в курсе.

— Сколько он тебе заплатил, чтобы ты пришел на эту встречу? — как бы между прочим поинтересовался Страйк.

Уилсон поморгал и виновато хохотнул.

— Двадцать пять фунтов, — признался он. — Если ему так
легче, то и хорошо, правда же? Это ведь ничего не меняет. Сестра его наложила на себя руки. Но ты спрашивай, чего хотел.
Я не против.

Он сложил газету. С первой полосы смотрел премьер-ми-
нистр Гордон Браун, усталый, с припухшими глазами.

— Тебя уже полиция с пристрастием допросила, — сказал
Страйк, положив открытый блокнот рядом с тарелкой, — но мне
желательно услышать из первых уст, что произошло в ту ночь.

— Пожалуйста, нет проблем. Киран Коловас-Джонс тоже,
наверное, подъедет, — добавил Уилсон.

Видимо, он думал, что Страйку знакомо это имя.

— Кто? — переспросил Страйк.

— Киран Коловас-Джонс. Водитель Лулы. Он тоже хочет
с тобой переговорить.

— Отлично, — сказал Страйк. — В котором часу его ждать?

— Без понятия. Он же на работе. Как сможет, так и появится.

Официантка принесла кружку чая и поставила перед Страйком; он поблагодарил и щелкнул авторучкой. Не успел он задать первый вопрос, как Уилсон сказал:

— Мистер Бристоу говорит, ты в армии отслужил.

— Угу, — подтвердил Страйк.

— А у меня племяш сейчас в Афганистане, — сообщил Уилсон, прихлебывая свой чай. — В провинции Гильменд.

— В каких войсках?

— Связист.

— Давно служит?

— Четыре месяца. Мать глаз не смыкает, — сказал Уилсон. — А ты почему дембельнулся?

— Ногу оторвало, — с непривычной для себя откровенностью ответил Страйк.

Это была не вся причина, а лишь та часть, которую проще всего объяснить незнакомцу. Страйк мог бы продолжить службу — его уговаривали остаться, — но, лишившись ноги по колено, он вплотную подошел к тому решению, которое зрело у него, как он понял, уже два года. Он осознал, что приблизился к определенной грани, за которой пути назад не будет, — он просто не сможет найти себя на гражданке. Служба год за годом исподволь меняет твою личность; подгоняет тебя под общую мерку, чтобы легче плылось по волнам армейской жизни. Страйк никогда не погружался в нее с головой и, пока этого не произошло, предпочел уволиться в запас. А все равно Отдел специальных расследований он вспоминал с теплотой, хотя и потерял полноги. Хорошо бы и Шарлотту вспоминать с таким же неомраченным чувством.

Уилсон медленно покивал в ответ на объяснение Страйка.

— Хреново, — сипло выговорил он.

— Я еще легко отделался по сравнению с другими.

— Это точно. Две недели назад одного парнишку, с которым племяш мой служил, в клочья разорвало.

Уилсон отпил еще чая.

— Какие у тебя были отношения с Лулой Лэндри? — спросил Страйк, держа наготове ручку. — Ты часто ее видел?

— Только когда она мимо поста проходила. Всегда «здрасте» скажет, «спасибо», «пожалуйста», от других-то слова доброго не дождешься, от богатеев гребаных, — емко ответил Уилсон. — Самый долгий разговор был у нас с ней про Ямайку. У нее там какая-то работенка намечалась, вот она и расспрашивала: где лучше остановиться, что да как. А я у нее автограф попросил, для Джейсона, это племяш мой, — ему на день рождения. Дал ей открытку подписать и послал ему в Афганистан. Она потом как мимо проходила, всякий раз про Джейсона спрашивала, по имени, прямо душу мне грела, веришь? Я в охране давно служу. Иные люди считают, что ты должен их от пуль заслонять, а сами имя твое запомнить не утруждаются. Да, славная была девушка.

Тут принесли обжигающую запеканку и картофельное пюре. Страйк и Уилсон почтительно умолкли, разглядывая гору еды. У Страйка потекли слюнки; взяв нож и вилку, он сказал:

— Можешь подробно рассказать, что происходило в тот вечер, когда погибла Лула? Она вышла из дому — в котором часу?

Поддернув рукав джемпера, охранник задумчиво почесал руку выше запястья; Страйк обратил внимание на татуировки: кресты, инициалы.

— В начале восьмого, что ли. Вышла с подружкой, с Сиарой Портер. Они к дверям, а навстречу им мистер Бестиги. Заговорил с Лулой. Слов я не разобрал. А она недовольна была. Я видел, какое у нее лицо.

— И какое же?

— Кислое, — без запинки ответил Уилсон. — Потом я на монитор глянул — они в машину садились, Портер с Лулой. У нас камера над входом, понимаешь? К монитору подсоединена, что у нас на стойке, — мы смотрим, кто в дверь звонит.

— Запись есть? Можно просмотреть эту запись?

Уилсон помотал головой:

— Мистер Бестиги не разрешил вешать ничего такого. Никаких записывающих устройств. Он тут первым квартиру купил, это сейчас все распроданы, а тогда многое по его указке делалось.

— Что же это за камера? Просто высокотехнологичный глазок?

Уилсон кивнул. От его левого века к середине скулы тянулся тонкий шрам.

— Ага. Так вот, значит, села она с подругой в машину. Киран — это он сегодня должен сюда подъехать — в тот вечер их не возил. Его отправили Диби Макка встречать.

— А кто был за рулем?

— Другой парень, Мик, тоже из агентства «Экзекарс». Она и раньше с ним ездила. Ну, вижу я, значит, папарацци машину окружили, проезду не дают. Всю неделю тут околачивались — пронюхали, что она снова с Даффилдом сошлась.

— А что стал делать Бестиги, когда Лула и Сиара уехали?

— Забрал у меня почту и пошел по лестнице к себе в квартиру.

Чтобы сделать очередную запись, Страйк опускал вилку после каждого кусочка запеканки.

— После этого кто-нибудь входил, выходил?

— Ну, официанты из фирмы заказ доставили — закуски и прочее: у Бестиги в тот вечер гости были. Американцы какие-то, муж с женой, приехали после восьми, поднялись в квартиру номер один, ушли чуть ли не в полночь, а до того времени больше никто не входил и не выходил. Потом Лула примерно в полвторого вернулась, а других я никого не видел. Слышу, папарацци у входа ее имя выкрикивать стали. Их там целая толпа собралась. Одни прямо от ночного клуба за ней увязались, другие у дома поджидали — эти Диби Макка высматривали. Его к половине первого ночи ждали. Лула снаружи позвонила, я кнопку нажал — открыл.

— Она не набирала код входной двери?

— Да ей не до того было, когда ее так осаждали, — хотела побыстрей скрыться. А эти-то орут, наседают.

— Разве она не могла попасть в дом через подземный гараж, чтобы с ними не сталкиваться?

— Ага, когда Киран ее возил, она так и делала — сама дала ему пульт от гаража. А у Мика пульта не было, вот он и высадил ее перед входом. «Доброй ночи, — говорю, — неужто снег повалил?» Вижу — у нее снежинки в волосах, сама дрожит, платьишко-то кургузое. А она, мол, на улице минус, то да се. А потом выпалила: «Черт бы их побрал! Всю ночь они, что ли, здесь торчать собираются?» В смысле, папарацци. Ну, я и говорю: они, мол, Диби Макка дожидаются, а он запаздывает. Она прямо завелась. В лифт зашла — и к себе поехала.

— Завелась?

— Еще как!

— Так завелась, что жить расхотела?

— Ну нет, — возразил Уилсон. — Просто завелась, разозлилась.

— А что было потом?

— А потом, — сказал Уилсон, — я по нужде отлучится. Живот скрутило. Пришлось в сортир бежать с полным баком. Приперло, пойми. Это я от Робсона заразу подцепил. Он аккурат на больничном был, по животу. Просидел я в сортире минут пятнадцать. А куда денешься? Так меня несло — наизнанку выворачивало. Сижу на толчке и слышу вопли. Нет, вру, — поправился он, — сперва я стук услыхал. Где-то поодаль. Мне-то невдомек было, что это тело грохнулось — Лула то есть. А уж потом сверху вопить стали, по лестнице затопали. Натянул я штаны, выскочил в вестибюль, а там миссис Бестиги, чуть не нагишом, трясется, кричит, мечется, как собака бешеная. Лула, говорит, погибла, ее какой-то мужик с балкона выбросил. «Оставайтесь, — говорю ей, — тут», а сам за дверь. Там я тело и увидел. Лежало на мостовой, лицом в снег.

Сжимая кружку мощной пятерней, Уилсон сделал изрядный глоток чая и добавил:

— Половина черепа проломлена. На снегу кровь. Вижу — шея тоже сломана. Из головы... это... да...

Страйку будто ударил в ноздри сладковатый, ни на что не похожий запах человеческих мозгов. Этот запах он узнавал безошибочно. Такое не забывается.

— Бросился я обратно, — продолжил Уилсон. — Вижу — Бестиги уже вдвоем, он жену наверх тащит, чтоб не позорилась, а она знай вопит. Я их попросил вызвать полицию и с лифта глаз не спускать — вдруг злодей спуститься надумает. А сам схватил в подсобке ключ-вездеход — и бегом наверх. На лестнице никого. Отпираю я дверь в квартиру Лулы...

— А для самообороны ничего с собой не взял? — перебил Страйк. — Ты ведь подозревал, что там кто-то есть? Чужак, только что убивший женщину.

Повисла долгая пауза. Самая длинная.

— У меня и мысли такой не было, — сказал наконец Уилсон. — Думал, скручу его — и дело с концом.

— Скрутишь кого?

— Даффилда, — выдавил Уилсон. — Я думал, там Даффилд.

— Откуда такая уверенность?

— Я думал, он вошел, пока я в сортире был. Код ему известен. Ну, думаю, поднялся он наверх, она его впустила. Накануне они поскандалили, я сам слышал. Он злой был как черт. Да...

Вот я и подумал, что это он Лулу сбросил. А в квартиру вхожу — там пусто. Все комнаты обошел. В шкафы заглянул — никого. В гостиной балконная дверь нараспашку. А на улице подморозило. Я закрывать не стал, ничего не трогал. Вышел из квартиры, кнопку лифта нажал. Двери тут же открылись — лифт по-прежнему на ее этаже стоял. В кабине никого. Я опрометью вниз по лестнице. Пробегаю мимо квартиры Бестиги, слышу — они у себя: она воет, он на нее орет. То ли вызвали они полицию, то ли не вызвали — я-то не знаю. Схватил со стойки свой мобильник, побежал с ним к Луле... ну... чтоб она без присмотра не лежала. Хотел в полицию позвонить уже с улицы и машину встретить. Не успел на девятку нажать, слышу — сирена. Быстро приехали.

— Значит, их вызвали Бестиги — либо муж, либо жена?

— Ага. Муж. Приехали двое в форме, на патрульной машине.

— Понятно, — сказал Страйк. — Хотелось бы уточнить: ты поверил, когда миссис Бестиги сказала, что слышала наверху мужчину?

— Ну да, — ответил Уилсон.

— А с какой стати?

Слегка нахмурившись, Уилсон призадумался и стал смотреть на улицу поверх правого плеча Страйка.

— Она ведь в тот момент не сообщила тебе никаких подробностей, верно? — настаивал Страйк. — Например, чем она занималась, когда услышала мужской голос? Почему не спала в два часа ночи?

— Нет, не сообщила, — согласился Уилсон. — Она в подробности не вдавалась. Но вела себя так... понимаешь... В истерике билась. Тряслась, как собачонка на морозе. И только твердила: «Там мужчина, он ее сбросил». Перепугана была до смерти. Но там никого не было, детьми своими клянусь. В квартире пусто, в лифте пусто, на лестнице пусто. Если кто-то в дом проник, куда он подевался?

— Итак, прибыли полицейские. — Страйк мысленно вернулся в ту снежную ночь, к искалеченному телу. — Что было дальше?

— Миссис Бестиги как увидела из окна патрульную машину, сбежала вниз в одном халате; следом муж ее. Выскочила она на улицу, прямо на снег, и давай вопить, что, мол, в доме прячется убийца. Тут и в соседних домах стал загораться свет. В окнах лица замаячили. Половина улицы проснулась. Жильцы высыпали на тротуар. Один полицейский остался возле трупа, вызвал по рации подкрепление, а другой вместе с нами — со мной и четой Бестиги — зашел в вестибюль. Приказал им сидеть у себя в квартире и ждать, а мне велел показать ему все здание. Начали мы с верхнего этажа; отпираю дверь Лулы, показываю ему квартиру, открытую балконную дверь. Он все проверил. Показал я ему лифт, все еще на этой площадке. Потом вниз пошли. Он спросил про квартиру этажом ниже, я «вездеходом» открыл. Там темно. Сработала сигнализация. Не успел я свет включить, а полицейский уже ломанулся в прихожую, налетел на столик и сшиб огромную вазу с букетом роз. Всюду осколки, вода, цветы. Потом нагорело ему... Обыскали мы квартиру. Все комнаты, все шкафы — никого. Окна заперты. Ну, вернулись мы в вестибюль. К тому времени люди в штатском подоспели. Затребовали ключи от подвала, где тренажерный зал, от бассейна, от гаража. Один пошел брать показания у миссис Бестиги, другой вызывал подкрепление, но для этого на улицу вышел, потому как сюда со всего квартала народ сбежался, многие по мобильным базарили, фотографировали. Легавые в форме пытались их разогнать по домам. А снегу-то навалило, снегу! Когда судмедэксперты приехали, над трупом палатку поставили. Пресса уже тут как тут. Полиция ленту натянула, заграждение из машин поставила.

Страйк успел подчистить свою тарелку и сдвинул ее в сторону. Заказав на двоих еще чая, он опять занес авторучку:

— Сколько персонала работает в доме номер восемнадцать?

— Охранников — трое: я, Колин Маклауд и Иэн Робсон. Работа у нас посменная, на посту круглые сутки кто-то есть. Я-то в ту ночь должен был дома спать, да Робсон позвонил мне на пост около шестнадцати часов: на корпус, говорит, пробило, сил нет. Ладно, говорю, отдежурю за тебя. Он меня в том месяце подменял, когда мне по семейным делам требовалось съездить. То есть за мной должок был. Вот так я и попал под раздачу, — заключил Уилсон и немного помолчал, размышляя о своих злоключениях.

— Другие охранники тоже были в хороших отношениях с Лулой?

— Ну да, они тебе то же самое скажут, что и я. Славная была девушка.

— А из обслуги есть кто-нибудь?

— Две уборщицы, полячки. По-английски — ни бум-бум. Ты от них ничего не добьешься.

Показания Уилсона, думал Страйк, делая записи в блокноте Отдела специальных расследований (прихватил пару штук по случаю, когда в последний раз наведался в Олдершот[1], в Дом британской армии), оказались сверхъестественно качественными: краткие, точные, проницательные. Не часто приходится слышать такие внятные ответы, и уж совсем редко люди отчетливо выстраивают свои мысли, что избавляет от необходимости задавать дополнительные, уточняющие вопросы. Страйк давно занимался раскопками в руинах горькой людской памяти, умел войти в доверие к убийце, разговорить запуганного, бросить наживку злоумышленнику, поставить ловушку хитрецу. В случае с Уилсоном эти навыки не понадобились: как видно, Джон Бристоу вывел его на охранника в приступе своей паранойи.

Тем не менее Страйку была свойственна неистребимая скрупулезность. Схалтурить при допросе свидетеля было для него так же немыслимо, как проваляться в исподнем, дымя сигаретой, на койке в военном лагере. И в силу характера, и в силу выучки, уважая себя не меньше, чем клиента, он продолжил с той же дотошностью, за которую в армии одни его превозносили, а другие ненавидели:

— Давай ненадолго вернемся на день раньше. В котором часу ты заступил на пост?

— В девять, как полагается. Колина сменил.

— У вас есть журнал учета посетителей?

— Ну да, всех записываем, кроме жильцов. Журнал на стойке лежит.

— Не помнишь, кто накануне приходил?

Уилсон заколебался.

— Рано утром Джон Бристоу заходил к сестре, верно? — подсказал Страйк. — Она еще приказала тебе его не впускать.

---

[1] Олдершот (тж. Алдершот) — город в Юго-Восточной Англии; в Викторианскую эпоху вырос из маленькой деревушки благодаря связям с армией.

— Это он сам тебе доложил? — Уилсон, казалось, вздохнул с некоторым облегчением. — Ну да, приказала. Но я его пожалел, веришь? Он должен был вернуть ей какой-то контракт, беспокоился, вот я его и пропустил.

— А о других посетителях тебе ничего не известно?

— Ну, Лещинская уже находилась в доме. Уборщица. Эта всегда к семи утра приходит. Лестницу драила, когда я на пост заступил. А потом только техник приходил, сигнализацию проверял. У нас каждые полгода проверка. Когда ж он появился? Где-то без двадцати десять, что ли.

— Техник был знакомый?

— Нет, новенький. Мальчишка совсем. К нам всякий раз другого присылают. Миссис Бестиги и Лула были еще дома, так что я провел его на третий этаж, показал, где панель управления, и он взялся за дело. Я ему показываю, где щиток, где тревожные кнопки, а тут Лула выходит.

— То есть ты своими глазами ее видел?

— Ну да, она мимо открытой двери прошла.

— Поздоровалась?

— Нет.

— Ты же говоришь, она всегда здоровалась.

— Видать, не заметила меня. Вроде торопилась. Ехала больную мать навестить.

— Откуда ты это узнал, если она с тобой даже не заговорила?

— Из судебного следствия, — четко сказал Уилсон. — Проводил я, значит, техника наверх, показал, где что, и на пост вернулся, а когда миссис Бестиги ушла, впустил его к ним в квартиру, чтобы он и там систему проверил. В принципе, я ему был не нужен — расположение щитков и тревожных кнопок во всех квартирах одинаковое.

— А где же был мистер Бестиги?

— Да он на работу чуть свет уехал. Каждый день в восемь утра отчаливает.

Трое работяг, в касках и желтых жилетах, в облепленных грязью сапогах, вошли в кафе и направились к соседнему столику: под мышкой у каждого была газета.

— Сколько времени тебя не было на посту, когда ты сопровождал техника?

— В квартире на третьем этаже минут пять пробыл, — сказал Уилсон. — В двух других — по одной минуте, не более.

— Во сколько уехал техник?

— К полудню время шло. Точней не скажу.

— А ты уверен, что он вышел из здания?

— Ну да.

— Кто еще приходил?

— Покупки какие-то из магазинов доставили, а вообще-то, к концу недели поспокойней стало.

— То есть начало недели выдалось беспокойным?

— Ну да, тут такая суматоха поднялась — Диби Макк должен был из Лос-Анджелеса прилететь. Люди из фирмы звукозаписи так и сновали туда-сюда: квартиру номер два подготовить к его приезду, холодильник набить и все такое.

— А ты не помнишь, в тот день что именно из магазинов доставили?

— Пакеты для Макка и для Лулы. И розы... Я помогал парню их наверх затащить: букет во-о-от в такой огромной вазе привезли. — Уилсон широко развел свои большие руки, изображая размер вазы. — Мы розы эти на столик взгромоздили в прихожей квартиры номер два. Потом их полицейский своротил.

— Ты сказал, что ему нагорело. От кого?

— Розы-то для Диби Макка мистер Бестиги заказал. Как прознал, что вазу раскокали, прямо вызверился. Орал как маньяк.

— Во сколько это было?

— Еще полицейские тут оставались. Пытались жену его допросить.

— Мимо его окон только что пролетела женщина и разбилась насмерть, а он устроил скандал из-за испорченного букета?

— Ну да. — Уилсон пожал плечами. — Он такой.

— Дибби Макк — его знакомый?

Уилсон снова пожал плечами.

— Этот рэпер вообще заходил к себе в квартиру?

Охранник помотал головой:

— Из-за всей этой заварухи он в отель поехал.

— Сколько времени ты отсутствовал, когда помогал затаскивать розы в квартиру номер два?

— Ну, пять минут, самое большее десять. После этого с поста не отлучался.

— Ты упомянул пакеты, доставленные для Макка и Лулы.

— Ага, от модельера какого-то. Рядом Лещинская была, я ее послал разнести их по квартирам. Для него одежду привезли, а для нее — сумочки.

— Ты можешь поручиться, что каждый, кто вошел в вестибюль, потом вышел?

— Ну да, — сказал Уилсон. — Они все в журнал записаны.

— Как часто меняется код входной двери?

— После гибели Лулы мигом сменили, потому как половина лондонской полиции его знала, — сказал Уилсон. — А до этого за три месяца, что Лула в этом доме жила, ни разу не меняли.

— Можешь назвать старый код?

— Девятнадцать шестьдесят шесть, — отчеканил Уилсон.

— Тысяча девятьсот шестьдесят шестой, чемпионат мира по футболу. «Они думают, что все закончилось»[1].

— Ну да, — подтвердил Уилсон. — Маклауд эти цифры терпеть не мог. Требовал, чтоб сменили.

— На момент смерти Лулы сколько народу могло знать код?

— Не так уж и много.

— Курьеры? Почтальоны? Газовщик?

— Эту публику мы сами впускаем, не отходя от стойки. Жильцы обычно кодом не пользуются — мы их на мониторе видим и сразу дверь открываем. Кодовый замок лишь тогда нужен, когда на посту никого нету: бывает, отойдешь в подсобку или поможешь пакеты наверх занести.

— У каждой квартиры свои ключи?

— Ну да, и своя отдельная сигнализация.

— Лула, уходя, ставила квартиру на сигнализацию?

— Нет.

---

[1] 23 февраля 1966 года на стадионе «Уэмбли» состоялся матч между сборными Англии и Германии. Незадолго до финального свистка, при счете 4 : 0 в пользу англичан, английские болельщики стали выбегать на поле, и комментатор телеканала Би-би-си в эфире заявил: «Они думают, что все закончилось... вот теперь все!» (*англ.* «They think it's all over... it is now!») Эта фраза стала крылатой в английской массовой культуре, напоминая англичанам об одной из их значительных побед в спорте.

— А бассейн и тренажерный зал? Они тоже под сигнализацией?

— Нет, просто под замком. У всех жильцов есть ключи от бассейна и спортзала. И еще от входа в подземный гараж. Эта дверь тоже под сигнализацией.

— Сигнализация была включена?

— Без понятия, меня там не было, когда ее проверяли. Наверное, была включена. В то утро техник все устройства проверил.

— А ночью все эти двери были заперты?

Уилсон растерялся:

— Не все. Дверь в бассейн была открыта.

— Не знаешь, кто-нибудь в тот день плавал в бассейне?

— Не припоминаю.

— Сколько же времени он стоял нараспашку?

— Без понятия. До меня Колин дежурил. Он должен был проверить.

— Ладно, — сказал Страйк. — Значит, ты именно потому заподозрил Даффилда в человеке, которого слышала миссис Бестиги, что сам до этого слышал, как он скандалил с Лулой. Когда это было?

— Незадолго до того, как они разбежались, за пару месяцев до ее смерти. Лула его выставила, а он стал в дверь кулаками барабанить, ногами стучать, хотел к ней вломиться. Крыл ее последними словами. Я пошел наверх, чтоб его выпроводить.

— Ты применил силу?

— Да мне без надобности было. Он как меня увидал, вещички с полу подхватил — она ему вслед куртку и ботинки выбросила — и ходу. Под кайфом был, — добавил Уилсон. — Глаза остекленевшие, сам понимаешь. Весь потный. Футболка грязная, дрянью какой-то заляпана. Никогда не мог понять, что Лула в нем нашла. А вот и Киран, — повеселел он. — Ее постоянный водитель.

7

В крошечное кафе протискивался парень лет двадцати пяти. Невысокий, худощавый, вызывающе красивый.

— Здорово, Деррик.

Водитель и охранник крепко пожали друг другу руки и вдобавок стукнулись костяшками пальцев, после чего Коловас-Джонс сел рядом с Уилсоном.

В жилах Коловас-Джонса был намешан целый коктейль непонятных кровей; в результате получился настоящий шедевр природы: оливково-бронзовая кожа, точеные скулы, почти орлиный нос, черные ресницы и прямые, зачесанные назад темно-каштановые волосы. Эту поразительную внешность оттеняли классическая рубашка с галстуком и скромная улыбка, будто сознательно призванная обезоружить других мужчин и не допустить их ревности.

— А тачка где? — спросил Деррик.

— На Электрик-лейн. — Коловас-Джонс ткнул большим пальцем через плечо. — У меня времени всего минут двадцать. К четырем обратно в Уэст-Энд нужно. Как у вас тут дела? — Он протянул руку Страйку. — Киран Коловас-Джонс. А вы...

— Корморан Страйк. Деррик говорит, что...

— Да-да, — подтвердил Коловас-Джонс. — Не знаю, насколько это важно, может, и ерунда, но полиции все по барабану. А мне просто нужно хоть кому-то рассказать, понимаете? Вы не подумайте, я не спорю, что это было самоубийство, — добавил он. — Просто хочу кое-что прояснить. Кофе, голубушка, — обратился он к пожилой официантке, которая осталась безучастной к его неотразимому обаянию.

— И что же тебя беспокоит? — спросил Страйк.

— Я был ее постоянным водителем, понимаете? — начал Коловас-Джонс, и по его тону Страйк понял, что рассказ отрепетирован. — Она всегда требовала прислать именно меня.

— У нее был заключен договор на обслуживание с вашей фирмой?

— Да. Так вот...

— Заказы передаются через пост охраны, — вклинился Деррик. — Мы оказываем жильцам такую услугу. Если кому-нибудь требуется автомобиль, звоним в «Экзекарс» — это агентство, где Киран работает.

— Но она всегда требовала прислать именно меня, — твердо повторил Коловас-Джонс.

— У вас сложились хорошие отношения?

— Лучше не бывает, — сказал Коловас-Джонс. — Мы с ней, понимаете... не скажу, что сблизились... хотя типа да, сблизились. Подружились; ближе, чем обычно дружат водитель с пассажиркой, понимаете?

— Серьезно? И насколько далеко вы зашли?

— Да нет, вы не подумайте, ничего такого, — ухмыльнулся Коловас-Джонс. — Ничего такого.

Но Страйк заметил, что шоферу польстила сама мысль о возможности чего-то большего.

— Возил я ее целый год. Мы подолгу беседовали, понимаете? У нас было много общего. Общее происхождение, понимаете?

— В каком смысле?

— Смешанная кровь, — пояснил Коловас-Джонс. — В нашей семье были некоторые проблемы, не скрою, так что я понимал, из какой среды она вышла. У нее, по сути, в той среде знакомых не осталось, особенно когда она так поднялась. Во всяком случае, она толком ни с кем не общалась.

— Смешанная кровь не давала ей покоя, правильно я понимаю?

— А как вы думаете, если темнокожая девочка росла в семье белых?

— У тебя в детстве были такие же проблемы?

— Мой отец наполовину карибского, наполовину валлийского происхождения, у матери корни наполовину ливерпульские, наполовину греческие. Лула все приговаривала, что завидует. — Он слегка приосанился. — «Ты, — бывало, скажет, — хотя бы знаешь, откуда произошел, пусть даже места эти у черта на рогах». А на день рождения, между прочим, — добавил он, как будто решил усилить произведенное на Страйка впечатление за счет новой, важной информации, — она мне подарила куртку от Ги Сомэ — выложила за нее, считай, девять сотен фунтов.

Страйк почувствовал, что надо бы отреагировать, и для виду покивал, хотя и заподозрил, что Коловас-Джонс искал с ним встречи лишь для того, чтобы похвалиться своей близостью к Луле Лэндри. Довольный таким проявлением внимания, шофер продолжил:

— Так вот, перед самой смертью... точнее, накануне... попросила она отвезти ее к матери, понимаете? И была в расстроенных чувствах. Не любила она к матери ездить.

— Почему?

— Да потому, что дама эта — с большими тараканами, — ответил Коловас-Джонс. — Я как-то раз возил обеих вместе, — кажется, у мамаши был день рождения. Та еще штучка леди Иветта. Луле — через слово: ах, солнышко, солнышко мое. Лула старалась от нее держаться подальше. Себе на уме, командирша такая и в то же время слащавая, понимаете?.. Ну да ладно, в тот день мамаша из больницы выписалась, совсем смурная была. Лула вовсе не горела желанием к ней ехать. Сжалась как пружина — я ее такой никогда не видел. А когда я сказал, что вечером приехать не смогу, раз меня подрядили Диби Макка встречать, она и вовсе на стенку полезла.

— Почему?

— Как — почему? Да потому что любила ездить со мной, а не с кем попало, — растолковал Коловас-Джонс, как будто Страйк вдруг отупел. — Я умел и от папарацци ее заслонить, и много чего другого, даже телохранителем ей был.

Еле заметным мимическим движением Уилсон показал, какой из Коловас-Джонса телохранитель.

— А разве нельзя было поменяться, чтобы за Макком поехал кто-нибудь другой?

— Можно, да я сам не захотел, — признался Коловас-Джонс. — Я большой фанат Диби. А тут подвернулась возможность с ним познакомиться. Это Лулу больше всего разозлило. Ну не важно. — Он поспешил вернуться к прежней теме. — Отвез я ее к матери, подождал — вот тогда-то и началось самое главное, что я хотел вам рассказать, понимаете? Выходит она от матери — а на самой лица нет. Я ее такой никогда не видел. И застыла, реально застыла. Как в ступоре. Потом села в машину, попросила у меня ручку и стала что-то писать на голубом листке. Мне — ни полслова. Сидит и строчит. Короче, повез я ее в «Вашти» — там они с подругой собирались пообедать, ну вот...

— Что такое «Вашти»? С какой подругой?

— «Вашти» — это магазин... как у них говорится, бутик. При нем есть кафе. Шикарное местечко. А подруга... — Коловас-Джонс нахмурился и несколько раз щелкнул пальцами. — Они в психушке познакомились. Черт, как же ее звали? Я их вместе не раз возил. Из головы вылетело... Руби? Рокси? Ракель? Что-то в этом духе. Жила в приюте Святого Эльма, на Хаммерсмит. Бездомная. Короче, заходит Лула в этот магазин. Когда к матери ехала, сама мне сказала, что собирается в «Вашти» пообедать, а тут пятнадцати минут не прошло — вылетает из дверей одна и требует отвезти домой. Как пить дать что-то здесь не то, понимаете? А Ракель эта, или как там ее... сейчас вспомню... так и не вышла, хотя обычно мы ее подвозили. И голубого листка я больше не видел. Лула всю дорогу молчала, как язык проглотила.

— Ты рассказывал полицейским про этот голубой листок?

— А как же. Только им плевать, — повторил Коловас-Джонс. — Это, говорят, был список покупок, не иначе.

— Можешь поточнее описать, как он выглядел?

— Просто голубой листок. Вроде почтовой бумаги. — Он посмотрел на часы. — Через десять минут отчаливаю.

— Значит, это была твоя последняя встреча с Лулой?

— А я о чем? — Он погрыз ноготь.

— Узнав о ее смерти, что ты подумал?

— Сам не знаю, — сказал Коловас-Джонс, обкусывая ноготь. — Как обухом по голове. Все мысли отшибло. Разве я мог предположить? Только-только виделись — и такая беда. Газеты раструбили: это, мол, Даффилд, у них в ночном клубе скандал вышел и все такое. Честно признаться, я тоже на него подумал. Ублюдок редкостный.

— То есть ты знал его лично?

— Возил их пару раз, — ответил Коловас-Джонс: он раздувал ноздри и поджимал губы, будто учуял дурной запах.

— И какое у тебя сложилось мнение?

— Мудак и бездарь — вот какое мое мнение. — С неожиданной виртуозностью Коловас-Джонс внезапно заговорил нудным, протяжным тоном. — «Может, он нам еще пригодится, Лулс? Пусть подождет, а?» — Коловас-Джонс выходил из себя. — Мне за все время ни слова не сказал, будто я пустое место. Хам, прилипала поганый.

Дерек негромко сообщил:

— Киран у нас актер.

— На эпизодических ролях, — уточнил Коловас-Джонс. — Пока что.

Он вкратце описал сериалы, в которых принимал участие, и при этом, с точки зрения Страйка, не упустил возможности выставить себя в более выгодном свете, чем того заслуживал в собственных глазах; показать, что он накоротке с этой непредсказуемой, опасной и переменчивой особой — славой. Она вечно маячила у него за спиной, рядом с пассажирами, на заднем сиденье лимузина, но отказывалась (размышлял Страйк) пересесть вперед, чем постоянно его терзала, а может, и злила.

— Киран пробовался у Фредди Бестиги, — сказал Уилсон. — Верно я говорю?

— Типа того. — Вялый ответ красноречиво сообщил о результатах.

— Как это было организовано? — спросил Страйк.

— Как полагается, — с налетом высокомерия ответил Коловас-Джонс. — Через моего импресарио.

— И ничего не вышло?

— У них изменились планы, — сказал Коловас-Джонс. — Мою роль вычеркнули.

— Итак, в тот вечер ты встречал Диби Макка — где, в Хитроу?

— В пятом терминале, — подтвердил Коловас-Джонс, нехотя возвращаясь к прозе жизни, и поглядел на часы. — Слушайте, мне пора.

— Я тебя провожу до машины, ты не против? — сказал Страйк.

Уилсон тоже не хотел засиживаться; Страйк заплатил за троих, и они вышли все вместе. На улице он предложил своим спутникам закурить; Уилсон помотал головой, а Коловас-Джонс не отказался.

Серебристый «мерседес» был припаркован поодаль, за углом, на Электрик-лейн.

— Куда ты отвез Диби из аэропорта? — спросил Страйк, когда они подходили к машине.

— Он хотел закатиться в какой-нибудь клуб, так что я его доставил в «Казарму».

— Во сколько ты его высадил?

— Ну не знаю... в полдвенадцатого, что ли? Без четверти? Он был на взводе. Сказал, что сна ни в одном глазу.

— А почему именно в «Казарму»?

— Да потому что в пятницу вечером там лучший хип-хоп во всем Лондоне. — Коловас-Джонс усмехнулся, как будто этого стыдно было не знать. — Ему, как видно, понравилось — часов до трех там зажигал.

— А потом, значит, ты повез его на Кентигерн-Гарденз и наткнулся на полицейский кордон или...

— Я в машине радио слушал и узнал, что там произошло, — сказал Коловас-Джонс. — Как только Диби вышел, я ему сразу сообщил. Его свита тут же начала по телефонам названивать, разбудили людей из фирмы звукозаписи, попытались какой-нибудь другой вариант организовать. Забронировали номер люкс в «Кларидже»; туда я его и отвез. Домой только к пяти утра добрался. Сразу включил новости, посмотрел репортаж по каналу «Скай». У меня челюсть отвисла.

— Там ведь папарацци толпились, у дома восемнадцать, но пронюхали, что Диби в ближайшее время не появится. Кто-то им нашептал, потому они и разошлись, пока еще Лула с балкона не выбросилась.

— Да? Я без понятия, — сказал Коловас-Джонс.

Он немного прибавил шагу и, опередив своих спутников, отпер дверцу автомобиля.

— Макк, наверное, привез с собой гору чемоданов? Багаж оставался у тебя в машине?

— Да нет, весь багаж фирма отправила загодя. Макк сошел с трапа налегке; при нем было человек десять сопровождающих.

— Значит, в аэропорт прислали не только твой автомобиль?

— Машин в общей сложности было четыре, но Диби поехал со мной.

— Где ты его ждал, пока он тусовался в клубе?

— Где припарковался, там и ждал, — ответил Коловас-Джонс. — Примерно на углу Глассхаус-стрит.

— И другие три автомобиля тоже? Все водители держались вместе?

— Поди найди в центре Лондона четыре парковочных места подряд, — бросил Коловас-Джонс. — Я без понятия, где другие парковались.

Поверх приоткрытой дверцы шофер стрельнул глазами на Уилсона, потом на Страйка.

— А вам зачем? — с нажимом спросил он.

— Просто интересуюсь, — сказал Страйк, — что это за работа — возить клиентуру.

— Фигня, а не работа, — неожиданно взорвался Коловас-Джонс. — Одно название — возить, а на самом деле стой и жди.

— Лула дала тебе пульт от дверей подземного гаража — он у тебя сохранился?

— Что-что? — переспросил Коловас-Джонс, хотя Страйк мог поклясться, что водитель прекрасно расслышал вопрос.

Тот уже не пытался скрыть вспыхнувшую враждебность, направленную не только против Страйка, но и против Уилсона, который, сообщив, что Коловас-Джонс — актер, не произнес больше ни слова.

— У тебя сохранился...

— Допустим, сохранился. Я ведь и мистера Бестиги вожу, — сказал Коловас-Джонс. — Ладно, я поехал. Счастливо, Деррик.

Бросив недокуренную сигарету на мостовую, он сел за руль.

— Если вспомнишь что-нибудь еще, — сказал Страйк, — например имя подруги, с которой Лула встречалась в «Вашти», позвони мне, ладно?

Он протянул шоферу свою визитку. Коловас-Джонс, который уже набрасывал ремень безопасности, взял ее не глядя:

— Я опаздываю.

Уилсон на прощанье поднял руку. Коловас-Джонс хлопнул дверцей, повернул ключ, нахмурился и задним ходом рванул со стоянки.

— У него слабость к звездам, — сказал Уилсон, как будто извиняясь за парня. — Он просто млел, когда ее возил. Всегда старается к знаменитостям поближе держаться. Два года ждет, чтобы Бестиги ему что-нибудь предложил. Уж как он бесился, когда ту роль не получил.

— А кого он хотел сыграть?

— Барыгу, наркоторговца. В каком-то фильме.

По пути к станции метро «Брикстон» они прошли мимо стайки чернокожих школьниц в синих форменных юбочках. У одной девчушки были длинные дреды с бусинами, и Страйк опять вспомнил свою сестру Люси.

— Бестиги по-прежнему живет в доме восемнадцать? — уточнил Страйк.

— Ну да, — сказал Уилсон.

— А кто занимает другие две квартиры?

— В квартире номер два украинец поселился, торгаш, с женой. Квартирой номер три заинтересовался какой-то русский, но конкретных переговоров не вел.

— А можно так организовать, — спросил Страйк, когда у них на пути возник щуплый бородатый старик в капюшоне, ни дать ни взять ветхозаветный пророк: остановившись посреди тротуара, он медленно высунул язык, — чтобы я когда-нибудь зашел и осмотрелся на месте?

— Наверное, можно, — помолчав, ответил Уилсон, который успел незаметно скользнуть взглядом по ногам Страйка. — Звякни, когда соберешься. Только сам понимаешь: надо подгадать, чтобы Бестиги дома не было. Он мужик вздорный, а я работу потерять не хочу.

8

В выходные мысль о том, что с понедельника он снова будет в конторе не один, грела Страйку душу; от этого нынешнее уединение становилось менее удручающим и даже в чем-то приятным. Можно было, к примеру, не убирать раскладушку, держать открытой дверь из кабинета в приемную и спокойно ходить в сортир, не боясь задеть чьи-либо чувства. Вот только дышать цитрусовой химией стало уже невмоготу: он приналег на залипшую от краски оконную раму позади своего письменного стола, и в тесные комнатенки с затхлостью в углах тут же хлынул чистый, прохладный ветер. Принципиально отметая те компакт-диски и даже отдельные мелодии, которые могли вернуть его в ураганные, мучительные годы, проведенные с Шарлоттой, он врубил на полную громкость Тома Уэйтса[1]. Маленький проигрыватель компакт-дисков, который Страйк не чаял больше увидеть, обнаружился на дне одной из картонных коробок. Страйк немного повозился с портативным телевизором и простенькой комнатной антенкой, а потом, запихнув в черный полиэтиленовый мешок все вещи, требующие стирки, отправился в ближайшую прачечную-автомат; по возвращении он натянул в кабинете веревку, развесил чистое белье и сел смотреть футбол: в три часа играли «Арсенал» и «Тотнем Хотсперс».

Пока он занимался рутинными делами, над ним как будто летало привидение, которое в свое время неотвязно маячило

---

[1] *Том Уэйтс* (Tom Waits), р. 1949 — американский певец и автор песен, композитор, актер. Начиная с 1980-х гг. играет в основном экспериментальный рок с элементами дарк-кабаре и авангардного джаза. Тексты его композиций представляют собой истории, рассказанные чаще всего от первого лица, с гротескными образами захолустных мест и потрепанных жизнью персонажей.

у больничной койки. Прячась в углах запущенной конторы, оно шепотом понукало Страйка, когда тот уставал. Не давало забыть, до чего он докатился; напоминало про возраст и безденежье, про разбитую личную жизнь и неприкаянность. Тридцать пять лет, зудело оно, столько корячился — и ни кола ни двора, лишь четыре картонные коробки да груз долгов. Это же самое привидение направляло его взгляд на банки с пивом в супермаркете, где продавалась лапша «Пот нудлз», и потешалось, когда он гладил рубашки на полу. В течение дня оно глумилось над его армейской привычкой выходить курить на улицу: и впрямь, такое пустячное проявление самодисциплины из прошлого не могло наладить и упорядочить беспорядочное, катастрофическое настоящее. Теперь Страйк курил за письменным столом; в дешевой пепельнице, давным-давно прихваченной из какого-то бара в Германии, росла гора окурков.

Зато у него появилась работа, напоминал он себе; денежная работа. «Арсенал» разгромил «Хотсперс», и Страйк повеселел: выключив телевизор, он отмахнулся от привидения, пересел за стол и взялся за дело.

Притом что у него теперь была возможность собирать и группировать улики любым известным способом, Страйк по-прежнему руководствовался Законом об уголовном судопроизводстве и подзаконными актами. Не важно, что он охотился, с его точки зрения, за несуществующим убийцей, рожденным больной фантазией Бристоу, — это не мешало ему тщательно расшифровывать и перегонять в компьютер те заметки, что были сделаны во время встреч с Бристоу, Уилсоном и Коловас-Джонсом.

В шесть часов вечера, когда это занятие было в самом разгаре, позвонила Люси. Хотя сестра была двумя годами моложе Страйка, она, похоже, считала себя старшей. На ней висели ипотека, туповатый муж, трое детей, изнурительная работа, но Люси, судя по всему, жаждала дополнительных забот, как будто ей не хватало точек приложения сил. Страйк всегда подозревал у нее желание доказать себе и миру, что она ничем не напоминает их беспутную мать, которая в угоду новой идее или новому сожителю таскала сына с дочкой по всей стране, раз от раза сдергивала из школы, приводила то в сквоты, то в ночлежки.

Из восьми его братьев и сестер только Люси росла вместе с ним; Страйк любил ее, пожалуй, больше всех на свете, но общение с ней подчас затрудняли старые тревоги и навязшие в зубах споры. Люси не могла скрыть, что беспокоится и переживает за брата. По этой причине Страйк не спешил честно рассказывать ей о своем нынешнем положении — делился он только с друзьями.

— Да, дела идут отлично, — говорил он ей, дымя возле открытого окна и наблюдая за перемещениями прохожих из одного магазина в другой. — За последнее время бизнес вырос ровно вдвое.

— Где ты находишься? Транспорт шумит.

— Я в конторе. Нужно бумаги разгрести.

— В выходной? А как на это смотрит Шарлотта?

— Она в отъезде... гостит у мамы.

— У вас ничего не случилось?

— У нас все путем, — сказал он.

— Точно?

— Угу, точно. А как Грег?

Сестра посетовала, что мужа очень загружают на работе, а затем продолжила допрос:

— Гиллеспи по-прежнему на тебя наседает?

— Нет.

— Я ведь не зря спрашиваю, Стик. — Детское прозвище не сулило ничего хорошего: Люси зачем-то понадобилось его умаслить. — Мне тут подсказали: оказывается, ты имеешь право обратиться в Британский легион[1], чтобы выхлопотать...

— Не тренди, Люси, — невольно вырвалось у него.

— Что-о-о?

Как же хорошо он знал этот обиженный, негодующий тон. Страйк закрыл глаза:

— Я не собираюсь ни о чем просить Британский легион, Люс, это понятно?

---

[1] *British Legion* — организация ветеранов войны в Великобритании, созданная в 1921 г. для оказания финансовой и материальной помощи участникам войн, вдовам и родственникам погибших, для содействия в вопросах пенсионного обеспечения, устройства на работу и т. п.

— Поумерь свою гордыню...

— Как дети?

— Неплохо. Послушай, Стик, меня возмущает, что Рокби, от которого ты за всю жизнь не видел ни гроша, натравливает на тебя своего адвоката. Пусть бы оказал безвозмездную помощь, тебе ведь столько пришлось пережить, а для него...

— У меня бизнес на подъеме. С долгами я разберусь, — сказал Страйк.

На углу ссорилась юная парочка.

— Ты правду говоришь, что у вас с Шарлоттой все хорошо? С чего это ее понесло к матери? Мне казалось, они друг дружку на дух не переносят.

— Как-то нашли общий язык, — ответил Страйк; между тем девчонка, отчаянно жестикулируя, топнула ногой и скрылась за углом.

— Ты кольцо-то ей купил? — допытывалась Люси.

— Погоди, мне казалось, ты хочешь, чтобы я вначале расплатился с Гиллеспи?

— Но она не сердится, что у нее до сих пор нет кольца?

— Она выше этого, — сказал Страйк. — Говорит: плевать на кольцо, деньги нужно вкладывать в бизнес.

— Надо же. — Люси всегда считала, что успешно маскирует свою глубочайшую неприязнь к Шарлотте. — Ты придешь на день рождения Джека?

— А когда?

— Стик, я послала тебе приглашение неделю назад!

Он подумал, что Шарлотта, вероятно, сунула конверт в одну из тех коробок, что так и стояли нераспакованными на лестничной площадке — в офис они не влезли.

— Угу, приду, — сказал он; ему до смерти не хотелось тащиться на этот день рождения.

Закончив разговор, он вновь сел за компьютер и продолжил работу. Вскоре записи его бесед с Уилсоном и Коловас-Джонсом были вбиты в файл, но чувство безысходности осталось. Впервые после увольнения из армии он взялся за дело, которое требовало не просто слежки, однако же судьба, как видно, задалась целью ежедневно напоминать, что у него больше нет ни авторитета, ни полномочий. Кинопродюсер Фредди Бестиги, который находился рядом с Лулой в момент ее гибели, оставался — стараниями безликих клерков — вне пределов досягаемости; да и с Тэнзи Бестиги до сих пор не было договоренности о встрече, хотя Джон Бристоу клятвенно обещал решить этот вопрос.

Со смутным чувством бессилия и едва ли не презрения к своим занятиям — сродни тому, какое испытывал к ним жених Робин, — Страйк все же решил не сдаваться и поискать в интернете еще какую-нибудь информацию, связанную с делом. Он нашел Кирана Коловас-Джонса, который, оказывается, не врал о сериале «Чисто английское убийство», где сыграл эпизод из двух реплик («Второй гангстер............Киран Коловас-Джонс»). У него действительно был импресарио, который разместил на своем сайте маленькое фото Кирана и скупой перечень его достижений, включая роли без слов в сериалах «Жители Ист-Энда» и «Катастрофа». Зато на сайте «Экзекарс» фотография Кирана имела более внушительный вид. В форменном костюме и фуражке, он позировал в полный рост, как заправский кумир публики, — очевидно, в штате агентства ни один водитель не мог тягаться с ним внешними данными.

За окнами на смену сумеркам пришла тьма; плеер по-прежнему рычал и стонал в углу голосом Тома Уэйтса, а Страйк, не вылезая из Сети, все гонялся за тенью Лулы Лэндри и время от времени добавлял в файл новые заметки.

Страницу Лэндри в «Фейсбуке» найти не удалось, в «Твиттере» она, судя по всему, тоже не регистрировалась. Вероятно, такое нежелание допускать жадных до сплетен фанатов в свою личную жизнь подталкивало многих к самостоятельному заполнению пробелов. На бесчисленных сайтах красовались подборки фотографий Лулы, сопровождаемые маниакальными комментариями. Если эта информация была правдивой хотя бы наполовину, то Бристоу дал Страйку неполную и выхолощенную картину саморазрушительного характера своей сестры, причем такие тенденции стали проявляться у нее в раннем подростковом возрасте, после смерти приемного отца, сэра Алека Бристоу: основатель собственной фирмы электронного оборудования «Альбрис», добродушного вида бородач, он скоропостижно скончался от инфаркта. После этого Лула сбежала из двух школ-интернатов и с позором вылетела из третьей — все это были дорогие частные пансионы. Она даже резала себе вены — соседка по общей спальне нашла ее в луже крови; скиталась где придется — полиция вытащила ее из какого-то сквота. На фан-сайте *LulaMyInspirationForeva.com*, рулило которым лицо неопределенного пола, утверждалось, что в тот период будущая модель зарабатывала на жизнь проституцией.

По закону о психическом здоровье она подвергалась принудительному лечению, находясь в охраняемой палате для подростков с диагнозом «циркулярный психоз». Не прошло и года, как она, приехав с матерью в магазин одежды на Оксфорд-стрит, встретила свою сказочную удачу в лице скаута из модельного агентства.

В шестнадцать лет Лула выглядела как Нефертити: перед объективами фотокамер красовалось уникальное сочетание порока и хрупкости: длинные, как у жирафенка, ноги, а на левой руке — рваный шрам от запястья до локтевого сгиба, добавлявший, по мнению модных обозревателей, определенную пикантность ее фантастической внешности: недаром на некоторых фотографиях он выставлялся напоказ. Экзотическая красота Лулы не укладывалась в общепринятые рамки, а обаяние, которое после ее смерти стали превозносить до небес (как журналисты, так и истеричные блогеры), уживалось с опасной раздражительностью и внезапными вспышками ярости. Похоже, пресса и публика любили ее в равной мере — и в равной мере любили ее поддеть. Одна журналистка написала, что Луле свойственна «странная прелесть и неожиданная наивность»; другая сочла, что перед ней «расчетливая юная дива, практичная и жесткая».

В девять вечера Страйк сходил поужинать в китайский квартал, вернулся в контору и, сменив Тома Уэйтса на *Elbow*[1], взялся искать в Сети информацию об Эване Даффилде, который, по общему мнению (и даже по мнению Бристоу), не убивал свою девушку.

---

[1] *Elbow* — британская инди-группа, образованная в Манчестере в 1990 г. Музыкальная критика называет *Elbow* «самой умной группой Британии». Группе принадлежит авторство композиции «Первые шаги» — музыкальной темы Олимпийских игр 2012 г. в Лондоне.

Пока Страйк не столкнулся с профессиональной завистью Коловас-Джонса, он при всем желании не мог объяснить, чем вообще прославился Даффилд. Зато теперь ему стало известно, что Даффилд прогремел после съемок в каком-то шедевре независимого кино, получившем хвалебные отзывы в прессе: сыграл он чуть ли не самого себя — музыканта, который подсел на героин и в результате пошел воровать.

На волне кинематографической славы своего фронтмена его команда выпустила вполне успешный альбом и со скандалом развалилась, практически сразу после знакомства Даффилда с Лулой. Как и его подруга, Даффилд отличался поразительной фотогеничностью: даже на сделанных длиннофокусным объективом неотретушированных кадрах (такие тоже нашлись в интернете), где он, в грязной одежде, бредет по улице; даже на тех снимках, где он в ярости бросается на папарацци. Похоже, соединение этих двух изломанных и прекрасных знаменитостей подогревало интерес к обоим: слава одного падала отраженным светом на другого, рикошетом отскакивала назад, и это вечное движение работало на обоих сразу.

Гибель подруги еще более укрепила позиции Даффилда в мире небожителей, которых превозносят, шельмуют и боготворят. Вокруг него появился ореол какого-то мрака и фатализма. Как могло показаться, и самые страстные фанаты, и недоброжелатели охотно рассуждали о том, что он из-за наркоты уже скатывается в пропасть, что его ждет неминуемое отчаяние и забвение. Из своих слабостей он, так сказать, сотворил себе рай, и Страйк несколько минут просматривал очередное мелкое, дрожащее видео на «Ютьюбе», в котором Даффилд, явно под кайфом, плел что-то несусветно путаное именно таким голосом, который мастерски пародировал Коловас-Джонс: мол, умереть — это все равно что уйти с вечеринки, а потому не стоит горевать, если свалить придется пораньше.

По свидетельствам очевидцев, в ночь смерти Лулы он уехал из клуба сразу вслед за ней, нацепив — и Страйк при всем желании не мог увидеть в этом ничего, кроме дешевого позерства, — маску волка. Его рассказ о дальнейших перемещениях, возможно, и не убедил самодеятельных онлайн-дознавателей, но полицейские, как видно, поверили в непричастность Даффилда к событиям на Кентигерн-Гарденз.

Кочуя по новостным сайтам и блогам, Страйк не сбивался с курса. То тут, то там ему попадались россыпи горячечных домыслов и разнообразных версий гибели Лэндри, в которых фигурировали упущения следственных органов: Бристоу, вероятно, начитался чужих рассуждений и еще больше укрепился в мысли о насильственной смерти сестры. На сайте *LulaMy-InspirationForeva* был целый список: «Вопросы без ответов»; вопрос номер пять звучал так: «Кто отозвал папарацци перед ее падением?»; вопрос номер девять: «Почему нигде не упоминаются парни, которые, закрывая лицо, убегали из ее квартиры в два часа ночи? Где они, кто такие?»; вопрос номер тринадцать: «Почему в момент падения с балкона Лула была одета не так, как при возвращении домой?»

В полночь Страйк открыл банку светлого пива и стал читать посмертные дебаты, о которых упоминал Бристоу; в свое время Страйк что-то такое слышал краем уха, но не заинтересовался. Через неделю после завершения следствия, когда уже был вынесен вердикт «самоубийство», в прессе поднялась шумиха вокруг одной фотографии, которая рекламировала продукцию кутюрье Ги Сомэ. На ней были изображены две обнаженные модели, которые позировали в каком-то грязном тупике, прикрывая стратегически важные места лишь сумочками, шарфиками и ювелирными украшениями. Лэндри сидела на мусорном баке, а Сиара Портер возлежала прямо на тротуаре. У обеих за спиной были огромные изогнутые ангельские крылья: у Портер — белоснежные, сродни лебединым; у Лэндри — черные с зеленоватым отливом, переходящим в бронзовый глянец.

Страйк несколько минут разглядывал это изображение, пытаясь точно определить, за счет чего же лицо погибшей девушки так непреодолимо приковывало взгляд, за счет чего же на снимке доминировала именно она. Именно она придавала достоверность этой нелепой театральщине; будто и впрямь ее низвергли с небес за корыстолюбие — уж очень истово прижимала она к себе аксессуары. Сиара Портер, при всей своей красоте, не могла с ней соперничать; бледная и безучастная, она выглядела алебастровой статуей. Кутюрье Ги Сомэ навлек на себя суровую, даже злобную критику за использование этой фотографии. Многие считали, что он спекулирует на смерти

Лулы, и насмехались над заявлениями пресс-секретаря Сомэ, который от имени своего босса признавался в искренних чувствах к Лэндри. Впрочем, на сайте *LulaMyInspirationForeva* говорилось следующее: Лула любила своего кутюрье, как брата, и не стала бы отвергать его прощальную дань ее успехам и красоте. Этот культовый снимок будет жить вечно, напоминая о Луле «всем нам, кто ее любил».

Допив пиво, Страйк поразмышлял над заключительными словами. Ему не дано было понять фанатских излияний в адрес совершенно незнакомых личностей. При нем люди порой говорили о его отце «старина Джонни» и сияли как медный грош, будто вспоминали общего друга, а сами повторяли набившие оскомину байки и газетные сплетни да еще строили из себя очевидцев, а то и действующих лиц. Один завсегдатай паба в Трескотике[1] как-то сказал Страйку: «Черт побери, я знаю твоего отца лучше, чем ты сам!» — а все потому, что сумел назвать имя сессионного музыканта, приглашенного для записи самого знаменитого альбома группы *Deadbeats*: этому парню Рокби (известная история) выбил зуб, когда в ярости двинул кулаком по саксофону.

В час ночи Страйк уже перестал обращать внимание на неумолчное уханье бас-гитары двумя этажами ниже, равно как и на скрип и шипение в мансарде, где управляющий баром наслаждался такими роскошествами, как душ и домашняя еда. Усталый, но не до такой степени, чтобы залезать в спальный мешок, Страйк еще пошарился в интернете и выяснил, в каком районе живет Сомэ, отметив про себя близость Чарльз-стрит и Кентигерн-Гарденз. Затем он впечатал в адресную строку *www.arrse.co.uk*, как будто после тяжелого рабочего дня зашел на автопилоте в ближайшую пивную.

На армейский сайт он не заходил с тех самых пор, когда Шарлотта, застав его несколько месяцев назад за этим чтивом, устроила такой скандал, как будто застукала за просмотром жесткого порно. Они тогда сильно поссорились: Шарлотта вбила себе в голову, что он тоскует по прежней жизни и тяготится нынешней.

---

[1] *Трескотик* (Trescothick) — микрорайон г. Кейншем, близ Бристоля.

В каждой строчке сквозил армейский дух; тексты были написаны таким языком, каким свободно владел Страйк. Знакомые сокращения, недоступный гражданским юмор, близкие военнослужащим темы: от переживаний отца, чьего сынишку гнобят в школе на Кипре, до запоздалых оскорблений в адрес премьер-министра по поводу «иракского расследования». Страйк переходил от одного поста к другому, временами фыркал от смеха, но мало-помалу переставал сопротивляться привидению, которое сейчас дышало ему в затылок.

Это был его мир; Страйк провел там счастливые годы. Пусть он на своей шкуре испытал тяготы и лишения армейской жизни, пусть потерял полноги, Страйк ни дня не жалел о том времени, что отдал службе. Однако среди сослуживцев он так и не стал своим. Поначалу звался «шустрилой», потом «пиджаком», вызывая у рядового состава неприязнь и страх в равной степени.

«Если тебя прижмет Отдел специальных расследований, говори: „Без комментариев, требую адвоката". Или: „Спасибо, что меня заметили" — тоже прокатит».

Страйк напоследок хмыкнул, а потом закрыл сайт и резко выключил компьютер. Он так устал, что провозился вдвое дольше обычного, снимая протез.

9

Ясным воскресным утром Страйк опять направился в студенческий центр, чтобы принять душ. Как и прежде, он сознательно выпятил могучую грудь, напустил на себя мрачность (вполне, кстати, естественное выражение лица) и с грозным видом, чтобы ни у кого не возникло желания задавать ему вопросы, нагло прошагал мимо вахты, глядя себе под ноги. В раздевалке он помедлил и дождался удобного момента, чтобы не шокировать студентов протезом: это была слишком броская примета.

Освежившийся и чисто выбритый, он доехал на метро до «Хаммерсмит-Бродуэй» и через торговый центр под стеклянной крышей, поймав робкие лучи солнца, вышел на улицу. В магазинах на Кинг-стрит было полно народу, прямо как по субботам. От этого многолюдного и совершенно бездушного коммерческого района было всего десять минут пешком до сонного, патриархального участка набережной Темзы.

На ходу, под шум транспорта Страйк вспоминал воскресные дни своего детства, проведенного в Корнуолле: пойти можно было только в церковь или на пляж. В ту пору воскресенье означало разговоры шепотом в гулкой тишине, осторожное звяканье посуды, запах мясной подливы, скучные телепередачи под стать опустевшим улицам, неумолчный шорох прибрежных волн и, за неимением других развлечений, бессмысленную беготню по гальке в компании Люси.

Мать однажды сказала: «Если Джоан окажется права и я попаду в ад, это будет вечное воскресенье в клятом Сент-Мозе».

На подходе к Темзе Страйк, не останавливаясь, позвонил своему клиенту.

— Джон Бристоу слушает.

— Извините, что беспокою в выходной, Джон...

— Корморан? — приветливо начал Бристоу. — Ничего-ничего, пожалуйста! Как прошла встреча с Уилсоном?

— Отлично, с большой пользой, спасибо. Хочу спросить, не поможете ли вы мне найти одну подругу Лулы. Они познакомились на лечении. У нее имя на букву «р» — Рейчел, Ракель, как-то так, а жила она в Хаммерсмите, в приюте Святого Эльма. Вам это о чем-нибудь говорит?

Повисла короткая пауза. Когда Бристоу заговорил, в его тоне звучало разочарование, граничащее с досадой:

— Зачем она вам? Ведь Тэнзи ясно сказала, что слышала мужской голос.

— Эта девушка интересует меня не как подозреваемая, а как свидетельница. Лула назначила ей встречу в магазине под названием «Вашти» непосредственно после вашего с ней визита к маме.

— Да знаю я, знаю, это всплыло на следствии. То есть... нет, вы, конечно, лучше разбираетесь, но... я не понимаю, какие у нее могут быть сведения о событиях той ночи. Послушайте... одну минуту, Корморан, я сейчас у мамы, здесь немного шумно... попробую найти спокойное место.

Страйк услышал какое-то движение, приглушенное «извините», а потом в трубке опять зазвучал голос Бристоу:

— Прошу прощения, не хотел говорить при сиделке. Честно сказать, когда вы позвонили, я подумал, что это опять насчет Даффилда. Все знакомые порываются мне рассказать.

— Рассказать что?

— Вы, очевидно, не читаете «Всемирные новости»[1]. А там даже фотографии есть: Даффилд вчера нагрянул к моей маме. Весь тротуар запрудили папарацци — ни пройти ни проехать, соседи стали жаловаться. Нас с Элисон в это время там не было, иначе я просто спустил бы его с лестницы.

— Что ему вдруг понадобилось?

---

[1] *News of the World* — британский таблоид; издавался в 1843–2011 гг., входил в медиаимперию Руперта Мердока. Закрыт из-за скандала с прослушкой телефонных разговоров звезд.

— Вопрос, конечно, интересный. Тони, мамин брат, считает, что деньги... впрочем, Тони вообще полагает, что людьми движут только деньги; так или иначе, генеральная доверенность оформлена на мое имя, так что Даффилду ничего не обломится. Бог его знает, зачем он приходил. Утешает лишь одно: мама, похоже, не поняла, кто это такой. Ее держат на сильных анальгетиках.

— Откуда газетчики узнали о его приходе?

— А это, — ответил Бристоу, — еще более интересный вопрос. По мнению Тони, Даффилд сам развонил.

— Как ваша матушка?

— Плохо, совсем плохо. Говорят, ей осталось с месяц, не дольше; может угаснуть в любую минуту.

— Сочувствую, — выговорил Страйк. Шагая под грохочущей эстакадой, он вынужден был повысить голос. — Ну что ж, если вспомните, как зовут подругу Лулы, с которой они встречались в «Вашти»...

— Не могу понять, почему она вас так интересует?

— Лула вызвала эту девушку из Хаммерсмита в Ноттинг-Хилл, провела с ней пятнадцать минут и убежала. Почему Лула не осталась пообедать? Почему встреча оказалась такой короткой? Они поссорились? При расследовании внезапной смерти любая необычная подробность может оказаться важной.

— Ясно, — с сомнением в голосе отозвался Бристоу. — Но... видите ли, такое поведение Лулы нельзя считать необычным. Я же говорил: она порой бывала немного... немного эгоистичной. Вполне могла вообразить, будто одним своим появлением способна осчастливить кого угодно, в том числе и эту девушку. Поймите, она часто увлекалась каким-нибудь человеком и очень быстро охладевала.

Его недовольство избранной детективом тактикой было столь очевидным, что Страйк решил ввернуть какое-нибудь скрытое оправдание своим высоким гонорарам.

— Я, собственно, звоню еще и по другому вопросу. Завтра вечером у меня назначена встреча с одним офицером из следственной бригады. Зовут его Эрик Уордл. Надеюсь получить у него материалы дела.

— Фантастика! — В голосе Бристоу зазвучало удивление. — Так оперативно!

— Да, у меня неплохие связи в главном управлении.

— Тогда вы сумеете ответить на некоторые вопросы о Бегуне! Вы прочли мои записи?

— Конечно. В них очень много ценного, — сказал Страйк.

— А я на этой неделе собираюсь договориться о встрече с Тэнзи Бестиги. Если хотите услышать ее свидетельства из первых уст, присоединяйтесь, можем вместе пообедать. Место и время сообщу через вашего референта, договорились?

— Отлично.

«Вот для чего нужно держать секретаршу, — закончив разговор, подумал Страйк, — даже если тебе нечего ей поручить и нечем заплатить: для солидности».

Как выяснилось, приют для бездомных, носивший имя святого Эльма, находился сразу за шумной бетонной эстакадой. Невзрачный, непропорциональный дом, сложенный тем не менее из красного кирпича и украшенный белым архитектурным орнаментом, пусть скудным и грубоватым, мог бы сойти за бедного родственника того дома в Мейфэре, где жила Лула. Запущенное строение не имело ни каменных ступенек, ни сада, ни респектабельных соседей; растрескавшаяся дверь выходила прямо на тротуар, наличники облупились. Со всех сторон его теснил прагматичный современный мир; оно сжалось и приуныло, так и не приспособившись к новому окружению; окна верхнего этажа упирались прямо в эстакаду с бетонными ограждениями и нескончаемым потоком транспорта. Казенный вид здания подчеркивали громоздкий металлический домофон и запертая в проволочную клетку над входом невыразимо уродливая черная камера с болтающимися проводами.

У двери курила тощая, одетая в грязный мужской свитер девица с герпесом в уголке рта. Прислонившись к стене, она с отсутствующим видом смотрела в сторону близлежащего торгового центра; Страйк позвонил и тут же поймал на себе наметанный, оценивающий взгляд: девица явно прикидывала в уме его возможности.

За дверью открылся тесный, душный вестибюль с затоптанным полом и ободранной деревянной обшивкой. Две запертые стеклянные двери, слева и справа от входа, позволяли разглядеть голый коридор и унылую комнату отдыха с листовками на столе и видавшей виды мишенью для дартс на продырявленной стенке. Прямо по курсу находилась забранная решеткой будка.

Вахтерша жевала резинку, погрузившись в чтение газеты. Когда Страйк спросил, где ему найти девушку по имени Рейчел или что-то в этом духе, подругу Лулы Лэндри, женщина отозвалась настороженно и неприветливо:

— Сам-то кто будешь — журналист?

— Нет, просто знакомый.

— Знакомый, а как ее зовут, не знаешь.

— Рейчел? Ракель? Как-то так.

В будку зашел лысоватый человек и остановился за спиной у вахтерши.

— Я частный детектив. — Страйк повысил голос, и лысоватый сменщик с интересом обернулся. — Вот моя визитка. Меня нанял брат Лулы Лэндри, мне необходимо поговорить...

— Так вы небось Рошель ищете? — Лысина склонилась к решетке. — Нету ее здесь. Ушла.

Вахтерша, всем своим видом выражая недовольство болтливостью сменщика, уступила ему место и скрылась.

— А когда, не подскажете?

— Да уж давно. Месяца два будет.

— А куда она подалась, как по-вашему?

— Откуда ж мне знать? Не иначе как бродяжничает. То придет сюда, то опять уйдет. Неуживчивая. У нее психика нарушена. Погодите, может, Карианна знает. Карианна! Эй! Карианна!

Вернувшаяся с улицы анемичная девица с болячкой на губе прищурилась:

— Чего?

— Ты Рошель не видела?

— На кой она мне сдалась, сучка драная?

— Значит, не видела? — уточнил лысый вахтер.

— Нет. Закурить не найдется?

Страйк протянул ей сигарету; девица заткнула ее за ухо.

— Далеко не ушла, где-нибудь поблизости ошивается. Жанин ее видела, — сообщила Карианна. — Рошель хвалилась, будто у нее теперь хата есть или типа того. Врет небось, сучка. Типа Лула Лэндри ей отписала. Как же, жди! А вам она на что? — обратилась девица к Страйку, явно надеясь за небольшую мзду предложить взамен Рошели себя.

— Хочу задать ей пару вопросов.

— Насчет чего?

— Насчет Лулы Лэндри.

— Во как, — протянула Карианна с расчетливым блеском в глазах. — Не больно-то они дружили. Вы не всему верьте, что вам Рошель наболтает, она же брешет как собака.

— А про что она брешет? — спросил Страйк.

— Да про все. Я считаю, она в магазинах тырила, а потом хвасталась, будто эти вещи ей Лула покупает.

— Да ладно тебе, Карианна, — мягко упрекнул лысый вахтер. — Они и впрямь дружили, — пояснил он Страйку. — Лэндри на машине за ней заезжала. Вот вам и причина, — он покосился на Карианну, — некоторой напряженности.

— Никакой напряженки не было, мне-то по́ фигу, — вспылила Карианна. — Эта Лэндри только и делала, что понты кидала. Даже не сказать, что симпатичная.

— Рошель как-то обмолвилась, что у нее тетка в Килберне живет, — вспомнил вахтер.

— Они с ней на ножах, — встряла девица.

— Фамилию или адрес тетки, случайно, не знаете? — спросил Страйк, но его собеседники отрицательно помотали головами. — А как фамилия Рошели?

— Понятия не имею. А ты, Карианна? У нас многие проживающие только по именам числятся, — сказал вахтер.

Вытянуть удалось сущие крохи. Рошель ушла из приюта два месяца назад. Лысый вахтер был в курсе, что девушка некоторое время состояла на амбулаторном учете в больнице Святого Фомы, но не мог поручиться, что она до сих пор является туда на прием.

— У нее припадки случаются. Лекарства глотает горстями.

— Когда Лула разбилась, эта сучка и бровью не повела, — ни с того ни с сего высказалась Карианна. — Ей все пофигу было.

Мужчины, как по команде, уставились на нее. Девица пожала плечами, как будто просто-напросто изрекла неудобную истину.

— Послушайте, если Рошель появится, передайте, пожалуй-ста, чтобы она мне позвонила, хорошо?

Страйк вручил им свои визитки, которые его собеседники тут же принялись разглядывать с нескрываемым интересом. Воспользовавшись этим, он ловко выудил из-под решетки оставленный жвачной вахтершей номер «Всемирных ново-стей» и сунул себе под мышку, а потом бодро распрощался и ушел.

Стоял теплый весенний день. Страйк направился к серо-зеленому с позолотой Хаммерсмитскому мосту, живописно освещенному солнцем. Вдоль противоположного берега Темзы вышагивал одинокий лебедь. Офисы и магазины остались где-то далеко. Свернув направо, Страйк двинулся по набережной мимо сплошного ряда невысоких домов, кое-где украшенных балконами и кустами глицинии.

В «Синем якоре» Страйк взял пинту пива и устроился сна-ружи, на деревянной скамье, лицом к воде и спиной к сине-белому фасаду. Закурив, он полистал газету и остановился на четвертой полосе, где была цветная фотография Эвана Даф-филда (склоненная голова, большой букет белых цветов в руке, черное пальто нараспашку), а сверху заголовок: «ДАФФИЛД НАВЕЩАЕТ СМЕРТЕЛЬНО БОЛЬНУЮ МАТЬ ЛУЛЫ».

Короткая благостная статья не добавляла ничего сущест-венного к этому заголовку. Тщательно подведенные глаза, раз-вевающиеся полы пальто, слегка отсутствующее, потусторон-нее выражение лица — Даффилд выглядел так же, как на похо-ронах своей девушки. В тексте статьи его называли «мятежный актер-музыкант Даффилд».

В кармане у Страйка завибрировал мобильный. Сообще-ние было отправлено с незнакомого номера.

Всемирные новости стр 4 Эван Даффилд. Робин.

Широко улыбнувшись маленькому экрану, он сунул мо-бильный назад в карман. Солнечные лучи пригревали голову и плечи. Под крики круживших над водой чаек Страйк радо-вался, что ему не надо никуда спешить и ни с кем встречаться, а можно просто посидеть на солнышке с газетой.

10

Вместе с плотной толпой других пассажиров Робин покачивалась в такт движению поезда метро, следовавшего по линии «Бейкерлу» в северном направлении; все попутчики, как водится в понедельник утром, хранили напряженный, мрачный вид. У нее в кармане пальто пискнул мобильный; достать его оказалось непросто — локоть настойчиво упирался в какую-то рыхлую часть мужского тела; сосед в костюме обдавал Робин зловонным дыханием. Увидев сообщение от Страйка, она даже повеселела, совсем как вчера, когда нашла в газете статью о Даффилде. Робин прочла:

Буду позже. Ключ в туалете за бачком. Страйк.

Поезд с грохотом катился по темным туннелям; она держала телефон в руке, больше не рискуя засовывать его карман, и старалась не втягивать носом мерзкий выхлоп. На душе у нее скребли кошки. Вчера Мэтью пригласил двух своих университетских приятелей пообедать вместе с ними в «Мельнице на лугу» — его любимом гастропабе. За соседним столиком кто-то читал «Всемирные новости»; при виде фотографии Даффилда у Робин перехватило дыхание; не дослушав очередного рассказа Мэтью, она извинилась и вышла в вестибюль, чтобы написать Страйку.

Мэтью потом заявил, что это по меньшей мере хамство — без объяснений выскакивать из-за стола в угоду какой-то бредовой секретности.

Робин крепко держалась за висячий ременный поручень; когда поезд затормозил и грузный сосед навалился на нее всем своим весом, ее захлестнули неловкость и обида по отношению сразу к обоим, особенно к детективу, который проигнорировал неожиданный поступок бывшего друга Лулы.

А к тому времени, когда она преодолела вечные завалы на Денмарк-стрит, пошарила за бачком унитаза, чтобы найти ключ, и выслушала надменную отповедь какой-то девицы из фирмы Фредди Бестиги, настроение испортилось окончательно.

Сам того не ведая, Страйк в это время проходил мимо того места, с которым были связаны самые романтические события в жизни Робин. В то утро на ступеньках под статуей Эроса сновали подростки-итальянцы; Страйк двигался по направлению к Глассхаус-стрит.

От Пиккадилли-сёркус было рукой подать до ночного клуба «Казарма», который так понравился Диби Макку, что прилетевший из Лос-Анджелеса рэпер провел там не один час. На фасаде, с виду бетонном, вертикально располагались глянцево-черные буквы названия. Клуб занимал четыре этажа. Страйк не ошибся: над входом висели камеры видеонаблюдения, которые, по его мнению, должны были захватывать почти всю улицу. Обойдя здание кругом, он набросал для себя примерный план и отметил на нем все запасные выходы.

Вчера, засидевшись допоздна в интернете, Страйк внимательно изучил публичные признания Диби Макка по поводу Лулы Лэндри. Топ-модель упоминалась в трех его композициях на двух альбомах; сам рэпер говорил, что видит в ней идеал женщины и родственную душу. Насколько серьезны эти заявления, судить было трудно: читая опубликованные интервью, Страйк делал поправку, во-первых, на своеобразное чувство юмора Диби Макка, отмеченное сарказмом и хитрецой, а во-вторых, на осторожность и даже опасливость журналистов, которые знали, что этого парня лучше не злить.

Бывший гангстер, дважды тянувший срок в родном Лос-Анджелесе за оружие и наркотики, Макк сколотил многомиллионное состояние и, наряду с музыкальной карьерой, успешно занимался разными прибыльными видами бизнеса. Неудивительно, что в средствах массовой информации начался, как выражалась Робин, ажиотаж, когда стало известно, что фирма звукозаписи сняла для Макка квартиру этажом ниже пентхауса Лулы. Какие только домыслы не высказывались о последствиях такого соседства Диби Макка с предполагаемой женщиной его мечты и, в частности, о влиянии этой взрывоопасной близости на неустойчивые отношения между Лэндри и Даффилдом. С обеих сторон эту белиберду щедро приправили сомнительные откровения знакомых: «Он уже позвонил ей и пригласил на ужин»; «Она готовит эксклюзивную домашнюю вечеринку по случаю его прибытия в Лондон». В море этих спекуляций тонуло возмущение отдельных журналистов, стремившихся понять, зачем в Лондон прилетает Макк — рецидивист, который (с их точки зрения) своими текстами прославляет криминал.

Убедившись, что окрестные улицы не могут больше сообщить ничего интересного, Страйк продолжил обход. Он отмечал все желтые полосы, ограничения парковки, действующие в вечерние часы по пятницам, и все близлежащие заведения, оснащенные видеокамерами. Взяв на карандаш все существенные детали, Страйк решил, что вполне может занести в статью накладных расходов горячий чай и круассан с беконом; и то и другое он нашел в ближайшем кафе, а вдобавок разжился оставленной кем-то из посетителей газетой «Дейли мейл».

Звонок мобильного потревожил его в тот момент, когда он приступил ко второй чашке чая и до середины прочел статью о непростительной оплошности премьер-министра, который при включенном микрофоне назвал старушку-избирательницу ханжой.

Всю прошлую неделю Страйк направлял звонки свалившейся на его голову временной секретарши в голосовую почту. Сегодня он ответил сам:

— Привет, Робин, как там дела?

— Все нормально. Для вас есть сообщения.

— Давайте. — Страйк приготовился записывать.

— Только что звонила Элисон Крессуэлл... секретарь Джона Бристоу... сказала, что на завтра заказала столик у «Чиприани», на час дня, чтобы ее босс мог познакомить вас с Тэнзи Бестиги.

— Отлично.

— Я снова звонила в компанию Фредди Бестиги. Там начинают злиться. Он сейчас якобы в Лос-Анджелесе. Я в очередной раз передала, что вы просите его с вами связаться.

— Хорошо.

— Опять звонил Питер Гиллеспи.

— Угу, — сказал Страйк.

— Говорит, это срочно, и просит вас немедленно перезвонить.

Страйк охотно поручил бы ей немедленно перезвонить Гиллеспи и послать его в задницу.

— Ладно. Скиньте мне, пожалуйста, адрес ночного клуба «Узи».

— Сейчас сделаю.

— И по возможности найдите номер телефона одного субъекта по имени Гай Сомэ. Он модельер.

— Ги, — поправила Робин.

— Что значит «ги»?

— Так его зовут. Имя то же самое, только произносится на французский манер: Ги.

— Ну-ну. Короче, будьте добры, найдите его телефон.

— Хорошо, — сказала Робин.

— Узнайте, не возражает ли он со мной побеседовать. Оставьте ему сообщение, чтобы он знал, кто я такой и на кого работаю.

— Хорошо.

Только сейчас до Страйка дошло, что Робин разговаривает ледяным тоном. После короткого раздумья он вроде бы понял, в чем дело.

— Да, кстати, спасибо за вчерашнее сообщение, — сказал он. — Извините, что не ответил: там, где я находился, было не до эсэмэсок. Но если вы созвонитесь с Найджелом Клементсом — агентом Даффилда — и устроите нам встречу, будет здорово.

Как он и рассчитывал, Робин сразу оттаяла; тон потеплел сразу на несколько градусов и вплотную приблизился к восторженному.

— Но Даффилд ни в чем не замешан, правда? У него железное алиби!

— Ну, это мы еще посмотрим. — Страйк подпустил в голос зловещие нотки. — К слову, Робин: если придет новое письмо с угрозами — обычно это бывает по понедельникам...

— Да? — загорелась она.

— Приобщите его к остальным, — сказал Страйк.

Твердой уверенности у него не было, все же Робин производила впечатление скромницы, но, перед тем как она повесила трубку, до него донеслось: «Вот урод!»

До вечера Страйк занимался скучной, но необходимой подготовительной работой. Когда Робин прислала ему адрес, он осмотрел снаружи еще один ночной клуб, на сей раз в Южном Кенсингтоне. Это заведение было полной противоположностью «Казарме»; со вкусом оформленный вход в «Узи» наводил на мысль о шикарном частном доме. Единственное — над дверями здесь тоже висели камеры слежения. Потом Страйк на автобусе доехал до Чарльз-стрит, где, по его расчетам, обитал Сомэ, и прошел, как ему представлялось, кратчайшим путем от адреса модельера до того дома, где погибла Лула.

К вечеру нестерпимо разболелась нога; Страйк позволил себе немного посидеть и перекусить парой сэндвичей, прежде чем отправиться в паб «Перья», что вблизи Скотленд-Ярда, на встречу с Эриком Уордлом.

Очередное заведение Викторианской эпохи выходило большими — практически от пола до потолка — окнами на серое здание двадцатых годов прошлого века, украшенное скульптурами Джейкоба Эпстайна[1]. Ближайшая из них, установленная над входом, заглядывала сверху прямо в окна: свирепое с виду божество обнимал младенец-сын, причудливо изгибаясь всем телом, чтобы выставить напоказ гениталии. Время опустило планку стыдливости.

В «Перьях» звенели, брякали и мигали ядовитым цветом игровые автоматы; закрепленные на стенах плазменные панели в мягких кожаных рамах показывали без звука матч «Альбион» (Уэст-Бромидж) — «Челси», а из скрытых динамиков ритмич-

---

[1] *Джейкоб Эпстайн* (1880—1959) — британский скульптор и график американского происхождения, один из зачинателей скульптуры стиля модерн.

но стонала Эми Уайнхаус[1]. Ассортимент элей был выведен краской на бежевой стене позади длинной стойки, напротив которой начиналась ведущая на второй этаж винтовая лестница темного дерева, с начищенными латунными перилами.

Страйка обслужили не сразу, и он успел оглядеться. В баре яблоку негде было упасть; подавляющее большинство посетителей составляли мужчины с короткими стрижками военного образца, и лишь у круглого столика топтались на высоченных шпильках, отбрасывая назад распрямленные и вытравленные до белизны волосы, три смуглые, мандаринового цвета, девушки в куцых платьицах с блестками. Красотки делали вид, будто не замечают привлекательного, мальчишеского вида завсегдатая в кожаной куртке, который в одиночестве сидел на высоком барном стуле, придирчиво изучая наметанным взглядом все их прелести. Страйк взял пинту «дум-бара» и уверенно направился к этому ценителю.

— Корморан Страйк, — представился он, подойдя к столику Уордла.

Он всегда завидовал таким волосам, как у этого парня. Уж к нему никогда не приросла бы кличка Лобок.

— Ага, я тебя срисовал, — сказал Уордл, пожимая ему руку. — Энстис говорил, что ты тяжеловес.

Страйк подвинул себе высокий стул, и Уордл без предисловий начал:

— Что ты хотел мне предложить?

— В прошлом месяце у метро «Илинг-Бродуэй» была драка со смертельным исходом. Погиб некий Лайам Йейтс, так? Стукачок ваш, правильно я понимаю?

— Допустим. Получил перо в шею. Нам известно, кто его завалил, — с высокомерной ухмылкой сказал Уорлд. — Половина городского хулиганья это знает. Если у тебя все...

— Только вам неизвестно, где его искать, так?

---

[1] *Эми Уайнхаус* (1983–2011) — английская певица и автор песен, известная своим контральто-вокалом и эксцентричным исполнением смеси музыкальных жанров, включая ритм-энд-блюз, соул и джаз. Занесена в Книгу рекордов Гиннесса как первая и единственная британская певица, получившая пять наград «Грэмми».

Скользнув глазами по нарочито бесчувственным красоткам, Уордл быстро достал из кармана блокнот:

— Продолжай.

— Есть девчонка, работает в букмекерской конторе «Бетбастерс» на Хэкни-роуд. Зовут Шона Холланд. Снимает жилье в двух кварталах от конторы. У нее сейчас кантуется незваный гость, Бретт Фирни, который избивал ее сестру. Думаю, вам стоит туда наведаться.

— Подробный адрес есть? — спросил Уорлд, торопливо строчивший в блокноте.

— Я дал тебе имя квартиросъемщицы и, так сказать, половину почтового индекса. Может, дальше ты сам?

— Как ты сказал, откуда у тебя эта информация? — спросил Уордл, не отрываясь от положенного на колено блокнота.

— Я не сказал, — равнодушно ответил Страйк, потягивая пиво.

— Интересные у тебя дружки, а?

— Очень. А теперь в порядке честного обмена...

Сунув блокнот в карман, Уордл хохотнул:

— Информация твоя, скорее всего, фуфло.

— Нет. Играй по правилам, Уордл.

Полицейский на мгновение впился глазами в Страйка, не пряча ни насмешки, ни подозрительности:

— А твой интерес в чем?

— Я же по телефону сказал: мне нужна закрытая информация.

— Ты что, газет не читаешь?

— Повторяю: закрытая информация. Моему клиенту видится здесь состав преступления.

— Ага, нам платит желтая пресса? — Уордл скривился.

— Нет, — ответил Страйк. — Брат Лулы Лэндри.

— Джон Бристоу? — Отхлебнув пива, полицейский уставился на ляжки одной из красоток; в его обручальном кольце отражались красные огоньки игрового автомата. — По-прежнему зацикливается на этой видеозаписи?

— Пару раз упоминал, — согласился Страйк.

— Мы пробовали разыскать тех двоих, — сказал Уордл, — дали объявление. Ни один не отозвался. И немудрено: при их появлении сработала сигнализация, — как видно, это они вскрыли тачку. Причем непростую — «мазерати». Очень навороченную.

— То есть, по-твоему, они угонщики?

— Я не утверждаю, что именно это их туда привело; не исключено, что подвернулась возможность, вот и все. Какой угонщик пройдет мимо брошенного на улице «мазерати»? Но времени было два часа ночи, колотун страшный — не знаю, что еще они ловили в Мейфэре: по нашим сведениям, ни один из них там не проживал.

— Как по-твоему, откуда они взялись и куда делись после?

— Мы почти уверены, что один из них, тот, который направлялся к дому Лулы перед тем, как она разбилась, сошел с тридцать восьмого автобуса на Уилтон-стрит в четверть двенадцатого. Трудно сказать, чем он занимался полтора часа, пока не оказался под камерой в конце Беллами-роуд. Он промчался мимо этой камеры минут через десять после смерти Лэндри, припустил по Беллами-роуд и, скорей всего, свернул направо по Уэлдон-стрит. У нас есть записи с другой камеры, на Теобальдс-роуд, сделанные минут на двадцать позже, там заснят парень примерно такой же внешности — высокий, чернокожий, в капюшоне, лицо закрыто шарфом.

— Мчался, как лось, если за двадцать минут добежал до Теобальдс-роуд, — отметил Страйк. — Это ведь у Кларкенуэлла, правильно? Мили две — две с половиной. По гололеду.

— Может, это и не он. Качество съемки дерьмовое. Бристоу настораживает, что он закрывал лицо, но холод был адский, я сам на службу в вязаном шлеме пришел. Да какая разница, был он на Теобальдс-роуд или не был, если никто его не опознал?

— А второй куда делся?

— Добежал по угла Холливелл-стрит, это метров шестьдесят, а куда потом — неизвестно.

— А в котором часу появился в этом районе?

— Он с любой стороны мог появиться. Ни на одном видео этот момент не зафиксирован.

— Но в Лондоне, насколько я знаю, десять тысяч камер видеонаблюдения, так?

— Они же не везде есть. Камеры требуют обслуживания, настройки, а иначе толку от них — ровно ноль. Та, что установлена на Гарримен-стрит, была неисправна, на Медоуфилд-роуд и на Хартли-стрит вообще ни одной нет. Ты как все, Страйк: хочешь гражданских свобод, чтоб от жены в ночной клуб бегать, но при этом чтоб за твоим домом было круглосуточное наблюдение, а то, не ровен час, кто-нибудь через окно сортира заберется. Так не бывает, чтобы и капитал приобрести, и невинность соблюсти.

— И одно, и другое — не про меня, — сказал Страйк. — Я только спросил, что тебе известно про второго бегуна.

— Закутанный шарфом, как и его кореш; видны только руки. Я бы на его месте, будь у меня рыло в пуху из-за этого «мазерати», отсиделся в баре и вышел вместе с какой-нибудь компанией. На Холливелл-стрит есть как раз подходящее местечко, «Боджо», — он прямиком с Холливелл-стрит мог нырнуть туда и затихариться. Мы проверили. — Уордл не стал дожидаться вопроса. — По кадрам видеозаписи никто его не опознал.

Некоторое время оба молча тянули пиво.

— Даже если б мы его нашли, — сказал Уорлд, опуская стакан, — максимум, что можно было бы из него вытянуть, — свидетельские показания о падении Лэндри. У нее в квартире не обнаружено следов посторонней ДНК. Никто из чужих туда не заходил.

— Но Бристоу основывается не только на видеозаписях, — заметил Страйк. — Он знаком с Тэнзи Бестиги.

— Избавь меня от разговоров об этой дряни, — раздраженно бросил Уордл.

— Не могу: мой клиент считает, что она говорит правду.

— Она еще не прикусила язык? Не заткнулась? Могу тебе открыть глаза на эту миссис Бестиги, хочешь?

— Валяй. — Одной рукой Страйк сжимал стакан, приподняв его над столом.

— Мы с Карвером прибыли по вызову минут через двадцать — двадцать пять после того, как Лэндри разбилась о мостовую. Патрульные были уже там. Тэнзи Бестиги колотилась в истерике, бормотала невесть что, тряслась, вопила, что в доме убийца. Дескать, проснулась она в два часа ночи, побежала по-маленькому, услышала наверху крики, а потом увидела, как мимо ее окна летит Лула. А у нее в квартире — тройные стеклопакеты. И тепло сохраняют, и вентиляцию обеспечивают, и от уличного шума защищают. Когда мы ее допрашивали, на тротуаре было полно народу и полицейских машин, но ты бы ни в жизнь об этом не догадался, если б не мигалки. В квартире у нее глухо как в танке. Я ей говорю: «Вы уверены, что слышали крики, миссис Бестиги? Ведь у вас в квартире, по-моему, хорошая звукоизоляция». Она — в позу. Божилась, что слышала каждое слово. Якобы Лэндри кричала: «Ты опоздал!» — а мужской голос в ответ: «Лживая тварь!» Слуховые галлюцинации — вот как это называется, — заключил Уордл. — Кто на кокаине сидит, у того мозги из ноздрей вытекают.

Он снова сделал большой глоток.

— Короче, мы доказали, что слышать этого она не могла. На следующий день, когда их с мужем достала пресса, они переселились к знакомым, и мы впустили в квартиру нескольких наших ребят, а одного поставили на балкон Лулы и велели орать во все горло. На втором этаже не было слышно ни единого слова — это притом что наши парни были трезвыми как стеклышко и специально прислушивались. Но пока мы доказывали, что миссис Бестиги врет и не краснеет, она обзвонила пол-Лондона, выдавая себя за единственную свидетельницу убийства Лулы Лэндри. Пресса, естественно, ухватилась за ее показания, поскольку соседи слышали, как она вопила, что в доме находится посторонний. Клеймо сразу легло на Эвана Даффилда; мы снова к этой дамочке. Приперли к стенке, потому как доказали, что не могла она ничего слышать. А она так и не признала, что это плод ее больного воображения. До сих пор свое гнет, а журналисты ей проходу не дают, будто она Лула Лэндри, воскресшая из мертвых. И что она придумала: «Ах, разве я не упомянула? Окна же были открыты. Да-да, я сама открыла окна — проветривала». — Уордл желчно усмехнулся. — На улице метель, холодина, а ей, видишь ли, проветрить приспичило.

— А она действительно была в нижнем белье?

— Она была как щепка с двумя приклеенными искусственными мандаринами, — сказал Уордл, и по той легкости, с которой он выдал это сравнение, Страйк понял, что слышит его далеко не первым. — Пришлось реагировать на ее новые бредни: проверили на отпечатки пальцев — и точно: к окну она не прикасалась. Ни на рамах, ни на засовах ее пальчиков не было. А уборщица стереть их не могла — она приходила за сутки до смерти Лулы. Поскольку в момент нашего приезда окна были заперты на шпингалеты, напрашивается единственный вывод, ты согласен? Миссис Тэнзи Бестиги врет как сивый мерин.

Уорлд осушил свой стакан.

— Я возьму еще, — сказал Страйк и пошел к стойке.

Возвращаясь, он заметил, что Уордл с любопытством рассматривает его ноги. В другой ситуации Страйк, возможно, сказал бы, стукнув о ножку стола протезом: «Правая». Но сейчас он молча поставил на стол две свежие пинты и свиные шкварки, которые, к его неудовольствию, подавались здесь в белом горшочке, и сразу продолжил с того места, где разговор прервался:

— И тем не менее Тэнзи Бестиги видела, как Лэндри пролетела мимо ее окна? Уилсон тоже говорит, что сперва услышал стук от удара тела и тут же — вопли миссис Бестиги.

— Может, и видела, но в сортир она вовсе не по нужде бегала. А бегала она кокса нюхнуть. Там мы его и нашли: готовенький, на дорожки разделенный.

— То есть она сколько-то оставила?

— Ага. Как видно, охоту отшибло, когда за окном такое увидела.

— Разве из ванной комнаты видно, что делается за окном?

— В общем, да. Частично.

— Вы прибыли довольно быстро, правда?

— Патрульные — минут через восемь, а мы с Карвером — через двадцать. — Уордл поднял стакан, будто предлагая выпить за оперативность правоохранительных органов.

— Я встречался с этим охранником, с Уилсоном, — сказал Страйк.

— Да? Толковый мужик, — сказал Уордл с легкой снисходительностью. — Он же не виноват, что его дристос пробрал. А так он ни к чему не прикасался, мигом произвел осмотр помещения. В самом деле толковый.

— Но ни он, ни его напарники не потрудились вовремя сменить код входной двери.

— С кем не бывает. Кругом эти ПИН-коды, пароли. Достали уже.

— Бристоу хочет понять, какие возможности открывало пятнадцатиминутное отсутствие Уилсона.

— Мы и сами хотели это понять, но ровно через пять минут удостоверились, что миссис Бестиги как раз в это время побежала нюхнуть кокса, а потом не упустила возможности прославиться.

— Уилсон упомянул, что бассейн оставался незапертым.

— А он может объяснить, каким образом убийца пробрался в бассейн и обратно, минуя посты охраны? Бассейн этот гребаный, — сказал Уордл, — у нас в тренировочном центре, считай, такой же, а тут — для троих придурков. Да еще у них на первом этаже, за постом охраны, спортзал. Гараж подземный, мать твою. Квартиры мрамором отделаны, всяким дерьмом... прямо пятизвездочный отель. — Полицейский медленно покачал головой, сокрушаясь о несправедливом распределении богатства. — Другой мир.

— Меня интересует квартира посредине, — сказал Страйк.

— Диби Макка? — уточнил Уордл, и Страйк с удивлением отметил искреннюю, теплую улыбку полицейского. — А что в ней такого?

— Ты туда входил?

— Только заглянул, но Брайан уже закончил осмотр. Пусто. Окна заблокированы, сигнализация включена, исправна.

— Брайан — это тот, который напоролся на стол и свернул икебану?

Уордл фыркнул:

— Даже ты наслышан? Мистер Бестиги был, мягко говоря, недоволен. Шутка ли сказать: две сотни белых роз в хрустальной вазе размером с мусорный бачок. Где-то он, похоже, вычитал, что Макк включает в свой райдер белые розы. Райдер, — повторил Уордл, вероятно приняв молчание Страйка за непонимание, — это список той фигни, которую артисты требуют себе в гримерку. Пора бы знать.

Страйк пропустил этот выпад мимо ушей. От протеже Энстиса он ожидал большего.

— Не выясняли, зачем Бестиги прислал Макку розы?

— Да просто пыль в глаза пустить. Или заманить в какой-нибудь свой фильм. Когда ему донесли, что Брайант эту красоту порушил, Бестиги от злости чуть не обделался. Орал как недорезанный.

— И никого не удивило, что он психует из-за какого-то букета, когда его соседка лежит на улице с проломленной головой?

— Этот Бестиги — склочный ублюдок, — с расстановкой проговорил Уордл. — Привык, что перед ним прогибаются. Он даже на нас пасть разевал, да быстро обломался. Но вопли-то на самом деле были не из-за букета. Он хотел заглушить свою жену, пока та не взяла себя в руки. Никого к ней не подпускал. Здоровенный бычара старичок Фредди.

— А что именно его волновало?

— Ну как же! Чем дольше его жена воет и трясется, как шавка на морозе, тем понятнее всем, что она под кайфом. Бестиги наверняка знал, что «снежок» у них дома заныкан. Ему не улыбалось, что в квартиру вот-вот нагрянет полиция. Вот он и орал, что, дескать, на пятьсот фунтов его опустили, — просто хотел отвлечь внимание. Где-то я читал, что он подал на развод. Немудрено. Привык, что пресса вокруг него на цыпочках ходит — такой любого засудит. А тут Тэнзи языком мелет — зачем ему такая огласка? Газетчики, конечно, своего не упустили. Раскопали старые истории про то, как он в своих подчиненных тарелками швырялся. Как людям рот затыкал. Говорят, он своей предыдущей жене отвалил энную сумму, чтобы та в суде помалкивала о его похождениях. Сам-то — всем известно — потаскун, каких мало.

— Но в качестве подозреваемого он у вас не фигурировал?

— Еще как фигурировал: был застукан рядом с трупом, оказал сопротивление полиции. Но это мы так, больше для острастки. Уверен, если б женушка знала, что это его рук дело или что его не было дома в момент падения Лулы, она бы наверняка все выболтала: когда мы приехали на место, она собой не владела. Но она повторяла, что он спал, и действительно, постель была смята. А плюс к этому, если даже допустить, что Бестиги выбрался из квартиры незамеченным и поднялся к Лэндри, то каким образом ему потом удалось проскользнуть мимо Уилсона? На лифте он спуститься не мог, так что путь оставался один — пешком по лестнице.

— Значит, по хронометражу он тоже вне подозрений?

Уордл помедлил.

— Есть тут маленькая натяжка. Совсем маленькая: нельзя исключать, что Бестиги во много раз шустрее, чем позволяют предположить его возраст и комплекция, и что он, столкнув Лэндри, в ту же секунду кубарем скатился по лестнице. Но тогда возникают вопросы: почему в ее квартире не обнаружено следов его ДНК; как получилось, что жена Бестиги не засекла его, когда он выскользнул за дверь; и еще один пустячок — с какого перепугу Лэндри его впустила? Ее друзья в один голос твердят, что она его терпеть не могла. Да что тут говорить... — Уордл допил последние капли, — если такой субъект, как Бестиги, задумает кого-нибудь убрать, он киллера наймет. А сам руки марать не станет.

— Еще по одной?

Уордл посмотрел на часы:

— Моя очередь. — Он встал со стула и неторопливо двинулся к стойке.

Три девицы, топтавшиеся у круглого столика, умолкли, жадно провожая его глазами. На обратном пути он одарил их краткой ухмылкой, и они не спускали с него глаз, пока он не уселся на прежнее место.

— Как по-твоему, Уилсон при таком раскладе годится на роль киллера? — спросил Страйк полицейского.

— При таком раскладе из него киллер — как из дерьма пуля, — ответил Уордл. — Как бы он успел подняться, спуститься и Тэнзи Бестиги на первом этаже перехватить? Кстати, заметь: послужной список у него липовый. Его взяли на эту работу как бывшего полицейского, а он в полиции вообще не служил.

— Интересное дело. Где же он служил?

— В охранных структурах. Сам признался, что лет десять назад соврал насчет первого места работы, а потом резюме исправлять не стал.

— У меня такое впечатление, что он хорошо относился к Лэндри.

— Да. Он выглядит моложе своих лет, — без всякой связи с предыдущим отметил полицейский. — У него уже внуки. Они лучше нашего сохраняются, эти афрокарибцы, ты согласен? С виду он — твой ровесник.

Страйк лениво спросил себя, сколько же навскидку дал ему Уордл.

— А криминалисты поработали у нее в квартире?

— Конечно, — ответил Уордл, — но только для того, чтобы начальство могло полностью отмести насильственную смерть. Не прошло и суток, а нам уже велели отрабатывать версию самоубийства. Ну, мы, конечно, постарались — весь мир на нас смотрел, — добавил он с нескрываемой гордостью. — Перед тем уборщица с утра весь дом надраила — она полька, симпатяжка, по-английски ни бум-бум, но тряпкой и шваброй машет как зверь, так что все свежие пальчики у нас получились четко. Ничего подозрительного.

— Ведь это Уилсон обыскивал дом после падения Лэндри? Видимо, его отпечатки были повсюду?

— Да, но в самых обычных местах.

— Значит, по твоим сведениям, в доме находились только трое. Диби Макк тоже должен был приехать, но...

— ...отправился прямиком из аэропорта в ночной клуб, это верно, — подхватил Уордл. Его физиономия опять расцвела невольной улыбкой. — На другой день я его сам допросил в «Кларидже». Здоровенный, чертяка. Вроде тебя, — он стрельнул глазами по массивному торсу Страйка, — только накачанный. — (Страйк безропотно стерпел удар.) — Сразу видно — бывший гангстер. У себя в Лос-Анджелесе из тюряги не вылезал. Еле-еле британскую визу смог получить. Прилетел с целой свитой, — продолжал Уордл. — Эти громилы тоже в зале ошивались: пальцы в перстнях, шеи в татуировках. Но Диби из них самый здоровенный. В темном переулке с таким лучше не встречаться. Зато ведет себя в сто раз приличней, чем Бестиги. Спросил, как это я на службе обхожусь без ствола.

Полицейский сиял. Страйк невольно сделал вывод, что следователь Эрик Уордл так же падок на звездные знакомства, как шофер Киран Коловас-Джонс.

— Я его долго мурыжить не стал — он только с самолета, даже к себе на Кентигерн-Гарденз еще не заезжал. Так, стандартные вопросы. А под конец попросил у него автограф на его последнем диске, — не удержавшись, похвастался Уордл. — У меня дома фурор был. Жена хотела этот диск с автографом на «Ибэй» выставить, но я собираю... — Уордл замолчал с таким видом, будто выболтал чуть больше, чем собирался.

Страйка это даже насмешило; он бросил в рот пригоршню шкварок.

— А как тебе Эван Даффилд?

— Этот... — протянул Уордл. То расположение, с которым он описывал Диби Макка, вмиг испарилось; полицейский нахмурил брови. — Наркоша. Всю дорогу наших за нос водил. Как Лэндри разбилась — сразу в клинику лег.

— Да, я читал. В какую?

— В «Приорат»[1], куда же еще. Лечение покоем, видите ли.

— И когда ты его допросил?

— На следующий день; мы ноги стоптали, пока до него добрались: у его окружения рот на замке. Та же история, что с Бестиги, да? Лишь бы только мы не вызнали, чем он на самом деле занимался. Моя жена, — Уордл нахмурился еще сильнее, — считает его секс-символом. Ты женат?

— Нет, — отрезал Страйк.

— Энстис упоминал, что ты после увольнения женился на девушке модельной внешности.

— Что тебе удалось вытянуть из Даффилда?

— В клубе «Узи» он полаялся с Лэндри. Свидетелей полно. Она уехала, он — с его слов — минут через пять за ней, в маске волка. Эта маска всю башку закрывает. Очень натуральная штука, шерстистая. Говорит, получил ее в подарок после фотосессии для какого-то журнала мод. — Уордл всем своим видом демонстрировал презрение. — Он ее назло папарацци напяливал — и когда выходил из машины, и когда возвращался. Так вот, Лэндри ушла, он в машину — шофер у входа поджидал — и на Кентигерн-Гарденз. Водила это подтверждает. Ну, точнее сказать, — нетерпеливо поправился Уордл, — подтверждает, что

---

[1] The Priory Hospital — известная лондонская клиника, где лечились от наркотической зависимости многие звезды.

отвез на Кентигерн-Гарденз человека с волчьей головой, который, по его мнению, мог быть Даффилдом, поскольку ростом и фигурой напоминал Даффилда, был одет как Даффилд и разговаривал голосом Даффилда.

— И тот всю дорогу ехал с волчьей головой?

— Там ехать-то минут пятнадцать. Да, маску не снимал. Выпендривался, как всегда. Короче, по словам Даффилда, он увидел возле ее дома толпу папарацци и передумал заходить. Велел шоферу ехать в Сохо и там вышел. Пешком свернул за угол, зашел к своему барыге на Д'Арбле-стрит и прямо там ширнулся.

— В маске волка?

— Нет, там он ее снял, — сказал Уордл. — Барыга — фамилия его Уиклифф — выпускник элитной частной школы, сам наркот почище Даффилда. Раскололся тут же: Даффилд заходил к нему около половины третьего ночи. Кроме них, в квартире никого не было; допускаю, что Уиклифф мог и соврать, чтобы прикрыть Даффилда, но соседка с первого этажа слышала звонок и утверждает, что видела Даффилда на лестнице. Короче, Даффилд ушел около четырех утра, нацепив свою гребаную волчью маску, и поплелся туда, где, по его расчетам, ждала машина с шофером, только шофера на месте не было. Мы его потом допросили: он говорит, у него не было приказа ждать. Даффилд, по его мнению, — на допросе парень этого не скрывал — дерьмо полное. Оплачивал поездку не Даффилд — это у Лулы был договор на обслуживание. Короче, Даффилд без гроша в кармане потащился пешком в Ноттинг-Хилл, где живет Сиара Портер. Мы нашли свидетелей с соседних улиц, которые показали, что видели прохожего с волчьей головой. Кроме того, у нас есть видео с камеры наблюдения: как он выпрашивает коробок спичек у охранницы на ночной парковке.

— Лицо отчетливо видно?

— Нет, во время разговора он только чуть-чуть приподнял маску. Тем не менее женщина подтвердила, что это был Даффилд. До квартиры Портер он добрался около половины пятого. Она уложила его спать на диване, а через час растолкала, узнав о смерти Лэндри. Надоумила изобразить нервное расстройство и лечь в клинику.

— Никакой предсмертной записки вы не нашли? — спросил Страйк.

— Нет. Ни в квартире, ни в компьютере, но это и неудивительно. Лэндри не готовила самоубийство заранее, правда же? Она ведь страдала психическим расстройством — поругалась с этим мудаком и выбросилась с балкона... ну сам знаешь, как это бывает.

Посмотрев на часы, Уордл осушил стакан.

— Мне пора. Жена скандалить будет — я ей сказал, что только на полчаса задержусь.

Загорелые девушки незаметно исчезли. На тротуаре Страйк и Уорлд закурили.

— Черт бы подрал этот запрет на курение в общественных местах, — сказал Уордл, наглухо застегивая молнию на куртке.

— Значит, мы с тобой договорились? — уточнил Страйк.

Сжав сигарету в зубах, Уорлд принялся натягивать перчатки.

— Ну не знаю...

— Брось, Уордл, — сказал Страйк, вручая полицейскому свою визитку, которую тот принял как предмет розыгрыша. — Я же сдал тебе Бретта Фирни.

— Пока еще нет, — нагло хохотнул Уордл.

Небрежно сунув визитку в карман, он затянулся, выпустил дым в небо и окинул собеседника любопытным, оценивающим взглядом:

— Ну ладно. Если возьмем Фирни, получишь дело.

11

— Агент Эвана Даффилда говорит, что его клиент отказывается давать интервью и отвечать на звонки касательно Лулы Лэндри, — сообщила Робин следующим утром. — Я подчеркнула, что вы не журналист, но он стоит на своем. А в офисе у Ги Сомэ персонал вымуштрован почище, чем у Фредди Бестиги. Можно подумать, я добиваюсь аудиенции у папы римского.

— Ладно, — сказал Страйк, — попробую выйти на него через Бристоу.

Робин впервые увидела Страйка в костюме. Босс напомнил ей игрока сборной по регби, отправляющегося на международную встречу: крупный, официально-строгий в своем темном пиджаке и неброском галстуке. Стоя на коленях, он рылся в одной из картонных коробок, принесенных от Шарлотты. Робин старалась не смотреть на его скарб. Оба они до сих пор избегали вслух упоминать, что Страйк ночует в конторе.

— Ага, — сказал он, откопав ярко-голубой конверт — приглашение на день рождения. — Дьявольщина! — вырвалось у Страйка, когда он вскрыл письмо.

— Что такое?

— Здесь не сказано, сколько ему лет. Моему племяннику.

Робин было бы любопытно узнать, какие у Страйка отношения с близкими. Но, учитывая, что ей никогда официально не сообщали ни о многочисленных сводных братьях и сестрах, ни о громкой славе отца, ни о сомнительной известности матери, она прикусила язык и продолжила вскрывать поступившую в тот день рутинную почту.

Страйк поднялся с пола, задвинул коробку в угол кабинета и вернулся к Робин.

— А это что? — спросил он, заметив у нее на столе ксерокс аккуратной газетной вырезки.

— Это я для вас сохранила, — застенчиво ответила она. — Вы в прошлый раз сказали, что материал про Эвана Даффилда был очень кстати... Вот я и подумала, что это вас тоже заинтересует, если вы еще не читали.

Статья из вчерашней «Ивнинг стандард» была посвящена кинопродюсеру Фредди Бестиги.

— Отлично, прочту по пути на встречу с его женой.

— Уже почти бывшей, — сказала Робин. — Здесь все про это сказано. Не везет ему в любви, мистеру Бестиги.

— Насколько я знаю со слов Уордла, мистер Бестиги и сам не слишком обаятельный персонаж, — заметил Страйк.

— Как вам удалось разговорить полицейского? — На этот раз Робин не смогла скрыть своего любопытства. Ей отчаянно хотелось постичь всю кухню расследования.

— У нас есть общий друг, — ответил Страйк. — В Афганистане познакомились. Сейчас он — офицер полиции.

— Вы служили в Афганистане?

— Угу. — Страйк надевал пальто, держа в зубах сложенную статью о Фредди Бестиги и приглашение на день рождения Джека.

— И что вы там делали?

— Расследовал некоторые боевые потери, — ответил Страйк. — По линии военной полиции.

— Ничего себе! — вырвалось у Робин. Военная полиция как-то не вязалась с представлениями Мэтью о шарлатанстве и никчемности. — А уволились почему?

— По ранению, — сказал Страйк.

Когда тот же вопрос задал Уилсон, Страйк ответил открытым текстом, но с Робин откровенность была ни к чему. Он хорошо представлял выражение ужаса на ее лице и не нуждался в сочувствии.

— Не забудьте позвонить Питеру Гиллеспи, — напомнила вслед ему Робин.

По пути на Бонд-стрит, в вагоне подземки, Страйк прочел ксерокопию статьи. Фредди Бестиги получил стартовый капитал в наследство от отца, сколотившего огромные деньги на грузоперевозках, а затем приумножил это состояние за счет кассового успеха своих фильмов, осмеянных серьезными кинокритиками. В настоящее время продюсер судился с двумя газетами, которые уличили его в гнусных домогательствах к молоденькой сотруднице, чье молчание он купил до начала процесса. Обвинения, тщательно приправленные словами «предположительно» и «по слухам», касались сексуальной агрессии, а также некоторых физических издевательств. Все сведения исходили от «источника, близкого к предполагаемой жертве», но сама девушка отказалась поддерживать обвинения и беседовать с прессой. Предстоящий развод Фредди с нынешней женой, Тэнзи, упоминался лишь в последнем абзаце, где указывалось, что эта незадачливая пара была дома в ту ночь, когда покончила с собой Лула Лэндри. У читателя складывалось странное впечатление, будто взаимная неприязнь четы Бестиги могла подтолкнуть Лулу к самоубийству.

Страйку никогда раньше не доводилось вращаться в кругу тех, кто обедает в «Чиприани». Шагая по Дэвис-стрит под теплыми лучами солнца, которые пригревали ему спину и золотили показавшееся впереди красно-кирпичное здание, он подумал, что, чего доброго, может столкнуться здесь с кем-нибудь из своих сводных братьев или сестер. Заведения типа ресторана «Чиприани» были неотъемлемой частью повседневной жизни законных детей его отца. В последний раз трое из них дали о себе знать, когда Страйк лежал в бирмингемском госпитале «Селли-Оук», где проходил курс восстановительной терапии. Габби и Данни сообща прислали цветы; Эл однажды приехал его навестить и преувеличенно громко хохотал, избегая смотреть в изножье койки. Потом Шарлотта передразнивала гогот и содрогание Эла. Выходило очень похоже. Кто бы мог подумать, что такая красивая девушка умеет смешить, но у нее это здорово получалось.

В ресторанном зале, оформленном в стиле ар-деко, он увидел стулья и стойку теплого, тщательно отполированного дерева, нежно-желтые скатерти на круглых столиках и официантов в белоснежных куртках и при «бабочках». Среди оживленно болтающих, позвякивающих столовыми приборами посетителей Страйк без труда нашел взглядом своего клиента — тот сидел за столиком для четверых, причем, к удивлению Страйка, в компании сразу двух женщин: у обеих были длинные блестящие каштановые волосы. На кроличьей физиономии Бристоу читалось желание угодить, а может, и успокоить.

Завидев Страйка, адвокат вскочил и представил его Тэнзи Бестиги, которая протянула ему тонкую холодную руку, а потом и ее сестре, Урсуле Мей, — та и вовсе не удостоила его своим вниманием. Пока официант уточнял заказы напитков и раздавал меню, Бристоу нервничал и без умолку говорил, а сестры изучали Страйка откровенно критическими взглядами, какие позволяют себе только представители определенного класса.

Безупречно лощеные, как две вынутые из прозрачных коробок большие куклы, загорелые, с каким-то восковым блеском кожи, узкобедрые, в тугих джинсах, они были стройными, как положено богатым, и носили длинные, идеально гладкие волосы на прямой пробор.

Когда Страйк в конце концов оторвался от меню, Тэнзи без предисловий поинтересовалась:

— Вы и в самом деле, — она произнесла «в самм деле», — сын Джонни Рокби?

— Если верить тесту на отцовство, — ответил он.

Она, похоже, не поняла, считать это шуткой или грубостью. Ее темные глаза были посажены чуть ближе, чем хотелось бы; ботокс и контурная пластика не могли замаскировать капризное, раздраженное выражение лица.

— Послушайте, я уже сказала Джону, — резко начала она, — что не потерплю новой огласки, это понятно? Охотно расскажу обо всем, что слышала, чтобы вы доказали мою правоту, но запрещаю вам где бы то ни было упоминать нашу встречу.

Расстегнутый ворот тонкой шелковой блузы открывал кожу цвета жженого сахара, которая обтягивала костлявую грудину, создавая неприятное впечатление бугристости, но при этом из узкой грудной клетки торчали округлые, крепкие груди, как будто позаимствованные на один день у красотки посочнее.

— Мы могли бы найти более укромное место, — заметил Страйк.

— Здесь тоже неплохо: вас никто не знает. Вы совсем не похожи на своего отца, верно? Прошлым летом нас с ним познакомили у Элтона. Фредди тоже там был. Вы часто видитесь с Джонни?

— За всю жизнь — два раза, — ответил Страйк.

— О, — только и сказала Тэнзи.

В этой односложной реплике смешались удивление и надменность.

У Шарлотты были в точности такие же подруги: прилизанные, образованные, дорого одетые, они не могли понять ее привязанности к огромному, потрепанному Страйку. Не один год он наталкивался — и по телефону, и лицом к лицу — на их манерный говор, на рассказы о мужьях — биржевых маклерах — и на колючую непроницаемость, какую не могла изобразить даже Шарлотта.

— Я считаю, ей вообще не следовало с вами встречаться, — вклинилась Урсула. Таким тоном она могла бы обратиться к официанту, который, сбросив фартук, без приглашения плюхнулся бы к ним за стол. — Я считаю, ты совершаешь большую ошибку, Тэнз.

— Урсула, Тэнзи всего лишь... — начал Бристоу.

— Это мое личное дело, — бросила Тэнзи сестре, как будто Бристоу был пустым местом. — Я только собираюсь рассказать о том, что слышала, вот и все. Сугубо конфиденциально. Джон обещал.

По всей видимости, Страйк и для нее был из разряда домашней прислуги. Его раздосадовал даже не столько тон собеседниц, сколько тот факт, что Бристоу без его ведома раздает какие-то гарантии свидетелям. Мыслимо ли сохранить в тайне показания Тэнзи, которые могут быть получены от нее одной?

Несколько мгновений все четверо молча изучали выбор блюд. Урсула первой опустила свое меню на стол. Она уже прикончила один бокал вина и приступила ко второму, беспокойно обводя глазами зал и лишь мимолетно задержав взгляд на блондинке королевских кровей.

— Здесь раньше собиралась самая шикарная публика, даже в дневное время. А Киприана вечно тянет в этот чертов «Уилтонс», где сидят мумии в костюмах...

— Киприан — это ваш муж, миссис Мей? — спросил Страйк.

Он прикинул, что сможет ее уколоть, перейдя невидимую, с ее точки зрения, границу; дамочка явно не считала, что Страйк, сев с ними за один столик, получил право обращаться к ней с вопросами. Она нахмурилась, и Бристоу поспешил заполнить неловкую паузу:

— Да, муж Урсулы — Киприан Мей, один из совладельцев нашей фирмы.

— Поэтому мне полагается семейная скидка при оплате бракоразводного процесса, — с чуть ироничной усмешкой заметила Тэнзи.

— Ее бывший сорвется с катушек, если она опять выставит их жизнь напоказ, — сказала Урсула, сверля Страйка темными глазами. — Они пытаются достичь соглашения. Если разгорится новый скандал, это серьезно повлияет на решение вопроса о размере ее содержания. Так что будьте любезны соблюдать конфиденциальность.

Вкрадчиво улыбаясь, Страйк обратился к Тэнзи:

— Значит, у вас с Лулой Лэндри была точка соприкосновения, миссис Бестиги? Ваш зять работает вместе с Джоном?

— Об этом никто не вспоминал, — со скучающим видом сказала она.

Официант принял у них заказ. Дождавшись, когда он отойдет, Страйк достал блокнот и ручку.

— Это еще зачем? — встрепенулась Тэнзи, охваченная внезапной паникой. — Никаких записей! Джон? — воззвала она к Бристоу, который с виноватым, растерянным видом повернулся к Страйку:

— Вы не могли бы просто выслушать, Корморан, и обойтись... э-э... без этого?

— Нет проблем, — с легкостью откликнулся Страйк и достал из кармана мобильный, убрав блокнот и ручку. — Миссис Бестиги...

— Можете называть меня Тэнзи, — сказала она, будто эта уступка компенсировала ее вето на блокнот.

— Большое спасибо, — с едва уловимой иронией проговорил Страйк. — Насколько близко вы знали Лулу?

— Я ее практически не знала. Она прожила в одном доме с нами всего три месяца. Так только: «Здравствуйте», «Хорошая погода». Мы были ей неинтересны — она предпочитала более хипповую компанию. Честно говоря, от нее были одни неудобства. У дверей вечно толпились папарацци. Чтобы дойти до спортзала, мне и то приходилось подкрашиваться.

— Разве в доме нет своего спортзала? — спросил Страйк.

— Я хожу на пилатес к Линдси Парр, — нетерпеливо бросила Тэнзи. — Вы прямо как Фредди: он постоянно меня упрекал, что я не пользуюсь возможностями, которые есть прямо в доме.

— А насколько хорошо Фредди был знаком с Лулой?

— Едва-едва, но не потому, что он к этому не стремился. Он был одержим идеей сделать из нее актрису, постоянно приглашал к нам в гости. А она — ни в какую. В ее последний уик-энд он даже увязался за ней к Дикки Карбери, пока мы с Урсулой были в отъезде.

— Я этого не знал, — с ошарашенным видом признался Бристоу.

Страйк перехватил мимолетную усмешку, адресованную Урсулой сестре. У него сложилось впечатление, что она, как заговорщица, все время искала взгляда Тэнзи, но та не реагировала.

— Я и сама тогда не знала, — обратилась Тэнзи к Бристоу. — Да, Фредди буквально напросился к Дикки, там собиралась целая компания: Лула, Эван Даффилд, Сиара Портер — те, кто нынче в тренде, сплошь наркоманы, любимцы бульварной прессы. Фредди, наверное, был там как бельмо на глазу. Я понимаю, он не намного старше Дикки, но выглядит древним стариком, — желчно добавила она.

— Что ваш муж рассказывал про тот уик-энд?

— Ничего. Я много позже узнала — Дикки проболтался. Уверена: Фредди специально туда поехал, чтобы обхаживать Лулу.

— Вы хотите сказать, — уточнил Страйк, — что он интересовался ею как женщиной или...

— О да, еще как! Он всегда предпочитал темнокожих девушек блондинкам. А больше всего он любит заманивать в свои фильмы разных знаменитостей. Режиссеры просто стонут, когда он навязывает им очередную звезду, лишь бы привлечь внимание прессы. Я уверена, что он предлагал этой модельке роль, и ничуть бы не удивилась, — добавила Тэнзи с неожиданной проницательностью, — надумай он свести в одном проекте Лулу и Диби Макка. Вообразите, какой поднялся бы ажиотаж, ведь каждый из этих двоих раскручен до предела. У Фредди чутье на такие штуки. Он обожает шумиху во всем, что касается его фильмов, но сам терпеть не может публичности.

— Он знает Диби Макка?

— Вполне мог с ним познакомиться уже после того, как мы расстались. До смерти Лулы он с Макком не встречался. Бог мой, Фредди прыгал от радости, когда узнал, что Макк поселится в нашем доме; сразу придумал, как предложит ему роль.

— Какую именно?

— Понятия не имею, — раздраженно бросила Тэнзи. — Не все ли равно? Макк пользуется огромной популярностью. Фредди не собирался упускать такой шанс. Ему важно было заручиться согласием Макка, а роль можно дописать в любой момент. Уж Фредди бы его дожал. Вплоть до того, что приплел бы свою цветную бабку. — В голосе Тэнзи зазвенело презрение. — Он каждый раз это делает, когда знакомится с чернокожими знаменитостями: говорит, что сам на четверть малаец. Фредди ни перед чем не останавливается.

— Он действительно на четверть малаец? — спросил Страйк.

У нее вырвался язвительный смешок.

— Не могу судить; я ведь не имела чести знать его дедушек и бабушек. Ему самому сто лет. Но там, где пахнет деньгами, он вам что угодно наболтает.

— А вы не знаете, он делал конкретные предложения Луле и Макку?

— Не сомневаюсь, что Лула была бы счастлива сниматься в кино; эти модельки спят и видят доказать, что способны не только таращиться в объектив. Но никаких контрактов она не подписывала, правильно я понимаю, Джон?

— Насколько мне известно, нет, — сказал Бристоу. — Хотя... нет, это другое, — пробормотал он, покрываясь красными пятнами.

После некоторых колебаний он все же ответил на вопрошающий взгляд Страйка:

— Пару недель назад мистер Бестиги ни с того ни с сего наведался к моей больной матери. Она совсем плоха, и... понимаете, я не хотел, чтобы... — Он в смущении покосился на Тэнзи.

— Рассказывай как есть, меня это не волнует, — сказала она с равнодушным видом.

Бристоу как-то странно выпятил челюсть и причмокнул губами, на миг спрятав кроличьи зубы.

— Видите ли, он хотел поговорить с моей матерью о фильме, который мог бы принести Луле посмертную славу. Свой визит он обставил как проявление чуткости и заботы. Испрашивал благословения семьи — официальной, так сказать, санкции. После смерти Лулы не прошло и трех месяцев. Мама расстроилась сверх всякой меры. К сожалению, меня в это время рядом не было, — сказал Бристоу, как будто в другое время неотступно стоял на страже у материнской спальни. — А жаль. Хотел бы я послушать, что он ей наговорил. Ведь если он нанял специально обученных людей, чтобы те покопались в прошлом Лулы, в его распоряжении могли оказаться существенные факты, пусть даже нелицеприятные, вы согласны?

— Какого рода факты? — уточнил Страйк.

— Ну не знаю. Возможно, из ее раннего детства? Когда она еще не вошла в нашу семью?

Официант начал расставлять перед ними закуски. Дождавшись его ухода, Страйк обратился к Бристоу:

— А вы не пытались поговорить с мистером Бестиги лично, чтобы выяснить, не раскопал ли он нечто такое, чего не знала ваша семья?

— Это не так-то просто, — ответил Бристоу. — Когда Тони, мамин брат, узнал, что мистер Бестиги потревожил нашу с Лулой мать, он сразу позвонил ему, чтобы заявить протест, и, насколько мне известно, у них состоялся разговор на повышенных тонах. Вряд ли после этого мистер Бестиги пойдет на контакт с нашей семьей. К тому же наша фирма представляет интересы Тэнзи в их бракоразводном процессе. На самом деле в этом нет ничего особенного: наша фирма — одна из ведущих в области семейного права, а поскольку Урсула замужем за Киприаном, вполне естественно, что Тэнзи обратилась именно к нам... Но от этого мистер Бестиги не станет относиться к нам благосклоннее.

Во время этого монолога Страйк не сводил глаз с Бристоу, но боковым зрением видел и кое-что другое. Урсула опять мимолетно усмехнулась, поглядев на сестру. Страйк не понимал, что ее так забавляет. У нее, бесспорно, поднялось настроение, чему способствовало и то обстоятельство, что она уже принялась за четвертый бокал вина.

Расправившись с закуской, Страйк повернулся к Тэнзи, которая гоняла по тарелке почти нетронутую еду.

— Сколько вы с мужем прожили в доме номер восемнадцать, пока там не появилась Лула?

— Примерно год.

— Когда она поселилась в своем пентхаусе, квартира на третьем этаже пустовала?

— Нет, — сказала Тэнзи, — там с полгода проживала американская супружеская пара с маленьким ребенком, но вскоре после переезда Лулы эта семья вернулась в Штаты. Риэлтерская фирма так и не смогла найти желающих на освободившуюся квартиру. Экономический спад, вы же понимаете. А такое жилье стоит бешеных денег. Так что квартира пустовала до тех пор, пока фирма звукозаписи не сняла ее для Диби Макка.

Они с Урсулой отвлеклись, когда мимо их столика прошла женщина, одетая, как показалось Страйку, в нелепый, вязаный крючком балахон.

— Пальто от Домье-Кросса, — определила Урсула, щурясь поверх кромки бокала. — Запись на полгода вперед...

— Это Пэнси Маркс-Диллон, — сказала Тэнзи. — Нетрудно прослыть законодательницей мод, если у твоего мужа состояние в пятьдесят миллионов. Фредди — самый жадный богач на свете; мне приходилось прятать от него новые туалеты или говорить, что это подделки. Он подчас бывал таким занудой.

— Ты всегда выглядишь прелестно, — зарделся Бристоу.

— Какой же ты милый, — томно сказала Тэнзи Бестиги.

Официант стал убирать тарелки.

— Так о чем у нас шла речь? — обратилась Тэнзи к Страйку. — Да, о квартирах. О появлении Диби Макка... несостоявшемся. Фредди был вне себя: он же заказал для него розы. Неистребимая склонность к дешевым эффектам.

— Насколько хорошо вы знаете Деррика Уилсона?

Она поморгала:

— Собственно... он же охранник; почему я должна его знать? С виду приличный. Фредди считал его лучшим из троих.

— В самом деле? А на каком основании?

Она пожала плечами.

— Понятия не имею, спросите у Фредди. Удачи вам, — добавила она с коротким смехом. — Скорее небо упадет на землю, чем Фредди согласится с вами побеседовать.

— Тэнзи, — Бристоу слегка подался вперед, — не могла бы ты рассказать Корморану, что именно слышала в ту ночь?

Страйк предпочел бы обойтись без его вмешательства.

— Хорошо, — сказала Тэнзи. — Часа в два ночи мне захотелось пить.

Голос ее звучал вяло и невыразительно. Страйк про себя отметил, что она уже отступила от той версии, которую изложила полицейским.

— Я пошла в ванную, чтобы налить себе стакан воды, а возвращаясь через гостиную в спальню, услышала перебранку. Она — Лула — говорила: «Слишком поздно, я уже это сделала», мужчина закричал: «Лживая тварь!» — а потом... потом столкнул ее с балкона. Я своими глазами видела, как она летела вниз. — С этими словами Тэнзи коротко, судорожно взмахнула руками, изображая свободное падение.

Бристоу, словно в приступе дурноты, опустил свой бокал на стол. Тут подали основное блюдо. Урсула выпила еще вина. Тэнзи и Бристоу к горячему не прикоснулись. Страйк взял вилку и принялся за еду, стараясь не показывать, какое это объедение — пунтарелла с анчоусами.

— Я закричала, — прошептала Тэнзи. — И уже не могла остановиться. Выбежала из квартиры, едва не сбила с ног Фредди, помчалась вниз. Хотела сообщить охране, что наверху есть мужчина, — чтобы его задержали. Уилсон выскочил из подсобного помещения. Я рассказала ему, что произошло, а он опрометью бросился на улицу. Полный идиот. Надо было первым делом бежать наверх — ловить убийцу! Фредди спустился следом за мной и стал требовать, чтобы я вернулась в квартиру, потому я была не одета. Тут с улицы пришел Уилсон, сказал, что Лула разбилась насмерть, и попросил Фредди вызвать полицию. Фредди буквально силком потащил меня вверх по лестнице — я была в истерике — и уже из нашей гостиной набрал девять-девять-девять. Приехала полиция. Мне никто не поверил. — Отпив немного вина, Тэнзи опустила бокал и тихо выговорила: — Если бы Фредди прознал, что я вам это рассказываю, он бы взбеленился.

— Но ты уверена, Тэнзи, что слышала наверху мужской голос? — вмешался Бристоу.

— Естественно, — ответила Тэнзи. — Я же сказала. Там определенно кто-то был.

У Бристоу зазвонил мобильный.

— Извините, — пробормотал он. — Да, Элисон?

Страйк услышал грудной голос секретарши, но не разобрал слов.

— Прошу меня простить.

Бристоу с затравленным видом вышел из-за стола.

На гладких, ухоженных лицах сестер промелькнуло злорадство. Они снова переглянулись, и Страйк удивился, когда Урсула обратилась к нему с вопросом:

— Вы знакомы с Элисон?

— Немного.

— Вам известно, что у них роман?

— Да.

— Жалкое зрелище, — сказала Тэнзи. — Она без ума от Тони — и при этом встречается с Джоном. Вы знакомы с Тони?

— Нет, — ответил Страйк.

— Он — совладелец фирмы. Дядюшка Джона, вам это известно?

— Да.

— Необычайно привлекателен. Элисон ему сто лет не нужна. Я считаю, Джон для нее — утешительный приз.

Похоже, мысль о безнадежной влюбленности Элисон доставляла сестрам немалое удовольствие.

— Наверное, в фирме только об этом и разговоров? — поинтересовался Страйк.

— Да уж, — с наслаждением произнесла Урсула. — Киприан говорит, на девушку просто неловко смотреть. Крутится возле Тони, как собачонка.

Судя по всему, ее неприязнь к Страйку развеялась. Это его не удивило: с таким явлением он сталкивался неоднократно. Представители рода человеческого, за редкими исключениями, любят поговорить; вопрос лишь в том, как вызвать их на откровенность. Одни, как Урсула, падки на алкоголь; другие хотят быть в центре внимания; а есть и такие, кому достаточно простого человеческого участия. Отдельная категория собеседников будет проявлять красноречие лишь в том случае, если оседлает любимого конька: это может быть собственная непогрешимость или чужая вина, коллекция довоенных жестянок из-под печенья или же, как в случае Урсулы Мей, безнадежная влюбленность невзрачной секретарши.

За окном, прижимая к уху мобильный, расхаживал Бристоу. Теперь Урсула могла не сдерживаться.

— Держу пари, я знаю, зачем она звонит. Душеприказчики Конуэя Оутса недовольны действиями фирмы. Был такой американский финансист, помните? Киприан и Тони буквально сбились с ног и задергали Бристоу, которому приходится сглаживать все острые углы. Джону всегда достается черная работа.

В ее тоне было больше желчи, чем сочувствия.

Бристоу, взволнованный, вернулся за столик.

— Простите, простите, Элисон хотела передать мне пару сообщений, — сказал он.

Подошел официант, чтобы забрать приборы. Страйк оказался единственным, кто подчистил свою тарелку. Дождавшись, когда можно будет говорить без свидетелей, он сказал:

— Тэнзи, полицейские отмахнулись от ваших показаний по той причине, что вы, по их мнению, просто не могли этого слышать.

— Да что они понимают? — взвилась Тэнзи, мигом утратив свое благодушие. — Я действительно все слышала.

— При закрытых окнах?

— Нет, — сказала Тэнзи, опуская взгляд. — В квартире было душно, и я, когда шла налить себе воды, открыла окно.

Страйк понял: дальнейшие расспросы приведут лишь к тому, что она и вовсе откажется говорить.

— А кроме того, они утверждают, что вы были под кокаином.

Тэнзи раздраженно фыркнула себе под нос.

— Слушайте, — бросила она, — допустим, я что-то себе позволила, но гораздо раньше, еще за ужином, а они стали обыскивать квартиру и нашли в ванной кокс. Это все из-за Даннов — зануды чертовы! Когда Бенджи Данн без конца сыплет своими дурацкими анекдотами, тут без пары дорожек просто повеситься можно. Однако же я не придумала этот мужской голос. Наверху действительно орал мужчина, он ее и убил. Он ее и убил, — повторила Тэнзи, испепеляя взглядом Страйка.

— А как по-вашему, куда он потом делся?

— Откуда я знаю? Ищите ответ — вам Джон за это деньги платит. Уж как-то смылся. Мог вылезти через кухонное окно. Мог спрятаться в лифте. Мог пройти через подземный гараж. Меня не волнует, куда он делся, но я твердо знаю: он там был.

— Мы тебе верим, — нервно вклинился Бристоу. — Мы тебе верим, Тэнзи. Корморан задает эти вопросы по долгу службы... для восстановления полной картины происшедшего.

— Полицейские сделали все возможное, чтобы меня опорочить, — продолжала Тэнзи, не обращая внимания на Бристоу. — Они приехали с запозданием, убийца, конечно же, успел скрыться, а им нужно было выгородить себя. Кто не имел дела с журналистами, тот не поймет, что мне пришлось пережить. Это был сущий ад. Я даже легла в клинику, лишь бы куда-то спрятаться. Газетчикам в этой стране закон не писан. И за что я пострадала, черт побери? Весь юмор в том, что я пострадала за правду. Знала бы, что меня ждет, — держала бы рот на замке.

Она покрутила на пальце слишком свободное бриллианто-
вое кольцо.

— Когда Лула упала с балкона, Фредди спал, правильно
я понимаю? — спросил ее Страйк.

— Да, так и было, — ответила Тэнзи.

Она подняла руку и отбросила со лба несуществующую
прядь. Официант снова принес меню, и Страйк вынужден был
прерваться. Он — единственный — заказал десерт; другие огра-
ничились кофе.

— В какой момент Фредди встал с постели? — обратился
он к Тэнзи, когда официант отошел.

— То есть?

— Вы говорите, что он спал, когда Лула упала с балкона;
а в какой момент он встал с постели?

— Когда я закричала, — сказала она как о чем-то самооче-
видном. — Я его разбудила, неужели не понятно?

— Он, должно быть, двигался на удивление стремительно.

— Почему вы так решили?

— Вы сказали: «Выбежала из квартиры, едва не сбив с ног
Фредди, и помчалась вниз». Значит, он был уже не в спальне,
а в гостиной, когда вы побежали сообщить Деррику, что произошло?

Краткая пауза.

— Да, верно. — Она стала приглаживать безупречные волосы, заслоняя лицо.

— Иными словами, он крепко спал в своей постели — и
в считаные секунды, полностью одетый, уже оказался в гостиной? Из ваших слов я заключил, что вы закричали и тут же
бросились бежать, правильно?

Еще одна еле заметная пауза.

— Да, — сказала Тэнзи. — Впрочем... не знаю. Мне кажется,
я кричала... приросла к месту... может быть, на какое-то мгновение... У меня был шок... Фредди прибежал из спальни, я бросилась мимо него.

— Вы не остановились, не рассказали ему, что увидели?

— Не помню.

Бристоу, судя по виду, опять захотел вклиниться, и весьма
некстати; Страйк жестом остановил его, но Тэнзи уже переклю-

чилась на другое, чтобы, как он понял, уклониться от разговоров о муже.

— Я все думала, думала, как же убийца сумел проникнуть в дом, и все больше убеждалась, что он вошел сразу после нее, ведь на посту охраны никого не было — Деррик Уилсон отлучился в туалет. Я считаю, Уилсона нужно с треском выгнать. Если хотите знать мое мнение — он просто спал у себя в подсобке. Понятия не имею, как убийца выяснил код входной двери, но не сомневаюсь, что именно тогда он и пробрался в дом.

— Как по-вашему, вы смогли бы узнать тот мужской голос? Который слышали наверху?

— Вряд ли, — ответила она. — Голос как голос. Обыкновенный. Ничего особенного. То есть позже я сказала себе: это Даффилд, — она пристально смотрела на Страйка, — потому что однажды уже слышала, как Даффилд орал на верхней площадке. В тот раз Уилсону даже пришлось его выдворить: Даффилд ломился в квартиру Лулы. Я никогда не понимала, как девушка ее внешности могла связаться с таким, как Даффилд, — добавила она в сторону.

— Некоторые считают его секс-символом. — Урсула вылила себе в бокал остатки вина. — Но я этого не понимаю. Мерзкий, страшный.

— Да у него, похоже, — сказала Тэнзи, опять принимаясь крутить кольцо, — и в карманах пусто.

— Но вы не считаете, что той ночью слышали именно его голос?

— Говорю же: возможно, — с раздражением бросила она, слегка пожав хрупкими плечами. — Но у него есть алиби, правда? Нашлось множество свидетелей, которые подтверждают, что в ночь убийства Лулы он находился очень далеко от Кенигерн-Гарденз. Какое-то время он провел у Сиары Портер, вы в курсе? У этой стервы, — с тонкой улыбочкой добавила Тэнзи, — которая спала с бойфрендом лучшей подруги.

— Она с ним спала? — переспросил Страйк.

— А вы как думаете? — засмеялась Урсула; мол, что за наивные сомнения. — Я знаю Сиару Портер, она выступала в благотворительном дефиле, которое готовилось при моем участии. Безмозглая потаскушка.

167

Всем подали кофе, а Страйку — еще и приторный десерт из крем-брюле с финиками.

— Уж извини, Джон, но Лула не проявляла особой разборчивости в выборе друзей, — сказала Тэнзи, потягивая эспрессо. — Взять хоть Сиару, хоть Брайони Рэдфорд. Эта, конечно, была не настолько к ней близка, но я бы такую на пушечный выстрел к себе не подпустила.

— Кто такая эта Брайони? — с напускным интересом спросил Страйк, хотя прекрасно знал, о ком речь.

— Визажистка. Деньги заламывает безумные; мерзавка порядочная, — сообщила Урсула. — Я с ней один раз имела дело, когда фонд Горбачева устраивал благотворительный бал, а она потом направо и налево трезвонила, что...

Урсула прикусила язык, поставила на стол свой бокал и взялась за кофе. Хотя эта тема не имела непосредственного отношения к делу, Страйк все же поинтересовался, о чем могла трезвонить Брайони, но Тэнзи, перебив его на полуслове, преувеличенно громко заговорила:

— А ведь еще была эта чудовищная девица, которую Лула пускала к себе в дом, помнишь, Джон?

Хотя она обращалась непосредственно к Бристоу, тот сидел с отсутствующим видом.

— Ну вспомни, *на самм деле* чудовищная, немыслимого цвета девица, с которой они иногда вместе возвращались домой. Какая-то бродяжка. То есть... от нее реально воняло... После нее в лифт было не войти. А Лула еще таскала ее в бассейн. Я и не знала, что чернокожие умеют плавать.

Бристоу, часто заморгав, покраснел.

— Одному богу известно, чем Лула с ней занималась, — продолжала Тэнзи. — Да ты, наверное, помнишь, Джон. Толстая. Неряшливая. С виду чокнутая.

— Я не... — забормотал Джон.

— Вы имеете в виду Рошель? — спросил Страйк.

— Да-да, кажется, так ее и звали. Она, кстати, была на панихиде, — сообщила Тэнзи. — Я ее заметила. В самом последнем ряду. Надеюсь, вы не забыли, — она пробуравила Страйка своими темными глазами, — что все это строго конфиденциально.

Я не могу допустить, чтобы Фредди узнал о нашем разговоре. Мне совершенно не нужно, чтобы пресса вновь начала травлю. Счет, будьте любезны, — приказала она официанту.

Когда принесли счет, она молча передала его Бристоу.

Собравшись уходить, сестры отбросили назад блестящие волосы и стали надевать дорогие шубки, но тут двери распахнулись, и в ресторане появился рослый, поджарый мужчина лет шестидесяти, который огляделся и энергичной, целеустремленной походкой направился к их столику. Благородная седина и безупречный костюм придавали ему аристократический вид; во взгляде бледно-голубых глаз чувствовался холодок.

— Какой сюрприз! — вкрадчиво произнес он, останавливаясь между двумя женщинами.

Его приближение заметил только Страйк; трое других явно были застигнуты врасплох и совсем не обрадовались его приходу. Урсула и Тэнзи на мгновение замерли, причем Урсула даже не до конца вытащила из сумочки солнцезащитные очки.

Первой очнулась Тэнзи.

— Киприан, — сказала она, подставляя ему личико для поцелуя. — Да, чудесный сюрприз.

— Разве ты не поехала по магазинам, Урсула, милая? — спросил он, вежливо клюнув Тэнзи в каждую щеку и не сводя глаз с жены.

— Мы зашли перекусить, Кипс, — ответила Урсула, заливаясь краской, и Страйк почувствовал, что в воздухе запахло скандалом.

Бледно-голубые глаза демонстративно скользнули по Страйку и остановились на Бристоу.

— Я считал, Тэнзи, что твоим бракоразводным процессом занимается Тони, разве это не так? — спросил он.

— Это так, — ответила Тэнзи. — Но у нас не деловой ланч, Кипс, мы просто беседуем.

Его губы тронула ледяная улыбка.

— В таком случае разрешите вас проводить, милые дамы, — сказал он.

Коротко простившись с Бристоу и не удостоив Страйка ни единым словом, сестры в сопровождении мужа Урсулы направились к выходу. Когда за их троицей закрылась дверь, Страйк обратился к Бристоу:

— В чем, собственно, дело?

— Это Киприан, — объяснил Бристоу. С видимым волнением он крутил в руках счет и кредитку. — Киприан Мей. Муж Урсулы. Совладелец фирмы. Ему не понравится, что Тэнзи с вами беседовала. Ума не приложу, как он нас нашел. Не иначе как выведал у Элисон.

— Почему же ему не понравится, что Тэнзи со мной беседовала?

— Тэнзи с ним в родстве, — сказал Бристоу, надевая пальто. — Он не хочет, чтобы она вновь опозорилась — в его понимании. Мне, видимо, нагорит по первое число за организацию этой встречи. Наверняка он сейчас звонит моему дяде, чтобы устроить разнос.

У Бристоу, как заметил Страйк, тряслись руки.

Адвокат уехал на такси, которое заказал для него метрдотель. Страйк, на ходу ослабив галстук, ушел из «Чиприани» пешком. Он впал в глубокую задумчивость и очнулся лишь на переходе Гровенор-стрит от неистовых гудков мчавшегося прямо на него автомобиля.

После такого своевременного напоминания об опасности Страйк отделился от потока пешеходов, прислонился к светлой стене спа-центра Элизабет Арден «Красная дверь», закурил и достал мобильный. Найдя и быстро промотав вперед запись разговора, он нашел ту часть рассказа Тэнзи, где она описывала события, непосредственно предшествовавшие падению Лулы.

...через гостиную в спальню, услышала перебранку. Она — Лула — говорила: «Слишком поздно, я уже это сделала», мужчина закричал: «Лживая тварь!» — а потом... потом столкнул ее с балкона. Я своими глазами видела, как она летела вниз.

Вслед за этим послышался едва различимый звон стекла — это Бристоу опустил свой бокал. Страйк повторно перемотал назад и прослушал.

...говорила: «Слишком поздно, я уже это сделала», мужчина закричал: «Лживая тварь!» — а потом... потом столкнул ее с балкона. Я своими глазами видела, как она летела вниз.

Он вспомнил, как Тэнзи изобразила болтающиеся руки и как при этом ее перекосило от ужаса. Сунув мобильный в карман, Страйк вынул блокнот и черкнул кое-что для себя.

Лжецов он знал бесчисленное множество — у него был нюх на лжецов; Тэнзи однозначно принадлежала к их числу. Ну не могла она из квартиры слышать то, о чем рассказывала; а полицейские отсюда сделали вывод, что она вообще ничего не слышала. Но притом что до этого момента все данные указывали на самоубийство, Страйк, вопреки ожиданиям, сейчас невольно убедился, что Тэнзи Бестиги действительно подслушала чужую ссору. Это был единственный фрагмент ее рассказа, в котором сквозила безыскусность истины, так непохожая на липкое притворство.

Отделившись от стены, Страйк повернул направо по Гровенор-стрит; теперь он был чуть внимательнее на переходах, но мысли его по-прежнему занимала Тэнзи: ее выражение лица, тон, ужимки — все, что сопровождало рассказ о последних мгновениях Лулы Лэндри.

Почему Тэнзи сказала правду о главном, но окружила ее измышлениями, которые так легко опровергнуть? Почему не призналась, чем была занята, когда услышала скандал в квартире Лулы? Страйку вспомнилось изречение Альфреда Адлера[1]: «Ложь связана с отсутствием смелости сказать правду». Во время сегодняшней встречи Тэнзи сделала последнюю попытку найти хоть кого-нибудь, кто ей поверит и вместе с тем проглотит ложь, которой она настойчиво маскировала свои показания.

Страйк шел быстро, почти не замечая боли в правом колене. В конце концов он сообразил, что уже отмахал всю Мэддокс-стрит и вышел на Риджент-стрит. В отдалении легко трепетали красные тенты магазина игрушек «Хэмлис», и Страйк вспомнил, что на обратном пути в контору собирался купить подарок племяннику.

Вокруг Страйка все кружилось разноцветьем, пикало и вспыхивало, но он этого не замечал. Не разбирая дороги, он

---

[1] *Альфред Адлер* (1870–1937) — британский психолог, психиатр и мыслитель австрийского происхождения, один из предшественников неофрейдизма.

переходил с этажа на этаж и не обращал внимания ни на детский визг, ни на стрекот игрушечных вертолетов, ни на хрюканье заводных свинок, сновавших по полу. Так прошло минут двадцать; ноги сами принесли его к отделу, где продавались солдатики. Он замер и уставился на шеренги морпехов и десантников, но они сливались в сплошное пятно; родители шептались со своими сыновьями, пытаясь протиснуться мимо него к прилавку, однако же никто не осмелился попросить, чтобы этот грозный, задумчивый великан немного подвинулся.

ЧАСТЬ ТРЕТЬЯ

Forsan et haec olim meminisse iuvabit.

Может быть, будет нам впредь об этом сладостно вспомнить.

Вергилий. Энеида. Книга первая[1]

---

[1] Перевод С. А. Ошерова.

1

В среду зарядил дождь. Лондонское ненастье, промозглое и серое, обнажало бесстрастный лик старинного города: бледные фигуры под черными зонтами, неистребимый запах сырой одежды, мерный стук ночных струй в оконное стекло.

В Корнуолле дождь был другим: он, как запомнилось Страйку, будто хлыстом стегал окна спальни для гостей в уютном доме тети Джоан и дяди Теда, где среди ароматов сдобы и цветов Страйк прожил несколько месяцев, пока ходил в сельскую школу в Сент-Мозе. Эти воспоминания всплывали у него в голове перед каждой встречей с Люси.

Днем в пятницу дождевые капли все так же неудержимо плясали на подоконниках; за столом в приемной Робин аккуратно упаковывала новенького игрушечного десантника (подарок для Джека), а Страйк, расположившись в противоположном конце стола, выписывал ей чек в размере недельного оклада, без учета комиссии «Временных решений». Робин собиралась на третье за эту неделю собеседование по поводу «настоящей» работы и в своем черном костюме, с низким узлом блестящих золотистых волос на затылке приобрела элегантный, собранный вид.

— Держите, — одновременно произнесли оба, когда Робин подтолкнула к нему идеальный пакет с рисунком из космических корабликов, а Страйк протянул ей чек.

— Здорово получилось, — признал Страйк, — я бы так не сумел.

— Надеюсь, ему понравится, — ответила она, убирая чек в сумочку.

— Я тоже. Удачи на собеседовании. Место хорошее?

— В принципе неплохое. Отдел кадров медиаконсалтинговой фирмы в Уэст-Энде, — без особого энтузиазма сказала Робин. — Желаю вам хорошо повеселиться. До понедельника.

Из-за добровольно принятого решения курить только на улице Страйку пришлось выйти на затяжной дождь. Едва умещаясь под козырьком входной двери на Денмарк-стрит, он говорил себе, что надо, вообще-то, завязывать и браться за восстановление нормальной формы, утраченной вместе с платежеспособностью и домашним уютом. Его раздумья прервал телефонный звонок.

— Могу тебе сообщить: наводка сработала, — торжествующе объявил Эрик Уордл; в трубке фоном слышался рокот автомобильного двигателя и гвалт мужских голосов.

— Быстро вы, — отметил Страйк.

— А как же! Мы тут не груши околачиваем.

— Значит, я получу, что хотел?

— Я потому и звоню. Сегодня уже поздно — в понедельник пришлю с курьером.

— По мне, чем скорей, тем лучше. Жду у себя в конторе.

Уордл нагло хохотнул:

— У тебя же почасовая оплата, верно? Потянуть время — милое дело.

— Зачем откладывать? Пришлешь сегодня вечером — будешь первым получать следующие наводки моего друга.

В повисшей тишине Страйк уловил голос одного из сослуживцев Уордла:

— ...морду этого Ферни.

— Заметано, — сказал Уордл. — Отправлю попозже. Часам, наверное, к семи. Дождешься?

— Не сомневайся, — ответил Страйк.

Дело доставили через три часа, когда он, пристроив на коленях пенопластовую ванночку, ел рыбу с жареной картошкой и смотрел по переносному телевизору вечерние столичные новости. Курьер позвонил снизу, и Страйк расписался за объемистый пакет из Скотленд-Ярда. Внутри была толстая серая папка с кучей отсканированных документов. Страйк вернулся за стол Робин и начал неспешно вникать в суть.

В материалах дела имелись показания людей, видевших Лулу Лэндри в последний вечер ее жизни, отчет о пробах ДНК из ее квартиры, копии записей из журнала посещений, заполняемого охранниками дома номер восемнадцать по Кентигерн-Гарденз, данные о назначенных Луле препаратах, показанных при биполярном расстройстве, протокол результатов вскрытия, медкарта за истекший год, распечатки звонков с мобильного и городского телефонов, а также справка о содержимом принадлежавшего топ-модели ноутбука. Среди бумаг лежал DVD, надписанный рукой Уордла: «Видео с камеры: 2 бегуна».

На бэушном компьютере Страйка DVD-привод не работал с момента покупки; он сунул диск в карман пальто, висевшего у стеклянной двери, положил на стол раскрытый блокнот и продолжил изучение материалов из архивной папки с металлическими кольцами.

За окном опустилась тьма; в золотистом кружке света от настольной лампы сменялись листы уголовного дела, подтверждавшие заключение о самоубийстве. Среди этих скрупулезных показаний, поминутного хронометража, переснятых этикеток от лекарств, обнаруженных в настенном шкафчике из ванной комнаты Лулы, Страйк раскопал крупицы истины, которые почуял за лживым рассказом Тэнзи Бестиги.

Вскрытие показало, что смерть Лулы наступила вследствие удара о проезжую часть и что непосредственной причиной смерти стали перелом шейных позвонков и внутреннее кровотечение. На руках выше локтевых сгибов имелись немногочисленные гематомы. При падении на ней была лишь одна туфля. Фотоматериалы подтверждали высказанное на сайте *LulaMy-InspirationForeva* наблюдение о том, что Лэндри, вернувшись из ночного клуба, переоделась. Вместо платья, в котором, судя по фотографиям, Лула вошла в дом, на трупе оказались брюки и топ с блестками.

Страйк обратился к переменчивым показаниям Тэнзи Бестиги: вначале она сказала полицейским, что просто пошла из спальни в ванную; потом добавила, что открыла окно в гостиной. Фредди, по ее словам, все это время спал в своей постели. На плоском мраморном бортике ванны полиция нашла полдорожки кокаина, а в шкафчике над раковиной — спрятанный в коробку с тампонами пластиковый пакетик с тем же содержимым.

Из показаний Фредди следовало, что он спал, когда разбилась Лула, и проснулся от криков жены, после чего поспешил в гостиную, где мимо него пронеслась Тэнзи в одном нижнем белье. Букет роз в хрустальной вазе, которую разбил неуклюжий полицейский, должен был, по признанию Фредди, выразить его дружеское расположение к Диби Макку; да, он был бы рад завязать знакомство с рэпером; да, ему, конечно, приходило в голову, что Макк мог бы стать украшением его нового триллера. Да, он согласен, что разрушение цветочной композиции вызвало у него неадекватную реакцию, но он был в шоке от смерти Лулы. Вначале он поверил жене, когда та заявила, что слышала наверху скандал, но впоследствии вынужден был согласиться с точкой зрения полицейских: показания Тэнзи свидетельствуют о злоупотреблении кокаином. Ее пагубная привычка наложила серьезный отпечаток на их семейную жизнь; он признался, что знал о регулярном употреблении ею этого наркотика, но не предполагал, что в ту ночь у нее дома имелась заначка.

Далее Бестиги показал, что они с Лэндри не были вхожи друг к другу в дом и что их одновременная поездка на выходные к Дикки Карбери (о чем полиция, вероятно, услышала позже, так как Фредди допросили повторно) практически не способствовала их знакомству. «Она общалась с более молодыми гостями, а я почти все время держался рядом с Дикки — он мой ровесник». К показаниям Фредди было не подкопаться.

Дочитав полицейский отчет о том, что происходило в квартире четы Бестиги, Страйк добавил несколько пунктов к своим собственным записям. Его заинтересовала половина дорожки кокаина на бортике ванны, а еще больше — те считаные секунды, когда Тэнзи видела летевшую за окном Лулу. Тут, конечно, многое зависело от планировки квартиры Бестиги (ни плана, ни схемы в деле не было), но Страйку не давало покоя одно неизменное утверждение в сбивчивых показаниях Тэнзи: она все время подчеркивала, что ее муж спал в своей постели, когда Лэндри упала с балкона. Ему вспомнилось, как Тэнзи, когда он припер ее к стенке, заслоняла лицо, делая вид, будто отбрасывает волосы. В общем и целом, независимо от выводов полиции, Страйк заключил, что точное местонахождение супругов Бестиги в момент падения Лулы Лэндри отнюдь не установлено.

Он продолжил методичное изучение материалов дела. Показания Эвана Даффилда в основном совпадали с опосредованным рассказом Уордла. Актер признал, что пытался удержать свою девушку в клубе «Узи» и хватал ее за руки выше локтя. Она вырвалась и убежала; вскоре он последовал за ней. В одной его фразе, облеченной в сухие слова дознавателя, упоминалась маска волка: «Я обычно надеваю маску в форме волчьей головы, когда хочу укрыться от папарацци». Показания Даффилда вкратце подтвердил шофер, который вез его из «Узи»: они заехали на Кентигерн-Гарденз, а потом на Д'Арбле-стрит, где водитель высадил пассажира и уехал. Уордл упоминал личную неприязнь шофера к Даффилду, но голые факты, которые полицейские внесли в протокол, этого не отражали.

Показания Даффилда подтвердили и двое других свидетелей: женщина, которая видела, как он поднимался по лестнице в квартиру своего наркоторговца, и сам наркоторговец, Уиклифф. Страйк вспомнил, как Уордл говорил, что Уиклифф мог и соврать, чтобы прикрыть Даффилда. А соседку снизу легко могли подкупить. Все остальные, кто якобы видел Даффилда на лондонских улицах, с уверенностью могли сказать лишь одно: им встретился человек в маске волка.

Закурив, Страйк еще раз перечитал показания Даффилда. У парня был крутой нрав — он даже сам признал, что хотел насильно удержать Лулу в клубе. Синяки у нее выше локтей почти наверняка оставил он. Но если он действительно ширнулся на пару с Уиклиффом, то, как прекрасно понимал Страйк, его шансы просочиться в дом восемнадцать по Кентигерн-Гарденз или взвинтить себя до состояния убийственной ярости были ничтожно малы. Страйк знал, как ведут себя героинщики: в последнем сквоте, где жила его мать, он насмотрелся таких предостаточно. Это зелье делало своих рабов покладистыми и вялыми, не похожими ни на горластых, буйных алкоголиков, ни на дерганых параноиков-кокаинистов. И в армии, и на гражданке Страйк повидал самые разные типы зависимости.

У него вызывали омерзение СМИ, которые превозносили наркомана Даффилда. Героин не имел ничего общего с гламуром. Мать Страйка умерла на грязном матрасе, брошенном в угол, и целых шесть часов никому не приходило в голову, что она мертва.

Страйк встал из-за стола, подошел к темному, залитому дождем окну и с усилием поднял раму; в баре «12 тактов» громче обычного ухала бас-гитара. Не выпуская изо рта сигарету, он стоял и смотрел на Черинг-Кросс-роуд, сверкающую фарами и лужами, на припозднившихся гуляк, которые нетвердой походкой брели по Денмарк-стрит, еле удерживая зонты, и хохотали так, что перекрывали шум транспорта. Когда же, подумал Страйк, у него появится возможность в пятницу вечером пропустить пинту-другую с приятелями? Эта возможность осталась в другой вселенной, в той жизни, что уже позади. Он застрял в каком-то странном чистилище, где общался с одной лишь Робин; так не могло продолжаться до бесконечности, но он пока не был готов к нормальной, человеческой жизни. Он потерял и армию, и Шарлотту, и полноги; прежде чем открыться для удивления и жалости посторонних, ему нужно было притерпеться к тому человеку, в которого он превратился. Окурок ярко-оранжевой точкой полетел в темноту и погас в водосточном желобе; со стуком опустив раму, Страйк вернулся к письменному столу и решительно придвинул к себе папку.

В показаниях Деррика Уилсона он не нашел для себя ничего нового. Киран Коловас-Джонс в деле не фигурировал, а упомянутый им голубой листок — тем более. Дальше Страйк не без интереса обратился к показаниям двух девушек, с которыми Лула провела остаток дня. Это были Сиара Портер и Брайони Рэдфорд.

Визажистке запомнилось, что Лула вела себя жизнерадостно и радовалась скорому приезду Диби Макка. Портер, в свою очередь, утверждала, что Лэндри была «сама не своя», «в дурном настроении, в тревоге» и отказывалась назвать причину. В показаниях Портер была интригующая деталь, которую никто, кроме нее, не упоминал. Топ-модель утверждала, будто бы Лула в тот день заявила о своем намерении «все оставить брату». В каком контексте это прозвучало — неизвестно; при этом оставалось впечатление, что Лула явно пребывала в мрачности.

Страйк удивился, что его клиент не упомянул о намерении сестры оставить ему «все». Понятно, что Бристоу и без того имел в своем распоряжении доверительный фонд. Вероятно, перспектива разжиться дополнительной суммой, пусть даже весьма солидной, не поражала Бристоу, как поразила бы Страйка, не получившего в наследство ни гроша.

Зевнув, Страйк закурил следующую сигарету, чтобы не уснуть, и приступил к показаниям матери Лулы. По словам самой леди Иветты Бристоу, после операции она испытывала сонливость и недомогание, тогда как дочь, приехавшая навестить ее в то утро, была «всем довольна»; если что-то ее и тревожило, то лишь самочувствие и состояние здоровья матери. Вероятно, из-за суконного стиля полицейского протокола у Страйка возникло впечатление, что леди Бристоу решительно отказывалась признавать официальную версию. Она, единственная из всех, высказалась в том смысле, что смерть Лулы была результатом несчастного случая, что ее дочь просто поскользнулась на балконе, — в ту ночь был гололед.

Страйк по диагонали пробежал глазами показания Бристоу, полностью совпадавшие с его рассказом, и перешел к свидетельству Тони Лэндри — дядюшки Джона и Лулы. Тот навещал леди Иветту Бристоу одновременно с Лулой и утверждал, что племянница выглядела «как всегда». Проведав сестру, Лэндри поехал в Оксфорд, где принял участие в конференции по международному семейному праву и заночевал в отеле «Мальмезон». Рассказав о своих перемещениях, он добавил какие-то невнятные комментарии о телефонных звонках. Для прояснения этого вопроса Страйк обратился к аннотированной копии распечатки телефонных вызовов.

В последнюю неделю жизни Лула крайне мало пользовалась домашним телефоном, а накануне смерти — ни разу. Зато с мобильного она в свой последний день сделала по меньшей мере шестьдесят шесть звонков. Первый — в 9:15, Эвану Даффилду, второй — в 9:35, Сиаре Портер. Дальше — перерыв на несколько часов, а затем, в 13:21, она стала лихорадочно названивать, практически поочередно, по двум номерам. Один принадлежал Даффилду, второй, как следовало из нацарапанных рядом пометок, — Тони Лэндри. Снова и снова набирала их номера. Время от времени делала перерывы минут на двадцать, а потом опять — вероятно, нажимала кнопку повтора. Этот лихорадочный дозвон, как заключил Страйк, начался после ее приезда домой в компании с Брайони Рэдфорд и Сиарой Портер, хотя ни одна из двух подруг не упоминала многократные телефонные звонки.

Страйк вернулся к показаниям Тони Лэндри, но они не проливали света на причины такой настойчивости Лулы. Во время конференции, сказал Лэндри, он поставил мобильный на беззвучный режим и лишь позднее узнал, что ему неоднократно звонила племянница. По какому поводу — он не имел ни малейшего представления и перезванивать не стал, объяснив это тем, что она, по его расчетам (как оказалось, точным), к тому времени уехала в какой-нибудь ночной клуб.

Страйка одолевала зевота; ему хотелось кофе, да лень было возиться. Он уже клевал носом, и только привычка доводить начатое до конца вынудила его приступить к просмотру выписки из журнала посещений дома номер восемнадцать за тот день, когда погибла Лула. Тщательное изучение росписей и инициалов показало, что Уилсон отнюдь не так ревностно выполняет свои обязанности, как, вероятно, полагали его работодатели. Он сам рассказывал Страйку, что уход и возвращение жильцов в журнале не отмечались, поэтому сведений о Лэндри и чете Бестиги там не было. Первая запись, сделанная рукой Уилсона, сообщала, что в 9:10 приходил почтальон, потом, в 9:22, была доставка из цветочного магазина и, наконец, в 9:50 прибыл для проверки сигнализации техник из охранной фирмы «Секьюрибелл». Время его ухода отмечено не было.

В целом (как и сказал Уилсон) тот день выдался спокойным. В 12:50 в дом вошла Сиара Портер, в 13:20 — Брайони Рэдфорд. Уход Рэдфорд в 16:40 подтверждался ее собственноручной подписью; Уилсон зафиксировал также приезд официантов с закусками в квартиру Бестиги (19:00), уход Сиары вместе с Лулой (19:15) и отбытие официантов (21:15).

Страйка раздосадовало, что полицейские отксерили только одну страницу: он надеялся порыться в записях и найти фамилию неуловимой Рошели.

Когда он дошел до описания содержимого ноутбука Лэндри, время уже близилось к полуночи. Судя по всему, полиция искала — и, как выяснилось, безуспешно — главным образом электронные письма с указаниями на суицидальные настроения или намерения. Страйк бегло просмотрел отправленные и входящие сообщения за последние две недели жизни Лэндри.

Как ни странно, бесчисленные фотографии, демонстрировавшие таинственную внешность топ-модели, до сих пор не помогали, а только мешали Страйку поверить, что Лэндри когда-то существовала в реальности. У нее были довольно стандартные черты, обобщенные, абстрактные, но при этом лицо поражало уникальной красотой.

Однако сейчас, в конторе, эти сухие черные значки на бумаге, полуграмотные тексты с непонятными посторонним шутками и прозвищами вызвали перед ним призрак погибшей девушки. За ее сообщениями Страйку открылось нечто такое, чего не показывали сотни фотографий: он скорее нутром, чем умом осознал, что тогда, на заснеженной лондонской улице, разбилась насмерть реальная девушка из плоти и крови, которая жила, смеялась, плакала. Перелистывая страницы дела, он рассчитывал найти хотя бы ускользающую тень убийцы, но вместо этого видел только призрак самой Лулы, глядевший на него — как порой бывает с жертвами насильственных преступлений — сквозь обломки прерванной жизни.

Теперь он понял, почему Джон Бристоу так решительно утверждал, что его сестра не помышляла о смерти. Девушка, напечатавшая те слова, была сердечной, общительной, порывистой, деловитой — и сама этому радовалась; она с энтузиазмом относилась к своей работе и предвкушала, как уже сказал Бристоу, поездку в Марокко.

Большинство отправленных сообщений было адресовано модельеру Ги Сомэ. В них не обнаружилось ничего интересного, разве что доверительно-шутливый тон, и только в одном письме упоминалась самая странная подружка Лулы:

Джиджи, умоляю сооруди что-нибудь для Рошели, у нее скоро д. р. Ну пожаааааалуйста! Я оплачу. Что-нибудь миленькое (не вредничай). К 21 февр, ладно? Спасибо-спасибочко. Люблю. Кукушка.

Страйк вспомнил: на сайте *LulaMyInspirationForeva* говорилось, что Лула любила Ги Сомэ, «как брата». Его показания были самыми скупыми. Неделю провел в Японии, домой вернулся в ночь смерти Лулы. Страйк знал: от дома Сомэ рукой подать до Кентигерн-Гарденз, но полиция, как ни странно, поверила, что дома он сразу лег спать. Страйк уже отметил для себя тот факт, что человек, выходящий на Кентигерн-Гарденз со стороны Чарльз-стрит, не попадает в объектив: установленная на Олдербрук-роуд камера была развернута в другую сторону.

В конце концов Страйк закрыл папку. С трудом перейдя к себе в кабинет, он разделся, отстегнул протез и расставил койку, думая лишь о том, что чертовски устал. Заснул он почти сразу — под шум транспорта, стук дождя и бессмертное дыхание города.

2

Перед домом Люси, в Бромли, стояла кадка с большой магнолией. К концу весны газон вокруг нее будто покрывался мятыми салфетками; но сейчас, в апреле, дерево было окутано пенно-белым облаком восковых, похожих на кокосовую стружку лепестков. Страйк приезжал сюда лишь пару раз: Люси у себя дома вечно дергалась, и он предпочитал встречаться с ней в других местах, лишь бы рядом не отсвечивал ее муж, к которому он относился с прохладцей.

Легкий ветерок поигрывал надутыми гелием воздушными шарами, украшавшими калитку. Сжимая под мышкой упакованный Робин подарок, Страйк шагал по круто уходящей вниз дорожке к дому и убеждал себя, что это ненадолго.

— А Шарлотта где? — напористо спросила низенькая, светловолосая, круглолицая Люси, едва открыв дверь.

В коридоре у нее за спиной тоже красовалась гирлянда золотистых шаров, на этот раз в форме цифры 7. Из-за дома, нарушая пригородную тишину, раздавались вопли, которые в равной степени могли означать и восторг, и адские муки.

— Ей пришлось на выходные вернуться в Эйр, — солгал Страйк.

— Зачем? — Люси посторонилась, пропуская его в прихожую.

— У ее сестры очередной кризис. Где же виновник торжества?

— Они все во дворе. Слава богу, дождь кончился, а то бы в доме кавардак устроили, — ответила Люси, провожая его на задний двор.

На большой лужайке бесились трое его племянников вместе с двумя десятками нарядных мальчиков и девочек: они с криками бегали наперегонки до деревянных столбиков с приклеенными скотчем изображениями нарезанных фруктов. Родители, вызвавшиеся помочь хозяевам, грелись в слабых лучах солнца, потягивая вино из пластиковых стаканчиков, а Грег, муж Люси, налаживал айпод, закрепленный на верстаке. Люси сунула Грегу банку пива и тут же бросилась поднимать своего младшего, который сильно ушибся и надрывался от плача.

У Страйка никогда не возникало желания иметь детей; здесь они с Шарлоттой были единодушны и по этой причине так долго прожили вместе; по этой же причине все прежние отношения в его жизни распались. Люси огорчал и сам его статус, и аргументация, которой Страйк не скрывал; его сестра всегда кипятилась, когда он формулировал жизненные цели, не совпадавшие с ее убеждениями; можно подумать, он критиковал ее решения и вкусы.

— Как твое ничего, Кор? — спросил Грег, поручивший пульт управления музыкой кому-то из папаш.

Зять Страйка работал нормировщиком; он, казалось, вечно мучился от невозможности найти верный тон в общении с шурином и обычно использовал смесь развязности и агрессивности, которую тот терпеть не мог.

— Где же наша красотка Шарлотта? Никак разбежались? В который раз? Ха-ха-ха! Я счет потерял.

Одну малышку сбили с ног: Грег поспешил на помощь матери, которая уже оттирала травяные пятна и старалась унять девчоночий рев. Игра перешла в стадию неистовства. В конце концов родители назвали чемпиона, ввергнув в истерику серебряного призера; тому достали утешительный приз из черного полиэтиленового мешка, стоявшего среди гортензий. Вслед за тем объявили второй тур.

— Здрасте! — К Страйку бочком подкралась немолодая матрона. — Вы не иначе как брат Люси!

— Угу, — ответил он.

— Мы наслышаны о несчастье с вашей ногой, — продолжала она, изучая его ботинки. — Люси держала нас в курсе. Надо же, по вам и не скажешь, верно? Я даже не заметила у вас хромоты. Какие чудеса нынче творит медицина, просто невероятно! Вы, наверное, бегаете резвей, чем прежде!

Видимо, она вообразила, что у него под брючиной — цельная лопасть из углеродного волокна, как у параолимпийца. Сделав небольшой глоток пива, Страйк изобразил сухую улыбку.

— А правду говорят, — решилась она, кокетливо глядя на него и не скрывая откровенного любопытства, — что вы сын Джонни Рокби?

Терпение Страйка, которое незаметно для него накалилось до предела, лопнуло.

— А хрен его знает! — бросил он. — Позвоните ему да спросите.

Она остолбенела и через пару секунд молча отошла. Страйк увидел, как она переговаривается с другой женщиной и та косится в его сторону. Кто-то из детей опять упал, разбив лоб о деревянный столбик с гигантской земляничиной, и двор содрогнулся от оглушительного рева. Воспользовавшись тем, что всеобщее внимание переключилось на пострадавшего, Страйк ускользнул в дом.

В гостиной царил стандартный уют: бежевый гарнитур мягкой мебели из трех предметов, над камином — репродукция с картины кого-то из импрессионистов, на полках — вставленные в рамочки портреты трех его племянников в бутылочно-зеленой школьной форме. Чтобы отгородиться от внешнего шума, Страйк осторожно закрыл дверь, а потом достал из кармана присланный Уордлом диск, вставил его в плеер и взялся за пульт.

На телевизоре стояла фотография, сделанная в день тринадцатилетия Люси. Тогда на семейный праздник явился отец Люси, Рик, со своей второй женой. Страйк стоял позади всех: с тех пор как ему исполнилось пять лет, на всех групповых фотографиях он оказывался на заднем плане. В ту пору у него еще было две ноги. Рядом с ним стояла Трейси (они вместе служили в Отделе специальных расследований), которую Люси прочила в жены брату. Впоследствии Трейси вышла замуж за их общего друга и недавно произвела на свет дочку. Страйк хотел послать ей цветы, да как-то не собрался.

Он перевел взгляд на экран и нажал кнопку «Воспр.».

Перед ним тут же возникло зернистое черно-белое изображение. Белая улица, крупные хлопья снега, летящие перед объективом. Камера смотрела на перекресток Беллами и Олдербрук.

С правой стороны экрана появился какой-то человек: высокий, руки в карманах, утепленный многослойными одежками, в капюшоне. Лицо выглядело странно: черно-белая видеозапись провоцировала обман зрения. В первый момент Страйку померещилось белое лицо с темной повязкой на глазах; но здравый смысл подсказывал, что перед ним на самом деле темнокожее лицо, закрытое до самых глаз белым шарфом. На куртке смутно виднелась какая-то метка, возможно логотип; другие предметы одежды были неразличимы.

Оказавшись возле камеры, прохожий наклонил голову и, похоже, сверился с бумажкой, извлеченной из кармана. Через пару мгновений он свернул на Беллами-роуд и исчез. Цифровые часы в нижнем правом углу экрана показывали 01:39.

Изображение дернулось и перескочило на другой кадр. Опять возник мутный вид того же перекрестка, судя по всему — безлюдного; обзор затрудняли крупные хлопья снега, но теперь на часах было 02:12.

В пределы видимости ворвались двое бегущих парней. Первым был все тот же — замотанный белым шарфом. Длинноногий, крепкого телосложения, он, мощно работая руками, свернул на Олдербрук-роуд. Второй был ниже ростом, среднего телосложения, в шапке и капюшоне; Страйк заметил сжатые темные кулаки; второй бегущий безнадежно отставал. Уличный фонарь на миг высветил надпись на спине его толстовки; добежав до середины Олдербрук-роуд, парень вдруг шмыгнул в сторону.

Раз за разом Страйк прокручивал эту короткую запись. Никакого общения между двумя бегунами он не заметил: удаляясь от камеры, они не окликали друг друга, не переглядывались. Создавалось впечатление, что каждый — сам по себе.

При четвертом просмотре Страйк после нескольких неудачных попыток все же остановил запись на том месте, где фонарь высветил надпись на толстовке. Прищурившись, Страйк едва не уткнулся носом в расплывчатую картинку. С минуту поизучав изображение, он кое-как сумел различить «на...» и начало следующего слова — «ДЖ», но дальше разобрать не удалось.

Нажав «Воспр.», он позволил им бежать дальше, а сам попытался понять, куда именно свернул второй парень. Трижды Страйк смотрел, как тот отделяется от первого, и, хотя названия боковой улицы прочесть не удавалось, со слов Уордла он заключил, что это и была Холливелл-стрит.

Следствие посчитало, что не зафиксированная камерой встреча первого бегуна со своим приятелем отчасти снимала с него подозрения в убийстве. Это если бегуны и в самом деле были знакомы. Страйк вынужден был допустить, что одновременно оказаться под камерой видеонаблюдения в такую погоду, в такое время суток, да при этом повести себя практически одинаково, могли только знакомые, — все это, вместе взятое, уже наводило на мысль о сговоре.

Следующая запись без подготовки перенесла Страйка в салон автобуса. Вот вошла девушка; камера, закрепленная над кабиной водителя, сплющила и затемнила ее лицо, но хвостик светлых волос виднелся вполне отчетливо. Человек, вошедший следом, насколько можно было разобрать, сильно смахивал на того, что шагал по Беллами-роуд в направлении Кентигерн-Гарденз. Высокий, в капюшоне, замотанный белым шарфом. Верхняя часть лица на этой записи скрывалась в тени. Зато на груди четко просматривался логотип «GS».

Следующая запись была сделана на Теобальдс-роуд. Если субъект, быстро шагавший по улице, был тем же, кто ехал в автобусе, то он снял белый шарф, хотя фигуру и походку изменить, естественно, не смог. Теперь Страйк удостоверился, что прохожий намеренно не поднимает головы.

Окончание видеозаписей знаменовал пустой черный экран. Страйк в глубокой задумчивости не сводил с него глаз. Опомнившись, он слегка удивился, завидев вокруг цветовые пятна и солнечные лучи.

Он достал из кармана мобильный и набрал номер Джона Бристоу, но попал в голосовую почту. Пришлось наговорить сообщение о том, что после просмотра записей с видеокамер и знакомства с материалами следствия у него возникли дополнительные вопросы, в связи с чем он просит Бристоу о встрече на следующей неделе.

Затем Страйк набрал номер Деррика Уилсона — и опять попал в голосовую почту; на этот раз он повторил свою просьбу о встрече в доме восемнадцать по Кентигерн-Гарденз для осмотра внутренних помещений.

Не успел он повесить трубку, как дверь распахнулась и в гостиную проскользнул его средний племянник, Джек, раскрасневшийся и возбужденный.

— А я все слышал, — сообщил мальчуган и осторожно, совсем как дядя, закрыл за собой дверь.

— Разве ты не должен быть в саду, Джек?

— Я пи́сать ходил, — ответил племянник. — Дядя Корморан, ты мне подарок принес?

Страйк, с момента своего прихода не выпускавший из рук коробку, протянул ее Джеку и стал смотреть, как нетерпеливые мальчишеские пальцы разрывают нарядную упаковку, над которой трудилась Робин.

— Прикольно! — обрадовался Джек. — Солдат.

— Точно, — подтвердил Страйк.

— Там и винтовка, и все как настоящее.

— А как же.

— А у тебя была винтовка, когда ты служил в армии? — спросил Джек, склонившись над коробкой, чтобы получше разглядеть ее содержимое.

— Даже две, — сказал Страйк.

— И до сих пор есть?

— Нет, пришлось сдать.

— Жалко, — убежденно сказал Джек.

— А разве ты не должен играть с ребятами? — еще раз спросил Страйк, когда из сада снова раздались пронзительные крики.

— Неохота, — сказал Джек. — Можно, я его вытащу?

— Валяй, — ответил Страйк.

Пока Джек лихорадочно терзал коробку, Страйк вынул из проигрывателя диск Уордла и убрал в карман, а затем помог Джеку высвободить десантника и закрепить у него на руке винтовку.

Через десять минут к ним ворвалась Люси. Солдат Джека вел обстрел из-за спинки дивана, а Страйк притворялся, что получил пулю в живот.

— Что за дела, Кор, это ведь его праздник, он должен играть с детьми! Джек, кому было сказано: подарки сразу открывать невежливо... подними... нет, пусть там лежит... нет, Джек, потом с ним поиграешь... все равно скоро чай пить...

Вся на нервах, Люси стала подталкивать упирающегося сына к дверям, напоследок бросив хмурый взгляд на брата. Когда Люси дулась, она делалась похожей на тетю Джоан, которая не была им кровной родней.

Это мимолетное сходство пробудило у Страйка несвойственный ему дух сотрудничества. Дальше на протяжении всего праздника он, говоря словами Люси, вел себя прилично: улаживал неминуемые ссоры перевозбудившихся детей, а потом в боевой раскраске из желе и мороженого забаррикадировался за верстаком и благодаря этому избежал назойливого внимания вездесущих мамаш.

3

Ранним воскресным утром Страйка разбудил звонок мобильного, подзаряжавшегося на полу возле раскладушки. Звонил Джон Бристоу. В его голосе сквозила тревога.

— Получил вчера ваше сообщение, но маме очень плохо, а сиделки сегодня не будет. Скоро приедет Элисон — обещала составить мне компанию. Если не возражаете, мы с вами могли бы встретиться завтра, в мой обеденный перерыв. Дело движется? — с надеждой спросил он.

— Понемногу, — уклончиво ответил Страйк. — Скажите, где сейчас ноутбук вашей сестры?

— Здесь, в маминой квартире. А что?

— Не возражаете, если я в нем покопаюсь?

— Пожалуйста, — сказал Бристоу. — Хотите, я захвачу его с собой на встречу?

Было бы очень кстати, ответил Страйк. Когда Бристоу, продиктовав название и адрес своего любимого кафе неподалеку от работы, повесил трубку, Страйк потянулся за сигаретами, еще немного повалялся и подымил в потолок, расчерченный солнечными лучами, пробивавшимися сквозь жалюзи; он наслаждался покоем и одиночеством вдали от горластых детей и дотошной Люси, которая изводила его расспросами под сиплые вопли своего младшенького. Почти любовно осмотрев кабинет, Страйк погасил сигарету, встал и приготовился, как обычно, сходить в студенческий душ. Деррику Уилсону он сумел дозвониться только поздно вечером.

— На этой неделе не получится, — сказал Уилсон. — Мистер Бестиги постоянно трется рядом. А с работы вылететь неохота, сам понимаешь. Позвоню при первой же возможности, ладно?

До слуха Страйка донесся отдаленный вой сирен.

— Ты сейчас на работе? — успел спросить он, пока Уилсон не повесил трубку.

Он услышал, как охранник сказал в сторону:

— (Распишись в журнале, приятель.) — А потом громко переспросил, обращаясь к Страйку: — Что?

— Раз уж ты там, у меня к тебе просьба: найди в журнале фамилию подруги, которая изредка захаживала к Луле.

— Что еще за подруга? — спросил Уилсон. — (Ага, давай.)

— Девчонка, о которой говорил Киран, — из психиатрической лечебницы. Зовут Рошель. Мне нужна ее фамилия.

— А, понял, — сказал Уилсон. — Ладно, когда найду — перезво...

— Да ты прямо сейчас по-быстрому глянь.

Он услышал вздох Уилсона.

— Ладно. Обожди минуту.

Невнятные звуки движения, стук, царапанье, шорох страниц. В ожидании ответа Страйк изучал выведенные на экран монитора творения Ги Сомэ.

— Да, вот она, тут, — проговорил ему в ухо голос Уилсона. — Зовут Рошель... не могу разобрать... Онифад, что ли.

— Продиктуй по буквам, а?

Уилсон продиктовал фамилию; Страйк записал.

— Когда она приходила в последний раз, Деррик?

— В начале ноября, — ответил Уилсон. — (Да, добрый вечер.) Все, мне пора.

Не дожидаясь благодарности, он отсоединился, и вниманием Страйка вновь завладели банка светлого пива «теннентс» и шедевры повседневной моды от Ги Сомэ, в особенности куртки на молнии, с капюшоном и стилизованными золотыми буквами «GS» на груди. Логотип кутюрье украшал всю готовую мужскую одежду, представленную на сайте. Страйк плохо понимал смысл термина «готовая» — какая же еще? Но как ни крути, это прежде всего значило «недорогая». Второй раздел сайта, озаглавленный просто «Ги Сомэ», представлял туалеты стоимостью в тысячи фунтов. Невзирая на старания Робин, создатель всех этих темно-бордовых костюмов, узких трикотажных галстуков, мини-платьев с зеркальными вставками и кожаных шляп так и не откликнулся на просьбу встретиться для разговора о гибели своей любимой супермодели.

4

Думаешь я тебе ничего не зделаю ошибаешься гад. Я тебе доверял, а ты со мной вот как. Скоро до тебя доберусь. Яйца тебе оторву и в глотку засуну. Так и здохнешь. Мать родная не узнает. Убью тебя Страйк ты кусок гавна.

— Хорошая сегодня погодка.

— Прочтите это. Очень вас прошу.

Было утро понедельника; Страйк выходил покурить на солнце и потрепаться с молоденькой продавщицей в музыкальном магазине напротив. Робин опять распустила волосы по плечам: новых собеседований у нее явно не предвиделось. Этот вывод, в сочетании с пришедшей на смену дождю солнечной погодой, повысил ему настроение. Что же до Робин, вид у нее был встревоженный; она стояла за своим столом, протягивая Страйку листок розовой бумаги с уже знакомыми котятами.

— Еще не успокоился? — Страйк взял у нее письмо и, ухмыляясь, прочел.

— Не понимаю, почему вы до сих пор не заявили в полицию, — сказала Робин. — То, что он грозится с вами сделать...

— Положите к остальным, — распорядился Страйк, бросил письмо на стол и начал перебирать тонкую стопку прочей корреспонденции.

— Но это еще не все, — продолжила Робин, раздосадованная такой беспечностью. — Только что звонили «Временные решения».

— Да? Что им нужно?

— Им нужна я, — ответила Робин. — Они определенно подозревают, что я еще здесь.

— И что вы им ответили?

— Выдала себя за другую.

— Какая находчивость! За кого же?

— Я представилась как Аннабель.

— Когда человека спонтанно просят назвать любое имя, он, как правило, выбирает что-нибудь на букву «А», слышали такое?

— А вдруг они нагрянут сюда с проверкой?

— Ну и что?

— Это ударит по карману не мне, а вам! Они сделают все возможное, чтобы вытрясти из вас комиссионные!

Неподдельная забота Робин о его скудных финансах вызвала у него улыбку. Страйк планировал поручить ей еще раз позвонить в продюсерский центр Фредди Бестиги, а потом пробить по базам данных телефон живущей в Килберне тетки Рошели Онифад. Но вместо этого он сказал:

— Раз так, давайте отсюда смоемся. Я собирался прямо с утра, до встречи с Бристоу, проверить некое местечко под названием «Вашти». Если прийти туда вдвоем, это, наверное, будет выглядеть более естественно.

— «Вашти»? Знаменитый бутик? — мгновенно отреагировала Робин.

— Угу. Он вам знаком?

Теперь настал ее черед улыбаться. Об этом бутике она не раз читала в журналах: он воплощал для нее мир лондонского гламура: заведующие отделами моды находили там совершенно фантастические наряды, которые демонстрировали своим читателям; на каждую из таких вещиц ей пришлось бы работать полгода.

— Понаслышке, — ответила Робин.

Он передал ей снятое с вешалки пальто.

— Сделаем вид, что мы брат и сестра. Как будто вы помогаете мне выбрать подарок для жены.

— Что нужно этому типу, который шлет вам угрозы? — спросила Робин, когда они сидели рядом в вагоне метро. — Кто он такой?

Она ни разу не полюбопытствовала насчет Джонни Рокби, насчет красавицы-брюнетки, выбежавшей из офиса Страйка, насчет раскладушки, которая вообще никогда между ними не упоминалась, но посчитала себя вправе расспросить об этих угрозах. В конце-то концов, ведь это она вскрывала розовые конверты и читала омерзительные, злобные выпады, нацарапанные на фоне резвящихся котят. Страйк даже взглядом не удостаивал эти письма.

— Зовут его Брайан Мэтерс, — сказал Страйк. — Обратился ко мне в июне прошлого года: решил, что его жена погуливает. Он хотел, чтобы за ней последили; я месяц не спускал с нее глаз. Женщина совершенно заурядная: непривлекательная, одета безвкусно, причесана кое-как; работала в бухгалтерии большого склада ковровых покрытий. Просиживала целыми днями в тесном, убогом кабинете вместе с тремя другими сотрудницами, по четвергам ходила играть в бинго, по пятницам закупала продукты в «Теско», а по воскресеньям вместе с мужем бывала в Ротарианском клубе.

— И когда же, по его мнению, она успевала погуливать? — не поняла Робин.

В матовом черном окне напротив покачивались их отражения; под резким верхним светом Робин выглядела бледной, постаревшей и при этом бесплотной, а Страйк — еще более угловатым и суровым.

— По четвергам, вечерами.

— Что, правда?

— Нет, она честно ходила со своей подругой Маргарет играть в бинго, но все четыре раза, что я за ней следил, нарочно оттягивала возвращение домой. Расставшись с Маргарет, каталась по городу. Как-то раз в одиночестве отправилась в паб, взяла себе томатный сок и забилась в угол. А однажды припарковалась за углом от дома и сорок пять минут просидела в машине.

— Но зачем? — спросила Робин, когда поезд грохотал по длинному перегону.

— Это и есть главный вопрос. Она хотела кому-то что-то доказать? Распалить мужа? Помучить? Наказать? Пыталась немного оживить их скучную семейную жизнь? Каждый четверг возвращалась с необъяснимым опозданием. Муж у нее — тупой дятел. Заглотил эту наживку. Он просто сходил с ума.

Считал, что она раз в неделю бегает к любовнику, а подружка Мэгги ее прикрывает. Пытался следить за ней сам, но решил, что она его засекла и нарочно отправилась играть в бинго.

— Значит, вы рассказали ему, как обстоит дело?

— Угу, рассказал. Только он не поверил. Взбеленился, начал орать, что все против него сговорились. Отказался мне платить. Я забеспокоился, как бы он не изувечил свою жену, и в этом была моя большая ошибка. Набрал я ее номер и объяснил, что был нанят ее мужем для слежки, что выяснил, чем она занимается, и что муж ее близок к помешательству. Посоветовал ей — ради ее же безопасности — особо не усердствовать. Она молча выслушала и отсоединилась. А муж регулярно проверял ее мобильник. Увидел мой номер и сделал вполне очевидный вывод.

— О том, что вы ей все рассказали?

— Нет, что я не устоял перед ее чарами и теперь она изменяет ему со мной.

Робин зажала рот ладонями. Страйк рассмеялся.

— Часто вам попадаются такие ненормальные? — спросила Робин, когда вновь обрела дар речи.

— Он один такой, но моими клиентами обычно становятся те, кто оказался в стрессовой ситуации.

— Я сейчас подумала о Джоне Бристоу, — неуверенно начала Робин. — Его девушка считает, что он обманывается. А вы предположили, что он немного... ну, сами понимаете... Мы ведь с ней обе слышали, — смущенно добавила она, — разговор за стенкой. Насчет «доморощенного мозгоправа».

— Да-да, — подтвердил Страйк. — Вы знаете, я, кажется, передумал.

— Что вы хотите сказать? — Робин вытаращила серо-голубые глаза. Поезд резко замедлил ход; размытые фигуры, проносившиеся за окнами, с каждой секундой становились все более отчетливыми. — Вы... вы считаете, что он не... что он может оказаться прав... что его сестру и в самом деле...

— Нам выходить.

Побеленное здание бутика занимало один из самых дорогих земельных участков столицы, на Кондуит-стрит, вблизи пересечения с Нью-Бонд-стрит. Страйку выставленная в витринах пестрятина казалась чистой воды мещанским хламом. Вышитые бисером подушки; ароматические свечи в серебряных горшках; отрезы прихотливо драпированного шифона; аляповатые балахоны на манекенах без лиц; пухлые, вызывающе уродливые сумки — все это громоздилось на фоне задника в стиле поп-арта как памятник потреблядству, отравляющему и глаз, и душу. В таком месте Страйк легко мог представить, как Тэнзи Бестиги и Урсула Мей наметанным глазом изучают четырехзначные суммы на ценниках и без особой радости останавливаются на сумочках из крокодиловой кожи, чтобы только развести на деньги своих нелюбимых мужей.

Робин стояла рядом и тоже разглядывала витрину, но думала о своем. Когда Страйк утром выходил курить, еще до того, как в контору позвонили «Временные решения», ей по телефону сообщили, что она успешно прошла собеседование. Теперь в течение двух дней требовалось подтвердить свое согласие или отказаться. Вспоминая об этом предложении, она всякий раз испытывала сильный укол волнения, которое хотела бы приписать удовольствию, но все больше склонялась к тому, что это страх.

Надо соглашаться. Все говорило в пользу такого выбора. Ей посулили оклад, который они с Мэтью считали для нее пределом мечтаний. Солидная фирма в Уэст-Энде, расположение относительно удобное. Они с Мэтью могли бы вместе ходить обедать. На рынке труда застой. Счастье, что подвернулась такая возможность.

— У вас в пятницу было собеседование — как прошло? — поинтересовался Страйк, с прищуром глядя на расшитый блестками плащ, безобразный до тошноты.

— По-моему, неплохо, — туманно ответила Робин.

Она вспомнила, с каким воодушевлением только что встретила намек Страйка на вероятность того, что в истории с Лэндри не обошлось без убийцы. Неужели это было сказано всерьез? Робин заметила, что Страйк с преувеличенным вниманием изучает эти горы мишурных безделиц, как будто хочет найти в них нечто важное; разумеется (на мгновение она увидела его глазами Мэтью и мысленно заговорила с чужого голоса), это была всего лишь поза, рассчитанная на внешний эффект. Мэтью все время внушал ей, что Страйк — позер и что его занятия очень далеки от реальности, как профессия космонавта или укротителя тигров. Нормальные люди не выбирают себе такую стезю.

Но Робин сейчас подумала, что, согласившись на это место в отделе кадров, она вряд ли узнает (разве что из выпуска новостей), чем закончилось расследование. Доказывать, распутывать, ловить, защищать — вот каким делам, важным и интересным, стоит посвятить жизнь. Робин знала, что Мэтью считает такие мысли детскими и наивными, но ничего не могла с собой поделать.

Отвернувшись от «Вашти», Страйк теперь высматривал что-то на Нью-Бонд-стрит. Робин проследила за его взглядом: через дорогу, у магазина модной обуви «Рассел энд Бромли», стояла, ухмыляясь им темной прорезью, красная почтовая тумба.

— Ладно, пошли, — повернулся к ней Страйк. — Не забывайте: мы брат и сестра, выбираем подарок для моей жены.

— А что мы хотим выяснить?

— Чем занимались тут Лула Лэндри и ее подружка Рошель Онифад накануне смерти Лулы. Они встретились на пятнадцать минут, а потом расстались. Я ни на что особо не надеюсь, дело было три месяца назад, персонал мог ничего не заметить. Но попытка не пытка.

На первом этаже «Вашти» продавалась одежда; согласно стрелке, указывающей на деревянную лестницу, кафе и отдел «Стиль» располагались наверху. Несколько покупательниц — все как на подбор стройные, загорелые, с длинными, чистыми, высушенными феном волосами — рассматривали хромированные стойки с предметами одежды. Продавщицы представляли собой разношерстную компанию: у всех были экстравагантные наряды и прически с претензией на оригинальность. Одна девушка расхаживала в балетной пачке и ажурных чулках; она занималась оформлением шляпной витрины. К удивлению Страйка, Робин смело направилась прямо к ней.

— Привет, — оживленно сказала она. — У вас в средней витрине выставлен совершенно потрясающий плащ с блестками. Можно примерить?

Тряхнув копной белых волос, похожих на сахарную вату, продавщица стрельнула жирно подведенными глазами без бровей:

— Легко.

Как выяснилось, она дала маху: извлечь плащ из витрины оказалось очень трудно. Его нужно было снять с манекена и освободить от защитной электронной бирки. Прошло десять минут, а плащ так и не появился; девушка призвала себе в помощь двух других. Между тем Робин, которая перестала замечать Страйка, скользила по торговому залу, выбирая платья и ремешки. К тому времени как плащ в блестках сняли с витрины, все три продавщицы стали, казалось, заложницами его будущего; все пошли провожать Робин в примерочную: одна взяла у нее ворох платьев, а две другие вместе несли плащ.

Отгороженные занавесом примерочные, похожие на шатры, были составлены из металлических конструкций, задрапированных тяжелым бежевым шелком. Подобравшись совсем близко, чтобы не упустить ни единого слова, Страйк только сейчас оценил весь спектр талантов своей временной секретарши.

Робин набрала товаров тысяч на десять с лишним, причем половина этой суммы приходилась на плащ с блестками. В других обстоятельствах у нее не хватило бы духу на такое представление, но сейчас откуда ни возьмись появился и азарт, и кураж: она доказывала нечто себе самой, и Мэтью, и даже Страйку. Продавщицы втроем суетились вокруг нее, развешивая платья и расправляя тяжелые складки плаща, а Робин ничуть не смущалась оттого, что ей не по карману даже самый дешевый ремешок из числа тех, которые свисали с татуированной руки рыжеволосой продавщицы, и что ни одной из этих красавиц, как бы они ни старались, не светит вожделенный процент с продаж. Она даже не стала возражать, когда продавщица с розовыми волосами вызвалась принести золотой жакетик, якобы созданный будто специально для Робин и как нельзя лучше подходящий к выбранному ею зеленому платью.

Робин была на голову выше каждой из девушек; когда она сменила свой тренч на это чудо в блестках, продавщицы ахнули и заворковали.

— Я должна показаться брату, — сказала она, критически рассмотрев свое отражение. — Понимаете, это не для меня, а для его жены.

Она раздвинула полотнища занавеса и в сопровождении кудахчущих продавщиц вышла в торговый зал. Богатые покупательницы, все как одна, с прищуром уставились на Робин, а она обратилась к Страйку:

— Ну как тебе?

Страйк вынужден был признать, что на ней эта вещь выглядит куда пристойнее, чем на манекене. Робин покружилась, и плащ засверкал, как кожа ящерицы.

— Ничего, — по-мужски сдержанно произнес он, и продавщицы одобрительно заулыбались. — Да, нормально. Сколько стоит?

— По твоим меркам не так уж дорого, — сказала Робин, поглядывая свысока на своих помощниц. — Вот увидишь, Сандре понравится, — убежденно добавила она застигнутому врасплох Страйку, который расплылся в улыбке. — Как-никак ей сорок, круглая дата.

— Эта вещь ко всему подходит, — встряла девушка с прической как из сахарной ваты. — Очень удобная.

— Так, теперь посмотрим, как сидит платье от Кавалли, — беззаботно продолжила Робин, возвращаясь в примерочную. — Сандра попросила меня пойти вместе с ним, — говорила она продавщицам, пока те освобождали ее от плаща и расстегивали молнию на указанном ею платье. — Чтобы он в очередной раз не наделал глупостей. На тридцатилетие он купил ей совершенно жуткие серьги, отдал за них немыслимую сумму, а они так и лежат в сейфе.

Робин сама не понимала, откуда что взялось: из нее бил фонтан красноречия. Сняв джемпер и юбку, она начала втискиваться в узкое ярко-зеленое платье. Тем временем Сандра мало-помалу обрастала плотью: немного избалованная, слегка утомленная, она за бокалом пожаловалась золовке, что муж (банкир, решила Робин, хотя Страйк меньше всего походил на банкира) начисто лишен вкуса.

— «Съезди, — говорит, — с ним в „Вашти“, пусть раскошелится». О, в самом деле, неплохо.

Робин поскромничала. Глядя на свое отражение, она поняла, что никогда в жизни не надевала ничего прекраснее. Зеленое платье непостижимым образом утягивало ей талию, подчеркивало все плавные изгибы фигуры, удлиняло бледную шею. Оно превратило ее в изумрудную богиню-змейку; даже продавщицы задохнулись от восхищения.

— Сколько? — спросила Робин рыжеволосую девушку.

— Две тысячи восемьсот девяносто девять, — ответила та.

— Это для него ерунда, — как ни в чем не бывало сообщила Робин, выходя показаться Страйку, — тот стоял у круглого столика и рассматривал перчатки.

О зеленом платье он только и сказал «угу», даже не взглянув на Робин.

— Единственное — цвет, похоже, не ее.

Робин вдруг стушевалась. В конце-то концов, Страйк ей не брат и не любовник; наверное, это уж слишком — крутиться перед ним в обтягивающем платье. Она поспешила ретироваться в примерочную, где, вновь раздевшись до бюстгальтера и трусиков, сказала:

— Когда Сандра в последний раз заезжала к вам в магазин, она видела в кафе Лулу Лэндри. Сандра говорит, в жизни Лула выглядела ослепительно. Лучше, чем на картинках.

— Да, это точно, — согласилась рыженькая, прижимая к груди золотой жакет, принесенный ею из зала. — Она к нам заезжала каждую неделю. Не желаете примерить?

— Даже накануне своей смерти здесь побывала, — добавила девушка с сахарной ватой на голове, помогая Робин втиснуться в золотой жакет. — И между прочим, в примерочную заходила именно в эту.

— Неужели? — Робин изобразила удивление.

— На груди не сходится, но можно нараспашку носить — так еще лучше, — сказала рыженькая.

— Нет, это не подойдет, Сандра крупнее меня, хоть и ненамного, — отрезала Робин, безжалостно пожертвовав фигурой вымышленной невестки. — Я примерю вот это, черное. Неужели Лула Лэндри приезжала сюда перед смертью?

— Да-да, — подтвердила девушка с розовыми волосами. — Это было так грустно, очень грустно. Ты ведь ее слышала, да, Мел?

Татуированная рыженькая, державшая перед собой черное платье с кружевными вставками, буркнула что-то нечленораздельное. Наблюдая за ней в зеркале, Робин поняла, что та не хочет распространяться о том, что вольно или невольно подслушала.

— Она разговаривала с Даффилдом, правда, Мел? — подсказала болтливая девушка с розовыми волосами.

Мел нахмурилась. Невзирая на ее татушки, Робин поняла, что эта продавщица — старшая над двумя другими. Она, похоже, чувствовала, что не вправе разглашать происходящее в этих шелковых чертогах, тогда как ее подруги лопались от желания посплетничать, тем более с женщиной, которая готова транжирить деньги богача-брата.

— Здесь, наверное, хочешь не хочешь, а услышишь, что происходит в этих... в этих кабинках, — отметила Робин, прерывисто дыша: совместными усилиями трех продавщиц ее запихивали в черное с кружевом платье.

Мел слегка распрямила спину:

— Вот-вот. А люди сюда заходят и начинают трещать без умолку обо всем на свете. Сквозь это, — она указала пальцем на перегородку из натурального шелка, — чего только не наслушаешься.

Затянутая в смирительную рубашку из кружев и кожи, Робин выдавила:

— Странно, что Лула Лэндри в открытую трепалась: она же знала, что ее пасут репортеры.

— Вот-вот, — согласилась рыженькая. — Именно что странно. Я-то буду помалкивать, а другие, чего доброго, начнут мести языком.

Закрыв глаза на то обстоятельство, что девушка, бесспорно, поделилась услышанным с подругами, Робин выразила восхищение такой редкостной порядочностью.

— Но полицейским-то, я думаю, пришлось изложить все как на духу? — спросила она, поправляя платье и морально готовясь к застегиванию молнии.

— Полицейские нас не удостоили, — с сожалением проговорила девушка с волосами как из сахарной ваты. — Я говорила Мел: пойди сама, расскажи, что слышала, а она ни в какую.

— Ничего особенного я не слышала, — быстро сказала Мел. — Это не сыграло бы никакой роли. Ну то есть раз его там все равно не было. Это доказанный факт.

Страйк приблизился к шелковому занавесу ровно настолько, чтобы не вызвать подозрения у оставшихся в зале продавщиц и покупательниц.

В примерочной девушка с розовыми волосами пыхтела над молнией. Грудную клетку Робин постепенно сжимал потайной корсет на косточках. Страйк, весь обратившийся в слух, забеспокоился, когда следующий вопрос Робин оказался больше похожим на стон.

— По-вашему, Эвана Даффилда не было у нее в квартире, когда она погибла?

— Вот-вот. Так, спрашивается, какая разница, что́ она ему наговорила? Не было его там.

Все четверо изучали отражение Лулы.

— Очень сомневаюсь, — Робин отметила, что ее грудь на две трети расплющена корсетом, а верхняя треть вываливается наружу, — что Сандра в это влезет. Но как вы считаете, — теперь она могла дышать свободно, потому что девушка с копной сахарной ваты расстегнула ей молнию, — разве не правильнее было бы передать ее слова полицейским, чтобы те сами разобрались, важно это или нет?

— А я что тебе говорила, Мел? — закудахтала продавщица с розовыми волосами. — Я ей ровно то же самое сказала.

Мел перешла в наступление:

— Но его же там не было! Он к ней не поехал! Видно, сказал, что у него дела и ему не до нее, а она такая: «Значит, приезжай после, ничего страшного, я буду ждать. Все равно я раньше часа домой не вернусь. Пожалуйста, приезжай, ну пожалуйста!» Прямо умоляла его. Между прочим, с ней в примерочную подруга зашла. Та все слышала, вот пусть бы и рассказала полиции, правда же?

Чтобы только потянуть время, Робин опять стала примерять сверкающий плащ. Изогнувшись и покрутившись перед зеркалом, она как бы невзначай бросила:

— А может, она вовсе даже не с Даффилдом разговаривала, а с кем-нибудь другим, как по-вашему?

— Почему это не с ним? — взвилась Мел, как будто Робин усомнилась в ее умственных способностях. — Кого еще она могла к себе звать после часа ночи? Прямо умирала, хотела его заманить.

— Боже, какие у него глаза, — протянула девушка с сахарной ватой. — Он бесподобен. А какая харизма! Он как-то раз тоже с ней сюда заезжал. Боже, какой сексуальный!

Через десять минут, когда она покрутилась перед Страйком еще в двух нарядах и в присутствии продавщиц добилась от него согласия, что плащ в блестках все же самая стильная вещь, было решено (с ведома продавщиц), что Робин прямо завтра привезет сюда Сандру для окончательного решения вопроса. Страйк попросил, чтобы плащ стоимостью пять тысяч фунтов отложили на имя Арни Аткинсона, наобум продиктовал номер телефона и вышел с Робин из бутика, провожаемый наилучшими пожеланиями, как будто уже оставил здесь свои деньги.

В молчании они отошли метров на двадцать, после чего Страйк закурил сигарету и только потом сказал:

— Очень и очень впечатляет.

Робин зарделась от гордости.

5

Страйк и Робин расстались у станции метро «Нью-Бонд-стрит». Робин поехала в контору, чтобы дозваниваться до «Бест-Филмз», разыскивать по интернет-справочникам тетку Роше-ли Онифад и держать оборону против «Временных решений» («Запритесь изнутри», — посоветовал Страйк).

А Страйк купил газету, доехал до Найтсбриджа и дальше пошел пешком, чтобы убить время до встречи с Бристоу, на-значенной в «Серпентайн бар энд китчен».

Путь через Гайд-парк лежал по тенистым аллеям и пересе-кал песчаную дорожку для верховой езды Роттен-роу. В вагоне метро он законспектировал показания девушки по имени Мел и теперь, в кружевной тени парка, возвращался мыслями к фи-гурке Робин в облегающем зеленом платье.

Он обескуражил ее своей реакцией и сам это понял, но в тот момент между ними возникла непонятная интимность, а сей-час он менее всего стремился к интимности, особенно в отно-шениях с Робин, при всех ее способностях, деловых качествах и проявлениях заботы. Ему было приятно ее общество, он це-нил, что она уважает его приватность и не сует свой нос куда не следует. Бог свидетель, думал Страйк, отступая на шаг в сто-рону, чтобы пропустить велосипедиста, последнее из этих до-стоинств — большая редкость, особенно для женщины. И все же мысль о близком расставании только подогревала удоволь-ствие от общения; ее предстоящий уход, подобно обручально-му кольцу, создавал между ними удобную, естественную пре-граду. Страйк испытывал к Робин симпатию, благодарность и даже (после разыгранного ею спектакля) восхищение, но не страдал ни плохим зрением, ни ослабленным либидо, а потому всякий раз, видя ее за компьютером, вспоминал, что она чертовски аппетитная девчонка. Не красавица, не чета Шарлотте, но все равно привлекательная. Появившись из примерочной в облегающем зеленом платье, она зацепила его даже сильней, чем раньше, — ему пришлось буквально отводить глаза. Никакой умышленной провокации Страйк не заподозрил, он просто трезво смотрел на вещи: необходимость поддерживать шаткое равновесие сил помогала ему сохранять рассудок. Робин оказалась единственной живой душой, с кем он в любой момент мог перекинуться парой слов, и Страйк не собирался отмахиваться от своих ощущений. Ко всему прочему, из некоторых недомолвок и колебаний он сделал вывод, что жених Робин недоволен ее уходом из агентства по временному трудоустройству ради очередной временной работы. В целях безопасности не следовало допускать, чтобы зарождающаяся дружба стала чересчур теплой; не следовало в открытую любоваться ее фигуркой, обтянутой мягким джерси.

Страйку пока не доводилось бывать в «Серпентайн бар энд китчен». Заведение стояло на берегу озера, где люди катались на лодках; поразительное здание навеяло Страйку мысли о какой-то футуристической пагоде. Толстая белая крыша напоминала раскрытую книгу, опущенную станицами вниз на сплющенное гармошкой стекло. Боковую стену ласкала старая плакучая ива, склонявшаяся к воде.

Отсюда открывался потрясающий вид на залитое солнцем озеро. Невзирая на прохладу и ветер, Страйк выбрал столик на воздухе, у кромки воды, заказал пинту «дум-бара» и развернул газету.

Бристоу опаздывал уже на десять минут; у столика, где сидел Страйк, внезапно остановился высокий, хорошо сложенный человек лет под шестьдесят, в дорогом костюме.

— Мистер Страйк?

У незнакомца были густые рыжеватые волосы, четко очерченные скулы и волевой подбородок; так мог бы выглядеть не добившийся шумной славы актер, приглашенный на роль богатого бизнесмена в мини-сериале. Благодаря своей тренированной зрительной памяти Страйк мгновенно узнал его по фотографиям с похорон Лулы: это он шел с высокомерным видом, будто глубоко презирал окружающую толпу.

— Тони Лэндри. Дядя Джона и Лулы. Вы позволите?

Его улыбка была идеальным примером светской условности: губы растянулись ровно настолько, чтобы обнажить ровный ряд белоснежных зубов. Лэндри снял пальто, сложил, повесил на спинку свободного стула и подсел за стол к Страйку.

— Джон задерживается на работе, — сообщил он. Ветер шевелил его волосы, открывая чуть поредевшие виски. — Он поручил Элисон вас предупредить. Я случайно проходил мимо ее стола и подумал, что смогу передать вам это сообщение лично. А заодно и поговорить с глазу на глаз. Между прочим, я ожидал вашего звонка: мне известно, что вы шаг за шагом отрабатываете все контакты моей племянницы.

Он надел вынутые из верхнего кармана очки в тонкой металлической оправе и ненадолго прервался, чтобы изучить меню. Страйк выжидал, потягивая пиво.

— Говорят, вы беседовали с миссис Бестиги? — Лэндри отложил меню, снял очки и вернул их в карман пиджака.

— Беседовал, — подтвердил Страйк.

— Да. Ну что ж, у Тэнзи, несомненно, благие намерения, но зря она повторяет рассказ, который полиция объявила несостоятельным. Очень зря, — с нажимом повторил Лэндри. — Я сказал об этом Джону открытым текстом. Его первейший долг — обеспечивать соблюдение интересов клиентки. Мне — террин из свиной ноги, — обратился он к проходившей мимо официантке, — и бутылочку воды. Без газа. Так вот, — продолжил он, — скажу без обиняков, мистер Страйк. По целому ряду причин, и достаточно веских, я против того, чтобы ворошить обстоятельства смерти Лулы. Не жду, что вы со мной тут же согласитесь. Для вас изнанка семейных трагедий — это источник заработка. — Он опять сверкнул агрессивной, сухой улыбкой. — В чем-то я вам даже сочувствую. Все мы должны как-то зарабатывать на жизнь; найдется немало людей, которые скажут, что у меня такая же паразитическая профессия, как у вас. Тем не менее для нас обоих, по-видимому, будет целесообразно обсудить некоторые факты, которые Джон, как я предполагаю, замалчивает.

— Прежде чем мы углубимся в эту тему, — сказал Страйк, — скажите, в связи с чем конкретно Джон задерживается на работе? Если сегодня ему неудобно, я назначу новую встречу; но во второй половине дня у меня запланированы другие дела. Он все еще разбирается с делом Конуэя Оутса?

Его осведомленность ограничивалась тем, что выболтала Урсула: Конуэй Оутс был американским финансистом; но сейчас упоминание покойного клиента фирмы произвело желаемый эффект. Высокомерие Лэндри, его начальственный тон и спесивые замашки улетучились без следа, оставив после себя лишь злость и потрясение.

— Джон не имел права... неужели он... Это сугубо конфиденциальное дело фирмы!

— Джон тут ни при чем, — сказал Страйк. — Это миссис Мей упомянула, что в связи с наследством мистера Оутса у фирмы возникли некоторые проблемы.

Совершенно подавленный, Лэндри забормотал:

— Меня удивляет... Никогда бы не подумал, что Урсула... миссис Мей...

— А Джон, вообще говоря, сегодня появится? Или вы постарались загрузить его работой?

Страйк не без удовольствия наблюдал, как Лэндри пытается сдержать злобу, взять себя в руки и вернуть разговор в нужное русло.

— Джон скоро будет, — выговорил наконец Лэндри. — Я рассчитывал, как уже было сказано, сообщить вам некоторые факты с глазу на глаз.

— Хорошо, в таком случае подготовлюсь. — Страйк вытащил из кармана блокнот и ручку.

На Лэндри это подействовало в точности как на Тэнзи.

— Попрошу вас не делать никаких записей, — сказал он. — Факты, которые я собираюсь озвучить, не имеют отношения — во всяком случае, прямого — к смерти Лулы. То есть, — педантично уточнил он, — они не подтверждают никакой версии, кроме самоубийства.

— Не важно, — сказал Страйк. — Это мне для памяти.

Лэндри вроде бы собрался запротестовать, но передумал.

— Итак. Прежде всего вам следует знать, что на моего племянника Джона сильно повлияла смерть его сводной сестры.

— Это можно понять, — прокомментировал Страйк, держа блокнот почти вертикально, чтобы не светить записи, и вывел «сильно повлияла» — исключительно в пику Лэндри.

— Да, естественно. Притом что мне никогда бы не пришло в голову советовать частному сыщику отказаться от дела только потому, что у его клиента стресс или депрессия — как я уже сказал, все мы вынуждены зарабатывать на жизнь, — в данном случае...

— Вы считаете, это его фантазии?

— Я бы прямо так не сказал, но в общем и целом — да. Джон в свои годы успел пережить такие утраты, какие другим не выпадают за всю жизнь. Думаю, вы не знаете, что он потерял брата...

— Знаю, — перебил Страйк. — Чарли был моим школьным другом. Именно поэтому Джон и нанял меня, а не кого-нибудь другого.

Лэндри пригляделся к Страйку с видимым удивлением и неприязнью:

— Вы учились в начальной школе «Блейкифилд»?

— Недолго. Пока мать не сообразила, что плата ей не по карману.

— Понятно. Я этого не знал. И все же вы, вероятно, не в полной мере сознаете... Джон всегда был — пользуясь выражением моей сестры — крайне возбудимым. После смерти Чарли родители даже водили Джона к психологам, вообразите. Не хочу строить из себя специалиста по вопросам психиатрии, но мне кажется, что со смертью Лулы он выпал из нашего...

— Не слишком удачное выражение, но я вас понимаю. — Страйк записал: «Бристоу псих». — По какой именно причине он выпал из вашего круга?

— Не я один, многие считают, что повторное расследование — это нелепая, бессмысленная затея, — ответил Лэндри.

Страйк держал ручку над блокнотом. Лэндри подвигал челюстями, будто пожевал, а потом напористо сказал:

— Лула страдала маниакально-депрессивным психозом и выбросилась из окна после скандала со своим наркоманомлюбовником. Никакой загадки здесь нет. Для всех нас, особенно для ее несчастной матери, это было страшным ударом, но такова суровая истина. Я невольно прихожу к выводу, что у Джона психоз. Мне неловко говорить такие вещи открытым текстом, но если позволите...

— Не стесняйтесь.

— ...ваше потакание только усугубляет его нездоровую тягу отгородиться от правды.

— Которая заключается в том, что Лула покончила с собой?

— Это подтвердили полиция, судебно-медицинская экспертиза и коронер. Но Джон, по недоступной для меня причине, вознамерился доказать убийство. Кому от этого будет легче — затрудняюсь сказать.

— Видите ли, — сказал Страйк, — родные и близкие самоубийц часто терзаются угрызениями совести. Они считают — пусть даже безосновательно, — будто не сделали всего, что в их силах, чтобы не допустить трагедии. А вердикт «убийство» мог бы избавить родственников от всяких угрызений, правда?

— Нам не в чем себя винить, — ледяным тоном заявил Лэндри. — Лула с юных лет получала самое лучшее медицинское обслуживание и пользовалась всеми материальными благами, какие только могла предоставить ей приемная семья. «Донельзя избалованная» — только такими словами можно описать мою приемную племянницу, мистер Страйк. Мать буквально была готова отдать за нее жизнь — и что она видела взамен?

— Вы считаете, Лула была неблагодарной, так?

— Какого черта вы это записываете? Или ваши заметки рассчитаны на грязный бульварный листок?

Страйку даже стало интересно, куда делась учтивость, с которой Лэндри явился в ресторан. Официантка подала заказ; Лэндри не поблагодарил и лишь сверлил взглядом Страйка, пока девушка не отошла. Потом он сказал:

— Вы суетесь туда, где можете причинить только вред. Я, откровенно говоря, был потрясен, когда узнал о планах Джона. Просто потрясен.

— Разве он не делился с родней своими сомнениями насчет версии самоубийства?

— Джон, как и все остальные, был в шоке, и это естественно, но я не припоминаю, чтобы он хоть намеком коснулся темы убийства.

— У вас тесные отношения с племянником, мистер Лэндри?

— При чем тут наши отношения?

— Возможно, это объяснит, почему он с вами не всем делился.

— У нас с Джоном нормальные рабочие отношения.

— Рабочие отношения?

— Да, мистер Страйк, мы вместе работаем. Неужели мы и за стенами фирмы должны мозолить друг другу глаза? Конечно нет. Но нас объединяют заботы о моей сестре, леди Бристоу, матери Джона, которая сейчас находится в критическом состоянии. Во внеслужебное время мы в основном разговариваем об Иветте.

— Джон показался мне очень преданным сыном.

— Мать теперь стала для него всем; ее близкая кончина тоже не укрепляет его психику.

— Вряд ли она стала для него всем. Есть ведь еще Элисон, правда?

— Вряд ли это серьезные отношения.

— Не мог ли Джон, поручая мне расследование, руководствоваться желанием открыть матери правду, пока та еще жива?

— Правда Иветте не поможет. Кому нравится слышать «что посеешь, то и пожнешь»?

Страйк промолчал. Как он и рассчитывал, адвокат поддался искушению объяснить и вскоре продолжил:

— Иветту всегда отличало какое-то гипертрофированное материнское чувство. Она обожает грудных детей. — Лэндри говорил об этом с легким отвращением, как о патологии. — Попадись ей на жизненном пути достаточно плодовитый мужчина, она без малейшего стеснения родила бы десятка два младенцев. Слава богу, что Алек бесплоден, — или Джон об этом умолчал?

— Он упомянул, что сэр Алек Бристоу не приходится ему биологическим отцом, если вы об этом.

Если Лэндри и обескуражило, что его опередили, он тем не менее с жаром продолжил:

— Иветта и Алек усыновили двоих мальчиков, но она с ними не справлялась. Мать из нее никудышная. Ни присмотра, ни дисциплины, потакание любым капризам и категорическое нежелание видеть дальше своего носа. Не хочу сказать, что всему виной ее воспитание — кто знает, какая там была наследственность, — но Джон рос нытиком, симулянтом и прилипалой, а Чарли — форменным уголовником, и в результате... — Лэндри пошел красными пятнами и умолк.

— И в результате стал кататься на велосипеде по кромке обрыва? — продолжил за него Страйк.

Он сказал это лишь для того, чтобы посмотреть на реакцию Лэндри, и не разочаровался. Впечатление было такое, будто перед ним сузился туннель, захлопнулась дверца, встала стена.

— Грубо говоря, да. Слишком поздно Иветта начала кидаться на Алека, вопить и царапаться, падать без чувств. Прояви она хоть толику строгости, мальчишка не посмел бы плевать на ее запреты. Я как раз гостил у них в доме, — с каменным лицом сказал Лэндри. — Приехал на Пасху. Пошел прогуляться по деревне, прихожу — они с ног сбились, ищут Чарли. Я — сразу к каменоломне. Как чувствовал. Где еще ему быть, как не там, куда запрещено ездить?

— Значит, это вы нашли тело?

— Да, я.

— Представляю, какое это было страшное зрелище.

— Да. — Лэнди едва шевелил губами. — Страшное.

— И после смерти Чарли ваша сестра и сэр Алек удочерили Лулу, правильно я понимаю?

— Это, наверное, была самая большая глупость, на какую только согласился Алек Бристоу, — сказал Лэндри. — Иветта уже показала, какая из нее мать; неужели в период тяжелейшей скорби она смогла бы себя переделать? Конечно, она всегда хотела малютку-девочку, чтобы наряжать ее в розовое, и Алек решил осчастливить жену. Он потакал всем прихотям Иветты. Потерял голову, когда она зашла в его машинописное бюро; сам он из низов. А Иветту всегда тянуло к простолюдинам.

Страйк пока не понимал, какова истинная причина такой злости.

— У вас неважные отношения с сестрой, мистер Лэндри? — спросил он.

— Мы с ней прекрасно ладим; дело лишь в том, что я не закрываю глаза на ее сущность, мистер Страйк, и вижу, что она — виновница всех своих бед.

— После смерти Чарли им беспрепятственно разрешили очередное усыновление?

— Не будь Алек мультимиллионером, препятствий, думаю, было бы немало, — фыркнул Лэндри. — Мне известно, что органы опеки были обеспокоены нервно-психическим состоянием Иветты, да и возраст супругов был далеко не юным. Жаль, что их заявление не отклонили. Но Алек был чрезвычайно изворотлив, да к тому же у него остались разные сомнительные связи еще с той поры, когда он подвизался лоточником. Но даже он, с его возможностями, не смог заполучить белого ребенка. Привел в семью неизвестно кого и доверил заботам депрессивной истерички, начисто лишенной здравого смысла. Меня не удивляет, что это закончилось катастрофой. Лула росла неуравновешенной, как Джон, и неуправляемой, как Чарли, а Иветта не умела ее приструнить.

Строча в блокноте под взглядом Лэндри, Страйк размышлял: не потому ли Бристоу так переживает из-за негритянских корней Лулы, что глубоко верит в генетическую предопределенность? Вне сомнения, Бристоу с малых лет был посвящен в дядюшкины взгляды; дети впитывают убеждения взрослых на каком-то глубинном, первобытном уровне. Он, Страйк, нутром чуял, когда никто еще не заговаривал об этом в его присутствии, что их мать не такая, как у других, что есть в ней (если верить неписаному кодексу, который связывал всех окружавших его взрослых) нечто позорное.

— Насколько я знаю, вы виделись с Лулой в день ее гибели? — спросил Страйк.

Ресницы Лэндри были такими светлыми, что казались седыми.

— Прошу прощения?

— Угу... — Страйк демонстративно полистал блокнот и уставился на совершенно чистую страницу. — Вы встретились в доме вашей сестры, так ведь? Когда Лула заехала проведать леди Бристоу, верно?

— Кто вам это сказал? Джон?

— Это есть в деле. Разве здесь какая-то нестыковка?

— Нет, все так, просто я не понимаю, какое это имеет отношение к нашему разговору.

— Извините, но, когда вы сказали, что ожидали моего звонка, я подумал, что вам несложно будет ответить на пару вопросов.

У Лэндри был такой вид, словно его внезапно приперли к стенке.

— Мне нечего добавить к тому, что я сообщил следствию, — в конце концов сказал он.

— А именно, — уточнил Страйк, полистав блокнот и остановившись на другой чистой странице, — что в то утро вы навестили сестру, повидались у нее с племянницей, а потом поехали в Оксфорд на конференцию по международным вопросам семейного права?

Лэндри опять пожевал.

— Правильно, — сказал он.

— В котором примерно часу вы зашли к сестре?

— Часов в десять, — после короткой паузы ответил Лэндри.

— И как долго у нее пробыли?

— Наверное, с полчаса. Возможно, дольше. Уже не помню.

— И прямиком направились в Оксфорд, на конференцию?

Через плечо Лэндри Страйк заметил запыхавшегося, растрепанного Джона Бристоу, который о чем-то спрашивал официантку. В руке у него был прямоугольный кожаный чехол. Еще не отдышавшись, Бристоу огляделся и, как показалось Страйку, с испугом скользнул глазами по затылку Лэндри.

6

— Джон! — окликнул Страйк своего клиента.

— Привет, Корморан.

Лэндри даже не посмотрел на племянника; взяв нож и вилку, он только теперь отведал поданный ему террин. Страйк подвинулся, чтобы Бристоу сел напротив дядюшки.

— Ты поговорил с Ройбеном? — ледяным тоном осведомился Лэндри, прожевав террин.

— Да. Пообещал, что заеду ближе к вечеру, чтобы при нем сверить все депозиты и счета.

— Мы с вашим дядей, Джон, беседовали про утро того дня, когда погибла Лула. Остановились на том, в какое время он заходил к вашей маме, — сказал Страйк.

Бристоу покосился на Лэндри.

— Меня интересует все, что там говорилось и делалось, — продолжал Страйк, — так как по утверждению шофера, который увозил оттуда Лулу, она была чем-то расстроена.

— Еще бы не расстроена! — вспылил Лэндри. — У ее матери рак.

— Но операция прошла успешно, разве нет?

— Иветте только что сделали гистерэктомию. У нее начались боли. Не удивляюсь, что Лула расстроилась, увидев мать в таком состоянии.

— Вы разговаривали с Лулой?

Секундное замешательство.

— Перекинулись парой слов, не более.

— А между собой вы разговаривали?

Бристоу и Лэндри отводили глаза. Последовала более затяжная пауза, которую нарушил Бристоу:

— Я работал в кабинете. Слышал, как приехал Тони и как он разговаривал с мамой и Лулой.

— Вы не заглянули поздороваться с племянником? — Страйк переключился на Лэндри.

Тот просверлил его колючим взглядом блеклых глаз, обрамленных бесцветными ресницами.

— Заметьте, никто не обязан отвечать на ваши вопросы, мистер Страйк, — произнес Лэндри.

— Разумеется, — согласился Страйк, сделав мелкую, неразборчивую пометку в блокноте.

Бристоу не сводил глаз с дяди. Лэндри, видимо, передумал:

— Сквозь открытую дверь кабинета я увидел, что Джон работает, и не стал ему мешать. Немного посидел с Иветтой, но она принимала анальгетики и была в сумеречном состоянии, поэтому я ушел вместе с Лулой. Я знал, — добавил Лэндри, пряча злобу, — что она не хочет видеть никого, кроме Лулы.

— Судя по распечатке телефонных звонков Лулы, она после ухода от леди Бристоу неоднократно набирала номер вашего мобильного, мистер Лэндри.

Лэндри вспыхнул.

— Вы ей ответили?

— Нет. Мой телефон был переключен на беззвучный режим; я торопился на конференцию.

— Но вибрация-то никуда не делась, правда?

Страйк не знал, сколько еще сможет испытывать терпение Лэндри. Адвокат, похоже, в любой момент мог встать и уйти.

— Я посмотрел, увидел номер Лулы и решил, что у нее ничего срочного, — после паузы ответил он.

— И не перезвонили?

— Нет.

— Возможно, она прислала сообщение, чтобы объяснить причину такой настойчивости?

— Нет.

— Как-то странно, вы не находите? Только что вы встречались у ее матери, где, по вашим словам, ни о чем существенном не разговаривали; а потом Лула весь день пыталась вам дозвониться. Вдруг это был зов о помощи? Вдруг она хотела продолжить разговор, начатый в квартире матери?

— Лула могла тридцать раз подряд звонить кому угодно по любому поводу. Она была избалованной. Считала, что все должны ходить перед ней на цыпочках.

Страйк перевел взгляд на Бристоу.

— Она... иногда... примерно так... — забормотал брат Лулы.

— Как по-вашему, Джон, Лула действительно была расстроена только состоянием здоровья мамы? — спросил Страйк. — Ее водитель, Киран Коловас-Джонс, утверждает, что на ней лица не было, когда она вышла от матери.

Бристоу даже рта раскрыть не успел, как Лэндри, отставив тарелку, поднялся с места и стал надевать пальто.

— Коловас-Джонс — это странного вида темнокожий юнец, который требовал, чтобы Лула пристроила его в кино и в модельный бизнес? — спросил Лэндри, глядя сверху вниз на Бристоу и Страйка.

— В принципе, он, можно сказать, актер, — подтвердил Страйк.

— Ну-ну. В день рождения Иветты, когда она еще не слегла, у меня сломалась машина. Лула с этим юнцом по моей просьбе подвезли меня на именинный ужин. Всю дорогу Коловас-Джонс нудил, чтобы Лула через Фредди Бестиги устроила ему кинопробы. Сверх меры назойливый молодой человек. Держится весьма фамильярно. По правде говоря, — добавил он, — чем меньше я знаю о любовных похождениях моей племянницы, тем лучше. — Лэндри бросил на стол десятифунтовую банкноту. — Не задерживайся, Джон, жду тебя в офисе.

Он помедлил в ожидании ответа, но Бристоу даже не посмотрел в его сторону. Все его внимание было приковано к снимку, сопровождающему новостной материал в газете, которую читал Страйк перед появлением Лэндри: с фотографии смотрел молодой чернокожий солдат в форме Второго батальона Королевского фузилерного полка.

— Что? Да. Скоро буду, — рассеянно сказал он дядюшке, который обливал его холодом. — Прошу меня простить, — обратился он к Страйку после ухода Лэндри. — Дело в том, что Уилсон... Деррик Уилсон, вы его знаете, охранник... говорил, что у него племянник служит в Афганистане. В какой-то момент... боже упаси, конечно... но нет, это не он. Имя другое. Какой ужас эта война, правда? Стоит ли она таких потерь?

Думая о том, как бы дать отдых протезированной ноге — прогулка по парку не прошла бесследно, — Страйк пробормотал в ответ что-то невнятное.

— Предлагаю пройтись пешком, — сказал Бристоу, когда они пообедали. — Хочется подышать свежим воздухом.

Бристоу повел его кратчайшим путем, прямо по траве; в одиночку Страйк ни за что не пошел бы таким маршрутом: это было намного тяжелее, чем ступать по асфальту. Возле мемориального фонтана, установленного в честь принцессы Дианы, под шум и плеск водных струй в длинном русле из корнуолльского гранита, Бристоу вдруг объявил, будто отвечая на вопрос:

— Тони всегда меня недолюбливал. Он предпочитал Чарли. Все говорили, что Чарли — копия Тони в детстве.

— Не могу сказать, что до вашего прихода он с большой теплотой отзывался о Чарли; да и Лула, похоже, не слишком его заботила.

— Тони изложил вам свои взгляды на роль наследственности?

— Косвенно.

— Обычно он, так сказать, не стесняется. Это еще больше сближало нас с Лулой — то, что дядя считал нас выродками. Особенно доставалось Луле: мои родители, по крайней мере, были белыми. Тони не отличается терпимостью. В прошлом году к нам в фирму приехала на стажировку девушка из Пакистана, прекрасно подготовленная, одна из лучших, так он ее выжил.

— Что заставило вас поступить к нему на работу?

— Мне сделали выгодное предложение. Это семейная фирма, которую основал мой дед, хотя, конечно, решающим фактором стало другое. Я вовсе не собирался использовать родственные связи. Просто это одна из ведущих лондонских фирм в области семейного права, и моя мама была счастлива, когда я пошел по стопам ее отца. Кстати, насчет моего отца он не прохаживался?

— По большому счету нет. Намекнул, что сэр Алек, вероятно, дал кому-то на лапу, чтобы получить разрешение удочерить Лулу.

— Вот как? — удивился Бристоу. — Думаю, это не соответствует истине. Лула жила в детском доме. Я уверен, что вся процедура была совершена обычным порядком.

После недолгого молчания Бристоу несмело сказал:

— Вы... э-э-э... не очень похожи на своего отца.

Впервые из его слов стало ясно, что он, скорее всего, порылся в Википедии, когда искал частного детектива.

— Да, это так, — согласился Страйк. — Я точная копия дяди Теда.

— Если я правильно понимаю, вы с отцом... э-э-э... то есть... вы не носите его фамилию?

Страйк не возражал, когда любопытство исходило от того, чья семейная история нестандартна и запутана почище его собственной.

— И никогда не носил, — сказал он. — Я результат случайной связи, которая стоила Джонни жены и нескольких миллионов. Мы с ним не близки.

— Я вами восхищаюсь, — сказал Бристоу. — Вы нашли в себе силы пойти своим путем. Не полагаясь на него.

Не дождавшись ответа Страйка, он в тревоге спросил:

— Надеюсь, вы не против, что я рассказал Тэнзи, кто ваш отец? Это... это помогло мне заручиться ее согласием на вашу встречу. Она сама не своя до знаменитостей.

— Чтобы уломать свидетеля, все средства хороши, — сказал Страйк. — Вы сказали, что Лула терпеть не могла Тони; почему же она для работы в модельном бизнесе взяла его фамилию?

— Нет-нет, Тони тут ни при чем. Лэндри — девичья фамилия нашей мамы. Мама только порадовалась. Если не ошибаюсь, когда-то уже была модель по фамилии Бристоу. А Луле хотелось выделиться.

Они пропускали велосипедистов, огибали расположившиеся на траве компании, сторонились собачников и шарахались от роллеров; Страйк пытался скрыть нарастающую хромоту.

— Знаете, мне кажется, Тони за всю свою жизнь никого не любил, — сказал вдруг Бристоу, когда они отступили в сторону, давая дорогу дребезжащей роликовой доске, на которой ехал мальчонка в шлеме. — А наша мама, наоборот, очень теплая душа. Она любила всех троих детей, и мне порой кажется, что Тони это злило. Не знаю почему. Характер такой. Мои родители от него отдалились после смерти Чарли. Причину разлада от меня скрывали, но я слышал достаточно. По сути, он заявил моей маме, что смерть Чарли на ее совести, поскольку мальчишка у нее отбился от рук. Отец спустил Тони с лестницы. Мама помирилась с Тони только после папиной смерти.

К облегчению Страйка, они вышли на Эксибишн-роуд и его хромота стала менее заметной.

— Как вы считаете, — спросил он, когда они переходили через дорогу, — между Лулой и Коловас-Джонсом что-то было?

— Тони просто исходит желчью, вот и все. Когда речь шла о Луле, он всегда предполагал самое плохое. Нет, Коловас-Джонс, конечно, был бы только рад, но Лула по уши влюбилась в Даффилда — на свою беду.

Их путь лежал по Кенсингтон-роуд, вдоль тенистого парка, и дальше через белоснежный квартал посольских резиденций и королевских колледжей.

— Как вы думаете, почему дядюшка не заглянул к вам поздороваться, когда зашел проведать вашу маму после выписки из больницы?

Бристоу съежился.

— У вас была какая-то размолвка?

— Нет... не совсем... — пробормотал Бристоу. — У нас в фирме сложилась очень напряженная ситуация. Я не... не имею права об этом рассказывать. По соображениям конфиденциальности.

— Это было как-то связано с наследством Конуэя Оутса?

— А вы откуда знаете? — встрепенулся Бристоу. — Урсула проговорилась?

— Что-то такое упомянула.

— Боже праведный! Ни капли благоразумия. Ни капли!

— Ваш дядюшка даже представить не мог, что у нее язык без костей.

— Ничего удивительного. — Бристоу презрительно усмехнулся. — Это же... надеюсь, вам можно доверять... Это самый болезненный вопрос для такой фирмы, как наша. У нас клиентура... самого высокого ранга... так что любой намек на финансовые махинации просто смерти подобен. Конуэй Оутс открыл у нас солидный клиентский счет. Все деньги в наличии, но его наследники — жадная свора: они утверждают, что при управлении счетом были допущены злоупотребления. Учитывая нестабильность рынка и невразумительность распоряжений Конуэя, особенно под конец жизни, пусть скажут спасибо, что им хоть что-то досталось. Тони сейчас страшно зол, и... как бы это сказать... он из тех, кто привык сваливать вину на других. Начались скандалы. Мне тоже досталось. Тони не упускает случая меня пнуть.

На плечи Бристоу опустилась почти зримая тяжесть, и Страйк сделал вывод, что они приближаются к его конторе.

— Джон, я никак не могу выйти на пару-тройку нужных свидетелей. Не могли бы вы свести меня с Ги Сомэ? Его окружение стоит насмерть.

— Попробую. Сегодня же позвоню. Он обожал Лулу; наверняка с ним можно будет договориться.

— Дальше: родная мать Лулы.

— Ох уж, — вздохнул Бристоу. — У меня где-то были ее контакты. Жуткая особа.

— Вы с ней лично встречались?

— Нет, я знаю о ней из рассказов Лулы и из газет. Лула вознамерилась найти свои корни; думаю, к этому ее подтолкнул Даффилд; у меня есть сильные подозрения, что он и слил эту историю газетчикам, хотя он и отпирается... Так или иначе, Лула добралась до этой Хигсон и спросила, кто был ее отцом. Некий студент-африканец. Правда это или нет — не могу сказать. Но Лула услышала то, за чем пришла. У нее разыгралось воображение: по-моему, она уже видела себя пропавшей дочерью высокопоставленного политика или принцессой африканского племени.

— А отца она не пыталась разыскать?

— Чего не знаю, того не знаю, но... — Бристоу хватался за любую версию, которая могла бы объяснить появление запечатленного камерой чернокожего вблизи дома Лулы. — Если и так, то я узнал бы об этом в последнюю очередь.

— Почему?

— Потому что мы с ней из-за этого постоянно ссорились. Маме только-только поставили диагноз «рак матки», а Лула затеяла поиски Марлен Хигсон. Я прямо так и сказал, что она выбрала для этого самый неподходящий момент, но Лула... Честно говоря, в том, что касалось ее прихотей, она не терпела никаких возражений. Мы с ней друг друга любили, — Бристоу устало провел рукой по лицу, — но разница в возрасте все же сказывалась. К слову, сейчас я уверен, что она пыталась разыскать и отца тоже, потому что в ней проснулся зов крови: найти свои черные корни, обрести свою идентичность.

— В последнее время перед смертью она поддерживала отношения с Марлен Хигсон?

— Периодически. Но у меня было такое ощущение, что Лула пыталась прекратить эти контакты. Хигсон — мерзавка, беспредельно корыстная. За деньги она готова была выложить свою подноготную кому попало, и многие, к сожалению, этим пользовались. Мою мать эта история просто доконала.

— У меня к вам еще пара вопросов.

Адвокат безропотно замедлил шаг.

— Приехав утром к Луле, чтобы вернуть ей контакт с Сомэ, вы, случайно, не заметили никого, кто мог бы сойти за представителя охранной фирмы? Которая занимается сигнализацией.

— Например, техника?

— Или электрика. Возможно, в комбинезоне.

Когда Бристоу в задумчивости наморщил лоб, его кроличьи зубы еще больше выдались вперед.

— Не помню... надо подумать... Когда я проходил мимо квартиры второго этажа, да... был там какой-то парень, копался в щитке. Это мог быть он?

— Не исключено. Как он выглядел?

— Вообще-то, он стоял ко мне спиной. Лица я не видел.

— Уилсон находился рядом?

Бристоу в замешательстве остановился на тротуаре. Мимо спешили строго одетые мужчины и женщины, некоторые с папками под мышкой.

— Сдается мне... — запинаясь, выговорил он, — сдается мне, что там стояли они оба спиной ко мне, но тогда я уже спускался. А что такое? Разве это важно?

— Может, да, а может, нет, — ответил Страйк. — Неужели вы совсем ничего не запомнили? Цвет волос, цвет кожи?

Совсем растерявшись, Бристоу сказал:

— Я же не приглядывался. Хотя... — Он вновь сосредоточенно наморщил лоб. — Помню синюю одежду... То есть... под пыткой я бы, наверное, сказал, что это был белый. Но поклясться не могу.

— И не надо, — сказал Страйк, — это все равно полезная информация. — Он достал блокнот, чтобы не упустить ни одного из вопросов, которые собирался задать Бристоу. — Да, вот еще что. Согласно показаниям Сиары Портер, Лула призналась ей, что собирается все оставить вам.

— А, — вяло протянул Бристоу. — Вот вы о чем.

Он поплелся вперед, и Страйк подстроился к его шагу.

— Я знаю о показаниях Сиары со слов одного из следователей. От некоего инспектора Карвера. Он с самого начала был убежден, что это самоубийство, и решил, что признание Лулы, якобы сделанное Сиаре, подтверждало намерение моей сестры расстаться с жизнью. Мне такой ход рассуждений показался странным. Разве самоубийцы обдумывают завещания?

— Значит, вы считаете, что Сиара Портер выдумывает?

— Не то что выдумывает, — сказал Бристоу. — Скорее, преувеличивает. Куда более вероятно, что Лула сказала обо мне что-то хорошее, ведь мы с ней только что помирились, а Сиара задним числом решила, что Лула уже замышляет самоубийство, и приплела сюда завещание. Она такая... взбалмошная девица.

— Кто-нибудь пытался найти завещание?

— Еще бы! Полиция все перевернула вверх дном. Мы, близкие Лулы, не верили, что она оставила завещание; ее адвокаты тоже не могли сказать ничего путного, но поиски, естественно, проводились. Тщательные, но безрезультатные.

— Если на минуту представить, что Сиара Портер не исказила признание вашей сестры...

— Да Лула ни за что не отписала бы все мне одному. Ни за что!

— Почему же?

— Это автоматически означало бы, что она лишила наследства нашу мать и тем самым причинила ей глубокие страдания, — убежденно сказал Бристоу. — Дело не в деньгах: отец прекрасно обеспечил маму, дело в том, что лишение наследства — это весьма красноречивый жест. Завещание способно нанести любую рану. Таких случаев я видел бесчисленное множество.

— А у вашей мамы оформлено завещание? — спросил Страйк.

Бристоу насторожился:

— Ну... да, думаю, что оформлено.

— Позвольте спросить: кто наследники?

— Я не видел означенного документа, — чопорно ответил Бристоу. — Но разве это имеет...

— Все имеет значение, Джон. Десять миллионов — чертовски большой куш.

Бристоу, видимо, пытался разобраться, что это: бесчувственность или оскорбление. В конце концов он выговорил:

— Поскольку других родственников у нас нет, рискну предположить, что главными наследниками по завещанию будем мы с Тони. Возможно, еще пара каких-нибудь благотворительных фондов: мама всегда щедро жертвовала на благотворительность. Впрочем, вы, надеюсь, понимаете, — тонкая шея Бристоу пошла красными пятнами, — что я не спешу ознакомиться с последней волей матери, учитывая, какие события должны этому предшествовать.

— Понимаю, — сказал Страйк.

Фирма, где работал Бристоу, занимала строгое восьмиэтажное здание с темной аркой. Остановившись у входа, Бристоу повернулся лицом к Страйку.

— Вы по-прежнему считаете, что я заблуждаюсь? — спросил он, не дожидаясь, пока мимо пройдут две женщины в темных костюмах.

— Нет, — честно ответил Страйк. — Теперь я так не считаю.

Невыразительное лицо Бристоу слегка просветлело.

— Ждите моего звонка по поводу Сомэ и Марлен Хигсон. Да, чуть не забыл. Ноутбук Лулы. Я его для вас зарядил, только он запаролен. Полицейские восстановили пароль и сообщили моей матери, но она забыла, а я никогда не знал. Может, он указан в деле? — с надеждой предположил он.

— Не припоминаю, — сказал Страйк, — но это не проблема. Где хранился ноутбук после смерти Лулы?

— Сначала в полиции, среди вещественных доказательств, потом у мамы. Почти все вещи Лулы сейчас у мамы. Она еще не готова решать, что с ними делать.

Бристоу передал Страйку зачехленный ноутбук и распрощался, а потом, едва заметно расправив плечи, стал подниматься по ступеням и вскоре исчез за дверями семейной фирмы.

7

Страйк приближался к улице Кенсингтон-Гор; с каждым шагом натертая протезом культя болела все сильнее. Неяркое солнце тронуло показавшийся впереди Гайд-парк; тяжелое пальто не слишком подходило для такой погоды. Страйка мертвой хваткой держало непонятное подозрение, и он невольно задавался вопросом: может, это просто тень на дне мутного пруда, обман света, иллюзорная рябь на водной глади? Что это за темные пузырьки: то ли след от какого-то склизкого хвоста, то ли просто дыхание водорослей? Не таится ли в грязной воде обманка, почему-то не угодившая в сети?

В Гайд-парк он вошел через ржаво-красные Ворота королевы Елизаветы, богато украшенные геральдическими символами. В силу своей неутолимой наблюдательности Страйк отметил, что скульптурному изображению оленихи с олененком на одном столбе соответствует одинокая фигура оленя на другом. А вообще-то, человеку свойственно усматривать симметрию и равенство там, где их нет. Вроде как одно и то же, а на поверку — совершенно разное... Чем сильнее он хромал по пути к станции метро «Кенсингтон», тем ощутимее бил по ноге ноутбук Лулы Лэндри.

Страйк извелся от боли, неопределенности и тревоги; добравшись до конторы без десяти пять, он с тупой обреченностью выслушал отчет Робин: она так и не сумела пробиться через кордон телефонисток продюсерского центра Фредди Бестиги и не нашла в базе «Бритиш телеком» ни одного абонента по фамилии Онифад среди жителей Килберна.

— Конечно, у них с Рошелью могут быть разные фамилии. — Робин собиралась уходить и уже застегивала пальто.

Страйк вяло согласился. В приемной он сразу рухнул на продавленный диван. Робин ни разу не видела босса в таком изнеможении.

— Как вы себя чувствуете?'

— Прекрасно. «Временные решения» больше не беспокоили?

— Нет. — Робин затянула пояс. — Видимо, поверили, когда я назвалась Аннабель. Я еще изобразила австралийский акцент.

Страйк усмехнулся. Робин закрыла промежуточный отчет, с которым ознакомилась в отсутствие других дел, аккуратно поставила его на полку стеллажа, попрощалась и ушла; Страйк так и остался сидеть, положив ноутбук на протертые диванные подушки.

Когда стук каблучков Робин по железной лестнице замер где-то внизу, Страйк протянул длинную руку и запер стеклянную дверь, после чего нарушил собственный запрет на курение в офисе по будням. Сжимая зубами сигарету, он закатал штанину и отстегнул закрепленный на бедре протез. Потом снял гелевую прокладку и осмотрел культю.

Осмотр полагалось производить ежедневно, чтобы не допускать раздражения. Сейчас он обнаружил, что рубцовая ткань воспалилась и горит. У Шарлотты в аптечке хранились всевозможные мази и присыпки для ухода за этим участком тела, который в последние дни подвергался чрезмерной нагрузке. Правда, оставалась возможность, что она побросала кукурузный порошок и «ойлатум» в одну из еще не распакованных коробок. Но сходить и проверить уже не было сил, а главное — не хотелось снова надевать протез. Страйк в задумчивости курил на диване, а пустая штанина свисала на пол.

Мысли перескакивали с одного на другое. Разные семьи, разные фамилии, сходные — при всем внешнем различии — детские годы его и Бристоу. В биографии Страйка тоже были фигуры-призраки: взять хотя бы первого мужа матери, о котором она почти не рассказывала: упоминала только, что этот брак с самого начала был ей ненавистен. Тетя Джоан (прекрасно помнившая те эпизоды, которые Леда предпочла забыть) говорила, что Леда вышла замуж, когда ей было восемнадцать, и сбежала от мужа через две недели, а в объятия Страйка-старшего (который, если верить тете Джоан, выступал в Сент-Мо-зе на ярмарке) ее толкнуло исключительно желание получить новое платье и сменить фамилию. Леда, конечно, хранила верность этой необычной фамилии более истово, чем любому из сожителей. Она и своего будущего сына, задолго до его незапланированного появления на свет, обрекла зваться так же.

Страйк курил до наступления сумерек. Потом с усилием встал на одну ногу и, придерживаясь за дверную ручку и декоративную рейку на стене, попрыгал на лестничную площадку. На дне одной из коробок нашлись лекарственные средства, облегчающие жжение и покалывание в культе. Страйк вернулся на диван и попытался кое-как уменьшить вред, причиненный еще марш-броском через Лондон с рюкзаком на плече.

Две недели назад в восемь вечера было почти темно, а теперь уже светло как днем. Страйк во второй раз за десять дней сидел в китайском ресторане «Вун-Кей», который занимал помещение с высоким потолком и побеленным фасадом, выходившее окнами на галерею игровых автоматов. Он намучился, прилаживая протез, а еще больше — пока тащился по Черинг-Кросс, но обошелся без найденных в коробке серых металлических костылей, полученных при выписке из госпиталя «Селли Оук».

Одной рукой он орудовал палочками, поедая сингапурскую лапшу, а другой управлялся с ноутбуком Лулы Лэндри, водруженным на стол рядом с кружкой пива. Крышка густо-розового компьютера была украшена аппликацией из цветков сакуры. Страйку даже не пришло в голову, как это выглядит со стороны: волосатый мордоворот — а перед ним нечто веселенькое, розовое, типично девичье. Зато у двух чернокожих официантов в футболках это зрелище вызвало усмешку.

— Как жизнь, Федерико? — обратился к нему в половине девятого бледный косматый парень с переброшенным через грудь ремешком кожаной сумки.

Вошедший сразу сел напротив Страйка. На нем были джинсы, кислотная футболка и кеды.

— Бывало и хуже, — буркнул Страйк. — Как сам? Выпьешь чего-нибудь?

— Ага, пиво, светлое.

Страйк сделал заказ для своего знакомца, которого по старой привычке называл Болтом. Выпускник университета, специалист в области компьютерных технологий, Болт зарабатывал неизмеримо больше, чем предполагал его внешний вид.

— Жрать неохота, я после работы бургер съел, — сообщил Болт, просматривая меню. — Но супчик, пожалуй, возьму. Суп с клецками, — сказал он официанту. — Прикольный комп, Фед.

— Он не мой, — сказал Страйк.

— Зачем звал, для этого, что ли?

— Угу.

Страйк развернул компьютер к Болту, который выказал презрительный интерес, свойственный тем, для кого новые технологии — не вынужденное зло, а родная стихия.

— Хлам, — радостно объявил Болт. — Где ты пропадал, Фед? А то пипл уже начал дергаться.

— Спасибо за беспокойство, — сказал Страйк. — Но, право, не стоит.

— Пару дней назад заходил к Нику с Илсой — только и разговору было что о тебе. Ты, говорят, в подполье ушел. О, спасибо, — кивнул Болт официанту, подавшему суп. — Ребята тебе обзвонились, но все время попадают на автоответчик. Илса считает, у тебя по женской части облом.

Тут Страйк сообразил, что известить друзей о разорванной помолвке будет проще всего через Болта, он — лицо незаинтересованное. Младший брат одного из старинных друзей Страйка, Болт не парился насчет их давних, тяжелых отношений с Шарлоттой. Поскольку Страйк не выносил участливых соболезнований и не собирался вечно делать вид, что у них с Шарлоттой все прекрасно, он отметил проницательность Илсы и попросил, чтобы друзья впредь не звонили в квартиру Шарлотты.

— Хреново, — сказал Болт, но тут же с полным безразличием к чужим неурядицам и с интересом к трудным задачкам ткнул приплюснутым пальцем в «Делл»: — А с этим что будем делать?

— В нем уже легавые покопались, — Страйк заговорил вполголоса, хотя окружающие явно понимали только кантонский диалект, — но я хочу кое-что перепроверить.

— У легавых классные айтишники. Если они что-то прохлопали, я тем более не найду.

— Может, не то искали, — сказал Страйк, — а может, нашли, да не доперли, что к чему. Их интересовали ее последние сообщения, которые я уже видел в распечатке.

— А что искать-то конкретно?

— Весь трафик за восьмое января и за предшествующие дни. Последние поисковые запросы, что-то в этом духе. Пароль не знаю, а к легавым обращаться лишний раз не хочется.

— Крякнем, без проблем, — пообещал Болт. Вместо того чтобы записать инструкции на бумажке, он вбил их в свой мобильный; Болт был на десять лет моложе Страйка и от руки без особой нужды не писал. — А ноут чей?

Услышав ответ, Болт переспросил:

— Этой супермодели? Клево.

Но интерес Болта к человеческим особям, включая мертвых и знаменитых, отступал перед его любовью к редким комиксам, электронным гаджетам и музыкальным группам, о которых Страйк даже не слышал. Съев несколько ложек супа, Болт нарушил молчание и живо спросил, на какую сумму он может рассчитывать.

Когда компьютерщик ушел с розовым ноутбуком под мышкой, Страйк похромал назад в контору. Перед сном он тщательно вымыл культю правой ноги, а потом наложил мазь на воспаленную рубцовую ткань. Впервые за много месяцев он принял болеутоляющее и только потом залез в спальный мешок. Дожидаясь, когда утихнет боль, он размышлял, не пора ли записаться на консультацию в центр реабилитационной медицины. Его неоднократно предупреждали о возможности таких осложнений, как отек культи, некроз, нагноение, набухание. Он знал, что симптомы лучше выявлять на раннем этапе, но содрогался при мысли о возвращении в те же пахнущие карболкой коридоры, к тем же докторам, которые будут бесстрастно изучать небольшой искалеченный участок его тела и подгонять протез, что потребует новых возвращений в этот тесный стерильный мирок, с которым, как надеялся Страйк, покончено раз и навсегда. Он опасался, что ему порекомендуют не нагружать правую ногу, воздержаться от лишних передвижений и снова встать на костыли. Прохожие будут глазеть на его подколотую пустую штанину, а дети — пронзительными голосами задавать глупые вопросы.

Поставленный на подзарядку мобильник коротко зажужжал, сообщая о приеме текстового сообщения. Страйк был рад всему, что могло бы отвлечь его от пульсации в ноге; пошарив в темноте у раскладушки, он поднял с пола мобильный.

Позвони пожалуйста когда будет удобно. Есть короткий разговор.
Шарлотта.

Страйк не верил ни в ясновидение, ни в телепатию, но первой его мыслью было, что Шарлотта почуяла, о чем он сообщил Болту, как будто бы задев невидимую, туго натянутую нить, до сих пор связывающую их двоих, и тем самым придав их расставанию официальный статус.

Страйк вглядывался в маленький серый экран и читал между строк, как по ее лицу.

Пожалуйста. (Знаю, ты не обязан: я просто вежливо прошу.) *Короткий разговор.* (У меня есть законная причина добиваться разговора, так что давай переговорим быстро и четко, без скандала.) *Когда будет удобно.* (Я оказываю тебе любезность, признавая, что без меня ты способен чем-нибудь заниматься.)

Или так: *Пожалуйста.* (Откажешься — будешь последней скотиной, Страйк. Ты и без того попортил мне много крови.) *Короткий разговор.* (Знаю, ты боишься скандала. Не волнуйся, прошлого раза мне хватило навсегда: ты показал себя редкостным дерьмом.) *Когда будет удобно.* (Давай говорить прямо: меня всегда оттирали более важные дела — то армия, то еще что-нибудь.)

Вот прямо сейчас — удобно? — мысленно спрашивал Страйк, маясь от боли; анальгетики еще не подействовали. Он посмотрел на часы: десять минут двенадцатого. В такое время она еще не спит.

Мобильный вернулся на пол и продолжил молчаливую подзарядку, а Страйк накрыл глаза волосатой ручищей, чтобы не видеть даже узких полосок фонарного света, которые проникали сквозь жалюзи, расчерчивая потолок. Против его воли перед глазами возникла Шарлотта, какой она была в день их знакомства, когда в одиночестве сидела на подоконнике во время студенческой вечеринки в общежитии Оксфорда. Страйк в жизни не видел ничего прекраснее, и его однокашники тоже, судя по бесчисленным мужским взглядам украдкой, преувеличенно громким голосам, раскатам смеха и показным жестам, рассчитанным на одинокую молчаливую фигурку.

Глядя на нее от противоположной стены, девятнадцатилетний Страйк испытал то же самое чувство, какое в детстве вызывал у него свежий снег во дворе у дяди Теда и тети Джоан. Ему захотелось первым оставить свои следы на этой невыносимо гладкой поверхности, первым потревожить ее и первым нарушить.

— Ты же поддатый, — напомнил ему приятель, когда Страйк объявил о своем намерении подойти к этой девушке и поболтать.

Страйк и не спорил; прикончив седьмую за тот вечер пинту, он решительно направился к подоконнику. Его провожали любопытные взгляды, подначки, а возможно, и насмешки: ведь он смахивал на могучего Бетховена в роли боксера и недавно заляпал футболку соусом карри.

При его приближении девушка подняла голову, распахнула свои большие глаза, откинула длинные темные волосы, и открытый ворот ее блузы обнажил бледную ложбинку.

Кочевое, неспокойное детство, с вечными переездами и сменой школ, привило Страйку незаурядные навыки общения: он легко вписывался в любые компании малышни и подростков, умел смешить, почти ни с кем не ссорился. Но в тот вечер он едва ворочал языком. По воспоминаниям, его даже слегка качало.

— Чего тебе? — спросила она.

— Да вот... — Страйк оттянул футболку и показал кляксы соуса. — Как по-твоему, чем это можно отстирать?

Она невольно (он видел: ей хотелось сдержаться) засмеялась.

Через некоторое время в зал ворвался с кучкой лощеных дружков университетский Адонис, сын парламентария Джейго Росс, которого Страйк знал только в лицо и понаслышке; он застал их с Шарлоттой, увлеченных беседой, все на том же подоконнике.

— Где тебя черти носят, Шарлотта, крошка? — Росс застолбил свои права с помощью сердито-покровительственного тона. — Вечеринка Ричи — этажом выше.

— Я не пойду. — Она повернула к нему улыбающееся личико. — Мне нужно помочь Корморану отстирать футболку.

Так она прилюдно отшила своего парня, выпускника элитной школы «Хэрроу». Для Корморана Страйка это был миг самого грандиозного триумфа за девятнадцать лет его жизни: у всех на виду он похитил Елену Троянскую из-под носа Менелая, но сам от восторженного изумления даже не задумался об истоках такого чуда, а просто воспринял его как должное.

Лишь много позже он узнал, что кажущаяся случайность — или прихоть судьбы — была мастерски подстроена самой Шарлоттой. Через несколько месяцев она призналась, что хотела наказать Росса за какое-то прегрешение, нарочно зашла не в ту комнату и стала ждать, чтобы ее заклеил кто-нибудь из парней — не важно кто; так что он, Страйк, оказался всего лишь орудием пытки: Шарлотта исключительно назло Россу в первую же ночь переспала со Страйком, а он принял ее взвинченность и жажду мести за любовную страсть.

Первая ночь таила в себе все то, что впоследствии разлучало, а потом неодолимо тянуло их друг к другу: саморазрушение Шарлотты, ее безрассудство, желание ранить, и побольнее, невольное, но искреннее влечение к Страйку, прочное место в том замкнутом мире, где она выросла и впитала ценности, вызывавшие у нее презрение и пиетет одновременно. Так начались их отношения длиной в пятнадцать лет, а в результате Страйк, израненный телом и душой, оказался на походной койке и желал лишь одного — стереть из памяти Шарлотту.

8

Утром Робин уже во второй раз оказалась перед запертой стеклянной дверью. Она воспользовалась ключом, который доверил ей Страйк, бесшумно подошла к дверям кабинета и прислушалась. До нее донесся негромкий, но вполне различимый храп.

Положение оказалось весьма щекотливым. С одной стороны, у них сложилось неписаное правило — не упоминать вслух раскладушку и другие приметы круглосуточного пребывания Страйка в офисе. С другой стороны, у Робин было срочное сообщение для временного босса. Она помешкала, перебирая возможные варианты действий. Проще всего потопать и погреметь в приемной, тем самым давая Страйку возможность привести в порядок и себя, и свой кабинет, но это долго. В конце концов Робин собралась с духом и осторожно постучала в дверь.

Страйк проснулся тут же. После секундного помрачения он сообразил, что к чему, и отметил, что из окна немым укором льется дневной свет. Потом вспомнил, как прочитал сообщение Шарлотты и положил мобильный подзаряжаться дальше, не подумав про будильник.

— Нельзя! — гаркнул он.

— Чай заварить? — из-за перегородки спросила Робин.

— Угу, да, обязательно. Я выйду, — громко добавил Страйк, впервые пожалев, что на внутренней двери нет замка. Протез стоял у стены, а на Страйке были только семейные трусы.

Робин поспешила набрать воды в чайник, а Страйк выбрался из спального мешка. Он торопливо оделся, кое-как пристегнул протез, задвинул в угол сложенную койку и вернул на место письменный стол. Через десять минут после стука в дверь он, прихрамывая, вышел из кабинета, принес с собой густой запах дезодоранта и заметил, что Робин, сидя за столом, лопается от нетерпения.

— Ваш чай. — Она указала на горячую кружку.

— Отлично, спасибо. Я сейчас, — сказал Страйк и пошел отлить. Застегивая молнию на брюках, он увидел в зеркале свою небритую, помятую физиономию. Оставалось (причем не в первый раз) утешаться тем, что волосы — хоть причесывайся, хоть вообще забей на это дело — всегда выглядели одинаково.

— У меня есть новость, — сказала Робин, когда он появился из-за стеклянной двери и с повторной благодарностью взял приготовленную для него кружку.

— Неужели?

— Я вышла на Рошель Онифад.

Он поставил кружку на стол.

— Вы шутите! Черт возьми, как вы это...

— В деле сказано, что она состоит на учете в поликлинике при больнице Святого Фомы, — взволнованно зачастила раскрасневшаяся Робин. — Я вчера вечером взяла да и позвонила туда, назвалась ее именем и сказала, что забыла, на какое время записана. Мне тут же ответили: на этот четверг, в десять тридцать. У вас в запасе — она посмотрела на монитор — пятьдесят пять минут.

Как же он сам не допер дать ей такое поручение?

— Гениально, черт возьми, просто гениально... — Страйк облился горячим чаем и снова опустил кружку на стол. — А вы, случайно, не знаете, куда...

— Психоневрологическое отделение, вход через главный корпус, только с другой стороны, — радостно выпалила Робин. — Вот смотрите: идти нужно от Грантли-роуд, мимо второй парковки...

Она развернула к нему монитор и показала план больницы. Страйк взглянул на запястье, но часы остались в кабинете.

— Если выйдете прямо сейчас, как раз успеете, — поторопила его Робин.

— Угу... Я мигом.

Страйк поспешно схватил часы, бумажник, сигареты и мобильный. Он уже почти закрыл за собой стеклянную дверь, на ходу сунув бумажник в задний карман, когда его окликнула Робин:

— А... Корморан...

Она впервые обратилась к нему по имени, отчего, как решил Страйк, сама же застеснялась, но тут он заметил, что ее указательный палец недвусмысленно нацелен в район его живота. Посмотрев вниз, он понял, что рубашка застегнута не на ту пуговицу и над ремнем виднеется треугольник брюха, напоминающий своей волосатостью черный кокос.

— Ой... да... спасибо...

Из вежливости Робин отвернулась к монитору.

— Ну, пока.

— До свидания, — с улыбкой глядя ему в спину, сказала Робин, но не прошло и минуты, как босс вернулся, слегка запыхавшись.

— Робин, надо кое-что уточнить.

Она уже приготовила ручку и выжидала.

— Седьмого января в Оксфорде проходила конференция по вопросам международного семейного права. В ней участвовал Тони, дядя Лулы Лэндри. Проверьте все, что только можно. В первую очередь — подробности его пребывания.

— Хорошо, — сказала Робин, записывая поручение.

— Спасибо. Вы — гений.

Неровным шагом Страйк начал спускаться по железной лестнице. Хотя Робин и мурлыкала какой-то мотивчик, наливая себе чай, ее воодушевление пошло на убыль. Она-то надеялась, что Страйк позовет ее с собой на встречу с Рошелью Онифад, за чьей тенью Робин охотилась две недели.

Утренний час пик миновал, и толпы пассажиров поредели. Страйк только порадовался, увидев свободное место: натертую культю до сих пор саднило. В киоске у входа в метро он купил мятные пастилки и теперь засунул в рот сразу четыре штуки, дабы скрыть тот факт, что утром не успел почистить зубы. Зубную щетку и пасту он прятал в рюкзак, хотя куда удобнее было бы держать их над облезлой раковиной. Вторично увидев свое неприглядное отражение, на этот раз в темном окне вагона, Страйк задал себе вопрос: стоит ли делать вид, будто у него есть дом, если Робин прекрасно знает, что он ночует в кабинете?

Благодаря своей цепкой памяти и умению ориентироваться на местности Страйк хорошо представлял, где находится психоневрологическое отделение больницы Святого Фомы, и в начале одиннадцатого без приключений оказался на месте. Минут за пять он убедился, что другого входа со стороны Грантли-роуд нет, а потом занял наблюдательную позицию на каменном парапете автостоянки, как можно ближе к автоматическим двойным дверям.

Зная лишь то, что нужная ему девушка, очевидно, бездомная и безусловно черная, он обдумал свою стратегию еще в метро и заключил, что ему доступен лишь один способ ее опознать. Поэтому в двадцать минут одиннадцатого, завидев тощую, высокую, чернокожую девицу, быстро шагавшую к дверям (правда, слишком ухоженную и слишком аккуратно одетую), Страйк выкрикнул:

— Рошель!

Она скосила глаза в его сторону, чтобы посмотреть, кто это кричит, но даже не замедлила шага, не выразила никакого личного интереса и скрылась в здании. Следом вошла парочка, оба белые; потом группка людей разного возраста и цвета кожи: как понял Страйк, это были врачи, но на всякий случай он еще раз прокричал:

— Рошель!

Два-три человека обернулись, но тут же продолжили свои разговоры. Успокаивая себя тем, что персонал такого учреждения давно привык видеть у входа весьма эксцентричную публику, Страйк закурил и приготовился ждать.

Часы уже показывали больше половины одиннадцатого, но никакой чернокожей девушки не было и в помине. Либо она раздумала идти на прием, либо вошла через какую-то другую дверь. Легкий как перышко ветер щекотал затылок, а Страйк все сидел, курил и ждал. Необъятное здание больницы, железобетонное, с прямоугольными окнами, наверняка имело не по одному входу с каждой стороны.

Страйк вытянул протезированную ногу, которая не давала ему покоя, и подумал, что надо будет все же показаться врачу-консультанту. От одного лишь нахождения вблизи больницы ему становилось кисло. В животе забурчало. По пути от метро он прошел мимо «Макдональдса». Если до двенадцати девушка не появится, можно будет там перекусить.

Еще дважды он прокричал: «Рошель!» — когда одна чернокожая девушка входила в здание, а другая выходила, и оба раза они просто оглянулись на крик. Первая уничтожила Страйка взглядом.

Наконец, уже в начале двенадцатого, из дверей больницы показалась приземистая, коренастая девушка, которая двигалась неуклюжей походкой, раскачиваясь из стороны в сторону. Страйк был уверен, что не мог просмотреть ее на входе, — не только по причине этой походки, но и по причине внешнего вида: на девушке была броская, вызывающе-розовая шубка из искусственного меха, которая очень невыгодно подчеркивала ее фигуру.

— Рошель!

Та остановилась как вкопанная и стала хмуро озираться в поисках человека, звавшего ее по имени. Страйк похромал к ней, и она, как и следовало ожидать, пригвоздила его недоверчивым взглядом.

— Рошель? Рошель Онифад? Привет. Меня зовут Корморан Страйк. Мы можем поговорить?

— Я всегда с Редборн-стрит захожу, — сообщила она через пять минут, выслушав путаный, от начала до конца вымышленный рассказ Страйка о том, как он ее разыскал. — А выхожу здесь — отсюда до «Макдональдса» ближе.

Туда они и отправились. Страйк взял два кофе, две большие булочки и принес это к столу возле окна, где поджидала любопытная и настороженная Рошель.

Вблизи она оказалась совсем страшненькой. Жирная кожа; лицо цвета выжженной земли, все в угрях и оспинах; маленькие, глубоко посаженные глазки, неровные желтые зубы. Химически распрямленные волосы у корней были сантиметров на десять черными, а дальше — сантиметров на пятнадцать — медно-рыжими. Этот дешевый вид довершали тесные, коротковатые джинсы, блестящая серая сумка и белые кроссовки. Тем не менее Страйк по достоинству оценил короткую пушистую шубку, несмотря на ядовитый, с его точки зрения, цвет и нелестный для такой фигуры покрой. Вещь была очень качественная: подкладка из натурального узорчатого шелка, лейбл хоть и не Ги Сомэ (как можно было ожидать, памятуя об электронном послании Лулы модельеру), но знаменитого итальянского кутюрье, о котором слышал даже Страйк.

— А ты точно не газетчик? — спросила Рошель низким, хриплым голосом.

Страйк уже постарался убедить ее в этом у выхода из поликлиники.

— Нет-нет, я не газетчик. Говорю же: мы знакомы с братом Лулы.

— Ты ему друг?

— Угу. Ну не то чтобы друг. Он меня нанял. Я — частный сыщик.

Тут Рошель не на шутку перепугалась:

— Чего тебе от меня надо?

— Да ты не волнуйся...

— Нет, что за дела?

— Да ничего особенного. Просто Джон сомневается, что Лула покончила с собой, вот и все.

Страйк догадывался: она остается на месте лишь потому, что ее сковал ужас. Но вряд ли он нагнал на нее страху своим обращением.

— Тебе не о чем беспокоиться, — снова заверил он девушку. — Джон поручил мне проверить все обстоятельства, то есть...

— А он чего говорит: это из-за меня?

— Да что ты, конечно нет. Я просто хотел услышать твое мнение: какой у нее был настрой, что могло навести ее на мысли о смерти. Вы же с ней постоянно виделись, правда? Вот я и подумал, что ты была в курсе ее дел.

Рошель собралась что-то сказать, но передумала и попыталась пригубить обжигающий кофе.

— Так чего брат ее говорит: что она, дескать, не сама руки на себя наложила? Что ее типа из окна выбросили?

— Он считает, что такое вполне возможно.

Рошель прикидывала что-то в уме.

— Я тебе ничего докладывать не обязана. Ты даже не настоящий легавый.

— Угу, это точно. Но разве у тебя нет желания помочь установить...

— Она сама из окна выбросилась, — твердо заявила Рошель Онифад.

— И откуда же у тебя такая уверенность? — спросил Страйк.

— Знаю, и все тут.

— Но, похоже, никто из ее знакомых этого не ожидал.

— У нее депресняк был. Ага, на лекарствах сидела. Как и я. Такая, бывает, тоска накатит, сил нет. Это ж болезнь, а не что.

«Ничто», — повторил про себя Страйк и на мгновение отвлекся. Он не выспался. Ничто — вот куда ушла Лула Лэндри. И все там будут, включая его и Рошель. Бывает, что болезнь шаг за шагом заводит тебя в ничто... Именно это и происходило сейчас с матерью Бристоу. Бывает, ничто летит навстречу и бетонной плитой раскалывает тебе череп.

Чтобы не спугнуть Рошель, он не стал вытаскивать блокнот, а просто задавал вопросы самым обыденным тоном: как ее поставили на учет в поликлинике, как они познакомились с Лулой.

Вначале, терзаемая подозрениями, Рошель отвечала односложно, однако мало-помалу разговорилась. Ее история оказалась печальной. В раннем возрасте — насилие, затем детский дом, острое психическое расстройство, приемные семьи, дикие приступы агрессии, а с шестнадцати лет — бродяжничество. Лечиться она стала, в общем-то, случайно — после того, как попала под машину. В припадке буйства Рошель не дала врачам осмотреть свои травмы, ее госпитализировали и в конце концов показали психиатру. Сейчас она сидела на лекарствах, которые, если она не забывала их принимать, существенно облегчали ее симптомы. Каждый прием у врача становился для нее главным событием недели. У Страйка ее рассказ вызывал и жалость, и сочувствие. Рошель нахваливала молодого психиатра, который вел у них групповую терапию.

— Значит, там вы с Лулой и познакомились?

— А ее брат, что ли, тебе не рассказывал?

— Рассказывал, но без подробностей.

— Ну да, пришла она в нашу группу. Ее направили.

— И вы с ней разговорились?

— Ну.

— И подружились?

— Ну.

— Ты бывала у нее дома? В бассейн с ней ходила?

— Нельзя, что ли?

— Конечно можно. Я просто спрашиваю.

Рошель слегка оттаяла:

— Плавать-то я не умею. Не люблю, когда мордой в воду. Я больше в джакузи сидела. А еще мы с ней по магазинам ездили, то да се.

— А она рассказывала тебе про своих соседей — про людей, которые жили в том же доме?

— Про Бестиги, или как их там? Что-то рассказывала. Не любила она их. Баба эта — гадина! — с внезапной злостью бросила Рошель.

— Почему ты так считаешь?

— Ты сам-то ее видал? Я для нее была как грязь под ногами.

— А что Лула о ней думала?

— Терпеть ее не могла, и муженька ее тоже. Блядун.

— В каком смысле?

— Блядун — и все тут, — раздраженно отрезала Рошель, но, поскольку Страйк молчал, она продолжила: — Жена в дверь, а он — Лулу к себе зазывать.

— И Лула к нему спускалась?

— Еще чего, — процедила Рошель.

— Вы с Лулой много беседовали, правильно я понимаю?

— Ну да, внача... Ну да.

Она посмотрела в окно. Внезапно хлынувший дождь застал прохожих врасплох. Окно позади их столика испещрили прозрачные овалы.

— Вначале? — переспросил Страйк. — Но со временем стали меньше общаться?

— Я скоро пойду, — важно заявила Рошель. — Дела у меня.

— Такие люди, как она, — осторожно начал Страйк, — часто бывают избалованными. Помыкают другими. Ждут, что все будут...

— Я ни перед кем не прогибаюсь, — возмутилась Рошель.

— Может, потому она к тебе и тянулась? Может, видела в тебе ровню, а не какую-нибудь... прилипалу?

— Это уж точно, — смягчилась Рошель. — Я перед ней на задних лапках не ходила.

— Вот видишь, потому она и хотела с тобой дружить, ты жизнь знаешь...

— А то как же.

— ...и ко всему прочему, вы лечились вместе. Поэтому ты ее понимала, как никто другой.

— А еще я черная, — добавила Рошель. — Она тоже хотела по-настоящему черной себя почувствовать.

— Это она сама тебе сказала?

— А кто ж еще? Она даже не знала, откуда род ихний пошел, где ее корни.

— Она рассказывала тебе, что пыталась разыскать черную ветвь своей семьи?

— А то как же. Она ведь... ага. — Рошель осеклась.

— Ну и как, нашла кого-нибудь? Отца?

— Нет. Не нашла. Ничего у ней не вышло.

— Правда?

— Да, правда.

Рошель стала торопливо дожевывать булку. Страйк забеспокоился, как бы она не сдернула, когда доест.

— А когда вы с Лулой встречались в «Вашти», накануне ее смерти, она была в депрессии?

— Ага, это точно.

— Она не рассказала, по какой причине?

— Депресняк и без причины бывает. Это ведь болезнь, а не что.

— Но она призналась, что ей плохо, да?

— Да, — после секундного колебания ответила Рошель.

— Вы собирались вместе пообедать, верно? — спросил Страйк. — Киран мне рассказывал, что подвозил ее туда для встречи с тобой. Киран Коловас-Джонс. Ты ведь его знаешь, да?

Лицо Рошели подобрело, уголки рта поползли вверх.

— Еще бы не знать. Ага, приезжала она в «Вашти», чтоб со мной встретиться.

— Но на обед не осталась?

— Не-а. У нее время не было, — сказала Рошель.

Она склонила голову и отхлебнула кофе, пряча лицо.

— Можно же было просто по телефону позвонить, правда? У тебя ведь есть телефон?

— А то как же. — Рошель приободрилась и вытащила из недр розового меха простенькую «нокию», сплошь утыканную розовыми стразами.

— Так почему же, как по-твоему, она не позвонила, чтобы отменить встречу?

Рошель испепелила его взглядом:

— Не хотела лишний раз звонить — подслушивали ее.

— Журналисты?

— Ну.

Булочка почти закончилась.

— Журналисты вряд ли стали бы слушать, как она отменяет встречу в «Вашти». Ты считаешь, им это было интересно?

— А я почем знаю?

— Тебя не удивило, что она проделала такой путь с единственной целью — сказать, что не успевает с тобой пообедать?

— Ага. Не-а, — ответила Рошель. А потом внезапно затараторила: — Когда тебя на лимузине возят, почему ж не покататься? Куда скажешь, туда и доставят, за это лишних денег не берут. Она все равно мимо проезжала, вот и остановилась: сказала, что покушать со мной не успеет, потому как домой торопится, на встречу с этой Сиарой Портер, мать ее за ногу...

Можно было подумать, что Рошель застеснялась ненароком слетевшей с языка «матери»: она поджала губы, словно зареклась произносить бранные слова.

— И это все? Приехала, сказала: «Мне некогда, у меня встреча с Сиарой Портер» — и убежала?

— Ну. Типа того, — ответила Рошель.

— Киран говорит, они с Лулой обычно тебя подвозили.

— Ага, — сказала она. — Короче. В тот раз некогда ей было. — Рошель явно припомнила старую обиду.

— Расскажи-ка подробнее, что было в бутике. Вы одежду какую-нибудь примеряли?

— Да, — после паузы подтвердила Рошель. — Она примеряла. — И снова пауза. — Платье в пол, «Александр Маккуин». Он, между прочим, тоже руки на себя наложил, вот так-то, — глухо добавила она.

— Ты заходила с Лулой в примерочную?

— Ну.

— И что она там делала, в примерочной? — поторопил Страйк.

У Рошель глаза были как у вола, с которым в детстве нос к носу столкнулся Страйк: глубоко посаженные, обманчиво равнодушные, бездонные.

— Платье примеряла, — ответила Рошель.

— А еще? Звонила кому-нибудь?

— Не-а. Хотя... Вроде да.

— А кому, не знаешь?

— Не помню. — Она снова приложилась к бумажному стаканчику, пряча лицо.

— Эвану Даффилду?

— Может, и ему.

— И что она говорила, не помнишь?

— Не-а.

— Одна продавщица слышала ее разговор. Вроде как Лула договаривалась с кем-то встретиться у себя дома, только не сразу. Поздно ночью — так этой продавщице показалось.

— Ну и что с того?

— Значит, это был, по всей видимости, не Даффилд, Лула ведь уже договорилась встретиться с ним в «Узи»?

— Слишком много знаешь, — бросила Рошель.

— Не я один — все знают, что они в тот вечер тусовались в «Узи», — заметил Страйк. — Газеты раструбили.

Расширенные зрачки Рошели были не видны на фоне почти черной радужки.

— И то правда, — согласилась она.

— Это был Диби Макк?

— Скажешь тоже! — Рошель зашлась смехом. — Как бы она на него вышла?

— Знаменитости без труда выходят друг на друга, — сказал Страйк.

Лицо Рошели затуманилось. Она посмотрела на пустой экран своего аляповатого розового телефона.

— Его номера у нее вроде не было.

— Но ты слышала, как она с кем-то договаривалась о ночной встрече?

— Не-а. — Рошель отвела глаза и поболтала в бумажном стаканчике остатки кофе. — Ничего такого не помню.

— Ты отдаешь себе отчет, насколько это важно? — Страйк пытался говорить как можно мягче, чтобы она не заподозрила неладное. — Что, если Лула погибла именно в то время, на которое была назначена встреча? Полицейские ничего об этом не знали, верно? Ты ведь им не рассказывала?

— Я пошла. — Доев все до крошки, Рошель просверлила взглядом Страйка и подхватила дешевую серую сумчонку.

Страйк сказал:

— Время почти обеденное. Хочешь, еще что-нибудь съедим?

— Не хочу.

Однако Рошель не двигалась с места. Страйк подозревал, что она нуждается и живет впроголодь. Под маской ее грубости сквозило что-то щемящее: обостренная гордость, какая-то беззащитность.

— Ну ладно. — Опустив сумку, она снова плюхнулась на жесткий стул. — Мне бигмак.

Страйк опасался, что она сбежит, пока он будет стоять у прилавка, но, вернувшись с двумя подносами, нашел ее на прежнем месте и даже удостоился ворчливой благодарности.

Он попробовал зайти с другого бока.

— Ты же хорошо знаешь Кирана, правда? — спросил он, памятуя, как потеплело ее лицо при упоминании этого имени.

— Ага, — застенчиво подтвердила она. — Я их вместе много раз видела. Он ее постоянно возил.

— Так вот, он говорит, что по дороге в бутик Лула, сидя на заднем сиденье, что-то писала. Когда вы с ней встретились в «Вашти», она тебе не показывала, не передавала никакой записки?

— Не-а. — Рошель набила полный рот картофеля фри. — Ничего такого. А что в ней было-то, в этой записке?

— Не знаю.

— Может, список покупок или еще что?

— Вот и полицейские так решили. Ты точно не заметила, чтобы у нее был с собой листок бумаги, конверт — что-нибудь похожее на письмо?

— Да точно, точно. А Киран знает, что у нас с тобой сегодня встреча? — спросила Рошель.

— Угу, я ему говорил, что ты у меня на очереди. Это он мне подсказал, что ты когда-то жила в приюте Святого Эльма. — Вроде она это проглотила. — А сейчас где живешь?

— Тебе-то что? — неожиданно вспылила Рошель.

— Да ничего. Я из вежливости спросил.

Рошель фыркнула себе под нос:

— У меня теперь собственное жилье имеется, в Хаммерсмите.

Она немного пожевала и впервые выдала хоть что-то от себя:

— Мы в машине всегда Диби Макка слушали. Я, Киран и Лула. — И она вдруг завела речитатив:

К черту гидрохинон, будь черным как смоль,
За Диби — двумя руками. Купи себе могильный камень.
Рассекаю на «феррари», забиваю на Джохари.
Если говорит бабло, то всем молчать.
Мистер Джейк, я буду на тебя кричать.

У нее был победный вид, как будто она решительно поставила Страйка на место, не дав ему возможности сделать ответный ход.

— Это из «Гидрохинона», — пояснила она. — А диск называется «Jake on my Jack».

— Что такое гидрохинон? — не понял Страйк.

— Осветлитель кожи. Опустим, бывало, окна — и рэп врубаем, — продолжала Рошель. Теплая от воспоминаний улыбка тронула ее лицо, сделав его чуть более привлекательным.

— Значит, Лула стремилась к знакомству с Диби Макком, да?

— Еще как! — подтвердила Рошель. — Она знала, что он к ней неровно дышит, и нос задирала. А Киран прямо помирал, все просил, чтоб Лула их познакомила. Уж очень хотел живьем увидеть Диби. — Ее улыбка померкла; она мрачно надкусила бургер, а потом сказала: — Ну, все у тебя или как? А то мне идти надо.

Рошель принялась торопливо уминать фастфуд.

— Лула, наверное, много куда тебя с собой брала?

— Ну, — с набитым ртом сказала Рошель.

— Даже в «Узи»?

— Ага, было дело.

Проглотив, Рошель стала рассказывать и про другие злачные места, где побывала в начале их дружбы с Лулой и (несмотря на свои решительные заверения, что образ жизни мультимиллионерши ей сто лет не нужен) будто окунулась в сказку. Лула раз в неделю вырывала подругу из убогого мирка, ограниченного приютом и групповой терапией, чтобы закружиться с ней вместе в вихре дорогих развлечений. Страйк отметил, что Рошель очень мало говорила о Луле как о личности, а все больше распиналась о ее волшебных пластиковых картах, с помощью которых та получала сумочки, куртки и побрякушки, а также регулярно вызывала, как джинна из бутылки, водителя Кирана и приказывала ему заехать за Рошелью в приют. Она взахлеб расписывала полученные от Лулы подарки, расхваливала магазины, кафе и бары, где они бывали вместе и общались со звездами первой величины. Но звезды, как следовало из ее рассказа, не произвели на Рошель ни малейшего впечатления, потому что на каждое произнесенное имя она тут же ставила уничижительное клеймо: «Придурок он»; «Да у ней все искусственное»; «Эти — ни рыба ни мясо».

— И с Эваном Даффилдом ты тоже знакома? — поинтересовался Страйк.

— Ну. — На этот раз односложный ответ выразил свинцовое презрение. — Паразит.

— Вот как?

— Не веришь — у Кирана спроси.

Она все время давала понять, что они с Кираном заодно: трезвые, справедливые судьи против тех идиотов, что населяли мир Лулы.

— Чем же он такой паразит?

— Ноги об нее вытирал.

— Это как?

— Сплетнями торговал. — Рошель потянулась за одним из последних ломтиков картофеля. — Было время — она нам проверки устраивала. Всем рассказывала разные истории, а потом глядела, которая из них в газеты попадет. Одна я рот на замке держала, а другие мололи языком почем зря.

— Кто, например?

— Сиара Портер. Даффилд опять же. А еще Гай Сомэ. — Рошель тоже не знала, что его полагается именовать на французский лад. — Хотя с ним ошибка вышла. Лула даже повинилась. А он ее прям-таки заездил.

— Это как?

— Не давал ей с другими работать. Хотел, чтоб только для его фирмы старалась, чтоб ему самому всю славу огрести.

— Значит, она убедилась, что тебе можно доверять...

— Ага, и сразу телефончик мне прикупила. — Пауза. — Чтоб я все время на связи была. — Стремительным движением Рошель смахнула розовую «нокию» со стола и спрятала в пушистый, такой же розовый карман.

— Тебе небось самой теперь за телефон платить приходится? — спросил Страйк.

Он подумал, что сейчас его отбреют, но вместо этого Рошель сказала:

— Ее родня платит, как будто так и надо.

При этих словах она, похоже, немного позлорадствовала.

— Шубку эту тоже Лула тебе купила? — полюбопытствовал Страйк.

— Еще чего! — взвилась Рошель. — Я сама. Зарабатываю теперь как-никак.

— Правда? Где же ты работаешь?

— А тебе-то что?

— Да просто из вежливости.

Ее широкий рот тронула мимолетная улыбка, и Рошель опять смягчилась.

— С обеда в магазине убираюсь, мне близко — на той же улице.

— Ты в другой приют перебралась?

— Нет, — ответила она, и Страйк почувствовал, что она вновь замкнулась, отказавшись сделать следующий шаг, а потому давить на нее нельзя.

Он в очередной раз сменил тактику:

— Могу представить, какая это для тебя была неожиданность — смерть Лулы. Как гром среди ясного неба, да?

— Ой, не говори, — призналась она, но тут же спохватилась и пошла на попятную. — Нет, я, конечно, знала, что у нее депресняк, но на самое плохое не думала.

— Значит, в тот день, когда вы с ней встречались, она не помышляла о самоубийстве?

— Откуда мне знать? Мы вместе пробыли всего ничего, прикинь.

— А где тебя застало известие о смерти Лулы?

— Я тогда в «Эльме» была, в приюте. А там каждая собака знала, что мы с ней в подругах. Жанин меня разбудила и сказала.

— И ты прямо сразу поняла, что это самоубийство?

— Ну. Все, пойду я. Пойду.

Теперь Страйк понял, что больше не сможет ее удерживать. Рошель влезла в нелепые розовые меха и перебросила через плечо ремешок сумки.

— Кирану от меня привет.

— Хорошо, обязательно передам.

— Ну, давай.

Рошель ушла не оглянувшись.

Страйк увидел ее за окном: она понуро брела, насупив брови, пока не скрылась из виду. Дождь резко прекратился. Страйк задумчиво пододвинул к себе ее поднос и доел остатки картофеля.

А потом вдруг вскочил со стула, да так стремительно, что напугал девушку-уборщицу в бейсболке, собиравшуюся вытереть со стола и унести подносы. Страйк ринулся к выходу и заспешил по Грантли-роуд.

Ядовитая шубка виднелась издалека: Рошель затесалась среди пешеходов, ожидавших зеленого сигнала светофора. Она прижимала к уху розовую «нокию» в стразах и без умолку тараторила. Перед светофором Страйк воспользовался своими габаритами и протиснулся вперед; впрочем, люди сами расступались, чтобы не связываться с таким мордоворотом.

— ...спрашивал, с кем она договаривалась ночью встретиться... ну вот, а потом...

Рошель повернула голову вслед потоку транспорта и у себя за спиной увидела Страйка. Опустив мобильный, она мгновенно нажала отбой.

— Чего надо? — вскинулась она.

— Кому ты звонила?

— Не твое собачье дело! — Рошель пришла в ярость. Люди стали оборачиваться. — Следить за мной вздумал?

— Угу, — сказал Страйк. — Выслушай меня.

Загорелся зеленый свет, но они, в отличие от всех, не сошли с места; их обтекали и задевали людские потоки.

— Можешь дать мне номер твоего мобильника?

Страйк опять натолкнулся на неумолимый воловий взгляд — непроницаемый, равнодушный, скрытный.

— А тебе на что?

— Киран просил, — солгал Страйк. — Я чуть не забыл. Говорит, у него в машине вроде бы твои солнечные очки завалялись.

Вряд ли это ее убедило, но она почти сразу продиктовала номер, который Страйк записал на обороте своей визитки.

— Доволен? — все так же враждебно бросила Рошель и ступила на мостовую, но успела дойти лишь до островка безопасности, потому что на светофоре опять зажегся красный.

Страйк хромал за ней следом. Его неотступное присутствие и злило, и беспокоило Рошель.

— Ну, чего еще?

— Сдается мне, ты что-то скрываешь, Рошель.

Ответом ему был свирепый взгляд.

— Вот, держи. — Страйк вытащил из верхнего кармана чистую визитку. — Захочешь мне что-нибудь рассказать — позвони, ладно? Вот по этому номеру.

Рошель не ответила.

— Если Лулу убили, — проговорил Страйк, не обращая внимания на летевшие из-под автомобильных колес брызги, — а тебе кое-что известно, убийца и тебя не пощадит.

Это вызвало у нее почти незаметную, самодовольную, язвительную усмешку. Рошель не верила, что ей грозит опасность. Она думала, у нее все в шоколаде.

На светофоре загорелся зеленый человечек. Тряхнув пересушенными, проволочными волосами, Рошель двинулась через дорогу: простая, коренастая, непривлекательная, в одной руке она сжимала розовую «нокию», а в другой — визитку Страйка. Страйк прирос к месту и смотрел ей вслед с бессилием и неловкостью. Возможно, девушка и впрямь умела держать язык за зубами, но кто же поверит, что эту дизайнерскую шубку (тихий ужас) можно купить на зарплату скромной уборщицы?

9

Там, где Тотнем-Корт-роуд смыкалась с Черинг-Кросс-роуд, по-прежнему было не пройти: на проезжей части зияли широкие канавы, белели выложенные строительным картоном желоба, суетились дорожные рабочие в касках. Страйк, с сигаретой в зубах, пробирался по узким проходам, отгороженным металлическими заборами, мимо горластых работяг, грейдеров и отбойных молотков.

Он устал и намучился от боли в правой ноге, от невозможности залезть под душ, от тяжелой, жирной пищи, которая камнем давила на желудок. Ноги сами понесли его в обход, по Саттон-роу, и там, вдали от лязга и грохота дорожных работ, Страйк надумал позвонить Рошели. Хотя он попал на автоответчик, в трубке раздался знакомый сиповатый голос: по крайней мере, с телефонным номером она не обманула. Сообщения Страйк не оставил — все, что хотел, он ей уже сказал; но все равно ему было неспокойно. Он уже корил себя, что не проследил за Рошелью, не выяснил, где она живет.

Выйдя на Черинг-Кросс-роуд, Страйк по пешеходному мостику похромал прямиком в контору и вспомнил, как этим утром разбудила его Робин: деликатно постучалась, заварила чай, ни словом не обмолвилась о раскладушке. Нельзя было этого допускать. К сближению с женщиной есть иные пути, помимо восхищения ее фигуркой в обтягивающем платье. Страйк не собирался объяснять, почему ночует в кабинете, и не терпел, когда ему лезли в душу. Сам виноват: пустил дело на самотек, секретарша уже запросто называет его Корморан и указывает, как ему застегивать рубашку. А потому что нечего столько дрыхнуть.

Взбираясь по металлической лестнице, мимо запертой двери дизайнерской фирмы «Крауди», Страйк решил до конца дня обращаться с Робин построже, чтобы ей неповадно было засматриваться на его волосатый живот.

Впрочем, это желание улетучилось так же внезапно, как появилось: из его конторы доносились волны звонкого смеха и два тараторивших наперебой женских голоса.

Страйк похолодел и в панике прислушался. Он же не перезвонил Шарлотте. Сейчас он пытался уловить ее тембр и интонацию. Как это на нее похоже: нагрянуть без предупреждения, обаять временную секретаршу, сделать из нее союзницу и подругу, чтобы навязать его помощнице свое понимание ситуации.

Голоса опять слились в хохоте; теперь Страйк и подавно не мог их различить.

— Привет, Стик! — встретил его радостный возглас.

На продавленном диване сидела Люси с кружкой кофе, а рядом громоздились пакеты из универмагов «Маркс и Спенсер» и «Джон Льюис».

Первоначальное облегчение оттого, что это не Шарлотта, сменилось тягостными подозрениями: мало ли о чем сплетничала секретарша с его сестрой, мало ли что вызнала каждая о его личной жизни? Обнявшись с Люси, Страйк отметил, что Робин плотно закрыла дверь в кабинет, где хранились рюкзак и раскладушка.

— Робин сказала, ты выехал на расследование. — Похоже, Люси была в приподнятом настроении, которое не покидало ее в отсутствие Грега и сыновей.

— Да, мы, сыщики, иногда балуемся такими вещами, — сказал Страйк. — А ты по магазинам прошлась?

— Как вы догадались, мистер Шерлок Холмс?

— Не хочешь посидеть где-нибудь за чашечкой кофе?

— Я уже, Стик. — Она подняла свою кружку. — Не слишком ты сегодня проницателен. Да ты никак прихрамываешь?

— Не заметил.

— Когда ты в последний раз показывался доктору Чакрабати?

— Буквально на днях, — солгал Страйк.

— Если позволите, мистер Страйк, — сказала Робин, уже надевая пальто-тренч, — я схожу пообедать. Раньше у меня не получилось.

Решение обращаться к ней построже, с профессиональным холодком, сейчас выглядело не только излишним, но и попросту склочным. Таких деликатных женщин он еще не встречал.

— Конечно, Робин, пожалуйста, — ответил он.

— Рада была познакомиться, Люси, — сказала Робин и, помахав, исчезла.

— До чего она мне понравилась! — с восторгом призналась Люси, когда шаги Робин стали удаляться. — Такая милая. Уговори ее остаться.

— В принципе, она неплохо справляется, — выдавил Страйк. — А что вас так развеселило?

— Ой, ее жених... он в чем-то похож на Грега. Робин говорит, ты сейчас работаешь над важным делом. Это хорошо. Она, правда, ничего конкретного не рассказывала. Говорит, какое-то подозрительное самоубийство. Тебе, наверное, радости мало.

Люси испытующе посмотрела на Страйка; тот предпочел этого не заметить.

— Мне не впервой. Я в армии с этим сталкивался.

Ему показалось, что Люси не слушает. Она собиралась с духом. Страйк знал, что сейчас последует.

— Стик, вы с Шарлоттой что, разошлись?

Темнить больше не стоило.

— Ну, разошлись.

— Стик!

— Все нормально, Люси, я в полном порядке.

Ее бодрое настроение как рукой сняло. Страйк, усталый и измученный, терпеливо ждал, когда уляжется вихрь гнева и ярости: она это предвидела; чему тут удивляться; не в первый раз; чего хотеть от такой женщины: сперва отбила его у Трейси, потом разрушила его головокружительную армейскую карьеру, выбила почву из-под ног, убедила съехаться лишь для того, чтобы потом выставить...

— Я сам с ней порвал, Люси, — вклинился Страйк, — а с Трейси мы разбежались задолго до того...

С таким же успехом он мог бы попытаться остановить поток лавы: где только были его глаза; как он сразу не понял, что Шарлотту не переделаешь; она возвращалась к нему только ради внешнего эффекта — как-никак у него боевое ранение, медаль... Эта стерва играла в ангела-хранителя, пока ей не надоело; она злая, опасная; только и умеет, что сеять смуту; тешит себя, муча других...

— Я сам от нее ушел, это мой выбор...

— А где ты теперь живешь? Когда это случилось? Вот паразитка... нет, ты меня, конечно, извини, Стик, но я не собираюсь больше притворяться... и так столько лет она тебя... господи, Стик, и почему только ты не женился на Трейси?

— Люс, прошу тебя, давай не будем.

Он сдвинул в сторону пакеты из «Джона Льюиса», успев заметить детскую одежку, и тяжело опустился на диван. Страйк понимал, что выглядит хуже некуда. Люси, похоже, была на грани слез; отрадный день, проведенный в городе, закончился так бесславно.

— Наверное, ты предвидел, что я тебе наговорю, потому со мной и не делился, так ведь? — всхлипнув, спросила она после паузы.

— Ну, где-то как-то.

— Ладно, извини, — с вызовом сказала она, сверкая мокрыми от слез глазами. — А все-таки она гадина, Стик. Пообещай мне, что больше к ней не вернешься никогда. Пообещай, сделай одолжение.

— Я к ней не вернусь.

— А где ты сейчас живешь — у Ника с Илсой?

— Нет, у меня квартира в Хаммерсмите, — наобум ответил Страйк (этот район теперь ассоциировался у него с ночлежкой для бездомных). — Однокомнатная.

— Ох, Стик!.. Перебирайся к нам!

У него промелькнуло видение: голубая спальня для гостей и натянутая улыбочка Грега.

— Люс, я неплохо устроился. Много ли человеку нужно, чтобы спокойно работать и ни от кого не зависеть?

Спровадить ее удалось только через полчаса. Устыдившись своей несдержанности, она долго извинялась, а потом в свое оправдание снова принялась хаять Шарлотту. Когда Люси все же собралась уходить, Страйк вызвался помочь ей снести вниз пакеты, ловко отвлек внимание от картонных коробок, до сих пор стоявших на лестничной площадке, и в конце Денмарк-стрит погрузил сестру в такси.

Сквозь заднее стекло на него смотрело круглое лицо в черных потеках туши для ресниц. Страйк через силу улыбнулся, помахал и закурил, а сам подумал, что у его сестры проявления родственного участия больше похожи на некоторые приемы допроса военных преступников в тюрьме Гуантанамо.

10

Покупая себе сэндвичи, Робин заодно брала упаковку и для Страйка, если тот в обеденное время оказывался в конторе, а потом возмещала расходы из жестянки для мелочи.

Но сегодня она не спешила возвращаться. Ей, в отличие от Люси, бросилось в глаза, что Страйк занервничал, увидев, что они с его сестрой нашли общий язык. Лицо его сделалось таким же мрачным, как в первый день.

Оставалось лишь надеяться, что она не сказала Люси ничего лишнего. Сестра босса не то чтобы вынюхивала какие-то подробности, но задавала трудные вопросы.

— Вы уже знакомы с Шарлоттой?

Робин догадалась, что это и есть та ослепительная красавица — бывшая жена или подруга Страйка, с которой она столкнулась в первое утро. Вряд ли это можно было считать знакомством, поэтому она только и ответила:

— Пока еще нет.

— Странно. — Люси язвительно улыбнулась. — Я думала, она сразу прибежит на вас поглядеть.

Робин зачем-то сообщила:

— Я здесь временно.

— Это не важно. — Люси, казалось, уловила в ее ответе какой-то скрытый смысл.

Только сейчас, рассеянно прохаживаясь мимо полок с чипсами, Робин для себя уяснила, что имелось в виду. Вероятно, ей хотели польстить, но от одной мысли, что Страйк начнет к ней приставать, Робин делалось дурно.

(«Мэтт, если бы ты его видел... Этакий громила, похож на боксера-неудачника. Привлекательности — ни на грош, возраст — за сорок, да еще... — она подумала, какую бы еще колкость бросить в адрес его внешнего вида, — волосы как на лобке».

Но если честно, Мэтью примирился с ее местом работы только после того, как Робин приняла предложение медиаконсалтинговой фирмы.)

Наугад положив в корзину два пакета чипсов с солью и уксусом, Робин пошла к кассе. Она еще не сказала Страйку, что через две с лишним недели возьмет расчет.

После разговоров о Шарлотте сестра босса поинтересовалась, каковы же — при такой скудости обстановки — масштабы его бизнеса. Робин как могла уклонялась от прямых ответов, интуитивно чувствуя, что неведение Люси объясняется исключительно нежеланием Страйка посвящать сестру в свои финансовые дела. Чтобы создать у нее впечатление процветающей фирмы (Страйку, наверное, это было бы приятно), Робин упомянула, что совсем недавно к брату Люси обратился весьма состоятельный клиент.

— С женой разводится? — спросила Люси.

— Нет, — сказала Робин, — просто... понимаете, я связана подпиской о неразглашении... мистеру Страйку поручили дополнительное расследование по делу о самоубийстве.

— Ох ты господи, — огорчилась вдруг Люси. — Корморану это будет в тягость.

Робин пришла в замешательство.

— Он не упоминал? Многие же об этом знают. Наша мать была известной... как говорится... групи, понимаете? — Улыбка Люси стала натужной, а в голосе, преувеличенно бесстрастном и будничном, появились колючие нотки. — Это есть в интернете. В наше время чего там только нет, правда? Она умерла от передоза, и это объявили самоубийством, но Стик всегда считал, что в деле замешан ее бывший муж. Доказать ничего не удалось. Стик был вне себя. Кошмарная, жуткая история. Наверное, по этой причине клиент и выбрал именно его... как я понимаю, это самоубийство — тоже передоз?

Робин не ответила, но этого и не требовалось: Люси понесло.

— Стик тогда бросил университет и поступил на службу в военную полицию. Родственников это убило. Он ведь очень способный. У нас в роду никто не учился в Оксфорде, а он плюнул на все и ушел в армию. Представьте, служба его затянула, там он был как рыба в воде. Честно скажу, я жалею, что он уволился. Мог бы сделать карьеру, даже... ну, вы понимаете... когда с ногой такая штука...

Робин ничем не выдала своего изумления.

Люси попивала чай.

— Так вы, значит, родом из Йоркшира? Из каких краев?

После этого разговор вошел в приятное русло; Страйк появился в тот момент, когда Робин в лицах описывала, как Мэтью попробовал заняться ремонтом.

Возвращаясь в контору с чипсами и сэндвичами, Робин все больше сочувствовала Страйку. Его семейные отношения (ну или просто отношения, если он не был официально женат) рухнули, ночует у себя в кабинете, искалечен на войне, а теперь еще выясняется, что его мать умерла при сомнительных, неприглядных обстоятельствах.

Робин себя не обманывала: к ее состраданию примешивалось любопытство. Она решила незамедлительно найти в интернете подробности смерти Леды Страйк. Но в то же время ей было неловко, что она, хоть и помимо своей воли, приоткрыла для себя еще одну частицу жизни Страйка, которую (как волосатый треугольник живота, случайно замеченный ею в то утро) он вовсе не собирался выставлять напоказ. Робин уже отметила его самолюбие и независимость, вызывавшие у нее симпатию и даже восторг, хотя проявления этих качеств — раскладушка в кабинете, картонные коробки на лестничной площадке, пенопластовые ванночки из-под лапши, брошенные в мусорную корзину, — вызывали насмешку Мэтью и ему подобных, которые считали, что оказаться в таком незавидном положении может только слабак или транжир.

С порога офиса Робин почувствовала в воздухе какое-то напряжение. Страйк сидел за ее компьютером и быстро стучал по клавиатуре; он поблагодарил за сэндвичи, но, вопреки своему обыкновению, не оторвался от монитора, чтобы уделить минут десять обсуждению дела Лэндри.

— Я сейчас закончу. Посидите пару минут на диване, ладно? — обратился он к Робин, не поднимая головы.

Робин не знала, посвятила ли его Люси в подробности их женской болтовни. Оставалось только надеяться, что нет. Но она тут же мысленно отругала себя за непрошеные угрызения: в конце-то концов, совесть ее чиста. С досады Робин даже забыла, что умирает от желания узнать, разыскал ли он Рошель Онифад.

— Вот оно! — сказал Страйк.

На сайте знаменитого итальянского кутюрье он нашел пушистую ярко-розовую шубку, какую видел на Рошели Онифад. Эта модель появилась в продаже только две недели назад и стоила полторы тысячи фунтов.

Робин ждала объяснений, но безрезультатно.

— Вам удалось ее разыскать? — спросила она, когда босс наконец отвернулся от монитора и стал разворачивать сэндвичи.

Страйк рассказал, как прошла встреча, но без всякого намека на тот энтузиазм, с которым он в утреннем разговоре неоднократно подчеркивал ее гениальность. Перейдя на столь же прохладный тон, Робин отчиталась о результатах своих телефонных поисков.

— Я позвонила в коллегию адвокатов и навела справки о конференции, проходившей седьмого января в Оксфорде, — начала она. — Тони Лэндри действительно там был. Я сказала, что мы познакомились в перерыве заседания, и пожаловалась, что не могу найти его визитку.

Страйк не заинтересовался этими сведениями, которые сам же затребовал, и не похвалил ее за находчивость. Разговор угас в обстановке взаимного недовольства.

После истерики, которую закатила Люси, Страйк был измотан; ему хотелось побыть одному. Кроме того, он подозревал, что сестра откровенничала с Робин насчет Леды. Люси страдала оттого, что их мать и при жизни, и после смерти пользовалась сомнительной репутацией, но в определенные моменты сестру охватывало неудержимое желание мусолить эту историю. Наверное, в разговорах с чужими людьми у нее открывался своего рода предохранительный клапан, потому что в своем пригороде Люси вынуждена была помалкивать об их семейном прошлом; а может, она спешила перевести бой на территорию противника — ей до того не терпелось выяснить, многое ли известно собеседникам, что она торопилась предвосхитить их жгучее любопытство, не давая им раскрыть рта. Но у Страйка не было ни малейшего намерения посвящать Робин в историю их матери, в подробности своего ранения, в отношения с Шарлоттой и прочие болезненные темы, которые обожала ворошить Люси.

От усталости и расстройства Страйк перенес на Робин недовольство всеми женщинами на свете: ну не могут они оставить мужика в покое. Он собрался взять свои записи и посидеть над ними в пабе «Тотнем», где никто не будет его дергать.

Робин остро чувствовала перемену обстановки. Подстроившись под настроение молчаливо жующего босса, она отряхнула крошки и сухим, деловым тоном передала ему утренние сообщения:

— Звонил Джон Бристоу, сообщил номер телефона Марлен Хигсон. Кроме того, он договорился о вашей встрече с Ги Сомэ в четверг, в десять утра, в его студии на Бланкетт-стрит, если вам удобно. Это в Чизике, неподалеку от моста Кью.

— Отлично. Спасибо.

После этого они не перекинулись и парой слов. Страйк засиделся в пабе и вернулся без десяти пять. Неловкость между ними сохранялась, и после ухода Робин он вздохнул с облегчением.

ЧАСТЬ ЧЕТВЕРТАЯ

Optimumque est, ut volgo dixere, aliena insania frui.

И лучший план, как раньше говорили, состоит
в том, чтобы воспользоваться чужой глупостью.

Плиний Старший. *Естественная история*

1

Перед визитом в студию Ги Сомэ Страйк с утра пораньше сходил в студенческий душ и оделся с особой тщательностью. Внимательное изучение сайта знаменитого модельера показало, что Сомэ рекомендует приобретать и носить легинсы из состаренной кожи, галстуки из металлической сетки и головные ободки с черными полями, похожие на старую шляпу-котелок с отрезанной тульей. С некоторым вызовом Страйк надел традиционный, удобный темно-синий костюм, в котором ходил в «Чиприани».

Студия занимала бывший пакгауз постройки девятнадцатого века на северном берегу Темзы. Сверкающая водная гладь слепила глаза, что затрудняло поиски входа: снаружи не было никаких опознавательных знаков или вывесок, из которых можно было бы понять назначение этого здания.

В конце концов Страйк нажал незаметную, без маркировки, кнопку звонка, и дверь дистанционно открыли изнутри. Просторный пустой вестибюль встретил его прохладой: там работал кондиционер. Звяканье и щелчок возвестили появление девушки с огненно-красными волосами, одетой с ног до головы в черное и увешанной множеством серебряных побрякушек.

— Ой, — сказала она, завидев Страйка.

— У меня на десять назначена встреча с мистером Сомэ, — сказал он ей. — Корморан Страйк.

— Ой, — повторила она. — Сейчас. — И скрылась в том же направлении, откуда пришла.

Страйк воспользовался ожиданием и набрал номер Рошели Онифад, что делал по десять раз на дню. Ответа не было.

Прошла еще минута, и откуда ни возьмись к Страйку направился невысокий черный человечек, беззвучно ступавший резиновыми подошвами. При ходьбе он нарочито вилял бедрами; торс и руки оставались неподвижными, и только плечи слегка раскачивались в противовес бедрам.

Ги Сомэ оказался на голову ниже Страйка, зато имел в сто раз меньше жировых отложений. На груди модельера поблескивали сотни маленьких серебряных заклепок, которые составляли трехмерный портрет Элвиса, как будто облегающая черная футболка служила рамой для гвоздиковой мозаики. Зрительный эффект усиливали четко очерченные кубики мускулов, обтянутые лайкрой. На модельере были узкие джинсы в тонкую темную полоску и кроссовки — похоже, из черной замши с лаковой кожей.

Лицо его являло причудливый контраст с мускулистым, поджарым телом: оно все было образовано преувеличенно изогнутыми поверхностями. Глаза набок, выпученные, как от базедовой болезни, придавали ему сходство с рыбой. Над круглыми щеками сверкали белки; толстые губы образовывали широкий овал; маленькая голова имела форму почти идеального шара. Сомэ словно был вырезан из податливого черного дерева рукой скульптора, уставшей от совершенства и взявшейся за гротеск.

Кутюрье протянул гостю руку, слегка изогнув запястье.

— Да, вижу сходство с Джонни, — сказал он, вглядываясь в лицо Страйка. В его манерной речи звучал легкий акцент кокни. — Но ты, конечно, буч.

Страйк пожал протянутую ему руку. У кутюрье оказались на удивление сильные пальцы. Тут, звеня побрякушками, вернулась красно-рыжая девушка.

— В ближайший час я буду занят, Труди. Меня ни для кого нет, — сказал ей Сомэ. — Сообрази нам чайку с печеньем, лапушка.

Он сделал балетный разворот и жестом позвал Страйка следовать за ним. В побеленный коридор выходила распахнутая дверь: сквозь наброшенное на манекен воздушное золотистое полотнище на Страйка смотрела немолодая плосколицая азиатка; яркостью освещения зал напоминал операционную, но все рабочие столы были завалены рулонами ткани, а на стенах висели фотографии, эскизы и записки. Из другой двери, дальше по коридору, появилась миниатюрная блондинка, одетая в подобие черного трубчатого бинта; она бросила на Страйка в точности такой же взгляд, как и огнегривая Труди. Страйк остро ощущал свою грузность и волосатость — ни дать ни взять лохматый мамонт среди мартышек.

Следуя за пританцовывающим кутюрье, он поднялся по каучуково-стальной винтовой лестнице в конце коридора и оказался в просторном прямоугольном кабинете. Из больших, от пола до потолка, окон по правую руку от двери открывался потрясающий вид на южный берег Темзы. Побеленные стены были сплошь увешаны фотографиями. Страйку бросилось в глаза огромное, чуть ли не трехметровое, изображение пресловутых «Падших ангелов», красовавшееся напротив письменного стола. Впрочем, приглядевшись внимательнее, Страйк заметил, что это не тот снимок, который в свое время прогремел на весь мир. На этой фотографии Лула смеялась, запрокинув голову: точеная шея поднималась вертикально вверх на фоне длинных, небрежно спутанных волос; один сосок был открыт. Сиара Портер смотрела на Лулу снизу вверх и тоже начинала улыбаться, как будто до нее не сразу дошла шутка; так или иначе, все внимание, как и в случае с той, знаменитой фотографией, приковывала к себе Лула.

В этом кабинете она была везде и всюду. Слева — среди манекенщиц в воздушных пеньюарах цветов радуги; дальше — в профиль, с золотыми губами и веками. Откуда у нее взялось это умение принимать самые выигрышные позы, так тонко изображать эмоции? Или она была всего лишь прозрачной поверхностью, сквозь которую виднелись природные чувства?

— Опускай задницу куда хочешь, — сказал Сомэ, плюхаясь в кресло за письменным столом из темного дерева и стали.

Страйк подвинул для себя гнутый плексигласовый стул. На письменном столе среди вороха эскизов лежала футболка с аляповатым, в стеклышках и бусинах, изображением мексиканской Мадонны с лицом принцессы Дианы. Образ довершало алое сердце из блестящего атласа, увенчанное вышитой золотом, скособоченной и перевернутой короной.

— Нравится? — спросил Сомэ, проследив за его взглядом.

— Очень, — соврал Страйк.

— Партия распродана практически полностью; католики шлют злые письма. В такой был Джо Манкура у Джулса Холланда[1] в программе. Сейчас для зимнего варианта, с длинными рукавами, обдумываю портрет принца Уильяма в образе Христа. Или лучше Гарри выбрать, как по-твоему? А погремуху ему прикрыть калашниковым.

Страйк неопределенно улыбнулся. Сомэ картинно закинул ногу на ногу и сказал с неожиданной резкостью:

— Значит, Счетоводу втемяшилось, что Кукушку могли убить? Я звал Лулу Кукушкой, — без необходимости добавил он.

— Угу. Только Джон Бристоу — адвокат.

— Знаю, но мы с Кукушкой прозвали его Счетоводом. Начал я, а она за мной повторяла, когда он ее особенно донимал. Вечно совал свой нос в ее проценты, заставлял из каждого контракта выжимать дополнительные барыши. Думаю, он тебе платит самый минимум, угадал?

— Вообще говоря, он мне платит двойную ставку.

— Надо же, как раздобрился, прибрав к рукам Кукушкины денежки.

Сомэ принялся грызть ноготь, чем сразу напомнил Страйку Кирана Коловас-Джонса. Кстати, шофер и кутюрье были похожи даже телосложением: оба невысокие, но стройные.

— Ну ладно, не буду вредничать, — сказал Сомэ, вынимая изо рта откушенный ноготь. — Я не перевариваю Джона Бристоу. Он постоянно давил на Кукушку. Не занимайся ерундой. Не скрытничай. А ты слышал, как он распускает нюни по поводу своей матушки? А подругу его видел? У нее же борода растет.

---

[1] *Джулс Холланд* (р. 1958) — английский пианист, певец, композитор и телеведущий. Основатель группы *Squeeze*. Командор ордена Британской империи. Сотрудничал с такими музыкантами, как Стинг, Эрик Клэптон, Джордж Харрисон и др.

Он выпалил эти слова единым желчным, нервным потоком и сделал паузу, чтобы открыть невидимый ящик стола и достать пачку сигарет с ментолом. Страйк уже заметил, что все ногти у Сомэ обгрызены до мяса.

— У нее из-за этой семейки крыша съехала. Говорил я ей: «Порви с ними, лапушка, двигайся дальше». А она — ни в какую. В этом вся Кукушка: вечно цеплялась за прошлое.

Когда Страйк отказался от предложенных ему белоснежных сигарет, Ги Сомэ закурил от гравированной зажигалки «Зиппо», а потом, звонко щелкнув крышкой, сказал:

— Жаль, что я сам не дотумкал нанять частного сыщика. Просто в голову не пришло. Хорошо, что другие додумались. Ну не верю я, что Кукушка покончила с собой. Мой психотерапевт говорит, что это у меня отрицание. Я дважды в неделю посещаю психотерапевта, но проку ровно ноль. Лучше уж на валиуме сидеть, как леди Бристоу, только это работе мешает. Когда Кукушка разбилась, я наглотался таблеток и ходил потом как зомби. А иначе я бы не вынес ее похорон.

Звяканье и дребезжание на винтовой лестнице возвестило приход Труди, которая дерганой походкой вошла в кабинет, неся черный лаковый поднос с двумя стаканами чая в серебряных, филигранной работы русских подстаканниках. В стаканах дымилась бледная зеленоватая жидкость с плавающими в ней жухлыми листьями. В вазочке горкой лежало тонкое, как бумага, печенье, будто приготовленное из угля. Страйк с тоской вспомнил запеканку с пюре и чай цвета красного дерева в «Фениксе».

— Спасибо, Труди. Принеси пепельницу, лапушка.

Девушка помедлила, явно собираясь запротестовать.

— Кому сказано! — рявкнул Сомэ. — Я тут хозяин, черт побери, захочу — вообще сожгу на фиг всю эту лавочку. Вынь, к дьяволу, аккумуляторы из щитка сигнализации. Но сперва подай пепельницу... — На той неделе, — обратился модельер к Страйку, — тут сработала пожарная сигнализация и включились спринклеры. Теперь попечители ввели запрет на курение во всех помещениях. Пусть в анал себе засунут этот запрет.

Он глубоко затянулся и выпустил дым через ноздри.

— Ты принципиально вопросы не задаешь? Так и будешь нагнетать, пока человек сам не заговорит?

— Вопросы так вопросы, — согласился Страйк, доставая блокнот и ручку. — Когда погибла Лула, ты был за границей, так?

— Только-только вернулся, за пару часов до того. — Пальцы Сомэ, сжимавшие сигарету, чуть дрогнули. — Из Токио прилетел, восемь суток практически без сна. Сели в Хитроу примерно в десять тридцать, от разницы во времени совершенно никакие. Я в самолете вообще спать не могу. Если мне суждено разбиться, не хочу, чтобы это произошло во сне.

— Как ты добирался из аэропорта?

— На такси. Элса напортачила с заказом автомобиля. Меня должен был встречать водитель.

— Кто такая Элса?

— Козочка, уволенная за то, что напортачила с заказом автомобиля. Я чуть с ума не сошел, когда мне пришлось среди ночи искать такси.

— Ты живешь один?

— Нет. В полночь я лег в постель с Виктором и Рольфом. Это мои котики, — добавил он, сверкнув улыбкой. — Принял таблетку амбиена, пару часов покемарил, проснулся в пять утра. Включил новости на канале «Скай», а там этот хмырь в безумной ушанке из овчины стоит под снегом на улице, где жила Лула, и рассказывает, как она погибла.

Сомэ сделал глубокую затяжку и на следующей фразе выпустил изо рта завитки дыма.

— Я едва не окочурился. Подумал, что вижу это во сне или проснулся в каком-то другом измерении... Стал всем названивать... Сиаре, Брайони... у всех занято. А сам смотрю на экран и жду, что сейчас скажут: произошла ошибка, Лула жива-здорова. Я молился, чтобы это оказалась бомжиха. Рошель.

Он помолчал, как будто ожидая комментариев Страйка. Но тот, делая пометки в блокноте, только уточнил:

— Ты лично знаешь Рошель?

— Ну да. Кукушка ее даже сюда привозила. Та еще оторва.

— Почему ты так считаешь?

— Она Кукушку терпеть не могла. На дерьмо исходила от зависти; Лула не замечала, но я-то все видел. Халявщица чертова. Ни слезинки не проронила, когда Лула погибла. А ведь Лула ей, как оказалось... Короче, смотрю я новости и понимаю, что ошибки быть не могло. Я просто выпал в осадок.

Белоснежная тонкая палочка подрагивала у него в пальцах.

— Сказали, что соседка слышала какую-то ссору. У меня, конечно, первая мысль: Даффилд. Это он, говорю себе, выбросил ее из окна. Ну, думаю, надо всем рассказать, какая это сволочь, пусть каждая собака знает. Уже готов был свидетельствовать против него в суде. Если с моей сигареты упадет пепел, — продолжил он тем же тоном, — уволю эту ходячую порнографию.

Труди будто заслышала его угрозу: она резво засеменила по винтовой лестнице и снова появилась в кабинете, тяжело дыша и сжимая в руках массивную стеклянную пепельницу.

— Вот спасибо, — выразительно пропел ей вслед Сомэ, когда она, поставив пепельницу ему на стол, заспешила из кабинета.

— Почему ты решил, что это Даффилд? — спросил Страйк, убедившись, что Труди их не слышит.

— А кому еще Кукушка могла открыть дверь в два часа ночи?

— Насколько хорошо ты его знаешь?

— Знаю этого засранца как облупленного. — Сомэ взялся за мятный чай. — Кукушка тоже понимала... Она ведь не дура была, проницательная как бес... Что, спрашивается, она в нем нашла? А я тебе скажу, — продолжил он, не дожидаясь ответа. — Повелась на эту фигню: непризнанный поэт, истерзанная душа, страдающий гений. Ты сперва зубы почисть, ублюдок. Байрон долбаный. — Он со стуком опустил подстаканник, взялся за правый локоть, чтобы унять дрожь в руке, и глубоко затянулся. — Ни один мужик на пушечный выстрел не подойдет к такому, как Даффилд. А девушки млеют. Материнский инстинкт, если хочешь знать мое мнение.

— То есть, по-твоему, такой способен на убийство?

— Естественно, — с презрением бросил Сомэ. — Естественно, способен. Впрочем, по большому счету в каждом из нас где-то сидит убийца, так почему Даффилд должен быть исключением? У него менталитет озлобленного подростка. Вполне могу представить, как он взбеленился, закатил истерику, а потом... — Свободной рукой он изобразил резкий толчок. — Однажды я сам был свидетелем, как он бросился на Лулу с кулаками. В прошлом году, после фуршета по случаю моего показа. Я вклинился между ними и говорю: ну, бей. Может, по мне и видно, что я в теме, — круглощекая физиономия Сомэ посерьезнела, — но такому, как Даффилд, по морде надавать могу. Он даже на похоронах цирк устроил.

— Неужели?

— Поверь. Упоротый вдупель, на ногах еле стоял, бедняжечка. Нужно хоть каплю уважения иметь. Я тогда транков наглотался, а то бы его живо на место поставил. Он, видишь ли, горе изображал, лицемер паршивый.

— А ты не допускал, что Лула покончила с собой?

Сомэ просверлил Страйка своими странными выпученными глазами:

— Ни на минуту. Даффилд утверждает, что надел волчью маску и отправился к своему бырыге. Это разве алиби, мать честная? Надеюсь, ты выведешь его на чистую воду. Надеюсь, не западешь, как полицейские, на его славу.

Страйк вспомнил, как о Даффилде отзывался Эрик Уордл.

— Не сказал бы, что они на него запали.

— Что ж, — проговорил Сомэ, — значит, у них вкус лучше, чем я думал.

— Откуда у тебя такая уверенность, что это не самоубийство? Лула страдала нервным расстройством, ты же знаешь.

— Знаю, но мы с ней заключили соглашение, как Мэрилин Монро и Монтгомери Клифт. Поклялись, что при малейшем желании расстаться с жизнью каждый из нас первым делом позвонит другому. Она бы точно со мной поделилась.

— Когда вы общались в последний раз?

— Она позвонила в среду — я еще был в Токио, — ответил Сомэ. — Бестолковая, вечно забывала, что там время на восемь часов вперед. В два часа ночи у меня телефон стоял на беззвучном режиме, вот я и не ответил, но она оставила сообщение и ни сном ни духом не намекнула на суицид. Вот послушай.

Он снова залез в ящик стола, нажал какие-то кнопки и протянул Страйку мобильный телефон.

И ему в ухо зазвучал чуть хрипловатый, грудной голос Лулы Лэндри, комично подражающий говорку кокни: «Как ты там, милок? У меня новость — зашибись. Уж не знаю, понравится тебе, не понравится, только я от радости прыгаю, а поделиться не с кем. Звякни, как времечко найдешь. Чмоки-чмоки».

Страйк вернул телефон модельеру.

— Ты ей перезвонил? Выяснил, что это за новость?

— Нет. — Сомэ загасил сигарету и тут же взялся за следующую. — У японек мероприятия шли одно за другим; только найду минутку — разница во времени останавливает. Короче... я, если честно, догадывался, что она скажет, и безумно психовал. Решил, что она беременна. — Сомэ покивал, сжимая в зубах сигарету, а потом вынул ее изо рта и подтвердил: — Да-да, я решил, что она залетела, причем умышленно.

— От Даффилда?

— Нет, мне бы такое и в голову не пришло. Я ведь тогда не знал, что они вновь сошлись. При мне она бы не посмела с ним закрутить. Так подгадала, негодница маленькая, чтобы я в Японию улетел. Знала, что я его не выношу, а мнение мое было ей важно. Мы с Кукушкой были как родные.

— С чего ты решил, что она забеременела?

— По голосу понял. Ты же слышал — она так волновалась... Я нутром почувствовал. Это было в ее духе, она хотела, чтобы я порадовался вместе с ней, — и к черту карьеру, к черту меня, хотя у меня специально под нее была разработана линейка аксессуаров...

— Это и был тот пятимиллионный контракт, о котором рассказывал мне Джон Бристоу?

— Вот именно. Уверен, это Счетовод ее науськивал торговаться до посинения, — опять вспыхнул Сомэ. — Кукушка ни за что бы не стала со мной мелочиться. Понимала, что это роскошный вариант, который мог бы ее поднять на совершенно иной уровень. Дело ведь не только в деньгах. Она у всех ассоциировалась с моими вещами; ее звездным часом стала фотосессия для «Вог», когда она показывала мое платье с разрезным подолом. Кукушка любила мои вещи, любила меня, но когда человек поднимается до определенного уровня, доброхоты начинают ему нашептывать, что он достоин большего. Тогда человек забывает, кто дал ему подняться, и думает только о наживе.

— Но ты, видимо, тоже считал, что она дорого стоит, если предложил ей пятимиллионный контракт?

— Типа того. Я, можно сказать, разработал новую коллекцию с расчетом на нее, а как прикажешь снимать ее с пузом? Зная Кукушку, я мог предвидеть, что она теперь совсем сбрендит, пошлет все к черту, но ни за что не согласится избавиться от этого ребенка. Это было в ее характере: вечно искать себе объект любви, этакую суррогатную семью. А все из-за этих Бристоу. Они ее удочерили как игрушку для Иветты, а Иветта — чудовище, каких свет не видел.

— В каком смысле?

— Властная. Патологическая личность. Ни на секунду не отпускала от себя Лулу — боялась, что малышка умрет, как тот мальчик, взамен которого ее купили. Леди Бристоу приходила на все показы, путалась под ногами, накачивала себя до умопомрачения. Был еще дядюшка, который втаптывал Лулу в грязь, пока у нее не завелись деньги. Вот тогда он ее зауважал. У них деньги на первом месте, у этих Бристоу.

— Значит, семья состоятельная?

— Алек Бристоу оставил им сравнительно немного. Он солидных денег в глаза не видел. Не то что твой старикан. Как получилось, — Сомэ резко сменил предмет разговора, — что сын Джонни Рокби пробавляется частным сыском?

— Работа у него такая, — ответил Страйк. — Вернемся к Бристоу.

Сомэ, похоже, не возражал, что им командуют; напротив, он даже оживился, — видимо, такой опыт был ему в диковинку.

— Помню, Кукушка рассказывала, что почти весь капитал Алека Бристоу был вложен в акции его старой компании «Альбрис», которую кризис изрядно подкосил. «Альбрис» — это тебе не «Эппл». А Кукушка к своим двадцати годам стала богаче их всех, вместе взятых.

— Вот эта фотография, — Страйк указал на «Падших ангелов», — тоже была предусмотрена пятимиллионным контрактом?

— Ну да, — подтвердил Сомэ. — Началось все с тех четырех сумочек. На этом снимке она держит «Кашиль». Все сумочки получили у меня африканские имена. Лула зациклилась на Африке. Разыскала эту поблядушку, свою кровную мать, и лишилась покоя: вознамерилась уехать в Африку — учиться, волонтерством заниматься... и что с того, что эта старая шлюха здесь пол-Ямайки перетрахала?.. Африканец, ё-мое... — Ги Сомэ с остервенением ввинтил окурок в пепельницу. — Не позорилась бы. Что Кукушка хотела услышать, то она ей и наплела.

— И ты решил использовать этот плакат для рекламной кампании, невзирая на то, что Лула только-только...

— Я просто отдал ей должное, черт подери, — перебил Сомэ, повышая голос. — Она нигде и никогда не выглядела прекрасней. Это было посвящение Кукушке, нам с ней обоим, понятно тебе? Она была моей музой. А кто не способен этого понять, пусть катится куда подальше! В этой стране пресса — подонок на подонке. Обо всех судят по себе, сволочи.

— За день до смерти Луле доставили четыре сумки...

— Ну да, от меня. Я послал ей по одному образцу каждой, — Сомэ ткнул очередной сигаретой в сторону рекламного плаката, — а Диби Макку отправил с тем же курьером кое-какие модели одежды.

— Это был его заказ или...

— Это была халява, милый, — протянул Сомэ. — По законам бизнеса. Парочка толстовок с капюшоном и разные мелочи. Заручиться поддержкой знаменитости никогда не помешает.

— Он носил что-нибудь из тех вещей?

— Понятия не имею. — Сомэ немного успокоился. — На следующий день мне уже было не до него.

— Я видел на «Ютьюбе» его интервью: он был в толстовке как раз такого типа, — сказал Страйк, указав пальцем на грудь Сомэ, — с заклепками, образующими кулак.

— Вот-вот, она именно из тех. Наверное, кто-то все же переправил ему пакет. На одной был изображен кулак, на другой пистолет, и у обеих на спине — его тексты.

— Лула рассказывала тебе, что этажом ниже будет жить Диби Макк?

— Еще бы! Захлебывалась от восторга. А я ей говорил: детка, если б он меня упомянул в трех песнях, я бы его у входа голышом встречал. — Выпустив из ноздрей две длинные струйки дыма, Сомэ покосился на сыщика. — Грешным делом, люблю таких носорогов. Но Кукушка слышать ничего не желала. И посмотри, с кем она спуталась. Сколько раз ей говорил: ты мне все уши прожужжала насчет своих корней, так найди себе приличного черного парня и угомонись. Они с Диби могли стать идеальной парой, разве нет? В прошлом сезоне она у меня выходила на подиум под его композицию «Дурнушка»: «В зеркало глянь, ты себе льстишь. Не заносись, ты же не Лула». Даффилд весь на говно изошел.

Некоторое время Сомэ молча курил, уставившись на стену с фотографиями. Страйк спросил, хотя сам знал ответ:

— Где ты живешь? Где-нибудь поблизости?

— Нет, я живу на Чарльз-стрит, это в Кенсингтоне, — ответил Сомэ. — Год назад туда перебрался. Если смотреть от Хэкни — у черта на рогах, но, как говорится, куда ты денешься, когда разденешься. Оставаться в Хэкни было уже просто смешно. Там детство мое прошло, — объяснил он, — тогда меня еще звали Кевин Овузу. Я имя сменил, когда от родителей ушел. Как и ты.

— Я никогда не носил фамилию Рокби, — сказал Страйк, перелистывая страницу блокнота. — Мои родители не состояли в браке.

— Это всем известно, милый, — сказал Сомэ, вновь полыхнув злорадством. — В прошлом году «Роллинг стоун»[1] заказал мне одеть твоего старикана для фотосессии: костюм в облипку и шляпа-котелок с обрезанной тульей. Вы часто видитесь?

— Нет, — ответил Страйк.

---

[1] *Rolling Stone* — влиятельный американский журнал, основан в 1967 г. Выходит раз в две недели. Публикует главным образом материалы, посвященные музыке и политике, а также — в последние годы — финансам.

— Ясное дело. Поставь тебя рядом с ним — все тут же поймут, какой он старпер, точно? — захихикал Сомэ.

Он поерзал в кресле, закурил следующую сигарету, сжал ее в зубах и с прищуром уставился на Страйка сквозь клубы ментолового дыма.

— А с чего это мы заговорили обо мне? Или когда ты достаешь блокнот, люди сами выкладывают тебе свою подноготную?

— Бывает.

— Чай не будешь? Я тебя не осуждаю. Зачем я только пью эту мочу? Если б мой папаша заказал чай и получил вот это, у него бы припадок случился.

— Твои родители до сих пор живут в Хэкни?[1]

— Без понятия, — сказал Сомэ. — Мы, видишь ли, тоже не общаемся.

— А как ты думаешь, почему Лула взяла себе другую фамилию?

— Да потому, что ненавидела свою семейку, — в точности как я. Не хотела больше иметь с ними ничего общего.

— В таком случае почему она взяла фамилию дядюшки Тони?

— Во-первых, его никто не знает. Во-вторых, фамилия звучная. А осталась бы Лулой Бристоу, разве смог бы Диби сочинить «Эл-Эл, будь моей»?

— От Чарльз-стрит рукой подать от Кентигерн-Гарденз, верно?

— Минут двадцать пешедралом. Когда Кукушка стала жаловаться, что ей невмоготу жить как раньше, я сразу предложил: переезжай ко мне, но она ни в какую. Выбрала для себя эту пятизвездочную тюрьму, просто чтобы спрятаться от газетчиков. Они ее туда загнали. Они в ответе.

Страйк вспомнил слова Диби Макка: «Журналюги, мазафакеры, ее и столкнули».

— Кукушка меня попросила с ней съездить, эту квартиру посмотреть, — продолжал Сомэ. — Мейфэр: там же одни оли-

---

[1] *Хэкни* — преимущественно рабочий район Восточного Лондона со смешанным этническим составом населения.

гархи, русские да арабы, и еще мерзавцы типа Фредди Бестиги. Я ей говорю: лапушка, это не для тебя, тут же всюду мрамор, а зачем в нашем климате мрамор?.. Как в склепе... — Он запнулся, но продолжил: — До этого ей несколько месяцев выносили мозг. Ее преследовал какой-то придурок: в три часа ночи самолично доставлял ей письма и бросал в почтовый ящик: каждую ночь ее будил стук крышки. Кукушка была до смерти перепугана его угрозами. Потом она рассталась с Даффилдом, и ее начали круглосуточно осаждать папарацци. Потом выяснилось, что ее телефоны прослушиваются. Потом ей приспичило найти ту потаскушку, родную мать. Все это было не к добру. Она хотела отгородиться, почувствовать себя в безопасности. Говорил же я: переезжай ко мне, так ведь нет: купила себе этот проклятый мавзолей. Думала, это настоящая крепость с круглосуточной охраной. Думала, там ее никто не достанет. Но возненавидела его с самого начала. Я знал, что это плохо кончится. Там она была отрезана от всего, что любила. Кукушка любила яркие цвета и шум. Любила гулять по улицам, ходить пешком, ощущать свободу. Ведь почему полиция решила, что она покончила с собой: из-за открытых окон. Она открыла их сама: на ручках были только ее отпечатки пальцев. Но я-то знаю, зачем она это сделала. Окна у нее всегда были нараспашку, даже в мороз, потому что Кукушка не выносила тишины. Ей хотелось слышать Лондон.

В голосе Сомэ больше не было ни желчи, ни сарказма. Прочистив горло, модельер стал рассказывать дальше:

— Ей хотелось совершить что-нибудь настоящее. К этому в конечном счете сводились все наши разговоры. Почему, как ты думаешь, она связалась с этой паскудой Рошелью? Да потому, что хотела поднять ее из грязи в князи. Считала, что и сама прозябала бы точно так же, если бы не миловидная внешность, за которую, собственно, Бристоу и взяли ее в семью, сделав игрушкой для Иветты.

— Расскажи мне про того преследователя.

— Психопат. Считал ее своей женой, что ли. Суд запретил ему приближаться к ее дому и направил на принудительное лечение.

— Не знаешь, случайно, где он теперь?

— Если не ошибаюсь, его вывезли обратно в Ливерпуль, — сказал Сомэ. — Но полиция проверила: мне сказали, что в ночь смерти Лулы он находился именно там, причем в охраняемой палате.

— Ты знаешь чету Бестиги?

— Только со слов Кукушки: он — подлюга, жена — ходячая мумия. Таких, как она, я насмотрелся предостаточно. Богатенькие дамочки, которые сорят деньгами уродов-мужей. Приходят на мои показы. Навязываются в подруги. Нет уж, лучше я буду мять-топтать честную курочку.

— За неделю до смерти Лула ездила на выходные к знакомым, в загородный дом; там же оказался и Бестиги.

— Слышал, как же. У него стояк на нее был, — с презрением сказал Сомэ. — Она-то соображала — сам понимаешь, за ней мужики табунами ходили. Но этот ничего себе не позволял, разве что пытался с ней в лифт втиснуться — так она говорила.

— После той поездки вы с ней не общались, правильно я понимаю?

— Правильно. Бестиги там что-нибудь отмочил? Или он у тебя главный подозреваемый? — Сомэ выпрямился в кресле и уставился перед собой. — Черт... Фредди Бестиги?.. Он, конечно, гад, это понятно. У меня есть девочка знакомая... ну, знакомая знакомых... она работала у него в продюсерском центре, и этот урод пытался ее изнасиловать. Нет, я не преувеличиваю, — уточнил Сомэ. — Буквально. Изнасиловать. После работы предложил ей немного выпить и повалил на пол, но кто-то из референтов забыл в офисе мобильник, вернулся — а там такие дела. Бестиги откупился от обоих. Девчушке все советовали подать в суд, но она деньги взяла — и поминай как звали. Говорят, он свою вторую жену учил жизни с такими вывертами, что она с ним развелась, опустив на три ляма, да еще грозилась все рассказать прессе. Короче, Кукушка нипочем не впустила бы Фредди Бестиги к себе в квартиру в два часа ночи. Говорю же, она была не дура.

— Что тебе известно о Деррике Уилсоне?

— Это кто?

— Охранник, дежуривший в ту ночь.

— Впервые слышу.

— Здоровенный, говорит с ямайским акцентом.

— Возможно, тебя это поразит, но в Лондоне черный цвет кожи — не повод для знакомства.

— Меня интересует другое: ты с ним хоть раз переброcился словом? Или, может быть, Лула о нем рассказывала?

— Можно подумать, нам больше поговорить было не о чем, кроме как об этом охраннике.

— То же относится и к ее водителю, Кирану Коловас-Джонсу?

— Ну, этого я хотя бы знаю, — ухмыльнулся Сомэ. — Когда он думал, что я на него смотрю, принимал эффектные позы. Манекенщик гребаный, метр с кепкой.

— Лула о нем что-нибудь говорила?

— Да с какой радости? — Сомэ начал изводиться. — Он — шофер, было бы о ком говорить.

— Он мне рассказал, что они с Лулой очень дружили. Хвастался, что она ему подарила куртку твоей фирмы. За девять сотен — ни больше ни меньше.

— Было бы чем хвастаться, — с легким пренебрежением бросил Сомэ. — Мои вещи за три куска влет уходят. Шлепну свой лейбл на любой спортивный костюм — с руками отрывают. Смешно было бы не воспользоваться.

— Да, кстати, об этом тоже хотел спросить, — вспомнил Страйк. — У тебя ведь есть коллекция... готовой одежды, так это называется?

Сомэ позабавил такой интерес.

— Ну, есть. Это вещи, которые шьются в стандартных размерах, сечешь? Просто заходишь в магазин и покупаешь.

— Ясно. И насколько широко они продаются?

— Да повсюду. Ты сам-то когда в последний раз был в магазине одежды? — спросил модельер, и его выпученные набок глаза обшарили темно-синий пиджак Страйка. — Это что на тебе, дембельский костюм?

— Когда ты говоришь «повсюду», это значит...

— В хороших универмагах, в бутиках, в интернет-магазинах, — перечислил Сомэ. — А что?

— Один из тех парней, которые убегали в ту ночь от дома Лулы и попали в видеокамеру, был в куртке с твоим лейблом.

Сомэ едва заметно дернул головой; этот жест выдавал неприятие, смешанное с раздражением.

— Не он один; миллионы других тоже.

— Разве ты сам не видел?..

— Буду я всякое дерьмо смотреть! — взвился Сомэ. — Вся эта... пресса, с позволения сказать... Я не хотел ничего читать, не хотел ничего слышать. Сказал, чтобы ко мне никого не пускали. — Он махнул рукой в сторону лестницы и своего персонала. — Я знал одно: Кукушки не стало, а Даффилду, судя по всему, есть что скрывать. Вот и все. С меня этого хватило.

— Ясно. Вернемся к одежде. На видео с камеры наблюдения видно, что Лула пришла домой в платье и пальто...

— Верно, это модели «Марибель» и «Фэй», — уточнил Сомэ. — Платье называлось «Марибель»...

— Да, я уже понял, — сказал Страйк. — Однако в момент смерти на ней была другая одежда.

Модельер изобразил удивление:

— Разве?

— Конечно. На приобщенных к делу фотографиях видно, что труп...

Но тут Сомэ невольным жестом вскинул перед собой руку, вскочил из-за стола и, тяжело дыша, подошел к стене, с которой взирали многочисленные лики Лулы — веселые, задумчивые или безмятежные. Когда кутюрье обернулся, в его выпученных глазах стояли слезы.

— Дьявольщина, — тихо выговорил он. — Не смей говорить о ней «труп». Дьявольщина. Барсук бесчувственный — вот ты кто. Неудивительно, что старикан Джонни тебя знать не желает.

— Я не хотел тебя обидеть, — спокойно продолжал Страйк. — Мне просто нужно узнать твое мнение: почему она переоделась? В момент смерти на ней были брюки и топ с блестками.

— Откуда я знаю, почему она переоделась? — вспылил Сомэ. — Может, замерзла. Может... Нет, ну это просто пипец! Мне-то откуда знать?

— Я без всякой задней мысли, — сказал Страйк. — Где-то я читал, что ты сказал журналистам, будто она умерла в твоем платье.

— Ни фига! Я такого не говорил. Какая-то бульварная стерва позвонила в мой офис и спросила, как называлось то платье. Ей ответила простая закройщица, которую тут же окрестили моим представителем. Да еще выставили дело так, будто я хотел создать себе рекламу, вот ублюдки! Черт их раздери!

— Можно попросить у тебя контакты Сиары Портер и Брайони Рэдфорд?

Сомэ пришел в замешательство:

— Что? Да...

Но тут он всерьез расплакался: не как Бристоу, который судорожно рыдал и дергался, а молча, не сдерживая слез, что катились по его круглым щекам и капали на футболку. Он сглотнул, повернулся спиной к Страйку, уперся лбом в стену и задрожал. Страйк терпеливо дождался, чтобы Сомэ утер глаза и вновь повернулся к нему лицом. Не извиняясь за свои слезы, модельер вернулся к столу, сел в кресло и закурил, а после пары затяжек сказал будничным, бесстрастным тоном:

— Если переоделась, значит кого-то ждала. Кукушка всегда одевалась по ситуации. Точно кого-то ждала.

— Вот и мне так показалось, — признался Страйк. — Но я не большой знаток женщин и их нарядов.

— Да уж... — На лице Сомэ мелькнула язвительная улыбка. — Оно и видно. Значит, на Сиару и Брайони нацелился?

— Мне для дела нужно.

— В среду они обе будут заняты у меня на фотосессии в Ислингтоне. Арлингтон-Террас, дом один. Подгребай часам к пяти, они как раз освободятся.

— Ты меня очень выручаешь, спасибо.

— Нет, я тебя не выручаю, — спокойно сказал Сомэ. — Я просто хочу добиться правды. Когда ты встречаешься с Даффилдом?

— Как только сумею с ним связаться.

— Надеется, гаденыш, выйти сухим из воды. Наверняка она переоделась к его приходу, верно? Хоть они и поругались, Лула знала, что он прибежит. Впрочем, он с тобой разговаривать не станет.

— Разберемся, — беззаботно сказал Страйк, убирая блокнот и глядя на часы. — Я тебя сильно задержал. Еще раз спасибо.

Пока Сомэ провожал Страйка вниз по винтовой лестнице и дальше по белому коридору, к нему вернулась прежняя развязность. Когда они обменивались рукопожатием в холодном, облицованном кафелем вестибюле, он уже ничем не выдавал своих переживаний.

— Как похудеешь, — сказал он Страйку, будто сделал контрольный выстрел, — пришлю тебе какую-нибудь шмотку икс-икс-эль.

Оказавшись на улице, Страйк через дверь пакгауза услышал, как Сомэ кричит огнегривой девушке за стойкой:

— Я знаю, что у тебя на уме, Труди! Ты мечтаешь, чтобы он от души впендюрил тебе сзади. Я угадал, козочка моя? Большой противный армейский носорог.

И Труди зашлась смущенным хохотком.

2

Молчание Страйка было воспринято Шарлоттой с небывалым терпением. От нее больше не поступало ни звонков, ни сообщений; она продолжала делать вид, будто их последняя, грязная, взрывная ссора изменила ее целиком и полностью: сорвала с нее покровы любви и очистила от злобы. Однако Страйк чувствовал Шарлотту нутром, как бациллу, засевшую в крови на пятнадцать лет; он знал, что в ответ на любую обиду она постарается нанести обидчику кровавую рану. Что будет, если он откажется ее видеть и не изменит своего решения? Это была единственная стратегия, какую он пока не испробовал, а что еще ему оставалось?

Время от времени, если сопротивление Страйка ослабевало (по ночам, когда он лежал не смыкая глаз на узкой койке), зараза вспыхивала с новой силой: его терзало раскаяние и желание, он видел рядом с собой прекрасную, нагую Шарлотту, которая нашептывает слова любви или тихо плачет, признаваясь ему, что считает себя гадкой, фальшивой, невыносимой, а в нем видит все самое лучшее и настоящее. После этого разделявшая их ненадежная преграда из нескольких телефонных кнопок готова была рухнуть под натиском искушения, и Страйк порой выбирался из спального мешка и в темноте прыгал на одной ноге к столу секретарши, там включал лампу и корпел — иногда не один час — над отчетом по текущему делу. На рассвете он пару раз набирал номер Рошели Онифад, но та не отвечала.

В четверг Страйк опять пришел к больнице Святого Фомы и прождал битых три часа в надежде увидеть Рошель; она не появилась. Он попросил Робин позвонить в регистратуру, но там отказались комментировать отсутствие Рошели, а тем более сообщать ее адрес.

В пятницу утром, совершив поход в «Старбакс», Страйк застал в приемной Болта, который сидел не на диване для посетителей, а прямо на столе. Во рту у него была незажженная самокрутка; он нависал над Робин и, видимо, проявлял чудеса остроумия, чего Страйк прежде за ним не замечал, но Робин смеялась в голос, хотя и без особого желания, как будто давала понять, что не прочь потрепаться, но никогда не подпустит его к заветной цели.

— Здорово, Болт, — сказал Страйк, но укоризненный тон его приветствия не заставил компьютерщика вспомнить о приличиях.

— Как жизнь, Фед? Можешь получить свой «делл».

— Отлично. Двойной латте без кофеина. — Страйк поставил перед Робин картонный стакан. — За счет фирмы, — добавил он, когда секретарша потянулась за кошельком.

Робин по своей деликатности никогда не тратила деньги из офисной копилки на всякие мелкие излишества, но в присутствии посетителя не стала спорить и только поблагодарила Страйка, прежде чем возобновить работу, для чего ей понадобилось лишь отвернуться на компактном вертящемся стуле от босса и его знакомого. Тут чиркнула спичка, и Страйк переключился со своего двойного эспрессо на гостя:

— У меня в офисе не курят, Болт.

— Что-о-о? Сам дымишь как паровоз.

— Здесь — никогда. Пошли.

Страйк увел Болта к себе в кабинет и решительно закрыл дверь.

— У нее скоро свадьба, — сообщил он, занимая свое привычное место.

— Выходит, я зря старался? Ну ладно. Если свадьба накроется медным тазом, замолви за меня словечко — она мне глянулась.

— А ты ей, похоже, нет.

Болт понимающе ухмыльнулся:

— Я вижу, ты сам уже очередь занял?

— Нет, — сказал Страйк. — Просто я знаю, что у нее есть жених: регбист-финансист. Правильный, серьезный йоркширец.

У него сложилось на удивление четкое представление о Мэтью, хотя он даже не видел его фотографии.

— Как знать, может, ей захочется чего-нибудь погорячее, — сказал Болт, швырнув ноутбук Лулы на стол и усевшись напротив Страйка.

Он явился в слегка потрепанной толстовке и библейских сандалиях на босу ногу: день выдался самый теплый с начала года.

— Посмотрел я этот хлам. Технические подробности нужны?

— Мне — нет, но я хочу, чтобы ты доходчиво объяснил их в суде.

Впервые за все время у Болта возник неподдельный интерес.

— Серьезно?

— Абсолютно. Ты сумеешь убедить прокурора, что шаришь в своем деле?

— Не вопрос.

— Тогда выкладывай самую суть.

Болт не спеша изучил выражение лица Страйка и в конце концов начал:

— Пароль — «Агьемен», установлен за пять дней до ее смерти.

— Как пишется?

Болт назвал пароль по буквам, «Agyeman», и, к удивлению Страйка, объяснил:

— Это фамилия. Широко распространенная в Гане. Вот тут закладка на домашней странице ИВА — Института востоковедения и африканистики, откуда, собственно, и позаимствован этот пароль. Смотри.

Быстрые пальцы Болта бегали по клавишам, что не мешало ему разговаривать; он вывел на экран главную страницу в яркозеленой рамке, с рубриками «Институт», «Новости», «Преподаватели», «Студенты», «Библиотека» и так далее.

— А теперь гляди сюда: на момент смерти Лулы страница выглядела вот так.

И Болт, стремительно забарабанив по клавишам, вывел на экран почти такую же страницу, где курсор нашел ссылку на некролог какого-то Дж. П. Агьемена, почетного профессора кафедры африканской политологии.

— Девушка сохранила именно эту версию, — сообщил Болт. — А ее интернет-история показывает, что за месяц до смерти она искала книги этого автора на «Амазоне». И примерно тогда же просматривала множество других книг по истории и политологии Африки.

— Может, она подала заявление в ИВА?

— На этом сайте — нет.

— Что там еще интересного?

— Я, например, заметил: семнадцатого марта была стерта куча фотографий.

— А ты откуда знаешь?

— Есть софт, который позволяет восстановить даже ту хрень, которую человек стер с жесткого диска, — объяснил Болт. — А каким образом, по-твоему, отлавливают педофилов?

— Так ты эту хрень восстановил?

— Ага. Вот сюда перегнал. — Он протянул Страйку флешку. — Я подумал, ты не захочешь, чтобы это оставалось на ноуте.

— Правильно подумал... Значит, фотографии были?..

— Фотки как фотки. Тупо стерты, и все. Говорю же, «чайник» не понимает, насколько сложно скрыть информацию. Думает: нажал *Delete* — и порядок.

— Семнадцатое марта, — повторил Страйк.

— Ага. День святого Патрика.

— Через десять недель после ее смерти.

— Там, наверное, полицейские покопались, — предположил Болт.

— Да нет, не полицейские, — отозвался Страйк.

После ухода Болта он поспешил в приемную и согнал от компьютера Робин, чтобы просмотреть восстановленные фотографии. Страйк почувствовал, что Робин сгорала от нетерпения, пока он объяснял, что именно проделал Болт, и вставлял флешку в разъем.

Когда открывался первый снимок, Робин содрогнулась в ожидании какого-нибудь ужаса: либо криминала, либо извращения. О системе онлайн-маскировки изображений она слышала только в связи с жестокими преступлениями на сексуальной почве. Но через пару минут Страйк будто ответил на ее опасения:

— Просто общие фотографии.

В его голосе не было ни тени разочарования, и Робин немного смутилась: не подумал бы он, что она жаждет увидеть какой-нибудь садизм. Страйк пролистал всю папку: стайки хихикающих девушек — подруг Лулы по модельному бизнесу, немногочисленные знаменитости, в том числе Лула с Эваном Даффилдом. На их снимках, которые явно отщелкали они сами с расстояния вытянутой руки, оба были не то пьяны, не то под кайфом. Кое-где мелькал Ги Сомэ; рядом с ним Лула держалась более сдержанно, официально. Множество фотографий изображали Лулу и Сиару Портер, которые обнимались перед объективом в барах, танцевали в клубах и смеялись, сидя на диване у кого-то дома.

— А вот и Рошель! — неожиданно выпалил Страйк и ткнул пальцем в недовольную физиономию, выглядывающую из-под мышки Сиары на групповом портрете.

В этот же кадр попал и улыбающийся до ушей Киран Коловас-Джонс, который стоял на заднем плане.

— У меня к вам просьба, — начал Страйк, отсмотрев все двести двенадцать фотографий. — Поработайте с ними еще, установите хотя бы знаменитостей, и тогда можно будет подумать, кому было выгодно удалить эти снимки из ее ноутбука.

— Но в них нет ничего криминального, — заметила Робин.

— А мы найдем, — сказал Страйк.

Он вернулся в кабинет, чтобы позвонить Джону Бристоу («Он на совещании». — «Передайте, пожалуйста, чтобы сразу мне перезвонил»); Эрику Уордлу (голосовое сообщение: «Есть вопрос насчет ноутбука Лулы Лэндри») и Рошели Онифад (просто наудачу: ответа не было, равно как и возможности оставить сообщение: «Нет места для новых сообщений»).

— Так и не могу дозвониться до мистера Бестиги, — посетовала Робин, когда Страйк вышел из кабинета и застал ее за попыткой вычислить какую-то брюнетку, позирующую рядом с Лулой на пляже. — Сегодня утром опять пробовала, но он не перезванивает. Уж я и так и этак пыталась, за кого только себя не выдавала, говорила, что дело очень срочное... что смешного?

— Удивительно: почему фирмы, где вы проходили собеседование, не предлагают вам работу? — сказал Страйк.

— Ах вот вы о чем. — Робин слегка покраснела. — На самом деле предлагают. Все как одна. Я согласилась на место в отделе кадров.

— Вот оно что, — сказал Страйк. — Вы не рассказывали. Поздравляю.

— Извините, но мне казалось, я вам говорила, — солгала Робин.

— Значит, увольняетесь. Когда?

— Через две недели.

— Так-так. Мэтью, надо думать, на седьмом небе.

— Да. — Робин даже растерялась. — Он рад.

У нее было полное впечатление, что Страйк прознал, как бесит Мэтью ее нынешняя работа; но это было невозможно — она не давала своему боссу ни малейшего намека на постоянные домашние сцены.

Тут зазвонил телефон, и Робин ответила:

— Офис Корморана Страйка... Да, будьте добры, скажите, кто его спрашивает... — Она передала трубку Страйку. — Это Деррик Уилсон.

— Здорово, Деррик.

— Мистер Бестиги на пару дней отъехал, — зазвучал голос Уилсона. — Ты хотел дом осмотреть...

— Через полчаса буду, — ответил Страйк.

Он вскочил, проверил бумажник, ключи — и заметил, что у Робин испортилось настроение, хотя она по-прежнему занималась некриминальными фотографиями.

— Поедете со мной?

— Да! — радостно воскликнула она, схватила сумочку и выключила компьютер.

3

Тяжелая черная дверь дома номер восемнадцать по Кентигерн-Гарденз вела в облицованный мрамором вестибюль. Сразу перед входом располагалась встроенная стойка красного дерева, справа от которой была лестница, тут же скрывающаяся из виду (мраморные ступени, перила из дерева и латуни), а также сверкающие золотом дверцы лифта и массивная темная дверь, врезанная в белую стену. В углу между входом и этой дверью стояла декоративная тумба с букетами темно-розовых восточных лилий в высоких цилиндрических вазах; в теплом воздухе плыл приторный аромат. По левую руку была зеркальная стена, которая вдвое увеличивала вестибюль. В ней отражались Страйк, Робин, дверцы лифта и современная люстра из кубиков хрусталя; стойка охраны вытягивалась в длинную полосу отполированного дерева.

Страйку вспомнились слова Уордла: «Квартиры мрамором отделаны, всяким дерьмом... прямо пятизвездочный отель». Робин старательно скрывала свое изумление. Вот, оказывается, как живут мультимиллионеры. Они с Мэтью занимали квартирку на первом этаже сблокированного дома в Клэпхеме: гостиная у них была размером с подсобное помещение охраны, которое первым делом показал им Уилсон. Здесь едва умещался стол с двумя стульями; на стене висел щиток со всеми запасными ключами, а за дверью находилась тесная кабинка туалета.

Уилсон, в своей черной форме с начищенными пуговицами, в белой рубашке, при галстуке, напоминал констебля.

— Мониторы.

Вернувшись в вестибюль, Страйк получил возможность рассмотреть четыре маленьких черно-белых экрана, закрытые стойкой от посторонних глаз. На один выводилось изображение с наружной камеры, которая захватывала входную дверь и ограниченный кусок улицы; другой показывал безлюдный гараж, третий — безлюдный задний дворик дома номер восемнадцать (газон, некие замысловатые насаждения, высокую стену, через которую когда-то заглядывал, подтянувшись на гребне, Страйк), а четвертый — неподвижную кабину лифта. В дополнение к мониторам охрана располагала двумя пультами, из которых один управлял общей тревожной сигнализацией, а второй открывал двери в бассейн и гараж. Здесь же стояли два телефона: городской и внутренний, на три квартиры.

— Вот тут. — Уилсон ткнул пальцем в массивную деревянную дверь, вход в тренажерный зал, бассейн и гараж.

По просьбе Страйка он провел их за эту дверь.

Небольшой тренажерный зал, как и вестибюль, зрительно увеличивала зеркальная стена. Единственное окно выходило на улицу. Оснащение включало бегущую дорожку, гребные тренажеры, степеры и набор гантелей.

Еще одна дверь красного дерева выходила на ведущую вниз узкую мраморную лестницу, освещенную настенными светильниками из хрустальных кубиков. Следуя за Уилсоном, Страйк и Робин остановились на маленькой площадке, где была простая дверь в подземный гараж. Отперев ее двумя разнотипными ключами, Уилсон щелкнул выключателем. На парковочной площадке шириной с улицу стояли транспортные средства общей стоимостью в миллионы фунтов: «феррари», «ауди», «бентли», «ягуары», «БМВ». В задней стене на расстоянии метров шести-семи друг от друга были точно такие же двери, как та, которой заканчивалась мраморная лестница: каждая дверь вела в один из домов на Кентигерн-Гарденз. Ворота с электрическим приводом, замеченные Страйком и Робин в переулке Серфс-Уэй, находились ближе всего к дому восемнадцать; сейчас их окаймляла серебристая полоска дневного света.

Робин пыталась угадать, о чем думают ее молчаливые спутники. Уилсон, по всей вероятности, уже насмотрелся на здешнюю роскошь, привык видеть и подземные гаражи, и бассейны, и «феррари». А Страйк, наверное, размышлял (как и она сама), что этот длинный ряд дверей предполагает такие возможности, которые пока даже не рассматривались: тайные, скрытые от посторонних контакты между соседями, а также разнообразные способы (по числу домов) спрятаться и незаметно уйти. Она не сразу увидела, что под потолком, в полумраке, через равные промежутки торчат бесчисленные черные носы видеокамер, которые вынюхивают информацию для бесчисленных мониторов. Неужели в ту ночь они простаивали без дела?

— Ладно, — сказал Страйк.

Уилсон вывел их на мраморную лестницу и запер дверь гаража.

Еще один лестничный пролет вниз — и в нос ударил резкий запах хлорки, который усиливался с каждой ступенькой. Когда Уилсон отпер следующую дверь, их обволокло теплым, влажным, химическим воздухом.

— Вот эта дверь в ту ночь была не заперта? — уточнил Страйк, и Уилсон, щелкнув выключателем, кивнул.

Они подошли к широкой мраморной кромке бассейна, отгороженного толстым пластиком. Здесь тоже была зеркальная стена, и Робин отметила, как нелепо выглядят они в своей одежде на фоне живописного панно с тропическими растениями и порхающими бабочками. Дорожки бассейна длиной примерно в пятнадцать метров, заканчивались у джакузи шестиугольной формы, а дальше находились три запирающихся шкафчика.

— Здесь камер нет? — оглядываясь, поинтересовался Страйк, и Уилсон помотал головой.

У Робин взмокли подмышки и спина. В этом помещении было невыносимо душно, и она при первой же возможности устремилась вверх по лестнице, опередив Страйка и Уилсона, чтобы поскорее оказаться в прохладном вестибюле. В их отсутствие там появилась миниатюрная молодая блондинка в розовом халатике поверх джинсов и футболки, с пластиковым ведром уборщицы.

— Деррик, — сказала она с сильным акцентом, — надо ключ для номер два.

— Это Лещинская, — объяснил Уилсон. — Уборщица.

Блондинка приветствовала Страйка и Робин скромной, милой улыбкой. Охранник зашел за стойку и выдал ей ключ, после чего Лещинская устремилась вверх по лестнице, размахивая ведром и покачивая соблазнительной попкой, обтянутой джинсами. Страйк перехватил косой взгляд Робин и нехотя отвел глаза.

Уилсон повел Страйка и Робин на второй этаж, в квартиру номер один. Он воспользовался универсальным ключом, и Страйк заметил, что в дверь врезан старомодный глазок.

— Квартира мистера Бестиги, — объявил Уилсон и, набрав код, отключил сигнализацию. — Лещинская тут с утра поработала.

Вдыхая запах средства для мебели, Страйк разглядывал дорожки от пылесоса на белом ковре. В холл, освещенный бронзовыми светильниками, выходило пять безупречно белых дверей. На правой от входа стене он заметил аккуратное кодовое устройство, размещенное под прямым углом от картины с задумчивыми козами и плывущими над голубоватой деревней крестьянами. Под Шагалом на черном лаковом столике в японском стиле стояли высокие вазы с орхидеями.

— А куда уехал Бестиги? — спросил Страйк.

— В Лос-Анджелес, — ответил охранник. — На два дня.

В залитой светом гостиной было три большие стеклянные двери; каждая выходила на мелкий каменный балкончик. Здесь были матовые голубые стены, а почти все остальное — белое. Повсюду царила девственная чистота, элегантность и соразмерность. В этой комнате, как и в холле, висела одна-единственная потрясающая картина: мрачное, сюрреалистическое изображение вооруженного копьем человека в негритянской маске, под руку с серым женским торсом, лишенным головы.

Как раз из этой комнаты и слышала Тэнзи Бестиги (если верить ее словам) разгоревшуюся двумя этажами выше ссору. Подойдя вплотную к высоким стеклянным дверям, Страйк отметил современные засовы, надежное остекление и полную звуконепроницаемость — притом что его ухо было в паре сантиметров от холодного стекла. Узкий балкончик был заставлен кадками с деревцами, подстриженными в форме остроконечных шишек.

Дальше Страйк направился в спальню. Робин осталась в гостиной; она медленно поворачивалась на месте, разглядывая люстру венецианского стекла, толстый ковер в голубовато-розовых тонах, огромную плазменную панель, современный обеденный стол из стекла и металла, стулья с обитыми шелком сиденьями, маленькие серебряные безделушки на стеклянных боковых столиках и беломраморной каминной полке. С легкой грустью она вспомнила диван из ИКЕА, которым до недавнего времени так гордилась, и, с чувством неловкости, раскладушку Страйка. Перехватив взгляд Уилсона, она спросила, невольно вторя Эрику Уордлу:

— Другой мир, правда?

— Да уж, — ответил он. — Здесь детей растить невозможно.

— Вот именно, — поддакнула Робин, которой даже в голову не приходил такой довод.

Ее босс, занятый, похоже, проверкой каких-то своих подозрений, энергичным шагом вышел из дверей спальни и исчез в холле.

На самом деле Страйк хотел убедиться, что естественный путь из спальни Бестиги в ванную комнату лежит через холл, в обход гостиной. Кроме того, он считал, что единственное место в квартире, откуда Тэнзи могла видеть фатальное падение Лулы Лэндри (понимая при этом, что́ именно она видит), — это гостиная. Вопреки утверждению Эрика Уордла, из ванной виднелся лишь самый край окна, мимо которого пролетела Лула; этого определенно было недостаточно, чтобы в ночное время разглядеть, а тем более опознать падающего человека.

Страйк вернулся в спальню. Судя по арсеналу таблеток, стаканов и книжек на прикроватном столике, Бестиги, оставшись единственным обитателем супружеского гнездышка, спал на той стороне кровати, что ближе к дверям и холлу. Страйк мог только гадать, было ли так и прежде, пока Бестиги еще не расстался с женой.

Чтобы выйти из спальни, нужно было миновать большую гардеробную с зеркальными дверцами. Там висели бесчисленные итальянские костюмы и сорочки фирмы «Тернбулл и

Ассер». Два неглубоких секционных ящика были целиком заняты золотыми и платиновыми запонками. За маскировочной накладкой позади стоек с обувью находился сейф.

— Думаю, здесь можно заканчивать, — сказал Страйк Уилсону, появляясь в гостиной.

Уилсон включил сигнализацию, и они вышли из квартиры.

— Ты знаешь коды всех квартир?

— А как же иначе? — отозвался Уилсон. — Обязан знать — мало ли что.

Они поднялись на третий этаж. Винтовая лестница так плотно обхватывала шахту лифта, что представляла собой череду слепых углов. Во вторую квартиру вела точно такая же дверь, как и в первую, с тем лишь исключением, что эта была приоткрыта. Внутри завывал пылесос Лещинской.

— Теперь у нас здесь поселились мистер и миссис Колчак, украинцы.

Своей планировкой холл в точности походил на предыдущий; совпадали даже некоторые детали, в частности кодовое устройство на стене, под прямым углом к входной двери. Правда, пол здесь был кафельным, без ковра. Вместо картины напротив двери висело зеркало в золоченой раме, а на двух тонконогих столиках по обе стороны от входа красовались вычурные лампы от Тиффани.

— Розы, которые заказал Бестиги, стояли на чем-то вроде этого? — спросил Страйк.

— В точности на таком же, ага, — ответил Уилсон. — Потом его в залу отнесли, на место.

— А ты поставил его здесь, в центре холла, и водрузил на него розы?

— Ага. Бестиги хотел, чтобы Макк их сразу увидал, но тут места полно, сам видишь, можно обойти. Зачем же опрокидывать? Но тот полицейский — он совсем еще мальчишка был, — беззлобно сказал Уилсон.

— Ты упоминал кнопки тревожной сигнализации — где они находятся? — спросил Страйк.

— Пойдем покажу. — Уилсон провел его в спальню. — Одна тут, над кроватью, другая в гостиной.

— Во всех квартирах одинаково?

— Ага.

В первой и второй квартире расположение спален, гостиной, кухни и ванной комнаты совпадало. Отделка тоже была похожей, вплоть до зеркальных дверец гардеробной, которую осмотрел Страйк. Пока он распахивал шкафы, изучая женские платья и шубки общей стоимостью тысячи фунтов, из спальни появилась Лещинская, которая несла перекинутые через руку галстуки, ремень и несколько доставленных из химчистки платьев в полиэтиленовых чехлах.

— Привет, — сказал ей Страйк.

— Дзень добры. — Открыв у него за спиной какую-то дверцу, она выдвинула стойку для галстуков. — Пшепрашам, пожалуйста.

Страйк посторонился. Уборщица была невысокая, очень миленькая, по-девичьи свежая, с довольно плоским лицом, курносым носиком и славянским разрезом глаз. Под взглядом Страйка она аккуратно развешивала галстуки.

— Я сыщик, — сказал он, но тут же вспомнил, как Эрик Уордл рассказывал, что по-английски она ни бум-бум. — Как бы полицейский, да? — подсказал он.

— Да. Полиция.

— Вы были здесь, правда ведь, накануне смерти Лулы Лэндри?

Растолковать ей этот вопрос удалось не с первой попытки. Впрочем, поняв, что от нее требуется, уборщица не стала отнекиваться и, пока развешивала вещи, ответила на его вопросы.

— Я перфши мыц лестница, — сказала она. — Миз Лэндри очень громко крычат на ее брат, а он крычат, что она дает ее бойфренд слишком много деньги, и она ему некрасиво отвечат. Я убрат квартира нумер два, пустая. Уже чистая. Быстро.

— Деррик и техник из охранной фирмы были рядом с вами, пока вы делали уборку?

— Деррик и...

— Мастер по ремонту? По ремонту сигнализации?

— Да, мастер и Деррик, так.

До Страйка доносились голоса оставшихся в прихожей Робин и Уилсона.

— После уборки вы снова включили сигнализацию?

— Сдат под охрану? Да, — ответила она. — Еден, дзевечь, шещчь, шещчь, как дверь, Деррик мне говорит.

— Он сообщил вам эти цифры до того, как ушел с техником?

Ему опять пришлось разжевывать ей вопрос, и, когда до нее дошло, она выразила нетерпение:

— Да, я уже говорит. Еден, дзевечь, шещчь, шещчь.

— Значит, после уборки вы включили сигнализацию?

— Сдат под охрану, да.

— А этот техник, как он выглядел?

— Техник? Выглядывал? — Она мило наморщила носик и пожала плечами. — Лицо не видно. Но синий... все синий... — добавила она и свободной рукой сделала жест вдоль тела.

— Комбинезон? — уточнил Страйк, но это слово было встречено полным непониманием. — Ладно, где вы делали уборку после этого?

— Нумер перфши, — сказала Лещинская, возвращаясь к развешиванию платьев; она прохаживалась вдоль стоек, чтобы найти нужное место для каждой вещи. — Мыць большие окна. Миз Бестиги разговариват по телефону. Злая. Сердитая. Сказала: не хочу больше повторят ложи.

— Не хочет больше повторять ложь?

Лещинская кивнула и, привстав на цыпочки, повесила на стойку вечернее платье.

— Вы слышали, — четко переспросил он, — как она сказала по телефону, что не хочет больше лгать?

Лещинская опять покивала с бессмысленным, невинным видом.

— Потом она увидет меня и кричат: «Пошла вон! Пошла вон!»

— Правда?

Лещинская кивнула и продолжила развешивать туалеты.

— А где она в это время была — миссис Бестиги?

— Нет здесь.

— Вы не знаете, с кем она разговаривала? По телефону?

— Нет. — А потом немного застенчиво сообщила: — Женщина.

— С женщиной? Откуда вы знаете?

— Кричат, кричат в телефон. Я могу слышать: женщина.

— Это был скандал? Спор? Они кричать? Громко, да?

Страйк заметил, что и сам перешел на эту абсурдную, косноязычную речь. Лещинская еще раз кивнула и принялась открывать ящики в поисках места для ремня — единственного непристроенного предмета. В конце концов ячейка была найдена, ремень свернут и убран. Лещинская распрямилась и пошла в спальню. Страйк за ней.

Пока она застилала постель и наводила порядок на прикроватных столиках, он сумел выяснить, что в тот роковой день она делала уборку в квартире Лулы Лэндри уже после того, как супермодель отправилась проведать мать. Ничего необычного уборщица не заметила, голубого листка бумаги не видела — ни чистого, ни исписанного. Сумочки для Лулы, равно как и подарки Диби Макку от Ги Сомэ, были доставлены на пост охраны после окончания уборки, и напоследок Лещинская отнесла фирменные пакеты модельера в указанные квартиры.

— И потом включили сигнализацию?

— Сдат под охрану, так.

— В квартире Лулы?

— Так.

— И один-девять-шесть-шесть в квартире номер два?

— Так.

— Вспомните: что вы отнесли в квартиру Диби Макка?

С помощью жестов уборщица перечислила две футболки, ремень, шляпу, какие-то перчатки, а также (она пошевелила пальцами у запястья) запонки.

Разложив эти вещи на открытых полках гардеробной, чтобы Макк сразу их заметил, она включила сигнализацию и ушла домой.

Страйк высказал ей свою сердечную благодарность и, пока уборщица расправляла пуховое одеяло, еще немного задержался, чтобы напоследок полюбоваться обтянутой джинсами попкой, а потом присоединился к Уилсону и Робин, ожидавшим в холле.

Поднимаясь на четвертый этаж, Страйк проверил точность показаний Лещинской у охранника, и тот подтвердил, что сам проинструктировал техника поставить сигнализацию на 1966 — тот же код, что и у входной двери.

— Я из-за Лещинской выбрал одинаковые цифры, чтобы ей легче запомнить было. А Макк пусть бы потом переустановил по своему вкусу.

— Как выглядел этот техник? Ты говорил — новенький?

— Совсем еще зеленый парнишка. Волосы — вот досюда. — Уилсон указал на свои ключицы.

— Белый?

— Да, белый. На вид — вроде даже не бреется еще.

Они остановились у квартиры номер три, которую прежде занимала Лэндри. Когда Уилсон отпирал гладкую белую дверь со стеклянным глазком размером с пулю, Робин охватила легкая дрожь — не то от страха, не то от волнения.

Эта верхняя квартира отличалась планировкой от двух нижних: в ней было меньше места, но больше воздуха. В глаза бросалась свежая отделка в бежево-коричневой гамме. Ги Сомэ упоминал в разговоре со Страйком, что прежняя владелица любила яркие цвета, но сейчас это жилище лишилось всякой индивидуальности и стало похожим на номер в фешенебельном отеле. Страйк молча направился в гостиную.

Ковер здесь был не уютно-пушистый, как у Бестиги, а грубоватый, джутовый, песочного цвета. Страйк провел по нему каблуком: ни следа, ни отметины не осталось.

— При Луле покрытие было это же самое? — спросил он Уилсона.

— Ага. Она сама выбрала. Ковер, считай, новый, вот его и оставили.

Вместо расположенных через равные промежутки высоких застекленных дверей, ведущих на отдельные маленькие балкончики, в пентхаусе была лишь одна, двустворчатая, выходившая на один широкий балкон. Страйк отпер и распахнул обе створки и сделал шаг вперед. Робин не смогла на это смотреть: бросив взгляд на бесстрастное лицо Уилсона, она принялась изучать диванные подушки и черно-белые эстампы, чтобы только не думать о событиях трехмесячной давности.

Страйк смотрел вниз, на мостовую, и Робин была бы очень удивлена, узнай она, что мысли его отнюдь не сводятся к судебно-медицинскому заключению и объективным данным.

Его воображение рисовало не владеющего собой человека, который бросился на Лулу, когда та, хрупкая и прекрасная, стояла в том наряде, который надела к приходу долгожданного гостя. Обезумевший от злости убийца толкал и тащил ее к балкону и в конце концов с неодолимой силой маньяка сбросил ее через перила. Считаные секунды, что она летела вниз, навстречу асфальту, обманчиво укутанному мягким снежным покровом, показались, должно быть, вечностью. Лула размахивала руками, чтобы найти хоть какую-нибудь опору в безжалостном, пустом воздухе, а потом, так и не успев оправдаться, объясниться, дать наказ или попросить прощения, — лишенная тех драгоценных возможностей, что дает любая отсрочка перед смертью, — разбилась о мостовую.

Мертвые могут говорить лишь устами живых, а также оставленными по себе знаками. За словами, которые Лула писала своим друзьям, Страйк почувствовал живую душу; у него в ушах до сих пор звучал ее голос, записанный на автоответчик; но сейчас, глядя вниз, на то последнее, что видела в своей жизни Лула Лэндри, он испытал какое-то странное родственное чувство. Из множества разрозненных деталей стала вырастать истина. Не хватало только доказательств.

У него зазвонил телефон. На дисплее высветились имя и номер Джона Бристоу. Страйк ответил:

— Здравствуйте, Джон. Спасибо, что перезвонили.

— Совершенно не за что. У вас для меня какие-то новости? — спросил адвокат.

— Возможно. Я поручил специалисту изучить ноутбук и узнал, что после смерти Лулы из него удалили массу фотографий. Вам об этом что-нибудь известно?

Ответом было глухое молчание. Лишь еле уловимые фоновые шумы говорили, что Бристоу еще на связи. В конце концов адвокат переспросил изменившимся голосом:

— Их удалили после смерти Лулы?

— По заключению специалиста — да.

На глазах у Страйка из-за угла медленно вывернул автомобиль и остановился на полпути к дому. Из него, кутаясь в меха, вышла женщина.

— Я... извините... — заговорил потрясенный Бристоу. — Я просто... просто в шоке. Возможно, их стерли в полиции?

— Когда вам вернули ноутбук?

— Ну... где-то, думаю, в феврале, в начале месяца.

— А фотографии стерли семнадцатого марта.

— Но это же... это какая-то нелепость. Никто не знал пароля.

— Кто-то, видимо, знал. Вы же сказали, что полицейские назвали его вашей матери.

— Моя мать не в том состоянии, чтобы удалять...

— Я этого и не говорю. Могло ли так случиться, что она оставила компьютер открытым, включенным? Или сообщила пароль кому-нибудь другому?

По его расчетам, Бристоу звонил с работы. В трубке слышались приглушенные голоса, а в отдалении — женский смех.

— Такое, пожалуй, возможно, — с расстановкой произнес Бристоу. — Но кому понадобилось удалять фотографии? Разве что... Господи, какой ужас...

— Что именно?

— Не кажется ли вам, что на это могла пойти одна из сиделок? Чтобы впоследствии продать снимки прессе? Кто бы мог подумать?.. Сиделка...

— Специалист может утверждать лишь одно: фотографии стерты; а сохранили их или похитили — это другой вопрос. Но, как вы сами говорите, такое возможно.

— Но кто же... Не хотелось бы подозревать сиделку, но кто еще мог на это пойти? С тех пор как ноутбук нам вернули, он хранился у мамы.

— Джон, вам доподлинно известно, кто посещал вашу матушку за последние три месяца?

— Думаю, да. То есть не на сто процентов...

— Вот именно. В том-то и сложность.

— Но зачем... зачем это понадобилось?

— Могу предположить, что причин было несколько. Хорошо бы уточнить кое-что у вашей матушки, Джон. Включала ли она компьютер в середине марта? Проявлял ли к нему интерес кто-нибудь из ее гостей?

— Я... я попробую. — Бристоу заговорил убитым, почти плаксивым голосом. — Она сейчас очень и очень слаба.

— Сочувствую, — чопорно сказал Страйк. — Я вскоре с вами свяжусь. Всего доброго.

Вернувшись с балкона, он запер за собой дверь и обратился к Уилсону:

— Деррик, покажи, как ты обыскивал эту квартиру. В каком порядке осматривал комнаты?

Уилсон призадумался, а потом ответил:

— Сперва зашел сюда. Огляделся, вижу — балкон нараспашку. Я закрывать не стал. Потом, — он жестом позвал их за собой, — вот сюда заглянул...

Робин, которая шла сзади, заметила, что у Страйка слегка изменилась манера общения с охранником. Детектив задавал простые, конкретные вопросы о том, что брал в руки, трогал, видел и слышал Уилсон, переходя из комнаты в комнату.

Под влиянием этих вопросов у охранника даже стали меняться движения. Он изображал, как именно держался за дверные косяки, как просовывал голову в очередное помещение, как оглядывался во все стороны. В единственной спальне, откликаясь на безраздельное внимание Страйка, он изобразил все свои движения в замедленном темпе: опустился на колени, заглянул под кровать, а потом, с подачи Страйка, вспомнил, как запутался ногами в скомканном платье, валявшемся у кровати. С сосредоточенным видом он повел их в ванную, где показал, как развернулся на месте и проверил, нет ли кого за дверью, а потом собрался бежать вниз, на пост (он даже замахал руками, готовясь изобразить и эту стадию).

— А потом, — Страйк открыл дверь и пропустил Уилсона вперед, — ты вышел...

— Вышел, — басовито подтвердил охранник, — и нажал кнопку лифта.

Он изобразил, как распахнул дверцы лифта, чтобы проверить, нет ли кого в кабине.

— Пусто... ну, я побежал вниз.

— И что ты в это время слышал? — спросил Страйк, идя следом; ни один из них не обращал внимания на Робин, которой осталось прикрыть за собой дверь в квартиру.

— Где-то внизу... муж с женой Бестиги орали... обогнул я этот угол и...

Уилсон вдруг остановился как вкопанный. Страйк, который, судя по всему, предвидел нечто подобное, тоже замер; от неожиданности Робин налетела на своего босса и стала извиняться, но он прервал ее, подняв ладонь, как будто боялся — подумала Робин — вывести Уилсона из транса.

— И поскользнулся, — выпалил Уилсон, поразившись этому факту. — Совсем забыл. Я поскользнулся. Аккурат вот здесь. Так и сел. Задом ударился. Тут вода была. Вот на этом самом месте. Капли воды. Вот здесь. — Он тыкал пальцем в ступеньки.

— Капли воды, — повторил Страйк.

— Ага.

— Не снег.

— Нет.

— Не мокрые следы.

— Говорю же, капли. Крупные капли. У меня нога поехала, вот я и не удержался. Но сразу вскочил и дальше побежал.

— Ты рассказал полицейским про эти капли воды?

— Нет. Забыл. Только сейчас вспомнил. Из головы вон.

Какая-то смутная мысль, долго не дававшая покоя Страйку, наконец прояснилась. У него вырвался удовлетворенный вздох. Уилсон и Робин уставились на него, но не поняли, чему он улыбается.

4

Впереди ждали выходные, теплые и пустые. Страйк опять курил у открытого окна, глядя на толпы покупателей, снующих по Денмарк-стрит. На колене у него лежал блокнот, на письменном столе — материалы дела: он составлял для себя перечень пунктов, требующих уточнения, и просеивал массу собранной информации.

Некоторое время он разглядывал фотографию, изображавшую фасад дома номер восемнадцать на рассвете того дня, когда погибла Лула. Разница между этим видом и нынешним была незначительной, но оттого не менее важной. Время от времени Страйк подходил к компьютеру; сначала ему потребовалось найти агента, представлявшего интересы Диби Макка, потом — узнать котировку акций компании «Альбрис». Открытая страница блокнота, исписанная его убористым, остроконечным почерком, содержала сокращенные тезисы и вопросы. Когда раздался телефонный звонок, Страйк, не проверив, кто это, приложил трубку к уху.

— А, мистер Страйк, — заговорил голос Питера Гиллеспи. — Как любезно, что вы ответили.

— Здравствуйте, Питер, — отозвался Страйк. — Он теперь даже по выходным заставляет вас работать?

— Некоторым волей-неволей приходится работать по выходным. Вы же не перезваниваете, если я звоню в будние дни.

— Занят. Весь в делах.

— Понятно. Значит, мы можем в скором времени ожидать погашения долга?

— Я к этому стремлюсь.

— Вы к этому стремитесь?

— Угу, — подтвердил Страйк. — Через пару недель смогу вам кое-что перечислить.

— Мистер Страйк, ваше отношение меня поражает. Вы обязались ежемесячно выплачивать мистеру Рокби установленную сумму, но уже задолжали ему за период...

— Я не могу выплачивать то, чего не имею. Потерпите, и я рассчитаюсь с вами полностью. Возможно, даже единовременно.

— Нет, так не пойдет. Если вы не выполните...

— Гиллеспи, — перебил Страйк, разглядывая безоблачное небо за окном, — мы оба знаем, что старина Джонни не станет подавать в суд на своего колченогого сына, героя войны, чтобы взыскать с него сумму, за которую его дворецкий даже не оторвет задницу от стула. В течение ближайших двух месяцев я верну все деньги полностью, с процентами, а он пусть засунет их себе в одно место и подождет. Так ему и передайте, а теперь отвяжитесь.

Закончив разговор, он с любопытством отметил, что даже не вспылил, а лишь слегка оживился.

Страйк заработался допоздна, сидя, как он привык про себя говорить, на стуле Робин. Перед отходом ко сну он трижды подчеркнул слова «Отель „Мальмезон", Оксфорд» и обвел жирным кружком имя Дж. П. Агьемен.

Страна тяжелой поступью двигалась к очередным выборам. Воскресным утром Страйк включил свой переносной телевизор и ознакомился с нападками, контраргументами и обещаниями. Каждый выпуск новостей оставлял безрадостное чувство. Государственный долг вырос до непостижимой суммы. При любом исходе выборов нужно было готовиться к сокращению бюджетных средств, масштабному и болезненному; подчас лидеры партий своими вкрадчивыми речами напоминали Страйку хирургов — тех, кто осторожно предупреждал, что он, возможно, испытает некоторый дискомфорт; тех, кто никогда не пройдет через ту боль, которую готовится причинить.

В понедельник утром Страйк поехал в предместье Кэннинг-Таун, где жила Марлен Хигсон, родная мать Лулы Лэндри. Устроить эту встречу оказалось не так-то просто. Элисон, секретарша Бристоу, позвонила Робин и продиктовала номер телефона этой женщины, чтобы Страйк мог связаться с ней лично. Вначале та расстроилась, что Страйк не журналист, но все же заявила о готовности с ним повидаться. После этого она дважды звонила в контору: сначала попросила Робин уточнить, возместит ли ей сыщик расходы на поездку в центр города, и получила отрицательный ответ; а затем в сердцах отменила встречу вовсе. Страйк позвонил ей вторично и добился неохотного согласия на встречу в пабе по соседству с ее домом, однако вскоре на голосовую почту пришло гневное сообщение с новым отказом.

Тогда Страйк позвонил ей в третий раз и сказал, что его расследование, судя по всему, входит в заключительную стадию и что он вот-вот представит свои результаты полицейским, после чего, несомненно, всколыхнется новая волна публичного любопытства. Рассуждая здраво, сказал он ей, если даже она не сможет ему помочь, то хотя бы оградит себя от очередной лавины расспросов. Марлен Хигсон тут же завопила, что имеет право рассказывать кому угодно все, что ей известно, и Страйк счел за лучшее согласиться на встречу в ближайший понедельник именно там, где она и предлагала: в пивном дворике паба «Орднанс армз».

Он сел на метро и доехал до станции «Кэннинг-Таун». На горизонте виднелся необъятный финансовый район Кэнэри-Уорф, чьи гладкие футуристические здания напоминали конструкции из металлических кубиков; их размер, подобно размеру государственного долга, невозможно было оценить на расстоянии. Но, прошагав пешком считаные минуты, Страйк оказался очень далеко от этого делового мира. Кэннинг-Таун, сгрудившийся вдоль районов портовой застройки, где в дизайнерском комфорте проживали финансисты, дышал нищетой и лишениями. В этом предместье Страйк бывал не раз: здесь когда-то жил тот самый его знакомец, который дал ему наводку насчет Бретта Фирни. Удаляясь от Кэнэри-Уорф по Баркинг-роуд, Страйк нахмурился при виде вывески «Общественный цент», но быстро сообразил, что кто-то замазал букву «р».

Паб «Орднанс армз» — невысокий просторный сарай, выкрашенный светлой краской, — приткнулся к зданию «Английской ссудно-кредитной компании». Суровый утилитарный интерьер дополняла коллекция часов в деревянных корпусах на стене терракотового цвета, а кусок коврового покрытия с немыслимым рисунком был единственной уступкой легкомысленному украшательству. Два бильярдных стола и длинная, ничем не загораживаемая стойка оставляли много свободного места для толпы страждущих. Правда, сейчас, в одиннадцать утра, здесь было пусто, если не считать сухонького старичка в углу и жизнерадостной официантки, которая называла своего единственного посетителя «Джоуи»; она и показала Страйку, где находится пивной дворик.

Это имя носил мрачный бетонный закут, где возле мусорных бачков стоял одинокий деревянный стол, за которым на белом пластмассовом стуле сидела, скрестив толстые ноги, женщина, державшая сигарету под прямым углом к щеке. Поверху высокой стены была натянута колючая проволока, за которую зацепился полиэтиленовый пакет, шуршавший от малейшего ветерка. За стеной возвышался желтый многоквартирный дом с захламленными балконами.

— Миссис Хигсон?

— Зови меня Марлен, дружочек.

Окинув его опытным взглядом, женщина кисло улыбнулась. Она пришла в розовой майке из лайкры, мягкой серой курточке с капюшоном и в легинсах, которые на ладонь не доходили до голых бело-серых щиколоток. На ногах у нее были заскорузлые шлепанцы, а на пальцах рук — множество золотых колец. Желтые волосы, каштаново-седые у корней, стягивала грязная резинка.

— Что вам заказать?

— Если уж ты так настаиваешь, то пинту «карлинга».

Наклон туловища в сторону Страйка, манера отбрасывать с припухших глаз соломенные патлы и даже держать сигарету — все эти ужимки отдавали анекдотичным кокетством. Видимо, другое поведение в присутствии лиц мужского пола было ей неведомо. У Страйка она вызывала и жалость, и брезгливость.

— Потрясение? — переспросила Марлен Хигсон, когда Страйк, взяв им по пинте пива, вернулся к ней за стол. — И не говори, я ж с ней уже однажды распрощалась, когда она малым дитем была, но я-то думала, ей так лучше будет. У меня ни на что сил не было. Чего я могла ей дать? А так, видишь, она поимела все, чего мне не досталось. Сама-то я в бедности росла, ох в какой бедности. Ничего в этой жизни не видела. Ничего.

Отвернувшись от Страйка, она сделала глубокую затяжку. Губы Марлен Хигсон, сжимавшие сигарету «ротманс», мелко морщились и смахивали на кошачий зад.

— А еще Дез, это сожитель мой, не больно-то ее жаловал — сам понимаешь, девчушка цветная, сразу видать, что не от него. Родилась-то беленькой, а потом, как водится, потемнела. Но я только потому ее в приют и отдала, что хотела для нее лучшей жизни. А меня, думала, она забудет, мала ведь еще. Однако же кровь я ей дала хорошую; вот и думала: подрастет да и разыщет меня. И мечта моя сбылась, — добавила Марлен Хигсон с фальшивым пафосом. — Разыскала меня дочурка, приехала. Я тебе больше скажу, — продолжила она, не переводя дыхания. — Вот ведь странность какая: один мой дружок раз сказал: «Знаешь, на кого ты похожа?» — так прям и спросил. Я ему: «Чё ты лепишь, на кого я похожа?» — а он такой: «Ну один в один. Глаза, разлет бровей, чуешь?»

Она с надеждой посмотрела на Страйка, но тот не смог выдавить ответ. Ему трудно было представить, что в этом серо-лиловом безобразии кто-то разглядел черты Нефертити.

— Видел бы ты мои фотки в молодости, — с легкой обидой проговорила она. — Вот ведь как оно обернулось: я-то хотела для дочки лучшей жизни, а ее взяли да отдали этим выродкам... я, конечно, извиняюсь. Знать бы наперед — ни за что бы ее не отдала, я ей прям так и сказала. Она — в слезы. Да, ни за что б ее от себя не отпустила, сама бы подняла как-нибудь. Да... С приемным отцом — сэр Алек звали — она хорошо ладила. Вроде добрый был. А мать — прям бешеная стерва какая-то. Да... Таблетки. Таблетки глотала. Богатенькие сучки завсегда на таблетках сидят — от нервов, видишь ли. Хорошо еще Лула могла со мной поделиться. Родная душа как-никак. Зов крови — этого не отнимешь. А она думать боялась, что́ эта стерва с ней сотворит, если дознается, что Лула маму свою родную ищет. Места себе не находила: мало ли что эта стерва могла учудить, кабы газетчики насчет меня пронюхали? А куда от них денешься, если ты знаменитость, как доченька моя? А врут-то, врут как... Про меня стоко понаписали — думаю в суд на них подать. О чем это я? Да, мамаша эта... Я Луле и говорю: «А чё ты так волнуешься, доча? Наплюй на нее, тебе же легче будет. Пусть бесится, если не хочет, чтоб мы с тобой виделись». Но она ведь добрая была девочка, Лула. Что ни день ее навещала, из чувства долга. Так-то говоря, она своей жизнью жила, могла делать что хотела, верно я говорю? У нее и мужчина был, Эван. Я, заметь, этого не одобряла. — Марлен Хигсон изобразила строгость. — Ни-ни. Наркота — она до добра не доводит, уж я-то видела. Но парнишка-то, надо признать, хороший, это я тебе точно говорю. Он бы ей ни в жизнь зла не сделал. Уж поверь.

— Вы с ним лично знакомы?

— Нет, но она раз от меня ему звонила, я разговор ихний слышала — чисто голубки. Ничего плохого про него сказать не могу, токо хорошее. Кабы он завязал, я б их благословила. Говорила ей: «Привези его с собой, я хоть посмотрю», но, видишь, не сложилось. У него вечно дела. А уж собой хорош — закачаешься. Ты на видимость не смотри, — добавила Марлен Хигсон. — На всех фотках видно, как хорош.

— Кто вам известен из соседей Лулы?

— Да вот эти, Бесстыги. Она рассказывала, Фред ее звал в кино сниматься. Я и говорю: отчего ж не попробовать? Может, и выйдет толк. Пусть от него с души воротит, а лишние пол-лимона в карман положить всегда приятно.

Воспаленные глаза прищурились, глядя в пространство; родную мать Лулы на мгновение околдовала мысль о запредельных, немыслимых суммах. Похоже, от одних лишь рассуждений о таких деньгах она ощущала вкус богатства и власти.

— И Гай Сомэ тоже упоминался в ваших разговорах?

— А как же! Она к Ги хорошо относилась, да и он к ней со всей душой. Я-то лично предпочитаю классику. Такой стиль не по мне. — Обтянутый розовой майкой жир заколыхался над легинсами, когда Марлен Хигсон наклонилась вперед и стала манерно стряхивать пепел, постукивая сигаретой о край пепельницы. — «Он, — бывало, скажет, — мне как брат». А я ей: какой он тебе брат? Давай-ка мы с тобой моих сыночков разыщем. А она — никак.

— Ваших сыночков?

— Ну да, мальчиков моих, у меня ж еще дети были. Ага, двое: сперва один от Деза, а после еще один. У меня их социалка забрала, вот я ей и говорю: с твоими-то деньгами разыскать их — плевое дело, ты мне дай скоко-нибудь, немного, ну не знаю, пару тыщонок, а уж я кого-нибудь найму, и пусть найдут их потихому, чтоб газетчики не пронюхали, я сама все устрою, чтоб тебя не коснулось. А она — никак, — повторила Марлен.

— Вам известно, где сейчас ваши сыновья?

— Их у меня грудничками забрали. Откуда мне знать, где они сейчас? У меня стоко проблем было. Не хочу тебя обманывать. Жизнь у меня была ой какая тяжелая.

И она в подробностях расписала ему свою тяжелую жизнь. В этой мрачной истории были садисты-сожители, наркотики, невежество, бесприютность, нищета и животный инстинкт выживания, который отфутболивал младенцев — те требовали навыков, коими Марлен не владела.

— Значит, вам неизвестно, где сейчас ваши сыновья? — повторил Страйк двадцать минут спустя.

— Да откуда мне знать? — Марлен накрутила себя до такой степени, что сама озлобилась. — Ей тоже было неинтересно. У нее другой брат был, белый, знаешь небось? А ее к черной родне тянуло. Токо так.

— Она задавала вопросы о своем отце?

— А как же. Я ей все без утайки рассказала. Студент был, из Африки. Жил выше этажом, вот прям тут, поблизости, на Баркинг-роуд, с двумя другими. Теперь там внизу контора букмекерская. Красавчик был — сил нет. Пару раз подсобил мне покупки дотащить.

Если верить рассказу Марлен Хигсон, их роман развивался с почти викторианской респектабельностью; со дня своего знакомства они с африканским студентом за несколько месяцев не продвинулись дальше рукопожатий.

— А коль он мне подсобил, я его потом к себе пригласила, ну чисто из благодарности. Я ведь без предрассудков. Для меня все равны. Заходите, говорю ему, на чашечку чая, вот и все. А потом, — в смутные воспоминания Марлен о чашечках и скатерках вторглась суровая реальность, — смотрю, у меня брюхо растет.

— Вы ему сказали?

— А как же. Он такой: буду, мол, помогать, ответственность беру на себя, о тебе позабочусь. Потом у него каникулы начались. Обещал вернуться, — с презрением продолжила Марлен, — а сам как в воду канул. Все они такие, скажешь, нет? И что мне было делать — в Африку бежать, его разыскивать? Да ладно, меня так просто не сломаешь. Долго не горевала — я уж с Дезом тогда встречалась. Он не возражал, что у меня ребеночек. Как Джо уехал, я к Дезу перебралась.

— Джо?

— Так его звали. Джо.

Говорила она с уверенностью, хотя Страйк и заподозрил, что это ложь, которая от частого повторения вошла в привычку.

— А фамилия как?

— Да фиг его знает. Ты прям как Лула. Двадцать с лишним лет прошло. Мумумба, — не смущаясь, выдала Марлен. — Или как-то так.

— Может, Агьемен?

— Нет, ты что!

— Овузу?

— Кому сказано, — разозлилась она. — Мумумба или вроде того.

— Не Макдональд? Не Уилсон?

— Обалдел, что ли? Откуда тебе в Африке Макдональд? Уилсон?

Страйк заключил, что знакомство с африканцем не пошло дальше имен.

— Говорите, он был студентом? Где он учился?

— В колледже, — ответила Марлен.

— В каком, не помните?

— Да на фига мне голову забивать? Сигареткой угостишь? — Она сменила тон.

— Конечно, пожалуйста.

Марлен щелкнула пластмассовой зажигалкой, с упоением затянулась и, подобрев от халявного курева, сообщила:

— При музее, что ли. Каким-то боком с музеем связано. Типа того.

— Связано с музеем?

— Во-во. Он, помню, так и говорил: «В свободные часы я бражу по музэю».

Ее пародия превратила африканского студента в английского аристократа. Столь нелепое, бессмысленное времяпрепровождение вызвало у Марлен ухмылку.

— Может быть, вы вспомните, какой это был музей?

— Как его... Музей Англии, что ли, — сказала она и снова пришла в раздражение. — Нет, ты в точности как она. Больно я помню всякую хрень, когда стоко лет прошло!

— И после его отъезда вы с ним больше не виделись?

— Не-а, — сказала она. — Не больно хотелось. — Она глотнула пива. — Он уж, наверно, окочурился.

— Почему вы так считаете?

— Африка — она и есть Африка, — объяснила Марлен. — Может, пулю словил. Может, с голоду помер. Все может быть. Сам знаешь, какое там житье.

Страйк действительно это знал. Он помнил многолюдные улицы Найроби; вид с воздуха на тропические леса Анголы: туман над кронами деревьев, захватывающая дух красота при резком развороте «вертушки», горный водопад среди сочной зелени, а потом — женщина из племени масаи, которая сидела на каком-то ящике, кормила грудью младенца и под объективом видеокамеры Трейси отвечала на вымученные вопросы Страйка о предполагаемом изнасиловании.

— Не знаете, Лула не пыталась разыскать своего отца?

— Пыталась, — пренебрежительно бросила Мадлен.

— Каким образом?

— Через архив колледжа.

— Но если вы даже не помните, где он учился...

— Я без понятия, как она докопалась, только все равно его не нашла, не-а. Может, я имя перепутала. А она до чего настырная была: как он выглядел да где учился. Я ей и говорю: из себя высокий, худой, а ты скажи спасибо, что уши тебе достались мои — были б у тебя такие слоновьи лопухи, как у него, хрен бы тебя в модельный бизнес взяли.

— Лула рассказывала вам о своих подругах?

— А как же. Помню, была у ней эта паразитка черная, Ракель, или как там она себя величала. Присосалась к Луле как пиявка. Нехило поживилась за ее счет. И шмутье, и побрякушки, и черта в ступе. Я токо раз Луле сказала: «Мне бы пальтишко новое». Но я-то не наглею, веришь? А эта Ракель знай клянчила.

Она фыркнула и осушила кружку.

— А саму Рошель вы когда-нибудь видели?

— Во-во, так ее звали, да? Видела как-то. Подкатила на лимузине с шофером, лишь бы токо Лулу от меня забрать. Лыбилась из заднего окна, дрянь заносчивая. Теперь узнает, почем фунт лиха. Кончилась халява. А! Еще эта была, Сиара Портер, — с трудом припомнила Марлен и закипела еще сильнее. — Прям в ту ночь, когда Лула разбилась, заманила в постель ее парня. Сучка похотливая.

— Вы знакомы с Сиарой Портер?

— Я фотки в газетах видала. Он, Эван, заявился среди ночи к ней на квартиру. С Лулой поругался — и к этой гадине.

Из рассказов Марлен становилось ясно, что Лула возвела стену между родной матерью и своими друзьями; круг общения дочери оставался для нее тайной, если не считать краткой встречи с Рошелью; все ее оценки и выводы были почерпнуты из газетных материалов, которые она поглощала с жадностью.

Страйк взял еще пива и выслушал рассказ Марлен о том, какой она пережила ужас и шок, услышав (от соседки, которая на рассвете восьмого числа примчалась к ней со страшной вестью), что ее дочь упала с балкона и разбилась насмерть. Ряд осторожных вопросов позволил установить, что в последние два месяца своей жизни Лула вообще не виделась с матерью. За этим последовал обличительный монолог Марлен о том, как с ней обошлась приемная семья Лулы после той роковой ночи.

— Морды от меня воротили, особенно дядюшка этот, старый хрыч. Ты небось его тоже знаешь? Тони Лэндри, чтоб ему повылазило. Я хотела у них насчет похорон узнать, а получила одни угрозы. Да-да. Вздумали мне угрожать. Говорю ему: «Я ей родная мать. Имею право». И услышала в ответ, что я, мол, ей никто, а мать ей — та стерва бешеная, леди Бристоу. Вот интересно, говорю, из какого места она ее выродила? Извиняюсь, конечно, но прям так и припечатала. А он такой: от тебя одни неприятности, нечего язык распускать перед газетчиками.

Они, между прочим, сами на меня вышли, — сообщила она Страйку, истово тыча пальцем в сторону ближайшего жилого дома. — Газетчики сами на меня вышли. А у меня, конечно, собственное мнение имеется. Отчего ж не рассказать? Ну, скандалить я не люблю, тем более на похоронах, зачем я буду мешаться, но как не прийти? Прихожу, села сзади. А рядом, гляжу — Рошель, гадючка, презрением меня обливает. Но в конце никто меня не остановил. Они все к рукам прибрали, семейка эта гребаная. Мне ничего не досталось. Ничего. А Лула по-другому хотела, я-то знаю. Она бы меня обеспечила. Да только я, — Марлен приосанилась с видом оскорбленной добродетели, — до денег не жадная. Что мне деньги? Разве они заменят родную дочку, хоть десять мильонов дай, хоть двадцать. Прикинь, как она разозлилась бы, что меня обобрали, — не унималась Марлен. — Такие деньжищи — как в бездонную бочку. Люди не верят, когда я говорю, что гроша ломаного не получила. Мне за квартиру платить нечем, а дочкины мильоны где? Правду говорят: деньги к деньгам идут, согласен? Им-то эти деньги ни к чему, но отчего ж не поживиться? Не знаю, как Лэндри, старый хрыч, может по ночам спокойно спать. Ну, пусть это будет на его совести.

— Лула когда-нибудь упоминала, что собирается отписать вам кое-какие средства? Упоминала, что оформила завещание?

У Марлен вдруг затеплился огонек надежды.

— А как же, обещала обо мне позаботиться, да. Говорила, что меня не забудет. Как думаешь, может, надо кому-нибудь это рассказать? Мол, так и так, упоминала?

— Думаю, это не имеет смысла, разве что Лула оставила завещание, по которому вам причитается определенная сумма, — сказал Страйк.

Марлен вновь погрузилась в уныние:

— Если и было завещание, эти гады как пить дать его порвали. С них станется. Такие на все способны. В особенности дядюшка.

5

— Мне очень жаль, что он вам не перезвонил, — извинялась Робин, находясь в конторе, на расстоянии семи миль от Страйка и Кэннинг-Тауна. — Мистер Страйк в настоящий момент чрезвычайно занят. Разрешите, я запишу ваше имя и номер телефона, а во второй половине дня сама прослежу, чтобы он вам позвонил.

— О, в этом нет необходимости, — ответила женщина. У нее был приятный, интеллигентный, чуть хрипловатый голос, по которому без труда угадывалось, что смех у нее будет обольстительный и дерзкий. — На самом деле мне совсем не обязательно с ним разговаривать. Достаточно будет, если вы передадите ему мое сообщение. Я хотела его предупредить, вот и все. Правда, дело довольно... щекотливое. Господи, будь моя воля, я бы обставила это совершенно иначе... Ну да ладно. Сделайте одолжение, передайте, что звонила Шарлотта Кэмпбелл и сообщила о своей помолвке с Джейго Россом. Не хочется, чтобы он узнал об этом от третьих лиц или из газет. Родители Джейго не стали откладывать и разместили объявление в чертовой «Таймс». Вот позор.

— Ох. Конечно. — У Робин вдруг отказали мозги, как и рука, сжимавшая карандаш.

— Вот спасибо... Робин, правильно я запомнила? Очень вам признательна. Всего доброго.

Шарлотта отсоединилась первой. Робин, как в тумане, положила трубку и всерьез разволновалась. Ей совсем не хотелось передавать такое сообщение. Пусть в этом деле она оказалась всего лишь посредницей, но у нее не было ни малейшего намерения вторгаться в личную жизнь Страйка, тщательно оберегаемую от внешних посягательств: он ни словом не обмолвился о картонных коробках со своими вещами, о раскладушке, об ужинах на рабочем месте.

Робин перебрала в уме разные уловки. Можно забыть передать сообщение и просто сказать, что звонила Шарлотта, а дальше пусть эта дамочка сама делает грязную (как выразилась про себя Робин) работу. А вдруг Страйк вообще откажется ей звонить — и узнает о помолвке из чужих уст? Робин не догадывалась, много ли общих друзей у Страйка и его бывшей (подруги? невесты? жены?). Если подобная история приключится с ней и Мэтью, если он вдруг переметнется к другой (при одной этой мысли у нее сжалось сердце), слух разнесется мгновенно, а близкие друзья и родственники наперегонки бросятся открывать ей глаза; в таком случае она, вероятно, предпочла бы, чтобы ее предупредили тактично, без лишних эмоций.

Примерно через час, заслышав на лестнице шаги Страйка, который на ходу разговаривал по телефону и явно пребывал в бодром настроении, Робин внезапно пришла в панику, словно перед экзаменом. А когда босс распахнул стеклянную дверь и Робин поняла, что он вовсе не разговаривал по телефону, а вслух декламировал рэп, ей стало просто дурно.

— «Забиваю на Джохари», — бормотал Страйк, не выпуская из рук коробку с электрическим вентилятором. — Приветствую.

— Здравствуйте.

— Вот — думаю, пригодится. А то у нас душновато.

— Да, это очень кстати.

— Только что в музыкальном магазине послушал Диби Макка, — сообщил ей Страйк, ставя коробку в угол и снимая куртку. «Трам-татам-татам „Феррари“. Забиваю на Джохари». Интересно, кто такой Джохари? Соперник-рэпер, как по-вашему?

— Нет, — сказала Робин, жалея, что придется подпортить ему настроение. — Это психологический тест. Окно Джохари. Показывает, насколько хорошо человек знает самого себя и как к нему относятся окружающие.

Страйк остолбенел, даже не повесив пальто, и уставился на Робин:

— Такого в «глянце» не печатают.

— Да, верно. Просто я училась в университете на психологическом. Но не окончила.

У нее было смутное ощущение, что лучше будет вначале рассказать ему о каких-нибудь собственных неудачах, а уж потом сообщить дурную весть.

— Вы забросили университет? — Он проявил живой интерес, что было ему совсем не свойственно. — Надо же, какое совпадение! Я тоже. А почему у него говорится «Забиваю на Джохари»?

— В местах лишения свободы Диби Макку назначили курс психотерапии. Он заинтересовался, стал читать книги по психологии. Это я из газет знаю, — уточнила она.

— Вы прямо кладезь ценных сведений.

У нее снова оборвалось внутри.

— Вам тут звонили. Какая-то Шарлотта Кэмпбелл.

Бросив на нее быстрый взгляд, Страйк нахмурился.

— Просила передать, — глаза Робин скользнули в сторону и остановились на ухе Страйка, — что она помолвлена с Джейго Россом.

Робин невольно перевела взгляд на его лицо и похолодела.

Одним из самых ранних и самых сильных впечатлений Робин были события того дня, когда усыпили их пса по кличке Бруно. Сама она была слишком мала, чтобы понять объяснения отца. Существование лабрадора Бруно, любимца ее старшего брата, воспринималось ею как вечный и непреложный факт. Озадаченная мрачностью родителей, она спросила у Стивена, как это понимать, и ее надежный мирок обрушился, когда она впервые за свою недолгую жизнь увидела, как его веселая физиономия враз стала горестной, а губы побелели и приоткрылись. Не помня себя, он завыл, а потом издал жуткий страдальческий крик, и тогда она безутешно заплакала, но причиной тому была не смерть Бруно, а пугающая скорбь старшего брата.

Страйк заговорил не сразу.

— Понятно. Спасибо, — с трудом выдавил он, прошел к себе в кабинет и закрыл дверь.

Робин села за стол, ощущая себя палачом. Она не знала, куда себя девать. Хотела постучаться к нему и предложить чаю, но передумала. В течение пяти минут она лихорадочно перекладывала бумаги и канцелярские принадлежности у себя на столе, то и дело поглядывая в сторону кабинета; когда дверь наконец отворилась, Робин вздрогнула и сделала вид, что стучит по клавиатуре.

— Робин, я пойду освежусь, — сказал ей босс.

— Хорошо.

— Если к пяти меня не будет, заприте тут сами.

— Да, конечно.

— На всякий случай — до завтра.

Он снял с вешалки куртку и вышел собранной походкой, которая не могла обмануть Робин.

Дорожные работы расползались, как гнойная рана. Хаос ширился с каждым днем, и для пешеходов сооружались все новые и новые мостки, позволявшие хоть как-то передвигаться среди этой разрухи. Страйк ничего этого не замечал. Он на автомате ступал по деревянным доскам, двигаясь в сторону паба «Тотнем», который служил ему и отдушиной, и укрытием.

Как и в «Орднанс армз», здесь было безлюдно, если не считать сидевшего у самой двери одинокого старичка. Взяв пинту «дум-бара», он опустился на обтянутую красной кожей скамью у стенки, почти под портретом сентиментальной викторианской девушки, милой и глупенькой, которая разбрасывала вокруг себя бутоны роз. Пиво он глушил, как лекарство, без удовольствия, в надежде на скорый результат.

Джейго Росс. Значит, она с ним встречалась — да что там, путалась — все эти годы. Даже Шарлотта, со своей гипнотической властью над мужчинами, со своим немалым опытом, не смогла бы за три недели перепрыгнуть от возобновленного знакомства к помолвке. Она клялась в вечной любви к Страйку, а сама втихаря крутила с Россом.

Теперь все предстало в совершенно ином свете: и бомба, которую она подложила ему за месяц до расставания, и отказ представить доказательства, и сбой в датах, и внезапный разрыв.

Джейго Росс уже был женат и успел завести детей. До Шарлотты доходили слухи, что он сильно пьет. Вместе со Страйком она шутила насчет того, что вовремя унесла ноги, и сочувствовала жене Росса.

Страйк взял вторую пинту, потом третью. Он хотел утопить свои порывы, искрившие, как электрические разряды: немедленно ее разыскать, наорать, выплеснуть злобу, свернуть челюсть Джейго Россу.

В «Орднанс армз» он не закусывал, да и потом ничего не ел; давно он не вливал в себя столько пива за один присест. За час безостановочного, одинокого, решительного употребления слабоалкогольного напитка он порядком захмелел.

Когда к нему за стол подсела тонкая, бледная персона, он хрипло сказал, что она его с кем-то спутала.

— Нет, — твердо ответила Робин. — Просто я тоже собираюсь выпить пива, вы не возражаете?

Она оставила его присматривать за брошенной на высокий табурет сумочкой. Страйк тупо глядел на хорошо знакомую коричневую, слегка потертую кожу. Обычно секретарша вешала эту сумочку на крючок для пальто в приемной. Страйк дружески улыбнулся коричневому клапану и выпил за его здоровье.

Когда Робин подошла к стойке, молодой стеснительный бармен сказал ей:

— Мне кажется, ему достаточно.

— Я тут ни при чем, — ответила Робин.

В поисках Страйка она успела зайти в ближайший паб «Смелый лис», потом в «Молли Моггс», во «Вкус жизни» и в «Кембридж». В ее планах «Тотнем» стоял последним пунктом.

— Штотакое? — спросил Страйк, когда она вернулась за стол.

— Ничего особенного, — сказала Робин, перед которой стояло полпинты лагера. — Просто хотела убедиться, что у вас все хорошо.

— Все путем, — подтвердил Страйк и сделал над собой усилие. — У меня все путем.

— Вот и хорошо.

— Пью за помол... за помолвку моей невесты, — объяснил Страйк, нетвердой рукой поднимая одиннадцатую пинту. — Ненадобыло ей от него уходить. Не надо было, — отчетливо и громко повторил он, — уходить. Досто... достопочтен... Джейго Росс. Известный говнюк.

Он буквально выкрикнул последнее слово. В пабе прибавилось посетителей; похоже, это услышали все. На Страйка и до этого бросали косые взгляды. Его комплекция, тяжелый взгляд и воинственное выражение лица создавали вокруг него небольшую запретную зону; со стороны она выглядела втрое шире — те из посетителей, кому приспичило отлить, старательно обходили его стол.

— Давайте прогуляемся, а? — предложила Робин. — Перекусим где-нибудь?

— Знаешь что? — Он наклонился, поставил локти на стол и едва не сшиб свою пинту. — Знаешь что, Робин?

— Что? — спросила она, отодвигая свой стакан.

Ее вдруг разобрал неудержимый хохот. Теперь почти все в открытую наблюдали за этой странной парочкой.

— Хорошая ты девчонка, — сказал Страйк. — Да. Ты — человек. Я заметил. — Он серьезно покивал. — Да. Я заметил.

— Спасибо, — выдавила Робин, с трудом сдерживая смех.

Он отодвинулся от стола и, закрыв глаза, проговорил:

— Извиняюсь. Перебрал.

— Вижу.

— Я теперь нечасто.

— Знаю.

— На пустой желудок.

— Так пошли куда-нибудь, поедим?

— Хорошо бы. — Он так и сидел с закрытыми глазами. — Она мне сказала, что ждет ребенка.

— Ох, — сочувственно протянула Робин.

— Угу. Так и сказала. А потом раз — и нету ребенка. Сама сказала. Только это не от меня. По числам не сходится.

Робин промолчала. Ей не хотелось, чтобы он потом вспоминал свои откровения. Страйк открыл глаза:

— Ушла от него ко мне, а теперь от него... нет... от меня к нему.

— Как плохо.

— ...ушла от меня к нему. Не горюй. Добрая ты душа.

Он зажал в зубах вытащенную из пачки сигарету.

— Здесь не курят, — мягко напомнила Робин, но бармен, который, видимо, только и ждал удобного случая, уже заспешил к ним.

— Курить, пожалуйста, на улицу, — во всеуслышание сказал паренек, обращаясь к Страйку.

Страйк вперился в него мутным, удивленным взглядом.

— Все в порядке, — вмешалась Робин и подхватила сумочку. — Пошли, Корморан.

Огромный, всклокоченный, нетвердо стоящий на ногах, Страйк еле-еле выбирался из-за стола и уничтожал взглядом бармена, который счел за лучшее — Робин очень хорошо его понимала — сделать несколько шагов назад.

— А вот орать не надо, — обратился к нему Страйк. — Не надо. На меня. Орать. Ты нарываешься.

— Ладно, все, Корморан, идем. — Пропуская его, Робин отступила в сторону.

— Нет, не все, Робин, — воспротивился Страйк, подняв ручищу. — Нет, постой.

— О господи! — вырвалось у нее.

— Боксом занимался? — спросил Страйк у перепуганного бармена.

— Корморан, идем.

— А я занимался. В армии, сынок.

У стойки бара какой-то остряк пробормотал:

— Я бы тебя положил.

— Идем, Корморан, — взмолилась Робин и потянула его за рукав; к ее изумлению, он безропотно поплелся следом.

Ей вспомнились мощные тяжеловозы клайдесдальской породы, которых она примерно так же водила на ферме у дяди.

На улице Страйк привалился к витрине паба, безуспешно пытаясь закурить все ту же сигарету; в конце концов Робин не выдержала и щелкнула взятой у него зажигалкой.

— Надо поесть, — убеждала она, пока ее босс курил, стоя с закрытыми глазами и покачиваясь; Робин боялась, как бы он не упал. — Для протрезвления.

— И так хорошо, — пробормотал Страйк.

Его сильно качнуло, и он засеменил вбок, чтобы не упасть.

— Пошли. — Робин повела его к деревянным мосткам, переброшенным через раскопанную мостовую, которую до утра покинули и грохочущая техника, и бригада рабочих.

— Робин, а ты знала, что я был боксером? — спросил он.

— Нет, этого я не знала.

Она собиралась отвести его в офис и там накормить, но он потоптался у арабской закусочной на подходе к Денмарк-стрит и нырнул в дверь, прежде чем Робин успела его остановить. Заказав по кебабу, они устроились за единственным выносным столиком на тротуаре. Страйк рассказывал, как занимался боксом, когда служил в армии, и время от времени делал отступления, чтобы напомнить Робин, какой она замечательный человек. Она сумела ему внушить, что об этом необязательно кричать на всю улицу. Количество выпитого давало о себе знать, и еда, похоже, проваливалась в Страйка как в бездонную бочку. В какой-то момент Страйк отошел в туалет и отсутствовал так долго, что Робин уже начала беспокоиться, что он там вырубился.

Она посмотрела на часы: десять минут восьмого. Позвонила Мэтью и сказала, что на работе возникли неотложные дела. Это его не обрадовало.

Страйк, выписывая кренделя, двинулся к выносному столику на тротуаре и по пути ударился о дверной косяк. Надежно прислонившись к витрине, он попытался зажечь очередную сигарету.

— Робин, — позвал он, глядя на нее сверху вниз, когда понял тщетность этих стараний. — Робин, тебе извесно, что такое кайрос? — Страйк икнул. — Кайрос.

— Кайрос? — переспросила она, понадеявшись, что за этим не кроется какая-нибудь непростительная сальность, тем более что хозяин закусочной прислушивался к их разговору и широко ухмылялся. — Нет, не знаю. Можем возвращаться в офис?

— Не знаешь, что это такое? — Он сверлил ее глазами.

— Нет.

— Это гречс... греческий бог, — сообщил он. — Бог удачного момента. Когда говорят «миг кайрос», — затуманенный мозг вдруг выдал фразу необыкновенной четкости, — это значит «решающий момент». Особый. Самый знаменательный.

«Ох, умоляю, — подумала Робин, — только не говори, что у нас настал такой момент».

— Знаешь, когда у нас был такой миг, Робин... у нас с Шарлоттой? — Его взгляд устремился вдаль, рука с незажженной сигаретой бессильно упала. — Когда она вошла в палату... я долго лежал в госпи... в госпитале... не видел ее два года... Не сообщила... а я вижу: она входит, и все мужики голову повернули... тоже ее увидели... а она прошла через всю палату... — он перевел дыхание, — и стала меня целовать, через два года... снова... как прежде. Все умолкли. До чего была хороша. Ни с кем ее не сравню... Вот это и был, наверно, самый заме... знаменательный момент за всю мою ху... паршивую жизнь. Ты уж прости, Робин, — добавил он, — чуть не ругнулся. Прости.

Робин не знала, плакать ей или смеяться, и не могла понять, почему ее охватила такая грусть.

— Зажечь сигарету?

— Ты настоящий человек, Робин, тебе это извессно?

У поворота на Денмарк-стрит он остановился, раскачиваясь, как дерево на ветру, и громогласно заявил, что Шарлотта не любит Джейго Росса, а просто затеяла какую-то игру, чтобы побольней задеть его, Страйка.

Перед входной дверью он опять застыл и поднял обе руки, показывая, что Робин может не возвращаться с ним в контору.

— Тебе пора домой, Робин.

— Я хочу удостовериться, что ты благополучно поднялся по лестнице.

— Нет. Нет. Я в норме. Только бы не блевануть. Я безногий. Ты же не врубаешься, нах... Или врубаешься? Ну, теперь врубилась. Или я тебе рассказывал?

— Не понимаю, о чем речь.

— Не важно. Иди домой, Робин. Меня щас вывернет, нах...

— Точно не нужно?..

— Ты уж прости, чуть не ругнулся. Хороший ты человек, Робин. Ну, пока.

Дойдя до Черинг-Кросс-роуд, она оглянулась. Двигаясь с преувеличенной, неуклюжей осторожностью, свойственной пьяным, Страйк удалялся по Денмарк-плейс, явно собираясь извергнуть рвоту где-нибудь в темном тупике, а уж потом вскарабкаться по лестнице туда, где ждали раскладушка и чайник.

6

Граница между сном и явью оказалась зыбкой. Вначале, окровавленный, немой, он лежал ничком среди груды металла и обломков, слушая нечеловеческие вопли; затем, весь в поту, оказался в той же позе на раскладушке, лицом в брезент, мучась от пульсирующего шара головной боли и от вони из пересохшего рта. Солнце, бьющее в незанавешенные окна, нещадно резало воспаленные глаза даже сквозь сомкнутые веки.

Страйк, полностью одетый, с пристегнутым протезом, лежал, где упал, — поверх спального мешка. Беспощадные воспоминания осколками стекла раздирали виски. Как он доказывал бармену, что еще одна пинта нужна ему позарез. Как Робин улыбалась через стол. Неужели ему полез в горло кебаб? Потом ему вспомнилось, как он сражался с ширинкой, когда уже лопался пузырь, а в молнию, как на грех, попал край сорочки. Он подсунул под себя руку — даже от этого пустячного движения к горлу подступили стоны и кислятина — и удостоверился, что хотя бы не разгуливал с расстегнутой ширинкой.

Осторожно, будто у него на плечах был хрупкий груз, Страйк приподнялся и сел, а потом, щурясь, обвел глазами ярко освещенный кабинет, но так и не определил ни времени суток, ни дня недели.

Дверь между кабинетом и приемной была закрыта; никакого движения за перегородкой не ощущалось. Не иначе как временная секретарша ушла с концами. На полу белел какой-то прямоугольник, явно просунутый под дверь. С трудом дотянувшись до листка, Страйк понял, что это записка от Робин.

Дорогой Корморан, — (какой уж теперь «мистер Страйк», подумал он), — *в начале файла прочла план ближайших действий. Первые два пункта (это Агьемен и отель «Мальмезон») могу взять на себя. Если понадоблюсь в офисе, я на связи.*

Таймер под дверью кабинета поставлен на 14:00, чтобы хватило времени подготовиться к встрече с Сиарой Портер и Брайони Рэдфорд в 17:00 по адресу: Арлингтон-плейс, дом 1. На столе — вода, парацетамол и «алка-зельцер».

Робин

P. S. О вчерашнем нужно забыть. Ты не сказал и не сделал ничего такого, о чем мог бы сожалеть.

С запиской в руках он минут пять сидел как истукан на раскладушке, боясь пошевелиться, чтобы не вырвало, но радуясь солнечным лучам, греющим спину.

Четыре таблетки парацетамола и стакан шипучки «алка-зельцер» почти полностью заглушили рвотный рефлекс, но после этого все равно пришлось провести четверть часа в грязноватом сортире, терзая собственное обоняние и слух; счастье, что Робин отсутствовала. В офисе Страйк выпил еще две бутылки воды и отключил поставленный на пол таймер; в голове опять загудело. Помедлив, он достал из рюкзака чистую одежду, гель для душа, дезодорант, бритву, пену для бритья, полотенце, затем вышел на площадку и раскопал в одной картонной коробке плавки, в другой — серые металлические костыли и наконец заковылял вниз по железной лестнице со спортивной сумкой через плечо и костылями под мышкой.

По дороге к Мейлет-стрит он купил себе большую плитку молочного шоколада. Из объяснений Берни Коулмана, служившего в медицинском батальоне, Страйк знал, что тяжелое похмелье вызывается прежде всего обезвоживанием организма и гипогликемией — неизбежными следствиями продолжительной рвоты. Он на ходу грыз шоколад, сжимая под мышкой костыли; каждый шаг болью отдавался в голове, словно стянутой железным обручем.

Но смешливый бог пьянства покуда пребывал с ним. Не без удовольствия отдаляясь от реальности и от всего рода человеческого, Страйк уверенно спустился по лестнице в студенческий бассейн, и, как всегда, никто не усомнился, что он в своем праве, даже единственный посетитель, оказавшийся в это время в раздевалке. Студент покосился в его сторону, когда Страйк отстегивал протез, но сразу же вежливо отвел глаза. Засунув искусственную ногу в шкафчик вместе со вчерашней одеждой (из-за отсутствия мелочи дверца осталась незапертой), Страйк на костылях поскакал в душ. Обвислый живот колыхался над плавками.

Намыливаясь, Страйк отметил, что шоколад и парацетамол начали действовать. Впервые за все время он зашел в просторный бассейн. Здесь оказалось только двое студентов: оба в очках, оба на скоростной дорожке, они были поглощены исключительно своим спортивным мастерством. Страйк подошел с другой стороны, аккуратно поставил костыли у ступенек и занял дорожку для медленного плавания.

Никогда в жизни он не распускал себя до такого безобразного вида. Неуклюжий, скособоченный, он все время врезался в бортик, но чистая прохладная вода успокаивала душу и тело. Задыхаясь, он едва доплыл до торца, остановился отдохнуть и уставился в белый потолок. Толстые руки раскинулись на кромке бассейна и вместе с ласковой водой поддерживали разжиревшее тело.

Невысокие волны, поднятые молодыми пловцами, щекотали ему грудь. Жуткая головная боль отступала куда-то в туман, превращаясь в удаленную огненно-красную точку. В ноздри шибало резким больничным запахом хлорки, но тошнота уже прошла. Неспешно, словно разматывая присохшие к ране бинты, Страйк начал перебирать в уме те воспоминания, которые надеялся утопить в алкоголе.

Джейго Росс: во всех отношениях — антипод Страйка. Владелец доверительного фонда; прекрасный арийский принц, рожденный, чтобы занять уготованное судьбой и семьей место под солнцем; вобравший в себя уверенность двенадцати поколений родовой аристократии. Он сменил ряд престижных должностей, приобрел стойкую привычку к алкоголю и накопил злобу породистого, необузданного животного.

Шарлотта и Росс принадлежали к разветвленной сети родовитых семейств, связанных вековыми знакомствами, частными школами и брачными союзами. Пока вода лизала его волосатую грудь, Страйк с расстояния многих лет наблюдал за Шарлоттой, Россом и самим собой, как будто перевернул подзорную трубу другим концом, чтобы увидеть всю траекторию отношений: окуляр был направлен на ежедневную переменчивость Шарлотты, на страсть к предельным эмоциям, которая выливалась в разрушительность. Когда ей было восемнадцать, она заполучила Джейго Росса. Драгоценный трофей, лучший в своем роде экземпляр, самый завидный жених — таким он виделся ее родителям. Наверное, эта победа оказалась для нее слишком легкой и, конечно, слишком предсказуемой, потому что вскоре Шарлотта променяла его на Страйка, который, невзирая на свою одаренность, был ненавистен ее родне — дворняга без роду без племени. Что еще оставалось женщине, всегда искавшей эмоциональных бурь, кроме как раз за разом уходить от Страйка и по прошествии многих лет триумфально вернуться к той же точке, в которой он ее нашел?

Страйк погрузился ноющим телом в воду. Студенты-спортсмены без устали бороздили быструю дорожку.

Он знал Шарлотту. Сейчас она ждала, чтобы он ее спас. Это было последнее, самое жестокое испытание.

Назад Страйк не поплыл; перебирая руками по бортику, он боком добрался до ступеней, как делал в госпитале на занятиях лечебной физкультурой.

Второй заход в душ оказался приятнее первого. Страйк сделал воду погорячее, намылился с головы до ног и ополоснулся холодными струями.

Пристегнув протез, он обмотал вокруг пояса полотенце и побрился над раковиной, а затем с небывалой тщательностью оделся. Ни разу еще он не надевал свой самый дорогой костюм и рубашку. Это были подарки Шарлотты на его последний день рождения — одежда, достойная ее жениха. Он вспомнил, как расцвела улыбкой Шарлотта, когда он смотрел на свое непривычно элегантное, в полный рост отражение в зеркале примерочной. Его день рождения был последним счастливым днем их совместной жизни. С тех пор костюм и рубашка так и висели в чехле для переноски, потому что после того ноябрьского дня они с Шарлоттой никуда особенно не выходили. Вскоре их отношения начали скатываться к прежним конфликтам, в старое болото, которое они в этот раз поклялись обходить стороной.

Он мог бы сжечь этот костюм. Однако же из духа противоречия решил его надеть, тем самым очистив от всех ассоциаций и превратив в обыкновенное швейное изделие. Покрой костюма его стройнил. Воротничок белой рубашки остался расстегнутым.

В армии Страйк был известен тем, что невероятно быстро выходил из похмелья. У человека, смотревшего на него сейчас из зеркала, было бледное лицо, под глазами пролегли темно-лиловые тени, но в целом Страйк давно уже не выглядел так, как сейчас, в этом шикарном итальянском костюме. Фингал наконец-то прошел, царапины затянулись.

В ресторане Страйк ограничился легкими закусками и большим количеством воды, совершил вторую чистку организма — на этот раз в ресторанном туалете — и проглотил еще пару таблеток; ровно в семнадцать часов он был в доме номер один по Арлингтон-плейс.

Ему открыла (стучать пришлось дважды) сердитая очкастая женщина с седой короткой стрижкой. Она с неохотой впустила его в вестибюль и быстрым шагом направилась в сторону великолепной лестницы с коваными перилами, крича:

— Ги! Тут некто Страйк!

По обеим сторонам вестибюля были какие-то помещения. Слева кучка одетых в черное людей вглядывалась в ту сторону, куда указывал мощный прожектор, освещавший их восхищенные лица, но невидимый Страйку.

Из этого помещения и вышел энергичной походкой Сомэ, одетый в мешковатые джинсы и рваную белую футболку, украшенную глазом, из которого капали кровавые слезы, вблизи оказавшиеся красными блестками. Кутюрье тоже был в очках, отчего выглядел старше своих лет.

— Тебе придется подождать, — без предисловий начал он. — Брайони пока занята, а Сиара вообще не знаю, когда освободится. Хочешь — располагайся вот там, — он указал на комнату справа, в которой виднелся край стола, уставленного подносами, — или стой и глазей, как эти оглоеды.

Он зачем-то повысил голос и бросил гневный взгляд на группу элегантных юношей и девушек, следивших за источником света. Группа беспрекословно рассеялась; кое-кто прошел через вестибюль в зал напротив.

— Сегодня хоть оделся поприличней, — добавил Сомэ, пыхнув своим прежним высокомерием, и скрылся в том зале, откуда пришел.

Детектив последовал за ним, благо в зале освободилось место после бесцеремонного разгона зрителей. Зал оказался длинным и почти пустым, но нарядные карнизы, бледные голые стены и окна без штор придавали ему какое-то скорбное величие. Между Страйком и сценой, расположенной в дальнем конце и залитой ослепительными огнями дуговых ламп и световых экранов, стояли еще какие-то люди, в том числе и длинноволосый фотограф, согнувшийся над камерой. На сцене в художественном беспорядке были расставлены старинные, потертые стулья (один лежал на боку), на которых сидели три фотомодели. Это были существа особой породы, чьи лица и фигуры отличались редкостными пропорциями, занимающими положение ровно посредине между странным и поразительным. Тонкие в кости, невообразимо стройные, они были отобраны, как предположил Страйк, по принципу разительного контраста. Темнокожая девушка, почти такая же густо-черная, как Сомэ, сидела в позе Кристины Килер[1], лицом к спинке стула, широко расставив ноги в напыленных белых легинсах, но явно обнаженная выше талии, с прической афро и обольстительным разрезом глаз. Над ней стояла азиатская красавица с абсолютно прямыми волосами и асимметричной челкой, одетая

---

[1] *Кристина* (*тж.* Кристин) *Килер* (р. 1942) — фотомодель и девушка по вызову, оказавшаяся в центре политического скандала, который разгорелся в Британии в 1963 г. («дело Профьюмо»). Пресса обвиняла Килер в том, что она выуживала секретные сведения у министра обороны Джона Профьюмо и передавала их Евгению Иванову, военно-морскому атташе Советского Союза в Лондоне. В разгар скандала Кристина Килер согласилась на фотосессию у известного фотографа Льюиса Морли. Эти откровенные портреты получили широкую известность.

только в белую, украшенную цепями маечку, едва прикрывавшую лобок. В стороне от них опиралась на спинку другого стула склонившаяся вбок алебастрово-белая Сиара Портер, с длинными светлыми детскими локонами, одетая в полупрозрачный комбинезон, под которым отчетливо вырисовывались бледные острые соски.

Визажистка, тоже высокая и худая, наклоняясь над чернокожей девушкой, прижимала пуховку к крыльям ее носа. Все три модели ожидали команды в молчаливой, равнодушной неподвижности, как живые картины. Присутствующие в зале (у фотографа, как выяснилось, было двое ассистентов; Сомэ устроился на краю сцены и грыз ногти; от него не отходила сердитая женщина в очках) разговаривали вполголоса, будто боясь нарушить какое-то неустойчивое равновесие.

Визажистка наконец-то подошла к Сомэ, который, выразительно жестикулируя, отдал ей неслышные быстрые распоряжения; она вернулась в круг слепящего света и без единого слова взъерошила и перераспределила длинные локоны Сиары Портер; та даже не подала виду, что почувствовала прикосновение, и терпеливо выжидала. Брайони опять отступила в полумрак и обратилась к Сомэ с каким-то вопросом. Кутюрье пожал плечами и отдал ей новый приказ, заставивший девушку осмотреться и задержать взгляд на Страйке.

Они встретились в вестибюле, у подножия великолепной лестницы.

— Привет, — шепнула она. — Пошли вот туда.

Брайони повела его в противоположный зал, несколько меньше первого, почти полностью занятый огромным столом с закусками. Перед мраморным камином стояли вешалки на колесах, ломившиеся от сгруппированных по цвету шедевров с блестками, оборками и перьями. Здесь толпились изгнанные зрители в возрасте едва за двадцать; они перешептывались, лениво клевали со своих полупустых тарелок моцареллу и пармскую ветчину, болтали по мобильным или развлекались телефонными игрушками. Некоторые провожали Страйка оценивающими взглядами, когда он следовал за Брайони в тесную заднюю комнату, служившую импровизированной гримерной.

Одностворчатая стеклянная дверь вела в ухоженный сад; по бокам от нее были два стола с большими переносными зеркалами. Расставленные во множестве черные пластмассовые коробочки напомнили Страйку те, в которых дядя Тед брал на рыбалку червей. В ящичках пестрели цветные пудры и краски; на разостланных полотенцах рядами лежали тюбики и кисточки.

— Привет, — повторила Брайони, уже нормальным голосом. — Господи! Такой напряг, что ножом резать можно. Гай — страшный придира, да еще это у него первая большая фотосессия после смерти Лулу, так что он, сами понимаете, весь на нервах.

Визажистку отличали привлекательные, хотя и крупные черты лица, желтоватая кожа и каштановые, асимметрично подстриженные волосы. На ней были узкие джинсы, плотно облегавшие длинные, слегка кривоватые ноги, а также черная майка и черные кожаные балетки; на шее болталось несколько тонких золотых цепочек; все пальцы, в том числе и большие, пестрели кольцами. Балетки никогда не возбуждали Страйка, скорее наоборот: они напоминали ему дорожные тапочки, которые всюду брала с собой тетя Джоан, страдавшая мозолями и натоптышами.

Страйк начал объяснять, что ему требуется, но Брайони перебила:

— Я в курсе, Ги мне рассказал. Покурим? Только дверь надо открыть.

Прямо за стеклянной дверью начиналась мощеная садовая дорожка.

Брайони расчистила небольшой пятачок на одном из столов и примостилась на столешнице; Страйк придвинул для себя стул и достал блокнот.

— Ну, спрашивайте, — поторопила девушка и, не дожидаясь вопросов, заговорила сама: — На самом деле я постоянно вспоминаю тот день. Ужасно это, просто ужасно!

— Вы хорошо знали Лулу? — спросил Страйк.

— Довольно хорошо. Я несколько раз гримировала ее для съемок, готовила к благотворительной акции за сохранение тропических лесов. Когда я сказала, что могу сделать коррекцию бровей нитью...

— Чем, простите?

— Нитью. Типа выщипывания, только при помощи нитки. Это было выше понимания Страйка.

— Ну хорошо...

— ...она попросила обслужить ее на дому. Ее преследовали папарацци, она даже в салон не могла спокойно приехать. Просто безумие какое-то. Пришлось пойти ей навстречу.

Она говорила с легким придыханием и все время резко дергала головой, потому что чересчур длинная рваная челка лезла ей в глаза. Сейчас Брайони перебросила волосы на одну сторону, провела по ним пальцами и уставилась на детектива сквозь челку.

— Пришла я к ней часа в три. Они с Сиарой были сами не свои: ждали приезда Диби Макка. Ну, мы посплетничали, как у нас, девочек, водится. Знаете, я бы никогда в жизни не догадалась, что случится такая беда. Ничто не предвещало.

— Лула была в приподнятом настроении, да?

— А вы как думаете?! Если человек про тебя песни сочиняет... Ну, может, это детство, — добавила она с легким смешком. — Но у него такая харизма! Мы с Сиарой над этим прикалывались, пока я Луле брови делала. Потом Сиара попросила сделать ей маникюр, а за ней и Лула. Короче, я там пробыла, наверное, часа три. Ну да, ушла около шести.

— Значит, настроение Лулы можно описать как приподнятое, правильно я понял?

— Да. Ну понимаете, она была как бы немного рассеянна, все время посматривала на телефон — он у нее на коленях лежал, когда я ей брови делала. Я-то понимала, что к чему: Эван опять ее достал.

— Она сама так сказала?

— Нет, но я знала, что она на него злится. Как вы думаете, с чего бы она стала говорить Сиаре про своего брата? Что, мол, все завещала ему?

Страйка удивила такая логика.

— Это при вас было сказано?

— Что? Нет, но я об этом слышала. В смысле, потом. Сиара нам рассказала. По-моему, я в туалет бегала, когда у них этот разговор был. Короче, я не сомневаюсь, что это правда. Ничуть не сомневаюсь.

— Откуда такая уверенность?

Визажистка смешалась:

— Ну... она по-настоящему любила своего брата, так? Это же всем было видно. Он, пожалуй, был единственным человеком, на кого она могла положиться. Примерно за полгода до этого, когда я гримировала ее для дефиле Стеллы Маккартни, она всем говорила, что брат ее постоянно воспитывает: внушает ей, что Эван — прилипала. И представляете, в тот последний день Эван опять начал ее доставать, и она подумала, что Джеймс — ее брата зовут Джеймс, да? — всю дорогу был прав. Она всегда знала, что ее дела для него на первом месте, хотя он иногда и пытался командовать. Но бизнес — такая жесткая штука, это понятно. У каждого есть свой личный интерес.

— А как вы думаете, у кого был личный интерес к Луле?

— Господи, да у всех. — Бриони описала широкий круг сигаретой. — Она и в самом деле была супермоделью, каждый хотел что-нибудь от нее урвать. Например, Ги... — Тут Брайони осеклась. — Да, Ги, конечно, бизнесмен, но он ее просто обожал, предлагал даже переехать к нему, когда ее стал преследовать тот псих. Ги до сих пор не может прийти в себя после ее смерти. Говорят, он даже медиума нанимал, чтобы с ней пообщаться. Мне Марго Ляйтер рассказывала. Он настолько подавлен, что при одном упоминании ее имени начинает лить слезы. Короче, — заключила Брайони, — это все, что мне известно. Могла ли я в тот день подумать, что мы с ней больше не увидимся? Боже мой!

— А она говорила о Даффилде, пока вы... э-э-э... корректировали ей брови нитью?

— Нет, — сказала Брайони, — зачем ей было о нем говорить, если он ее так достал?

— Зато, по вашим воспоминаниям, она говорила о Диби Макке?

— Ну... это больше мы с Сиарой.

— Но вы считаете, что Лула им интересовалась?

— Еще бы!

— Скажите, когда вы находились у нее в квартире, вам не попадался на глаза голубой листок бумаги, исписанный почерком Лулы?

Брайони опять тряхнула головой и расчесала волосы пальцами.

— Что? Нет. Я ничего такого не видела. А что это было?

— Пока не знаю, — ответил Страйк. — Но намерен выяснить.

— Нет, не видела. Голубой? Нет.

— А какой-нибудь другой листок с ее записями?

— Нет, никаких листков не помню. Нет. — Она убрала волосы с лица. — То есть вполне возможно, что он где-нибудь лежал, только я не приглядывалась.

В гримерной было грязновато. Возможно, Страйку померещилось, что Брайони слегка порозовела, но он же не мог придумать, что она подтянула к себе правую ногу и стала осматривать подошву балетки, как будто на нее что-то налипло.

— Водитель Лулы, Киран Коловас-Джонс...

— Ой, такой душка, просто душка! — оживилась Брайони. — Мы над ней прикалывались: Киран по ней с ума сходил. По-моему, его услугами теперь пользуется Сиара. — Брайони со значением хихикнула. — У нее репутация веселой девушки, у Сиары. Я что хочу сказать: ее невозможно не любить, но все же...

— Коловас-Джонс утверждает, что после посещения больной матери Лула, устроившись на заднем сиденье лимузина, писала что-то на голубом листке бумаги...

— А вы с ее матерью не беседовали? Странная она какая-то...

— ...и я намерен выяснить, что это было.

Брайони щелчком выбросила окурок в открытую дверь и беспокойно заерзала, по-прежнему сидя на столе:

— Да мало ли что это было. — (Страйк ждал ее отклика — и не ошибся.) — Список покупок, например.

— Угу, возможно; но чисто теоретически мы должны допустить, что это была предсмертная записка...

— Не может быть, что за глупости... такого не бывает... Кому придет в голову написать предсмертную записку настолько заранее — а потом накраситься и пойти танцевать? Бессмыслица полная!

— Допустим, такое маловероятно; тогда что же это было?

— Почему вы думаете, что это связано с ее гибелью? Может, она записку Эвану писала, чтобы не смел больше ее злить?

— Насколько я понимаю, он разозлил ее только вечером. И вообще, зачем писать такую записку, если у тебя есть телефон, если ты вот-вот должна с этим человеком встретиться?

— Откуда я знаю? — Брайони начала раздражаться. — Я просто говорю, что это могла быть какая-нибудь ерунда, вообще ни с чем не связанная.

— Но вы на сто процентов уверены, что не видели этого листка?

— Да, уверена. — Теперь-то она точно залилась краской. — Я туда работать приезжала, а не в чужие бумаги нос совать. У вас все?

— Насчет того дня пока все, — ответил Страйк, — но вы, очевидно, сможете помочь мне в другом. Вы знакомы с Тэнзи Бестиги?

— Нет, — отрезала Брайони. — Только с ее сестрой. Она меня несколько раз просила поработать на ее мероприятиях. Гнусная особа.

— В каком смысле?

— Избалованная богачка, — скривилась Брайони, — однако же не настолько богата, как ей бы хотелось. Эти сестры Чиллингем, что одна, что другая, падки на старичье с кучей денег. Прут как танки. Урсула понадеялась, что сорвала большой куш, когда вышла за Киприана Мея, да прогадала. Сейчас ей под сорок, возможности уже не те. А то бы давно кое-что получше нашла.

Тут она, видимо, почувствовала, что должна как-то объяснить свою желчность, и продолжила:

— Вы уж извините, но она меня обвинила в прослушке ее паршивой голосовой почты. — Визажистка сложила руки на груди и полыхнула взглядом. — Сунула мне свой мобильный и велела вызвать такси — ни тебе спасибо, ни пожалуйста.

А у меня дислексия. Я ткнула пальцем не туда. Как она разоралась — чуть не лопнула.

— Как по-вашему, почему она так рассердилась?

— Да потому, что я услышала, как мужчина — но не муж ее — говорит, что лежит на кровати у себя в отеле и мечтает ей отлизать, — хладнокровно выговорила Брайони.

— Значит, она все-таки нашла кое-что получше? — спросил Страйк.

— Это еще вилами на воде, — сказала Брайони, но тут же поспешила добавить: — Сообщение довольно похабное. Слушайте, мне надо идти в зал, а то Ги ругаться будет.

Страйк не стал спорить. После ее ухода он добавил в блокнот еще две страницы записей. Брайони Рэдфорд показала себя ненадежной свидетельницей — внушаемой и лживой, но она рассказала ему намного больше, чем сама понимала.

7

Съемка затянулась еще на три часа. Опускались сумерки. Страйк ждал в саду, курил и пил воду из бутылки. Время от времени он заходил в студию и смотрел, что к чему: дело двигалось невыносимо медленно. Несколько раз он видел и слышал Сомэ, у которого, похоже, терпение было на пределе: кутюрье рявкал на фотографа и на пару ассистентов в черном, которые сновали среди металлических стоек для одежды. Часов в девять Страйк съел несколько ломтиков пиццы, которую заказала угрюмая, изможденная помощница визажистки, и только тогда Сиара Портер спустилась по лестнице, где позировала с двумя другими девушками, и присоединилась к Страйку в гримерной, откуда Брайони торопливо забирала свое имущество.

На Сиаре по-прежнему было жесткое серебряное мини-платье, в котором она позировала для последних снимков. Худая, угловатая, с молочно-белой кожей, почти такими же светлыми волосами, с широко посаженными нежно-голубыми глазами, она вытянула растущие от шеи ноги в туфлях на платформе, с обмотанными вокруг голеней серебряными ленточками, и закурила «мальборо лайт».

— Боже мой, не могу поверить: сын Рокера! — с придыханием выговорила она, раскрыв аквамариновые глаза и сочные губы. — Уму непостижимо! Я с ним знакома: в прошлом году он приглашал нас с Лули на открытие «Великих хитов»! И его других сыновей, Эла и Эдди, я тоже знаю! Они рассказывали, что их старший брат служит в армии! Боже мой! Обалдеть! У тебя все, Брайони? — со значением спросила Сиара.

338

Визажистка тщательно укладывала свой профессиональный инвентарь. Теперь ее движения ускорились; Сиара курила и молча следила за ней глазами.

— Теперь все, — жизнерадостно объявила Брайони, перебросив через плечо ремень кофра и взяв в каждую руку по чемоданчику. — Увидимся, Сиара. До свидания, — кивнула она Страйку и вышла.

— Любопытная — сил нет, а сплетница! — сказала Сиара Страйку, откинула длинные белые волосы и, переставив жеребячьи ноги, спросила: — Вы с Элом и Эдди часто видитесь?

— Нет, — отрезал Страйк.

— А ваша мама... — без тени смущения продолжила Сиара и выпустила дым из уголка рта. — Она же типа легенда. Баз Кармайкл два сезона тому назад создал целую коллекцию под названием «Супергрупи» и вдохновлялся типа вашей мамой и Биби Бьюэлл. Макси-юбки, блузы без пуговиц, ботинки. Вам это известно?

— Нет, — сказал Страйк.

— Ну, это типа того, как про платья Осси Кларка говорилось: мужчинам они нравятся, потому что типа не мешают заниматься любовью. Ваша мама — это же типа целая эпоха.

Она опять тряхнула головой, чтобы волосы не лезли в глаза, и стала разглядывать Страйка: не с той холодной, оскорбительной оценкой его стоимости, как Тэнзи Бестиги, а с неприкрытым и, казалось, откровенным изумлением. Страйк затруднялся определить, что это: искренность или привычная игра на публику. Его сбивала с толку красота Сиары, паутиной застилавшая ему глаза.

— Если не возражаете, я бы задал вам пару вопросов о Луле.

— Боже мой, о чем речь? Конечно! Я реально хочу помочь. Когда мне сказали, что кто-то взялся за это расследование, я прямо типа обнадежилась. Наконец-то.

— Вы серьезно?

— Боже мой, конечно. После этой истории я была в таком шоке. Просто не могла поверить. Я до сих пор ее из телефона не удалила, вот смотрите.

Сиара порылась в необъятной сумке и выудила белый смартфон. Прокрутив список контактов, она наклонилась к Страйку и показала ему имя «Лули». Он вдохнул сладковато-перечные духи.

— Все время жду, что она позвонит. — Сиара на мгновение помрачнела и убрала телефон в сумку. — Не могу заставить себя удалить этот контакт, все время к нему возвращаюсь, а потом типа закупориваю, понимаете?

Она беспокойно поднялась с места, опять села, поджав под себя одну ногу, и несколько мгновений молча курила.

— Вы ведь провели с ней вместе почти весь последний день ее жизни, правда? — спросил Страйк.

— Какого черта вы мне об этом напоминаете? — Сиара закрыла глаза. — Я миллион раз прокручивала это в голове. Пыталась понять, как можно типа за считаные часы прийти от полного счастья к смерти.

— Она была полностью счастлива?

— Боже мой, я в жизни не видела ее такой счастливой, как всю ту неделю. Мы с ней вместе были на Антигуа, там проходили съемки для «Вог», только-только вернулись. Они с Эваном вновь сошлись и даже устроили что-то типа обручения. Лули была на седьмом небе.

— Вы присутствовали на этом обручении?

— А как же. — Сиара бросила окурок в банку из-под кока-колы, откуда донеслось тихое шипение. — Боже мой, до чего же это было романтично. Эван буквально огорошил ее своим предложением в гостях у Дикки Карбери. Вы знаете Дикки Карбери? Он ресторатор. У него совершенно фантастический дом в Котсуолдсе, мы все приехали туда на выходные, а Эван заранее купил для них обоих парные браслеты от Фергюса Кина, просто бесподобные, из оксидированного серебра. В мороз, в пургу погнал нас всех на озеро, там прочел стихотворение, которое сам для нее сочинил, и надел ей на руку браслет. Лули смеялась взахлеб, а потом типа ответила ему другим стихотворением. Уолта Уитмена. — Сиара вдруг посерьезнела. — Я прямо впечатлилась, честное слово: чтобы вот так взять и по памяти такие великолепные стихи продекламировать! А еще говорят, что модели — тупые, представляете? — Она снова откинула волосы и, прежде чем закурить, предложила сигарету детективу. — Я уже устала людям объяснять, что за мной сохраняется место в Кембридже — буду изучать английскую филологию.

— Вы серьезно? — Страйк не сумел скрыть свое изумление.

— Конечно. — Она мило выпустила дым. — Но, понимаете, модельный бизнес сейчас на подъеме, хочу еще годик поработать. Это открывает множество дверей, вы меня понимаете?

— Значит, их обручение состоялось когда... за неделю до смерти Лулы?

— Вот именно, — подтвердила Сиара. — В воскресенье.

— И заключалось оно в обмене стихами и браслетами. Никаких клятв, никакой официальной процедуры?

— Нет-нет, они типа не связали себя никакими обязательствами. Это был всего лишь праздник любви, чудесный, идеальный. Только Фредди Бестиги не проникся, весь день нудил. Хорошо еще... — Сиара глубоко затянулась сигаретой, — что свою мегеру туда не притащил.

— Тэнзи?

— Да, Тэнзи Чиллингем. Такая гадина! Ничего удивительного, что они разводятся: в принципе, они и так жили типа каждый своей жизнью — их никогда вместе не видели. Если уж совсем честно, Фредди в тот раз вел себя еще более-менее прилично, если учесть, какая у него репутация. Ну занудствовал, лебезил перед Лули, но никаких пакостей себе не позволял, а ведь о нем чего только не болтают. Я, например, слышала, что у него вышла история с одной наивной девочкой, которой он пообещал роль в фильме... Уж не знаю, правда это или нет. — Сиара, прищурясь, осмотрела кончик сигареты. — Во всяком случае, заявлять в полицию она не стала.

— Вы сказали, что Фредди весь день нудил; это как?

— Боже мой, постоянно норовил типа отвести Лули в сторонку, пел ей, как обворожительна она будет на экране и каким потрясающим человеком был ее отец.

— Сэр Алек?

— Естественно, сэр Алек. Боже мой, — Сиара широко распахнула глаза, — да если б он знал ее родного отца, Лули бы на все пошла! Это у нее типа была мечта всей жизни. Нет, конечно, Фредди твердил, что когда-то давно знал сэра Алека, что они типа выросли в одном квартале Ист-Энда, а потому он теперь для Лули типа крестный отец. Может, он пошутить хотел, но у него плохо получалось. Короче, все понимали, что он спит и видит, как бы заманить Лули в свой фильм. Опять же на озере, во время обручения, все время выкрикивал: «Я поведу невесту к алтарю!» За ужином напился как сапожник. Дикки вынужден был заткнуть ему рот. После церемонии мы пошли в дом пить шампанское, и Фредди выдул типа еще две бутылки. Орал, что Лули станет великой актрисой, но она не реагировала. Даже не смотрела в его сторону. Устроилась с Эваном на диване, типа у них... — из густо подведенных глаз Сиары вдруг брызнули слезы, и она смахнула их раскрытыми ладонями своих точеных белых рук, — любовь до гроба. Она была чертовски счастлива, я никогда ее такой не видела.

— Вы еще раз столкнулись с Фредди Бестиги, но уже непосредственно перед смертью Лулы, вечером, это так? Разве его не было в вестибюле, когда вы с Лулой выходили из дому?

— Да. — Сиара все еще осушала глаза. — А вы откуда знаете?

— От охранника Уилсона. Он считает, что Бестиги сказал Луле что-то неприятное.

— Да. Так и было. У меня из головы вылетело. Фредди завел речь про Диби Макка. Что Лули типа ждет не дождется его приезда и что было бы здорово им вместе сняться в кино. Сейчас уже точно не помню, но он подпустил какую-то грязишку, понимаете?

— А Лула раньше знала, что Бестиги когда-то дружил с ее приемным отцом?

— Она мне сказала, что впервые слышит. Лули старалась держаться от Бестиги подальше. Да и жену его обходила стороной.

— Почему?

— Ну, Лули не хотела вливаться в их тусовку: не любила, когда мерятся, у чьего мужа яхта больше. Она была выше этого. Не то что сестрицы Чиллингем.

— Понятно, — сказал Страйк. — А теперь можно вас попросить во всех деталях описать, что происходило в тот день и вечер, когда вы с ней находились вместе?

Сиара бросила второй окурок в жестянку из-под кока-колы и тут же взялась за следующую сигарету.

— Хорошо. Сейчас соображу. Ну, приехала я к ней после обеда. Следом за мной появилась Брайони, подкорректировала ей брови, а потом нам обеим сделала маникюр. У нас получился типа девичник.

— И как вы нашли Лулу?

— Она была... — Сиара замялась, — ну, может, не такой счастливой, как неделю назад. Но уж никак не на грани самоубийства, нет-нет.

— Ее водителю, Кирану, показалось, что Лула была в каком-то подавленном настроении, когда вышла из дома своей матери в Челси.

— Боже мой, что ж тут непонятного? У ее мамы рак, вы в курсе?

— Во время вашей встречи Лула рассказывала что-нибудь о матери?

— По большому счету нет. Просто упомянула, что ездила ее проведать, потому как после операции мама немного... ну, вы понимаете, ослабла, но никому и в голову не могло прийти, что леди Бристоу на грани смерти.

— Значит, все считали, что операция прошла благополучно? А какие еще причины ухудшили ей настроение, она не говорила?

— Нет. — Сиара медленно покачала головой, и льняные волосы упали ей на лицо; она провела по ним пальцами, отбрасывая назад, и сделала глубокую затяжку. — Она была чуть-чуть усталой, чуть-чуть рассеянной, но я думала, это из-за мамы. У них были довольно странные отношения. Леди Бристоу чересчур ее опекала, ревновала. Луле с ней было... понимаете... душно.

— Вы не обратили внимания, Лула при вас кому-нибудь звонила?

— Нет, — подумав, ответила Сиара. — Помню, она все время проверяла свой мобильный, но чтобы сама кому-нибудь звонила — нет. Если и звонила, то тайком. Она пару раз выходила из комнаты. Нет, не знаю.

— Брайони считает, что Лула волновалась в ожидании приезда Диби Макка.

— Ой, я вас умоляю, — досадливо протянула Сиара. — Кто угодно волновался: Ги, Брайони... и даже я немножко, — с подкупающей откровенностью добавила она. — А Лули — совсем не так. У нее же была любовь с Эваном. Вы не всему верьте, что Брайони вам наговорила.

— Припомните: у Лулы был при себе листок голубой бумаги? Небольшой листок, исписанный ее почерком?

— Нет, — снова ответила Сиара. — А почему вы спрашиваете? Что еще за листок?

— Пока не знаю, — сказал Страйк, и Сиара вдруг изменилась в лице:

— Не хотите ли вы сказать, что она оставила записку? Боже мой! Безумие какое-то. Но... нет! Ведь это означало бы, что она заранее все решила.

— Необязательно, — возразил Страйк. — В ходе следствия вы упомянули, что Лула высказывала намерение оставить все брату. Помните?

— Да, конечно. — Сиара убежденно закивала. — Дело было так. Ги прислал Луле совершенно потрясающие сумочки из новой коллекции. Мне на такие знаки внимания рассчитывать не приходилось, хотя в рекламе снимались мы вместе. Короче, я одну распаковала, белую, марки «Кашиль», — это была просто прелесть. Ги делает для сумок съемную шелковую подкладку, и на этой был бесподобный африканский принт. Я и говорю: «Лули, отпиши мне вот эту» — просто шутки ради. А она такая: «Я все отпишу брату, но он наверняка позволит тебе взять на память все, что угодно».

Страйк наблюдал и слушал, пытаясь обнаружить признаки лжи или преувеличения, но нет: ее слова лились свободно и, похоже, от сердца.

— Какой-то странный разговор, вы не находите? — спросил он.

— Да, наверное, — ответила Сиара, вновь отбрасывая назад волосы. — Но это в духе Лули: у нее иногда бывало мрачновато-драматическое настроение. Ги ей говорил: «Не кукуй, Кукушка». Короче, — вздохнула Сиара, — намек мой насчет сумочки «Кашиль» она не поняла. Я-то надеялась, что Лули мне ее отдаст. Ей ведь прислали сразу четыре штуки.

— Как по-вашему, вы с Лулой были близкими подругами?

— Боже мой, суперблизкими, она мне все рассказывала.

— Два-три человека упоминали, что Лула была довольно недоверчива. Боялась, как бы ее признания не просочились в прессу. Я даже слышал, что она устраивала своим знакомым проверки, чтобы убедиться в их порядочности.

— Пожалуй, да, у нее иногда проявлялась излишняя мнительность, а все из-за того, что родная мать начала продавать газетам ее историю. Лули даже меня как-то раз спросила, рассказывала ли я кому-нибудь, что она снова сошлась с Эваном. Нет, ну в самом деле. Разве она могла такое удержать в секрете? Это было у всех на устах. Я тогда ей ответила: «Лули, плохо, когда о тебе говорят, но еще хуже, когда о тебе не говорят вовсе». Это Оскар Уайльд, — любезно уточнила Сиара. — Но Лули претила эта сторона известности.

— Ги Сомэ считает, что ему не нужно было уезжать за границу, — при нем Лула не вернулась бы к Даффилду.

Покосившись на дверь, Сиара понизила голос:

— В этом весь Ги. Он Лули шагу ступить не давал. Относился к ней с обожанием, по-настоящему ее любил. Считал, что Эван оказывает на нее дурное влияние, но, если честно, он Эвана совсем не знал. А Эван, конечно, чокнутый, но в душе добрый. К примеру, недавно поехал навестить леди Бристоу. Я ему тогда сказала: «Послушай, Эван, зачем ты себя так подставляешь?» Потому что ее родня, ну, вы понимаете, его терпеть не могла. И как вы думаете, что он мне ответил? «Просто хочу поговорить хоть с кем-нибудь, кто скучает по ней так же сильно, как я». До чего печально, правда?

Страйк прочистил горло.

— А газеты просто извозили его в грязи, это же так несправедливо, у него все из рук валится.

— В ночь гибели Лулы он приходил к вам домой, верно?

— Ну вот! — негодующе вскричала Сиара. — И вы туда же! Можно подумать, он ко мне перепихнуться приходил! Да у него денег не было, а водитель его слинял, ему пришлось чуть ли не через весь город пешком пилить, чтобы до меня добраться. Я его на диване уложила. Потому мы с ним и оказались вместе, когда в новостях про Лулу передали.

Она поднесла сигарету к пухлым губам и затянулась, уставившись в пол.

— Это был такой кошмар. Вы не представляете. Просто кошмар. Эван был... Боже мой! А потом, — тут она перешла на шепот, — все стали говорить, что это сделал он. Потому что Тэнзи Бестиги раззвонила, что слышала ссору. Журналисты как с цепи сорвались. Ужасно!

Она подняла лицо к Страйку, придерживая волосы рукой. Резкий верхний свет только подчеркивал идеальные пропорции ее фигуры.

— Вы еще не знакомы с Эваном?

— Нет.

— Поехали сейчас со мной. Он сказал, что сегодня вечером будет в «Узи».

— Было бы просто здорово.

— Супер. Сейчас, минутку.

Она вскочила и крикнула в открытую дверь:

— Ги, солнышко, можно, я прямо в этом поеду? Потусоваться немножко. В «Узи», ладненько?

В тесную комнату вошел Сомэ. Его глаза за стеклами очков погасли от усталости.

— Валяй. Покрутись там перед папарацци. Испортишь — ответишь в суде своей тощей белой задницей.

— Не испорчу. Я хочу познакомить Корморана с Эваном.

Она сунула сигареты в бездонную сумку, где, как оказалось, была ее повседневная одежда, и перебросила ремешок через плечо. На каблуках она лишь на какой-то дюйм недотягивала до роста сыщика. Сомэ прищурился и посмотрел на Страйка:

— Не церемонься там с этим говнюком Даффилдом.

— Ги! — надулась Сиара. — Нельзя же так.

— А вы остерегитесь, господин Рокби-младший, — добавил Сомэ со своей обычной желчностью. — Сиара слаба на передок, верно я говорю, лапушка? Она как я: любит больших носорогов.

— Ги! — в притворном ужасе воскликнула Сиара. — Пошли, Корморан. У меня машина с водителем.

8

Страйк был готов к тому, что за рулем увидит Кирана Коловас-Джонса, зато у самого шофера отвисла челюсть. Он уже держал открытой левую заднюю дверцу; при слабом свете, падавшем из салона, Страйк заметил, как резко изменилось лицо Кирана, когда он увидел, что Сиара вышла не одна.

— Вечер добрый.

Страйк обошел автомобиль кругом, открыл правую заднюю дверцу и уселся рядом с Сиарой.

— Киран, ты ведь знаешь Кормо́рана, да? — спросила Сиара, пристегивая ремень.

Подол серебристого платья задрался до самого верха длинных ног. Страйк был далеко не уверен, что под платьем есть что-нибудь еще. Когда Сиара демонстрировала белый комбинезон, лифчика на ней точно не было.

— Ну, здравствуй, Киран, — сказал Страйк.

Водитель посмотрел на него в зеркало заднего вида и кивнул, но отвечать не стал. Он напустил на себя строгий деловой вид, который, как подозревал Страйк, объяснялся только присутствием сыщика.

Автомобиль тронулся. Сиара принялась шарить в сумке, вытащила духи в аэрозольной упаковке и широким движением опрыскала голову и плечи, а потом, ни на минуту не умолкая, нанесла блеск для губ.

— Так, что мне понадобится? Деньги. Кормо́ран, будь другом, положи к себе. Мне некуда девать. — Она протянула ему ком смятых двадцаток. — Спасибо, зайчик. Ой, еще телефон. Можешь положить к себе в карман? Господи, в этой сумке ничего не найдешь.

Сиара опустила сумку в ноги.

— Ты сказала, у Лулы была мечта найти родного отца...

— Ой, это было бы такое счастье. Лули все время на это сворачивала. Она пришла в восторг, когда та негодяйка — ее родная мать — сказала, что он был родом из Африки. Ги не верил ни единому ее слову, но он вообще терпеть не мог эту бабу.

— Разве он был знаком с Марлен Хигсон?

— Нет, что ты, просто он не одобрял всю эту затею. Считал, что Лули рано радуется, и просто хотел защитить ее на случай неудачи.

«Не слишком ли много защитников? — подумал Страйк, когда машина свернула за угол темной улицы. — Неужели Лула была таким хрупким созданием?» Коловас-Джон сидел прямо и неподвижно; его блестящие глаза то и дело останавливались на лице Страйка.

— А потом Лули подумала, что напала на его след — своего родного отца, но не тут-то было. Она зашла в тупик. Да, грустно это. Думала: вот наконец-то — и все коту под хвост.

— Что за след?

— Это было как-то связано с местонахождением колледжа. Что-то такое ей мать наговорила. Лули подумала, что она у цели, пошла в архив или типа того с этой своей смешной подружкой...

— Рошель? — подсказал Страйк.

«Мерседес» с урчанием катился по Оксфорд-стрит.

— Вот-вот, Рошель, точно. Бедняжка. Лули, кажется, познакомилась с ней на реабилитации, что ли. Сколько Лули для нее сделала, ты не поверишь. По магазинам ее возила и все такое. Короче, никаких следов отца она там не нашла, а может, это вообще другое место было. Уже не помню.

— Она искала человека по фамилии Агьемен?

— Не помню, чтобы она фамилию называла.

— Может быть, Овузу?

Сиара в изумлении уставилась на него своими светлыми глазами:

— Это же настоящая фамилия Ги!

— Я знаю.

— Боже мой! — захихикала Сиара. — Его папаша колледжей не кончал. Всю жизнь проработал водителем автобуса.

Он избивал Ги за то, что тот все время рисовал платья. Потому-то Ги и не захотел носить его фамилию.

Автомобиль притормозил. Длинная очередь в четыре ряда, тянувшаяся вдоль всего квартала, вела к незаметной двери, какая вполне могла бы принадлежать частному дому. У входа с белыми колоннами темной тучей вились какие-то фигуры.

— Папарацци, — впервые за всю поездку заговорил Коловас-Джонс. — Выходи поосторожнее, Сиара.

Выскользнув из-за руля, он обошел вокруг автомобиля и остановился у левой задней дверцы, но на них уже неслась зловещая темная туча, которая сомкнулась в кольцо и ощетинилась поверху длинноносыми камерами.

Сиара и Страйк попали под пулеметный огонь вспышек, которые на миг ослепили Страйка; пригнув голову, он инстинктивно схватил Сиару выше локтя и направил ее к черному прямоугольнику, сулившему убежище; двери, как по волшебству, открылись для них двоих. Жаждущие попасть в клуб подняли гвалт: одни ругались, что кого-то пускают без очереди, другие захлебывались от восторга. А потом вспышки прекратились — и Страйк с Сиарой оказались внутри, где их встретил фабричный рокот и громкое, настырное гудение басов.

— Вау, — восхитилась Сиара, — точно в цель. Меня обычно несет прямо на секьюрити, рикошетом отбрасывает назад, а потом ребятам типа приходится запихивать меня в дверь.

Вспышки и лучи багрового и желтого цветов мешали Страйку оглядеться. Он отпустил руку Сиары. Девушка была такой бледной, что в полумраке вестибюля будто бы светилась изнутри. Человек десять, дождавшихся своей очереди, стали подталкивать их вперед.

— Не тормози. — Сиара взяла его за руку своими нежными длинными пальцами и потащила за собой.

Когда они — оба чуть не на голову выше остальных — пробирались сквозь плотную толпу, все поворачивались им вслед. Страйк обратил внимание, что в стены вмонтированы стеклянные аквариумы, в которых плавает нечто вроде крупных капель воска: это зрелище напомнило ему старые гелевые светильники — слабость его матери. Вдоль стен стояли черные кожаные диванчики, а ближе к танцполу начинались отдельные кабинеты. Определить площадь клуба не позволяли расположенные под выверенным углом зеркала: в какой-то момент Страйк оказался лицом к лицу со своим отражением — ни дать ни взять принарядившийся тяжеловес за спиной у серебристой феи — Сиары. Музыка пронзала его насквозь, вибрировала в голове и во всем теле; танцующие образовали плотную толпу, в которой чудом умудрялись раскачиваться и переступать с ноги на ногу.

Сиара и Страйк добрались до какой-то мягкой звуконепроницаемой двери, на страже которой стоял лысый вышибала; он широко улыбнулся Сиаре, сверкнув парой золотых зубов, и открыл потайной вход.

Они оказались в зале с барной стойкой; здесь было не так шумно, но столь же многолюдно. Этот зал предназначался для знаменитостей и их друзей. Страйк узнал телеведущую в мини-юбке, героя мыльных опер, эстрадного юмориста, больше известного своими любовными похождениями, и только потом, в дальнем углу, — Эвана Даффилда.

В узких черных джинсах, замотанный шарфом с черепами, он сидел на стыке двух черных кожаных диванов, свободно раскинув руки под прямым углом на черных спинках, а его компания, состоявшая в основном из девушек, теснилась рядом. Черные, до плеч волосы Даффилда были высветлены, на бледном лице выделялись острые скулы и бирюзовые глаза с густо-лиловыми полукружьями.

От Даффилда и его спутников по всему залу распространялась какая-то магнетическая сила. Страйк отметил, что вокруг них образовалось почтительное свободное пространство и все присутствующие то и дело украдкой поглядывают в их сторону. Беззаботность Даффилда и его свиты, как понял Страйк, была искусной маскировкой: каждый из них проявлял настороженность загнанного зверя и вместе с тем — привычную уверенность хищника. В противоположность обычному порядку вещей, в джунглях славы мелкие твари загоняют и пожирают самого крупного зверя, тем самым воздавая ему должное.

Даффилд что-то говорил сексапильной брюнетке. Та слушала, приоткрыв губы, и растворялась в нем со смехотворным благоговением. Завидя Сиару и Страйка, Даффилд стрельнул глазами по сторонам, оценил степень внимания зала и взвесил открывающиеся возможности.

— Сиара! — хрипло выкрикнул он.

Брюнетка заметно сникла, когда Даффилд, худой и жилистый, вскочил с места и бросился обнимать Сиару, которая в туфлях на платформе была сантиметров на двадцать выше его ростом. Чтобы ответить на его объятия, Сиара отпустила руку Страйка. Все посетители на несколько звездных секунд уставились на них, но быстро опомнились и вернулись к своим беседам и коктейлям.

— Эван, это Корморан Страйк, — сказала Сиара и шепнула ему на ухо (Страйк не столько услышал, сколько прочел по губам): — Сын Джонни Рокби!

— Как сам, дружище? — спросил Даффилд и протянул ему руку.

Подобно всем неисправимым бабникам, которые встречались Страйку, Даффилд разговаривал и держался с легкой аффектацией. Возможно, таков был результат длительного нахождения в обществе женщин, а возможно — способ отделаться от их преследований. Даффилд жестом приказал свите подвинуться и освободить место для Сиары; брюнетка совсем пала духом. Страйку пришлось найти для себя низкое кресло и спросить Сиару, что она будет пить.

— Ну-у-у, возьми мне «Бузи-Узи», — сказала она, — на мои, зайчик.

Судя по запаху, в ее коктейле преобладало «перно». Для себя Страйк взял только воду и вернулся к столу. Сиара с Даффилдом уже перешептывались, едва не соприкасаясь носами, но, когда Страйк поставил стаканы на стол, Эван отвлекся.

— Итак, чем ты занимаешься, Корморан? Тоже музыкой?

— Нет, — ответил Страйк. — Я сыщик.

— Ни фига себе, — сказал Даффилд. — И кого же я убил на этот раз?

Его друзья позволили себе кривые, нервные усмешки, а Сиара одернула:

— Плохая шутка, Эван.

— Это не шутка, Сиара. Когда я надумаю пошутить, это будет так смешно, что даже ты заметишь.

Брюнетка захихикала.

— Кому сказано: это не шутка! — рявкнул Даффилд.

Брюнетка дернулась, как от пощечины. Остальные как-то сжались, хотя и без того сидели в тесноте, и завели разговоры друг с другом, на время оставив в покое Сиару, Страйка и Даффилда.

— Эван, не груби, — сказала Сиара, но ее упрек скорее ласкал, чем жалил, и Страйк заметил, что она одарила брюнетку взглядом, в котором не было и намека на сочувствие.

Даффилд барабанил пальцами по столу:

— И что же ты за сыщик, Корморан?

— Частный.

— Эван, дорогой, брат Лули доверил Корморану...

Но Даффилд, как могло показаться, уже переключился на какое-то лицо или кишение возле стойки бара: он вскочил и смешался с толпой.

— У него рассеянное внимание, — извиняющимся тоном объяснила Сиара. — И потом, он буквально не в себе из-за Лули. Поверь, — для убедительности добавила она, когда Страйк вздернул брови.

Ее и рассердило, и насмешило, что Страйк не сводил глаз с аппетитной брюнетки.

— У тебя что-то прилипло к шикарному пиджаку, — добавила Сиара, нагнулась и смахнула невидимые крошки, возможно, подумал Страйк, от пиццы.

Он опять вдохнул сладковато-пряный запах. Серебристая ткань ее платья была жесткой, как броня, и стояла колом, не прилегая к телу, что позволило Страйку беспрепятственно рассмотреть маленькие белые груди и острые жемчужно-розовые соски.

— Что у тебя за духи?

Она подставила ему запястье:

— Новое творение Ги. Называется «Эприз» — по-французски это означает «влюбленная», тебе известно?

— Угу, — сказал он.

К столу направлялся Даффилд с очередным бокалом. Актер легко прорезал толпу; все оборачивались ему вслед как зачарованные. Его тонкие ноги, обтянутые джинсами, напоминали два длинных черных шомпола, а глаза с темными потеками вызывали в памяти образ безумного Пьеро.

— Эван, милый, — начала Сиара, когда он занял свое место, — Корморан расследует...

— Он тебя услышал, — перебил ее Страйк в расчете на Даффилда. — Не трудись.

Даффилд быстро осушил свой бокал и перебросился парой реплик со свитой. Сиара не торопясь потягивала коктейль и в какой-то момент ткнула Даффилда локотком в бок:

— Как продвигаются съемки, милый?

— Отлично. Драгдилер с наклонностями к суициду. Роль не напряжная, сама понимаешь.

Все заулыбались, кроме самого Даффилда. Он барабанил пальцами по столу и в такт подрагивал ногами.

— Скучища тут, — объявил он.

Щурясь, он уже смотрел на дверь, и его спутники насторожились, готовые, подумал Страйк, по первому зову сорваться с места и последовать за своим кумиром.

Даффилд перевел взгляд на Сиару, потом на Страйка:

— Поехали ко мне, что ли?

— Чудесно, — проворковала Сиара, с кошачьей грацией торжествующе обернулась к брюнетке и залпом допила коктейль.

Не успели они выйти из ВИП-зала, как к Даффилду бросились две захмелевшие девушки. Одна из них задрала на себе топ и стала умолять Даффилда оставить автограф у нее на груди.

— Веди себя прилично, девочка. — Даффилд протиснулся мимо. — Ты на машине, Сиси? — крикнул он через плечо, пробиваясь к выходу сквозь толпу посетителей, которые горланили от восторга и тыкали в него пальцами.

— Да, милый, — прокричала в ответ Сиара, — я сейчас ему позвоню! Корморан, дорогой, мой телефончик у тебя?

Страйк мог только гадать, какие выводы сделают папарацци, увидев, что Сиара и Даффилд выходят из клуба вместе. Сиара что-то кричала в свой смартфон. У входа она их остановила:

— Подождем здесь, он сбросит эсэмэску, когда подъедет.

Они с Даффилдом слегка нервничали, как настороженные, углубленные в себя спортсмены, готовящиеся выбежать на стадион. Вскоре у Сиары зажужжал телефон.

— Порядок, он тут, — сообщила она.

Страйк сделал шаг в сторону, пропуская их вперед, а потом быстро скользнул на переднее сиденье, пока Даффилд под вопли толпы обегал с другой стороны, жмурясь от ослепительных вспышек, и устраивался рядом с Сиарой, которой Коловас-Джонс помог сесть в машину. Страйк с такой силой захлопнул переднюю дверцу, что отпугнул двоих папарацци, которые, наклонившись, непрерывно щелкали Даффилда и Сиару.

Коловас-Джонс нога за ногу вернулся за руль. В замкнутом и в то же время открытом для посторонних глаз пространстве «мерседеса», под беспрестанными вспышками камер, Страйк чувствовал себя как в пробирке. Объективы упирались прямо в окна и в лобовое стекло; в темноте плыли недобрые лица; черные фигуры сновали вокруг едва движущегося «мерседеса». За вспышками колыхалась возбужденная толпа-очередь.

— Дави на газ, черт тебя дери! — прорычал Страйк Коловас-Джонсу, и тот наконец втопил педаль.

Фотографы отпрянули, но не опустили камеры.

— Пока, засранцы, — сказал с заднего сиденья Даффилд.

Но фотографы еще бежали по пятам, слепя вспышками с обеих сторон, и Страйка вдруг прошиб пот: он вновь оказался на пыльной афганской дороге, в тряском «викинге», под канонадой, напоминающей хлопки фейерверков, и увидел впереди убегающего парня, который тянул за собой ребенка. Не помня себя, он закричал: «Тормози!» — нагнулся вперед и сорвал с места Энстиса, только что ставшего отцом, — тот сидел за спиной водителя; последнее, что ему запомнилось, — протестующий вопль Энстиса и металлический лязг задней дверцы, в которую ударился Энстис, а потом «викинг» с оглушительным грохотом разлетелся на куски, и мир стал туманным пятном ужаса и боли.

«Мерседес» свернул на почти безлюдную улицу. Страйк поймал себя на том, что изо всех сил напрягает мышцы, до боли в уцелевшей голени. В боковом зеркале отражались два мотоцикла с пассажирами, которые явно преследовали «мерседес». Принцесса Диана и парижский туннель; фургон, увозящий труп Лулы Лэндри под вспышками прижатых к стеклу камер, — эти картины мелькали у него в голове, когда лимузин вез их по темным улицам.

Даффилд закурил; краем глаза Страйк заметил, как нахмурился Коловас-Джонс, но протестов не последовало. Сиара что-то нашептывала Даффилду. Страйк уловил свое имя.

Через пять минут они еще раз свернули за угол и опять увидели горстку папарацци, которые только и ждали появления «мерседеса». Сзади притормозили мотоциклисты; Страйк увидел, что все четверо мчатся в их сторону, чтобы застать тот миг, когда откроются дверцы. Почувствовав прилив адреналина, Страйк представил, как выскакивает из машины, сбивает их с ног и швыряет камеры об асфальт. Будто читая его мысли, Даффилд положил ладонь на ручку дверцы и сказал:

— Урой их к чертовой матери, Корморан, ты же такой амбал.

Открытые дверцы, ночной воздух, невыносимо яркие вспышки; Страйк набычился и, уставившись на семенящие каблуки Сиары, не дал себя ослепить. Они взбежали на три ступеньки вверх; Страйк был замыкающим. Именно он захлопнул дверь перед носом папарацци.

На миг он почувствовал единение с двумя другими — как-никак они вместе ушли от погони. В тесном, скудно освещенном подъезде было спокойно и уютно. За входной дверью, как солдаты, осаждающие дом, перекрикивались папарацци. Даффилд повозился с одной из внутренних дверей, перепробовав целую связку ключей.

— Я всего пару недель назад сюда въехал. — Он приналег на дверь плечом.

За порогом Даффилд тут же высвободился из обтягивающей куртки, швырнул ее прямо на пол и, виляя бедрами, примерно как Ги Сомэ, повел их по короткому коридору в гостиную, где разом включил несколько ламп.

В этой просторной комнате, отделанной в элегантной серо-черной гамме, но до предела захламленной, висел стойкий запах табачного дыма, травки и паров алкоголя. От этого у Страйка всколыхнулись живые воспоминания детства.

— Срочно надо отлить, — объявил Даффилд и с порога начальственно ткнул большим пальцем в сторону другой двери. — Бутылки на кухне, Сиси.

Одарив Страйка улыбкой, Сиара вышла в указанную дверь.

Страйк огляделся. У него было такое впечатление, что интерьер гостиной оформили наделенные безупречным вкусом родители, которые потом отдали ее сыну-подростку. На всех поверхностях громоздился мусор, большей частью — исписанные клочки бумаги. У стен стояло три гитары. Захламленный кофейный столик окружали черно-белые пуфы, развернутые к огромной плазменной панели. С кофейного столика мусор падал на черную меховую полость. За серыми ажурными занавесками высоких окон Страйк видел папарацци, которые все еще топтались под уличным фонарем.

Застегивая молнию на брюках, появился Даффилд. Он нервно хохотнул, когда оказался наедине со Страйком.

— Располагайся, верзила. Слушай, а ведь я с твоим папашей знаком.

— Неужели? — Страйк утонул в мягком кубике-пуфе, обтянутом жеребячьей кожей.

— Да-да. Пересекались пару раз, — подтвердил Даффилд. — Классный чувак.

Он взял гитару и начал лениво перебирать струны, но раздумал и вернул ее на прежнее место.

Тут вошла Сиара с бутылкой вина и тремя бокалами.

— Милый мой, почему бы тебе не нанять уборщицу? — с упреком спросила она Даффилда.

— Ни одна не справляется, — ответил Даффилд, перемахнул через спинку кресла и приземлился на сиденье, широко расставив ноги. — Кишка тонка.

Страйк сдвинул мусор к середине столика, чтобы Сиара могла поставить бокалы и бутылку.

— Я думала, ты переехал к Мо Иннесу, — сказала она, разливая вино.

— Мы с ним не ужились, — ответил Даффилд, раскапывая залежи на столе в поисках сигарет. — Эту квартирку мне старина Фредди подыскал, чтобы удобно было добираться до студии «Пайнвуд». Хочет оградить меня от прежних соблазнов.

Его заскорузлые пальцы нащупали какие-то четки, множество пустых сигаретных пачек с оторванными кусочками картона, три зажигалки, в том числе и гравированную «Зиппо», папиросную бумагу «Ризла», спутанные кабели от аппаратуры, колоду карт, грязный носовой платок, мятые, засаленные бумажки, музыкальный журнал с черно-белым портретом задумчивого Даффилда на обложке, вскрытые и нераспечатанные конверты, пару скомканных черных перчаток, горсть мелочи, а на краю стола, в чистой фарфоровой пепельнице, — одинокую серебряную запонку в форме миниатюрного пистолета. В конце концов он нашел под диваном мягкую пачку «Житан», закурил и выпустил в потолок длинную струйку дыма, после чего обратился к Сиаре, которая устроилась на диване под прямым углом от обоих мужчин и потягивала вино.

— Эти опять пустят слух, что мы с тобой трахаемся, Си. — Он указал на окно, за которым маячили папарацци.

— А про Корморана что скажут? — Сиара томно посмотрела на Страйка. — Что у нас любовь втроем?

— Что у нас теперь есть охрана, — сказал Даффилд, окидывая Страйка критическим взглядом. — Он на боксера смахивает. А может, в боях без правил выступал. Ты вино будешь, Корморан?

— Нет, спасибо.

— Лечишься? Или на работе не пьешь?

— На работе не пью.

Вздернув брови, Даффилд хмыкнул. Он вел себя нервозно, то и дело стрелял глазами в сторону детектива и барабанил пальцами по стеклянной столешнице. Когда Сиара поинтересовалась, не навещал ли он в последнее время леди Бристоу, Даффилд с облегчением вздохнул и ухватился за предложенную тему:

— Еще чего! Одного раза мне хватило. Я еле ноги унес. Бедная старая кошелка. На ладан дышит.

— Все равно ты такой молодчина, что съездил ее проведать, Эван.

Страйк понимал, что она хочет представить Даффилда в самом выгодном свете.

— Ты хорошо знаешь мать Лулы? — спросил он Даффилда.

— Откуда? При жизни Лу я видел ее ровно один раз. Она меня не одобряла. Вся их семейка меня не одобряла. Не знаю, что меня туда понесло. — Он поерзал. — Наверное, просто захотелось поговорить хоть с кем-нибудь, кому не безразлично, что Лу погибла.

— Эван! — Сиара надулась. — Я бы попросила: мне далеко не безразлично!

— Ну как бы...

Одним странно женственным, плавным движением Даффилд свернулся в кресле почти в позе эмбриона и глубоко затянулся сигаретой. На одном из столов, за спинкой его кресла, в конусе света стоял большой студийный портрет его и Лулы Лэндри, явно сделанный во время какой-то фотосессии. Они шутливо боролись на фоне рисованных деревьев: Лула была в красном вечернем платье, а Даффилд — в облегающем черном костюме и сдвинутой на лоб шерстистой маске волка.

— Вот интересно: что запоет моя маменька, если я загнусь? Мои предки оформили судебное предписание, чтобы я не приближался к их дому, — сообщил он Страйку. — Это в основном папаша расстарался. Я пару лет назад у них телик увел. А знаешь что? — Изогнув шею, он посмотрел на Сиару. — Я уже месяц, одну неделю и два дня в завязке.

— Фантастика, малыш! Просто фантастика!

— Да! — подтвердил он и распрямился как пружина. — А почему ты мне вопросы не задаешь? — требовательно спросил он Страйка. — Я думал, ты расследуешь убийство Лу?

С его бравадой как-то не вязалась дрожь в руках. У него задергались колени, совсем как у Джона Бристоу.

— По-твоему, это было убийство? — уточнил Страйк.

— Нет. — Даффилд затянулся сигаретой. — Да. Все может быть. Не знаю. Убийство всяко было бы легче объяснить, чем самоубийство. Она бы не покончила с собой, не оставив записки. Я все жду, что вот-вот всплывет записка. Только тогда я поверю. А пока — нет. Я даже похорон ее не помню, хоть убей.

Он пожевал сигарету губами и опять забарабанил пальцами по столу. Через некоторое время ему стало не по себе под молчаливым взглядом Страйка, и он перешел в наступление:

— Ну, спрашивай, что ли. Кто, говоришь, тебя нанял?

— Брат Лулы, Джон.

Пальцы Даффилда замерли.

— Этот алчный, хитрожопый мудак?

— Алчный?

— Вечно допытывался, на что она тратит деньги, хотя это не его собачье дело. Ты заметил, что богатые держат нормальных людей за халявщиков? Ее чертова семейка считала, что я паразитирую за ее счет, и со временем, — он покрутил пальцем у виска, — это мнение утвердилось, представляешь?

Он схватил со стола зажигалку «Зиппо» и начал щелкать, но безуспешно. Страйк наблюдал, как вырываются в воздух и тут же умирают мелкие голубые искры, а Даффилд не умолкал:

— По-моему, он решил, что ей больше подходит какой-нибудь богатенький счетовод вроде него.

— Он адвокат.

— Не важно. Какая разница? Богатый всегда хочет заграбастать еще больше, правильно? Ему достался от папочки жирный доверительный фонд, так какого черта он лез в ее финансы?

— Какие приобретения сестры вызывали у него самое большое недовольство?

— Любая фигня, купленная мне в подарок. В этой семейке все одинаковы: если для них лично, то пожалуйста — только давай. Лу прекрасно знала их жлобскую натуру, но, как я всегда говорю, такое бесследно не проходит. Какие только мысли они ей не внушали!

Даффилд швырнул бесполезную зажигалку обратно на стол и, подтянув колени к груди, пробуравил Страйка бирюзовыми глазами.

— Значит, он, твой клиент, по-прежнему считает, что это сделал я?

— Нет, не думаю, — ответил Страйк.

— Стало быть, пошевелил своими куцыми мозгами. А то вплоть до вынесения вердикта направо и налево трендел, что я — убийца. Да только у меня железное алиби, так что пусть утрется. Пусть. Они. Все. Утрутся.

Непоседливый, беспокойный, он вскочил с кресла, подлил вина в свой почти нетронутый бокал и опять закурил.

— Что ты можешь рассказать про тот день, когда погибла Лула? — спросил Страйк.

— То есть про ночь.

— Дневные события тоже могут оказаться важными. Я хочу прояснить кое-какие моменты.

— Вот как? Ну, валяй.

Даффилд снова рухнул в кресло и подтянул колени к груди.

— Лула неоднократно звонила тебе в середине дня и около шести вечера, но ты не отвечал.

— Ну, — сказал Даффилд и принялся как-то по-детски ковырять дырку на колене джинсов. — Значит, занят был. Работал. Над песней. Не хотел прерываться. Давняя задумка.

— То есть ты не знал, что она звонила?

— В принципе, знал. Я же видел ее номер. — Он потер нос, вытянул ноги на стол и сложил руки. — Хотел преподать ей небольшой урок. Пусть бы поразмыслила, что у меня на уме.

— Почему ты решил преподать ей урок?

— Из-за этого поганого рэпера. Я требовал, чтобы на время его приезда она перебралась ко мне. «Ах, оставь, ты мне не доверяешь?» — пропел он тонким девичьим голоском. — А я ей и говорю: «Не тупи. Докажи, что мне не о чем беспокоиться: переезжай ко мне». А она ни в какую. Тогда я про себя сказал: раз ты так, девочка, посмотрим, чья возьмет. Посмотрим, как тебе это понравится. Позвал я к себе Элли Каррейру, мы с ней посочиняли кое-какие тексты, а после вместе в «Узи» поехали. А Лу и сказать нечего. Сугубо деловая встреча. Песню сочиняли. Чисто дружеские отношения, как у нее с этим гангста-рэпером.

— Мне казалось, она в глаза не видела Диби Макка.

— Допустим, только он ведь не скрывал своих грязных намерений, правда? Ты слышал эту его вещь? Лу от восторга захлебывалась.

— «Ты дрянь, ты совсем не такая...» — услужливо процитировала Сиара, но тут же прикусила язык под презрительным взглядом Даффилда.

— Она оставляла тебе голосовые сообщения?

— Да, пару штук наговорила. «Эван, перезвони, пожалуйста. Дело срочное. Это не телефонный разговор». Когда ей нужно было вызнать, чем я занимаюсь, это всегда было чертовски срочно. И ведь понимала, что нарывается. Опасалась, как бы я не высвистал к себе Элли, — знала, что мы с ней перепихнулись.

— Она сказала, что дело срочное и что это не телефонный разговор?

— Ну, это только для того, чтобы я тут же кинулся ей звонить. Уловка такая. Она иногда дико ревновала. И умела интриговать.

— У тебя есть какие-нибудь мысли, почему она в тот день неоднократно звонила не только тебе, но и своему дяде?

— Какому еще дяде?

— Тони Лэндри. Он тоже адвокат.

— А, этому? С чего бы она стала ему названивать? Да она его ненавидела сильней, чем братца своего.

— Она звонила ему неоднократно, причем в то же время, что и тебе. И оставляла примерно такие же сообщения.

Уставившись на Страйка, Даффилд поскреб грязными ногтями небритый подбородок.

— Откуда я знаю, что это за фигня? Может, в связи с мамашей? «Престарелая леди Б. нуждается в госпитализации» или что-нибудь в этом духе.

— Ты не допускаешь, что утром могло произойти какое-то событие, важное, с ее точки зрения, для вас обоих и для ее дяди?

— Нет такой темы, которая была бы важной для меня и одновременно для этого хлыща, — процедил Даффилд. — Видел я его. Для него одно важно: курс акций и всякая такая хрень.

— Возможно, с его стороны было нечто личное?

— Тогда она тем более не стала бы звонить этому козлу. Они друг друга на дух не выносили.

— Почему ты так считаешь?

— Она относилась к нему точно так же, как я — к своему паразиту-папаше. Оба считали, что мы дерьма не стоим.

— Она когда-нибудь заводила об этом разговор?

— Еще бы! Он талдычил, что ее проблемы с психикой — это распущенность, способ обратить на себя внимание. Выпендреж. Непосильное бремя для ее матери. Когда Лу стала деньги зашибать, он по-другому запел, но она ничего не забыла.

— А когда Лула приехала в «Узи», она не сказала, по какому поводу звонила?

— Нет, — ответил Даффилд, закуривая очередную сигарету. — Она взъелась с первой минуты, потому что увидела Элли. Недовольна была, видишь ли. Накрутила себя.

В первый раз он обратился за поддержкой к Сиаре. Та печально кивнула.

— Со мной даже разговаривать не захотела, подтверди, — сказал Даффилд. — Она только с тобой общалась, так?

— Да-да, — согласилась Сиара. — Но она мне ни слова не сказала, что типа расстроена.

— Несколько человек мне говорили, что ее телефон прослушивался... — начал Страйк, но Даффилд его перебил:

— Это точно: была прослушка голосовых сообщений, причем не одну неделю. Они всякий раз были в курсе, где у нас назначена встреча и так далее. Когда мы поняли, что творится, сразу поменяли сим-карты и после этого стали очень осторожны.

— Значит, ты бы не удивился, услышав от Лулы про какую-нибудь неприятность, которую она не хотела бы обсуждать по телефону?

— Наверное. Но если бы это и в самом деле было дико важно, она бы в клубе мне сказала.

— Но она не сказала?

— Говорю же, она вообще от меня весь вечер нос воротила. — На точеной скуле Даффилда задергался мускул. — Постоянно на телефон поглядывала — время проверяла. Хотела меня довести. Показывала, как ей не терпится вернуться домой и встретиться с этим подонком, с Диби Макком. Дождалась, чтобы Элли в туалет вышла, подваливает ко мне и говорит: забери, мол, свой браслет — тот самый, что я ей на нашем обручении подарил. И швырнула передо мной на стол — у всех на виду. Ну, взял я его и говорю: «Есть желающие? Тут лишняя вещица образовалась». Тогда-то Лу и умотала.

Он рассказывал так, будто Лула не умерла три месяца назад, а поссорилась с ним буквально вчера и, вероятно, скоро придет мириться.

— Но ты пытался ее удержать, верно?

Глаза Даффилда сузились.

— Удержать?

— Свидетели говорят, ты хватал ее за руки.

— Разве? Не помню такого.

— Она вырвалась и убежала, а ты остался, так?

— Я выждал минут десять, чтобы она не думала, будто я при всех за ней побегу, а потом сел в машину и велел шоферу ехать на Кентигерн-Гарденз.

— И был при этом в маске волка, — подсказал Страйк.

— Да, чтобы не светиться в расстроенных чувствах или в злобе перед этими ублюдками. — Он кивнул в сторону окна. — Они рвут и мечут, когда я лицо закрываю — не даю им на себе нажиться. Один даже попытался маску с меня сорвать, но не на того напал. Сел я в машину и позволил им через заднее стекло сфотографировать, как волк показывает им фак. Доехал до угла Кентигерн-Гарденз, а там толпы этих папарацци. Я прикинул, что она уже должна быть у себя в квартире.

— Ты знал код входной двери?

— Да, один-девять-шесть-шесть. Но я был уверен, что она приказала охране меня не впускать. А кому охота пробиваться через эту толпу, чтобы тут же получить отлуп? Набрал ее номер из машины — ответа нет. Вот я и подумал, что она спустилась вниз — этого Диби-Дебила у порога встретить. Ладно, думаю, пойду тогда здоровье поправлю.

Загасив сигарету о выпавшую из колоды игральную карту, он опять принялся искать курево. Страйк, заинтересованный в непрерывном течении беседы, протянул ему свои сигареты.

— Ой, спасибо. Ну, спасибо. Да. Так вот, шофер меня высадил, где ему было сказано, и я пошел к своему знакомому, который впоследствии описал это «в связи с волеизъявлением полиции», как мог бы выразиться наш дядюшка Тони. Затем я побродил по городу, что доказывают камеры видеонаблюдения, в часу, наверное... в третьем?.. в четвертом?..

— В полпятого, — подсказала Сиара.

— Да, нагрянул к Сиаре.

Попыхивая сигаретой, Даффилд некоторое время наблюдал за огоньком, а после радостно сказал:

— Стало быть, задницу я себе прикрыл, да?

Страйку не понравился такой душевный подъем.

— А когда ты узнал, что Лула погибла?

Даффилд опять прижал колени к груди.

— Сиара меня растолкала и сообщила. Я прямо не мог... ну, это... черт... — Он сцепил руки на затылке. — Черт... не мог поверить. Просто не мог поверить.

Наблюдая за ним, Страйк понял, что Даффилд впервые осознал безвозвратную потерю девушки, о которой только что говорил небрежным тоном и которую, по собственному признанию, провоцировал, мучил, любил: она разбилась о заснеженный асфальт и навсегда ушла из его жизни. На миг лицо Даффилда, воздетое к белому потолку, приняло карикатурное выражение, похожее на улыбку до ушей, но это была гримаса боли и подступивших слез. Он опустил руки на колени и спрятал лицо.

— Ой, милый мой. — Сиара поставила свой бокал на стол, звякнув стеклом о стекло, и нагнулась вперед, чтобы положить ладонь на его острую коленку.

— Это меня доконало, — хрипло выдавил Даффилд, не поднимая головы. — Доконало так, что дальше некуда. Я хотел на ней жениться. Я любил ее, черт побери! Зараза, не могу говорить. — Он вскочил и выбежал из комнаты, хлюпая и вытирая нос рукавом.

— Я же тебя предупреждала, — зашипела Сиара на Страйка. — Он в полном раздрызге.

— Ну не знаю. С наркотиками завязал. Героина месяц уже как ни-ни.

— Понимаю. Но он в любую минуту может сорваться.

— Я его допросил куда спокойнее, чем это делают полицейские. У нас просто вежливая беседа.

— Да ты посмотри на себя. Зачем делать такое зверское лицо, как будто ты типа не веришь ни единому слову?

— Как думаешь, он вернется?

— Обязательно. Только ты уж, пожалуйста, с ним помягче...

Сиара отпрянула назад, потому что в гостиную, почти не виляя бедрами, вернулся угрюмый Даффилд. Он бросился в кресло и обратился к Страйку:

— Курево закончилось. Можно у тебя попросить?

Помня, что у него осталось всего три сигареты, Страйк неохотно протянул ему пачку и спросил:

— Мы можем продолжить разговор?

— Насчет Лулы? Хочешь — говори. А мне сказать больше нечего. Ну нет у меня никаких сведений.

— Почему вы с ней расстались? Нет, что произошло в «Узи» — мне понятно; я имею в виду — тогда, в первый раз.

Краем глаза Страйк заметил осторожный негодующий жест Сиары; вероятно, у него не получилось «помягче».

— Да на фига тебе знать? Это к делу не относится.

— К делу относится все, — сказал Страйк. — Любая подробность вписывается в общую картину ее жизни. И помогает разобраться в причинах самоубийства.

— Я думал, ты убийцу ищешь?

— Я ищу истину. Что же послужило причиной вашего первого разрыва?

— Да на кой это надо, мать твою?! — взорвался Дриффилд. Как и ожидал Страйк, актер быстро вспыхивал и быстро остывал. — К чему ты клонишь: это из-за меня она выбросилась с балкона? При чем тут наше расставание, кретин? Это было за два месяца до ее смерти. Тоже мне, сыщик гребаный! Так и я могу — спрашивать всякую херню. Разводить богачей на деньги да карман подставлять. И где ты только находишь таких козлов?

— Эван, зачем же так? — Сиара вконец расстроилась. — Ты сказал, что готов помочь...

— Да, готов, но всему есть предел.

— Не хочешь — не отвечай, какие проблемы? — сказал Страйк. — У тебя никаких обязательств нет.

— Мне скрывать нечего, но это личное, ясно тебе? Причиной нашего разрыва, — Даффилд сорвался на крик, — были наркотики, и ее семейка, и всякие прихлебатели, которые поливали меня грязью, и ее собственная подозрительность — из-за этих журналюг она никому не доверяла, понятно? На нее давили со всех сторон. — Тут Даффилд прижал, как наушники, трясущиеся руки к ушам и стиснул голову, изобразив давление. — Давили все, кому не лень, — вот тебе и причина нашего с ней разрыва.

— Ты в тот период злоупотреблял наркотиками, так?

— Допустим.

— И Луле это не нравилось?

— Точнее сказать, доброхоты нашептывали, что ей это не нравится.

— Кто, например?

— Например, ее родня; например, эта гнида — Ги Сомэ. Голубок.

— Ты говоришь, из-за журналистов она никому не доверяла. Что ты имеешь в виду?

— А то ты не знаешь! Разве тебе отец не рассказывал, как это бывает?

— Отец меня не колышет, — отрезал Страйк.

— Ну, прослушивали ее телефон, сволочи, — можешь себе представить, каково человеку с этим жить. У нее развилась настоящая паранойя: что, мол, кто-то торгует ее личной жизнью. Она постоянно перебирала в уме, что кому говорила по телефону, чего не говорила и кто мог сливать подробности газетчикам. У нее уже крыша ехала.

— Она тебя тоже обвиняла?

— Нет! — выкрикнул Даффилд, а потом так же истово: — Да, случалось! «Как они узнали, что мы здесь будем? Как они узнали, о чем я тебе рассказывала?» — бла-бла-бла... Я ей говорю: пойми, это же оборотная сторона славы, а она все думала, что можно и в луже поваляться, и чистенькой остаться.

— Но ты сам никогда не сливал ее истории газетам?

Страйк услышал, как Сиара сделала судорожный вдох.

— Еще чего, — спокойно ответил Даффилд, выдержав пристальный взгляд Страйка. — Я такими гадостями не занимаюсь. Это понятно?

— И сколько времени длился ваш разрыв?

— Месяца два плюс-минус.

— А помирились вы... за неделю до ее смерти, так?

— Да. На вечеринке у Мо Иннеса.

— И через сорок восемь часов уже устроили обручение? В загородном доме Карбери?

— Ну да.

— А кто знал, что вы запланировали эту церемонию?

— Мы ничего не планировали, все вышло экспромтом. Я купил браслеты, и мы это сделали. До чего же было красиво!

— Да, очень красиво, — грустно подтвердила Сиара.

— Но если журналисты тут же пронюхали, значит кто-то им сообщил?

— Уж наверное.

— Потому что ваши с ней телефоны тогда уже не прослушивались, так? Вы сменили сим-карты.

— Откуда я знаю, прослушивались или нет? Ты лучше потряси эти дерьмовые газетенки, которые сплетни собирают.

— Лула тебе рассказывала, что пытается отыскать своего отца?

— Он же умер... или ты имеешь в виду родного? Да, была у нее такая мысль, только там облом вышел, если ничего не путаю. Ее мамашка даже толком не знала, кто отец.

— А Лула не говорила, удалось ли ей найти хоть какие-то факты?

— Она пыталась, но все впустую. Тогда ей втемяшилось пойти африканистику изучать. Видишь ли, отдать дань папочке и всему Африканскому континенту, чтоб он сгнил. Этот паразит Сомэ вечно ей на мозги капал, лишь бы втравить в какое-нибудь дерьмо.

— Каким образом?

— Да любым, чтобы только между нами клин вбить. Чтобы только Лу к себе привязать. Ревновал, гаденыш. С ума сходил по ней. Да знаю я, знаю, что он гей, — нетерпеливо добавил Эван, видя, что Сиара собирается запротестовать, — но не он первый на девушку запал. Вообще говоря, он трахает все, что движется, лишь бы мужского пола, но ее ни на шаг не хотел от себя отпускать. Истерики закатывал, если она отказывалась встретиться, не давал ей работать ни с кем другим. Меня на дух не переносит, потому что у меня хребет есть. Погоди, гаденыш, я еще тебе устрою. Это ведь он Лу к Дибби Макку подталкивал. Только и думал, как бы их в постель уложить. А меня опустить.

Я много чего знаю. Он требовал, чтобы она их сразу познакомила, чтоб он мог шмотки свои поганые на бандюка нацепить
и для рекламы сфоткать. Он своего не упустит, этот Сомэ. Всю
дорогу ее использовал, норовил заплатить поменьше, а то и на
халяву поживиться, а она, дуреха, всегда пожалуйста.

— Это у тебя от Сомэ? — Страйк выхватил взглядом мини-
атюрный лейбл «GS» и указал на пару черных кожаных перчаток, валявшихся на кофейном столике.

— Обалдел, что ли?

Наклонившись, Даффилд поддел перчатки указательным
пальцем и поболтал ими у себя перед носом.

— Вот зараза, ты ведь прав. Это — в помойку. — Скомкав
перчатки, он с размаху швырнул их в угол и угодил в отстав-
ленную гитару, которая ответила протяжным, гулким стоном. —
Они у меня после той съемки остались. — Он ткнул пальцем в
сторону черно-белой журнальной обложки. — Сомэ бы удавил-
ся мне такие подарить. Сигарету дашь?

— Кончились, — солгал Страйк. — А теперь скажи, Эван,
зачем ты позвал меня к себе домой?

Наступила долгая пауза. Даффилд сверлил взглядом Страйка, который нутром чуял, что актер раскусил его вранье насчет
сигарет. Сиара тоже бросала на детектива гневные взгляды,
картинно приоткрыв пухлые губки в знак удивления.

— Думаешь, я хотел сделать признание?

— Ну, вряд ли ты надеялся, что я стану тебя развлекать.

— Не знаю, не знаю. — В голосе Даффилда зазвучала непри-
крытая злоба. — Может, я думал, ты такой же остряк, как твой
папаша?

— Эван! — одернула Сиара.

— Ну что ж, если ты все сказал... — Страйк выбрался из
кресла.

К его легкому удивлению и к заметному неудовольствию
Даффилда, Сиара опустила на стол пустой бокал и высвободи-
ла из-под себя ноги, готовясь встать.

— Ладно, — вырвалось у Даффилда. — Есть одна вещь.

Страйк вернулся в кресло. Сиара бросила Даффилду сигарету из своей пачки; актер пробормотал невнятную благодарность.

— Говори, — поторопил Страйк; Даффилд возился с зажигалкой.

— Тут такое дело... Не знаю, правда, насколько это важно... — начал Даффилд. — Но я требую, чтобы ты помалкивал, откуда тебе это известно.

— Не могу гарантировать, — сказал Страйк.

Даффилд хмурился; у него тряслись колени, глаза уставились в пол. Боковым зрением Страйк заметил, что Сиара хочет заговорить, и жестом приказал ей закрыть рот.

— Так вот, — продолжил Даффилд. — два дня назад я обедал с Фредди Бестиги. Он отошел в бар и оставил на столе смартфон. — Даффилд затянулся и поежился. — Я не хочу, чтобы меня сняли с роли. — Он испепелил взглядом Страйка. — Такая работа на дороге не валяется.

— Ближе к делу, — сказал Страйк.

— Ему пришел мейл. Я увидел имя Лулы и прочитал.

— Так-так.

— Сообщение было от его жены. Как-то так: «Я знаю, что общаться положено через адвокатов, но если полтора миллиона фунтов — твое последнее слово, то я всем расскажу, где именно я находилась в момент гибели Лулы Лэндри и как там оказалась. Я не собираюсь больше разгребать твое дерьмо. Это не пустая угроза. Думаю, мне в любом случае следует пойти в полицию и все рассказать». Вот в таком духе, — заключил Даффилд.

С улицы донесся приглушенный хохот двоих папарацци.

— Это очень полезная информация, — сказал Страйк Даффилду. — Спасибо.

— Бестиги не должен узнать, откуда ты ее получил.

— Постараюсь обойтись без упоминания источника, — пообещал Страйк, вставая. — За воду тоже спасибо.

— Зайчик, погоди, я с тобой, — заворковала Сиара, прижимая к уху телефон. — Киран? Мы выходим — Корморан и я. Прямо сейчас. Эван, милый, пока.

Она наклонилась и поцеловала его в обе щеки; Даффилд, уже наполовину выбравшийся из кресла, был обескуражен.

— Можешь тут переночевать, если...

— Нет, милый, у меня завтра днем работа, нужно хорошенько выспаться.

Когда Страйк вышел на улицу, его вновь ослепили вспышки, но папарацци, судя по всему, растерялись. Он помог Сиаре сойти по ступенькам и повел ее к задней дверце «мерседеса»; из толпы папарацци кто-то крикнул:

— Эй, дядя, ты вообще кто такой?

Ухмыляясь, Страйк хлопнул дверцей. Коловас-Джонс сел за руль; они отъехали от тротуара; на этот раз никто их не преследовал.

Через пару кварталов Коловас-Джонс нарушил молчание, глядя в зеркало заднего вида и обращаясь к Сиаре:

— Домой?

— Наверное, да. Киран, сделай одолжение, включи радио. Музыки хочется, — сказала она. — Погромче, котик. Ой, я балдею.

Леди Гага пела «Телефон».

Когда Сиара повернулась к Страйку, на ее удивительное лицо упал медовый луч светофора. Ее дыхание пахло алкоголем, а кожа — перечно-сладкими духами.

— Ты больше ничего не хочешь у меня спросить?

— А знаешь что, — сказал Страйк, — пожалуй, хочу. Зачем у тебя в сумке сменная подкладка?

Не веря своим ушам, она звонко рассмеялась, склонилась ему на плечо и ткнула локотком в бок:

— А ты забавный!

— Нет, серьезно, зачем?

— Ну, это придает сумке типа индивидуальность; подкладки можно заказывать по своему вкусу и менять, даже использовать как шейные платочки. Это же такая прелесть — натуральный шелк, изящный рисунок. А молния по краю — последний писк.

— Интересно, — сказал Страйк.

Сиара легко прижалась к нему бедром и опять рассмеялась — теперь глубоким, грудным смехом.

«Трезвонь, трезвонь, но дома никого!» — надрывалась Леди Гага.

Музыка заглушала их разговор, но Коловас-Джонс постоянно стрелял глазами в зеркало заднего вида, без нужды отрываясь от дороги. Прошла еще минута, и Сиара сказала:

— Ги был прав: я люблю больших. А ты такой громила. И типа суровый. Это очень сексуально.

Еще через квартал она прошептала:

— Где ты живешь? — и по-кошачьи потерлась о его щеку.

— Я ночую на раскладушке у себя в конторе.

Сиара захихикала. Она определенно захмелела.

— Шутишь?

— Ничуть.

— Тогда ко мне?

На ее прохладном, сладком язычке сохранился привкус «перно».

— Ты спала с моим отцом? — Страйк улучил момент, когда она не накрывала губами его рот.

— Нет... Что ты, нет... — Короткий смешок. — У него же волосы крашеные... вблизи типа лиловые... Я его называла «рокерчернослив».

А потом, минут через десять, у Страйка проснулся голос разума, который напомнил, что желание может обернуться унижением, и Страйк, собравшись с духом, сообщил:

— У меня нет одной ноги.

— Что за выдумки!

— Это не выдумки. В Афганистане оторвало.

— Бедненький зайчик, — прошептала она. — Давай я помассирую.

— Давай... это, правда, не нога. Но тоже приятно.

9

В туфлях на плоской подошве Робин легко взлетела по лязгающей железной лестнице. Сутки назад, когда она выбрала именно эту пару, зная, что придется много ходить пешком, ей лезло в голову слово «топтуны», но сегодня эти старомодные черные туфли уже казались хрустальными башмачками Золушки. Робин жаждала поскорее рассказать Страйку о своих достижениях и почти бежала по солнечной стороне перекопанной Денмарк-стрит. Она была уверена, что любая неловкость, оставшаяся между ними после позавчерашних пьяных выходок Страйка, улетучится без следа, когда они вдвоем порадуются ее потрясающим самостоятельным открытиям.

Но на лестничной площадке она остановилась как вкопанная. Уже в третий раз стеклянная дверь оказалась запертой, а в неосвещенной приемной висела мертвая тишина.

Отперев дверь своим ключом, Робин быстро оценила обстановку. Дверь в кабинет распахнута. Раскладушка убрана за шкаф. В мусорной корзине — никаких следов ужина. Монитор темный, чайник холодный. Напрашивался вывод, что Страйк, как она про себя выразилась, не ночевал дома.

Робин повесила пальто, достала из сумки записную книжку, включила компьютер и после недолгого бесплодного ожидания начала вбивать в файл отчет о своих вчерашних действиях. От волнения она всю ночь не спала: представляла, как будет рассказывать Страйку все в лицах. А вместо этого теперь пришлось стучать по клавишам. Где его носит?

Пока руки порхали над клавиатурой, в голове у Робин созрел ответ, который ей совсем не понравился. Коль скоро Страйк был убит известием о помолвке своей бывшей, он, видимо, отправился к ней и стал умолять ее не выходить за другого. Недаром же он кричал на всю Черинг-Кросс-роуд, что Шарлотта не любит Джейго Росса. Это очень похоже на правду: наверное, Шарлотта бросилась на шею Страйку, они помирились и уснули, обнявшись, в том доме, откуда Страйка выставили четыре недели назад. Робин, помнившая осторожные расспросы и сетования Люси насчет Шарлотты, подозревала, что нынешнее воссоединение не сулит ей продолжения работы на прежнем месте. «Да какая разница, — напомнила она себе, тыча пальцами в клавиши и делая ошибку за ошибкой. — Через неделю тебя здесь уже не будет». От этих мыслей она распереживалась еще сильнее.

Конечно, оставалась и другая возможность: Страйк пришел к Шарлотте, а та его прогнала. Тогда вопрос о его местонахождении приобретал совершенно иной характер, более насущный и менее личный. А вдруг он снова пустился в загул, без удержу и без присмотра? Деловитые пальцы Робин замедлили бег, а потом и вовсе остановились на середине предложения. Повернувшись вместе со своим конторским стулом, она уставилась на умолкший офисный телефон.

Кто, кроме нее, может знать, что Кормо́рана Страйка нет там, где ему сейчас положено быть? Может, позвонить ему на мобильный? А если он не возьмет трубку? Сколько часов нужно выждать перед обращением в полицию? У Робин даже возникла мысль позвонить на работу Мэтью, чтобы посоветоваться, но это было бы чересчур.

Вчера они с Мэтью поссорились: Робин вернулась домой поздно, даже очень поздно, проводив пьяного Страйка от «Тотнема» до конторы. Мэтью в который раз отчитал ее за наивность, впечатлительность и доверчивость, граничащую с идиотизмом; подчеркнул, что Страйк скупится на зарплату для секретаря-референта и использует методы эмоционального шантажа; предположил, что никакой Шарлотты нет в природе, а Страйк просто бьет на жалость, чтобы и дальше эксплуатировать Робин. Тут Робин не стерпела и высказала все: что если кто ее и шантажирует, так это сам Мэтью, который постоянно дает понять, что она не приносит в дом достаточно денег и мало занимается хозяйством. Неужели трудно понять, что ей по душе работа у Страйка; неужели он не может постичь своим ограниченным и черствым финансовым умом, что ей даже думать неохота про этот отдел кадров? Мэтью устыдился и стал искать примирения (хотя и оставил за собой право не одобрять поведения Страйка), но Робин, всегда незлобивая и мягкая, рассердилась и замкнулась в себе. Перемирие было заключено только утром, но неприятный осадок все же остался, в особенности у Робин.

Теперь, сидя в полной тишине перед мертвым телефоном, она перенесла часть свой досады на Страйка. Где он бродит? Чем занимается? Почему проявляет безответственность, которую приписывал ему Мэтью? Почему она должна тут торчать и в одиночку держать оборону, пока он обхаживает свою бывшую и не вспоминает об их деле?..

...о своем деле...

Шаги на лестнице: Робин поймала себя на том, что знает малейшие неровности в походке Страйка. Впившись глазами в стеклянную дверь, она выждала, чтобы шаги добрались до площадки второго этажа, а потом решительно повернулась к монитору и в сердцах забарабанила по клавишам.

— Доброе утро.

— Здравствуйте.

Едва подняв на него взгляд, она продолжила печатать. Босс был утомлен, небрит и до странности хорошо одет. Естественно, Робин утвердилась в мысли, что он ходил мириться к Шарлотте, и, судя по всему, удачно. Следующие два предложения запестрели опечатками.

— Как идут дела? — От Страйка не укрылся напряженный профиль и холодный тон секретарши.

— Прекрасно, — ответила Робин.

Она рассчитывала положить перед ним безупречно оформленный отчет, а потом с ледяным спокойствием обсудить детали своего увольнения. А возможно, и предложить ему взять временную секретаршу прямо на этой неделе, чтобы Робин могла ввести ее в курс дела.

Страйк, чье хроническое невезение только что окончилось триумфом, а настроение совершило небывалый за последние месяцы скачок вверх, с нетерпением ожидал встречи со своей секретаршей. Он не собирался бахвалиться ночными похождениями (особенно теми, которые полностью восстановили его утраченную веру в себя), потому что привык помалкивать о таких делах, и надеялся хоть немного подправить барьеры, пошатнувшиеся после злоупотребления «дум-баром». Он продумал красноречивый монолог с извинениями, выражениями благодарности, а также с пересказом весьма интересных выводов, сделанных накануне.

— Чая не хотите?

— Нет, спасибо.

Страйк посмотрел на часы:

— Я опоздал всего на одиннадцать минут.

— Когда приходить — это ваше личное дело. То есть, — оговорилась Робин, понимая откровенную враждебность своей реплики, — меня не касается, что вы... во сколько вы приходите.

Она мысленно отрепетировала примирительные, великодушные ответы на воображаемые извинения Страйка за пьяные эскапады, но сейчас с отвращением заметила, что в его манере нет и тени стыда или раскаяния.

Повозившись с чайником, Страйк через несколько минут поставил перед ней кружку обжигающего чая.

— Я же сказала, что не...

— Не будете ли вы так любезны ненадолго отложить этот важный документ и уделить мне минуточку внимания? Хочу извиниться за позавчерашнее происшествие.

— В этом нет необходимости, — сказала она тихим, напряженным голосом.

— Нет, есть. Я не помню и половины того, что было. Надеюсь, я не натворил ничего совсем уж отвратительного.

— Нет.

— Вы, наверное, поняли суть. Моя бывшая невеста объявила о помолвке со своим давним ухажером. Через три недели после нашего расставания у нее на пальце уже было другое кольцо. Это, конечно, фигура речи: я никогда не дарил ей кольца. У меня денег не было.

По его тону Робин поняла, что примирения не произошло. В таком случае где он провел ночь? Она протянула руку и рассеянно взяла кружку с чаем.

— Вы совершенно не обязаны были искать меня по злачным местам, но, по всей видимости, благодаря вам я не заснул в канаве и не ввязался в драку, за что вам большое спасибо.

— Не за что, — ответила Робин.

— И еще спасибо за «алка-зельцер», — добавил Страйк.

— Помогло? — сухо спросила Робин.

— Я чуть не облевал тут все кругом, — признался Страйк, мягко постукав кулаком по продавленному дивану, — но, когда таблетки подействовали, сразу отпустило.

Робин засмеялась, и тут Страйк впервые за все время вспомнил подсунутую ему под дверь записку с тактичным объяснением отсутствия секретарши.

— Да, так вот: мне не терпелось узнать, что вам удалось сделать за вчерашний день, — солгал он. — Не томите.

Робин расцвела, как лотос:

— Я как раз печатала...

— Нет, давайте на словах, а в файл можно и потом загнать, — предложил Страйк, а сам подумал, что лишнее нетрудно будет удалить.

— Хорошо. — Робин заволновалась. — Как было сказано в моей записке, я увидела, что вас интересуют профессор Агьемен и оксфордский отель «Мальмезон».

Страйк покивал. Он был благодарен за это напоминание, поскольку содержание записки, прочитанной один раз, да еще в состоянии тяжкого похмелья, помнилось ему весьма смутно.

— Итак, — у Робин слегка участилось дыхание, — прежде всего я отправилась на Расселл-стрит, в ИВА, Институт востоковедения и африканистики. Тот самый, что значился в ваших планах, да? — уточнила она. — Я проверила по карте: действительно, это недалеко от Британского музея. Правильно я расшифровала вашу скоропись?

Страйк опять кивнул.

— Прихожу туда и говорю: я, мол, пишу диссертацию по политологии Африки, мне необходимо получить консультацию у профессора Агьемена. В конце концов меня направили на факультет политологии, к ученому секретарю, очень милой женщине, которая начинала под его руководством. У нее я получила массу полезных сведений, в том числе список его трудов и краткую биографию. Он в свое время тоже окончил ИВА.

— Неужели?

— Да-да, — подтвердила Робин. — У меня и фото есть.

Между страницами ее записной книжки лежала ксерокопия, которую Робин протянула Страйку.

На снимке был изображен чернокожий мужчина с вытянутым, скуластым лицом, коротко стриженными седеющими волосами и огромными ушами, поддерживающими заушники очков. Страйк долго изучал фото, после чего только и сказал:

— Господи.

Робин, ликуя, выжидала.

— Господи, — повторил Страйк. — Когда он умер?

— Пять лет назад. Его ученица совсем загрустила, когда об этом зашла речь. По ее словам, это был умнейший, добрейший, очень сердечный человек. Убежденный христианин.

— Родственники есть?

— Да. Вдова и сын.

— Сын, — повторил Страйк.

— Да, — подтвердила Робин. — В армии служит.

— В армии, — скорбным эхом отозвался Страйк. — Только не говорите мне, что...

— Сейчас он в Афганистане.

Поднявшись с дивана, Страйк мерил шагами приемную и не выпускал из рук ксерокопию.

— В каких войсках — вы, конечно, не спросили? Ну, ничего страшного. Я попытаюсь выяснить.

— Ну почему же не спросила? — Робин сверилась со своими записями. — Правда, не совсем поняла... саперы... это какие войска? Или...

— Инженерный полк, — встрепенулся Страйк. — Сегодня же наведу справки.

Остановившись у стола Робин, он еще раз вгляделся в лицо профессора Джосайи Агьемена.

— Он родом из Ганы, — сообщила Робин. — Но вплоть до своей смерти жил с семьей в Кларкенуэлле.

Страйк вернул ей фото.

— Не потеряйте. Вы чертовски здорово потрудились, Робин.

— Это еще не все. — Она зарделась и с трудом сдержала довольную улыбку. — После обеда я отправилась поездом в Оксфорд. Вам известно, что под отель «Мальмезон» переоборудовали старинную тюрьму?

— В самом деле? — Страйк опять сел на диван.

— Да. Получилось, кстати, очень мило. Так вот, я решила выдать себя за Элисон и узнать, не оставил ли у них Тони Лэндри какой-нибудь...

Страйк прихлебывал чай, а сам думал, что фирма вряд ли откомандировала бы свою сотрудницу в другой город с таким вопросом, да еще три месяца спустя.

— В общем, идея оказалась неудачной.

— Почему же? — ничем себя не выдав, поинтересовался Страйк.

— Да потому, что седьмого числа туда приезжала Элисон собственной персоной — разыскивала Тони Лэндри. Конфуз был жуткий, потому что одна из вчерашних девушек дежурила на регистрации как раз в тот день и хорошо ее запомнила.

Страйк опустил кружку.

— Так-та-ак, — протянул он. — Это уже любопытно.

— В том-то и дело, — взволнованно подтвердила Робин. — Пришлось шевелить мозгами.

— Не иначе как вы сказали, что вас зовут Аннабель?

— Нет. — Робин подавила смешок. — «Ладно, — говорю, — уж признаюсь вам: я — его возлюбленная». И пустила слезу.

— Вы заплакали?

— А что такого? — удивилась Робин. — Вошла в образ. Пожаловалась девушкам, что он, похоже, мне изменяет.

— С кем, с Элисон? Если они ее видели, то вряд ли поверили...

— Да я не уточняла, просто сказала: подозреваю, мол, что его здесь вообще не было... Такую сцену разыграла, что девушка, которая запомнила Элисон, отвела меня в сторонку и стала утешать. Мы, говорит, не имеем права разглашать подобную информацию без официального запроса, у нас такая политика, тра-ля-ля... ну все как водится. Но чтобы я не плакала, она в конце концов шепнула, что он прибыл вечером шестого числа, а выехал утром восьмого. Устроил скандал из-за того, что ему в номер доставили не ту газету, — потому его и запомнили. Выходит, он точно там был. Я даже поспрашивала... с истерическими нотками... ручается ли она, что это на сто процентов был он, и описала его подробнейшим образом. Мне известно, как он выглядит, — добавила Робин, предвосхищая вопрос Страйка. — Я перед поездкой зашла на сайт компании «Лэндри, Мей, Паттерсон» — там есть его фото.

— У вас блестящий ум, — сказал Страйк. — История получается какая-то мутная. Итак, что вам рассказали про Элисон?

— Что она приехала с ним повидаться, а его не было. Однако же ей подтвердили, что номер числится за ним. И она уехала ни с чем.

— Более чем странно. Она же знала, что он на конференции; ей бы следовало в первую очередь наведаться туда, правда?

— Не знаю.

— А эта услужливая девушка не говорила, видела она его только при регистрации и выписке или в другое время тоже?

— Нет, не говорила, — ответила Робин. — Но мы же знаем, что на конференции он присутствовал, верно? Я сама проверяла, помните?

— Мы знаем, что он зарегистрировался и, видимо, получил бедж участника. После чего на машине вернулся в Челси, чтобы повидаться со своей сестрой, леди Бристоу. Зачем?

— Ну как... она была в тяжелом состоянии.

— Разве? Ей только что сделали операцию, все прошло, как думали, благополучно.

— Ей удалили матку, — сказала Робин. — Вряд ли после этого у нее было прекрасное самочувствие.

— Перед нами человек, который не жалует свою сестру (о чем я слышал от него лично), считает, что операция у нее прошла успешно, и знает, что у сестры есть двое заботливых детей. К чему тогда эта срочность?

— Как сказать... — У Робин поубавилось уверенности. — Ее только что выписали из больницы...

— ...о чем он, вероятно, знал еще до отъезда в Оксфорд. Если у него так сильны родственные чувства, мог бы остаться в городе, встретить ее из больницы, а потом уж ехать на конференцию — как раз успел бы на вечернее заседание. А так он проделал путь в пятьдесят с лишним миль, переночевал в камере люкс, отметился на конференции — и тут же обратно?

— А может, ему позвонили и сказали, что ей плохо? Может, Джон Бристоу позвонил и попросил его приехать?

— Бристоу ни разу не упомянул, что вызывал дядюшку. По-моему, в тот период отношения у них были хуже некуда. Оба уклоняются от разговора о визите Лэндри. Ни тот ни другой не хочет ничего рассказывать.

Страйк встал и, едва заметно прихрамывая, но не чувствуя боли в ноге, стал расхаживать из угла в угол.

— Нет, — выговорил он, — Бристоу попросил свою сестру, которая, по всем сведениям, была любимицей леди Бристоу, заехать ее навестить — это логично. А просить о том же брата матери, который относился к ней весьма прохладно да к тому же находился в другом городе, делать такие концы, чтобы только ее проведать... как-то подозрительно... А теперь мы еще узнали, что Элисон разыскивала Тони Лэндри в оксфордском отеле. Это был рабочий день. Она заявилась туда по собственной инициативе или кто-то ее прислал?

Тут зазвонил телефон. Робин сняла трубку и, к изумлению Страйка, мгновенно перешла на чопорный австралийский акцент:

— Простите, здес таких ниэт. Ниэт... Ниэт... Не знаю, куда она делас... Ниэт... Меня зовут Аннабель...

Страйк беззвучно захохотал. Робин бросила на него притворно-страдальческий взгляд. Примерно через минуту австралийского разговора она повесила трубку.

— «Временные решения», — сообщила Робин. — Я часто прибегаю к помощи Аннабель. У этой, правда, акцент получился скорее южноафриканский, чем австралийский... — А теперь хотелось бы услышать, какие подвижки у вас. — Робин больше не могла скрывать нетерпение. — Удалось встретиться с Брайони Рэдфорд и Сиарой Портер?

Страйк подробно описал, как прошел вчерашний день, но только до визита к Даффилду включительно. Он особо подчеркнул, что Брайони сослалась на свою дислексию, из-за которой и услышала ненароком голосовые сообщения Урсулы Мей; что Сиара Портер неоднократно упоминала о намерении Лулы оставить все брату; что Эван Даффилд злился, когда в «Узи» Лула Лэндри постоянно смотрела на часы; что Тэнзи Бестиги угрожала мужу — уже почти что бывшему.

— Так где же находилась Тэнзи? — не поняла Робин, которая с уважительным вниманием выслушала его рассказ. — Вот бы узнать...

— Я почти уверен, что знаю, — сказал Страйк. — Правда, добиться от нее признания будет трудновато, ведь на кону миллионы ее мужа. Да и вы с легкостью поймете, где она находилась, если вернетесь к фотографиям из материалов дела.

— Но...

— Изучите по снимкам фасад дома — так он выглядел в ночь смерти Лулы, а потом вспомните, как он выглядел, когда мы с вами ходили туда осмотреться. Это вам полезно для развития следственных навыков.

Робин чуть не запрыгала в приливе счастливого восторга, который, впрочем, тут же сменился холодным душем огорчения, потому что впереди уже маячил медиаконсалтинг и отдел кадров.

— Мне нужно переодеться, — сказал Страйк. — Наберите, пожалуйста, еще раз Фредди Бестиги.

Он исчез в кабинете, плотно затворив дверь, и сменил счастливый костюм (за которым теперь закрепил это название) на просторные брюки и удобную старую рубашку. Когда, направляясь в сортир, он проходил мимо Робин, ее лицо хранило выражение безучастного внимания, которое бывает у человека, обреченного ждать у телефона. Над треснутой раковиной Страйк почистил зубы, рассуждая, насколько проще стало общаться с Робин после того, как он дал ей понять, что ночует в офисе, вернулся в приемную и застал секретаршу в раздражении.

— По-моему, они даже не утруждаются записывать мои сообщения, — сказала она Страйку. — Отвечают, что он на студии «Пайнвуд» и просит не беспокоить.

— Ну что ж, по крайней мере, мы знаем, что он вернулся из-за границы, — сказал Страйк.

Он достал из шкафа промежуточный отчет, сел на диван и принялся молча добавлять записи вчерашних бесед. Робин исподтишка наблюдала за ним и восхищалась той методичности, с которой ее босс заполнял таблицы, отмечая, где, как и от кого получены те или иные сведения.

— Как я понимаю, — сказала она, нарушив затяжное молчание, во время которого тайком косилась на босса и разглядывала фотографию дома номер восемнадцать по Кентигерн-Гарденз, — в вашем деле нужно фиксировать каждую мелочь, чтобы ничего не забыть?

— Не только для этого, — ответил Страйк, не поднимая головы, — но еще и для того, чтобы не оставлять никаких лазеек для защиты.

Это было сказано так спокойно, так веско, что Робин еще несколько мгновений поразмышляла над его словами, прежде чем истолковать их правильно.

— Вы хотите сказать... в общем и целом? В принципе?

— Нет, — Страйк не отрывался от работы, — в данном, конкретном случае. Когда состоится суд по делу об убийстве Лулы Лэндри, я не допущу, чтобы обвиняемый вышел сухим из воды, сославшись на неточность моих записей, а следовательно, и на мою ненадежность как свидетеля.

Страйк опять рисовался и сам это понимал, но не мог удержаться. Ему, как он говорил про себя, наконец-то поперло. Кто-то мог бы сказать, что это цинизм — забавляться во время расследования убийства, но он не терял чувства юмора и в более мрачных ситуациях.

— Не могли бы вы сходить за сэндвичами, Робин? — добавил он, чтобы только посмотреть на ее лицо и вновь порадовать себя таким уважительным вниманием слушательницы.

За время ее отсутствия он разобрался с записями и решил позвонить в Германию бывшему сослуживцу, но тут в офис ворвалась Робин с двумя пакетами сэндвичей и с какой-то газетой.

— Ваша фотография — на первой полосе «Стандард»! — выдохнула она.

— Что?!

На фотографии была изображена Сиара, идущая за Даффилдом к его дому. Сиара выглядела потрясающе: на долю секунды Страйк перенесся назад, к половине третьего ночи, когда она, обнаженная, белая, лежала под ним, шептала и стонала, разметав шелковистые русалочьи пряди.

Очень скоро он опомнился и перевел взгляд на свое собственное изображение, наполовину обрезанное рамкой кадра: четко виднелась лишь одна поднятая рука, державшая папарацци на расстоянии.

— Что тут особенного? — Он пожал плечами, возвращая газету Робин. — Меня приняли за охранника.

— Здесь сказано, — отметила Робин, переворачивая страницу, — что она вышла от Даффилда со своим телохранителем в два часа ночи.

— Ну вот видите.

Робин смотрела на него не моргая. Его рассказ о событиях минувшей ночи закончился на том, что они с Сиарой и Даффилдом поехали к актеру домой. Она так увлеклась отдельными показаниями, что даже забыла думать, где же ночевал ее босс. У нее сложилось впечатление, что он оставил актера и топ-модель наедине.

В офис он вернулся в том же костюме.

Отвернувшись, Робин прочла материал на второй странице. Из него следовало, что у Сиары было любовное свидание с Даффилдом, а предполагаемый телохранитель ждал в прихожей.

— Она в жизни такая же ослепительная? — с напускной небрежностью поинтересовалась Робин, складывая газету, чтобы передать ее Страйку.

— В точности, — подтвердил Страйк и подумал (а может, померещилось), что эти три слога прозвучали бахвальством. — Вам с сыром и пикулями или с яйцом и майонезом?

Робин выбрала первый попавшийся и вернулась за письменный стол. Ее новая гипотеза о ночном местонахождении Страйка затмила даже его успехи в расследовании дела. Она подозревала, что ей трудно будет совместить свое мнение о нем как о несчастном, брошенном романтике с тем фактом, что минувшей ночью (это звучало совершенно неправдоподобно, но она явственно расслышала плохо скрываемую тщеславную гордость) Страйк переспал с супермоделью.

И вновь раздался телефонный звонок. Страйк, набивший полный рот булкой с сыром, жестом остановил Робин, проглотил еду и ответил сам:

— Корморан Страйк.

— Страйк, это Уордл.

— Здоро́во, Уордл, как там у вас дела?

— Да так себе. Мы тут выловили из Темзы тело и нашли на нем твою визитку. Наверное, тебе есть что нам рассказать по этому поводу.

10

Впервые после вывоза вещей от Шарлотты Страйк позволил себе взять такси. По пути к Уоппингу он отстраненно смотрел на счетчик. Таксист вознамерился ему объяснить, почему Гордон Браун — это позор нации. За всю поездку Страйк не проронил ни слова.

Ему было не впервой направляться в морг и осматривать трупы. У него уже выработался своего рода иммунитет к огнестрельным ранениям, вспоротым животам, кучам внутренностей. Страйк никогда не считал себя слабонервным: в глазах человека его профессии даже наиболее изуродованные тела, холодные, белые, выглядели стерильными и вполне типовыми, когда их извлекали из морозильной камеры. Другое дело — трупы, которые ему довелось видеть еще до всякого морга: грязные, без прикрас, не удостоившиеся внимания официальных инстанций, они вновь и вновь проникали в его сны. Его мать — в своем любимом длинном платье с расклешенными рукавами, скрывающими исколотые вены, молодая, но изможденная. Сержант Гэри Топли в кроваво-пыльном месиве на афганской дороге: нетронутое лицо, а ниже ребер — ничего. Лежа в горячей пыли, Страйк старался не смотреть на это пустое лицо и боялся оглядеть себя, чтобы понять, какого куска живой плоти лишился он сам... но он так быстро вырубился, что узнал ответ на этот вопрос только в полевом госпитале, когда очнулся...

Голую кирпичную стену тесного предбанника украшала репродукция с картины кого-то из импрессионистов. Она показалась Страйку знакомой; в конце концов он сообразил, что видел точно такую же над каминной полкой в доме Люси и Грега.

— Мистер Страйк? — Из-за внутренней двери выглянул седой санитар в белом халате и резиновых перчатках. — Заходите.

Эти хранители трупов всегда отличались добродушием и бодростью. Страйк последовал за ним в ярко освещенный зал без окон, с большим стальным морозильником вдоль всей правой стены. Кафельный пол имел уклон к центральному стоку, рефлекторы слепили глаза. Каждый шаг эхом отдавался от твердых блестящих поверхностей, как будто в помещение вошел не один человек, а целая рота.

У одной из дверей морозильной камеры уже стояла каталка, а рядом находились двое офицеров уголовной полиции, Уордл и Карвер. Первый встретил Страйка кивком и невнятным приветствием, второй — толстобрюхий, рябой, с перхотью на плечах — только фыркнул.

Санитар дернул вниз толстую металлическую ручку и открыл взгляду три макушки, одну над другой, задрапированные ветхими от постоянной стирки белыми простынями. Он проверил прикрепленную к простыне бирку на средней полке: там значилось нацарапанное от руки вчерашнее число, и больше ничего. Плавным движением санитар выдвинул длинный поднос и ловко переместил его на каталку. Страйк заметил, что Карвер, давая дорогу санитару с каталкой, сжал челюсти. С металлическим звяканьем и стуком дверь морозильной камеры скрыла от глаз оставшиеся два трупа.

— В смотровую не пойдем, коли тут, кроме нас, никого не будет, — поспешно сказал санитар. — В центре освещение хорошее, — добавил он, останавливая каталку возле стока и откидывая простыню.

Под ней лежало разбухшее тело Рошели Онифад, с застывшим на лице бессмысленным удивлением, навеки сменившим былую подозрительность. По краткому телефонному разговору с Уордлом Страйк уже понял, кого ему предстоит увидеть, но, глядя сверху вниз на это тело — которое стало намного короче с того дня, когда эта девушка сидела перед ним, уминая картошку и скрывая факты, — он в который раз осознал жуткую беззащитность мертвых.

Страйк проговорил ее имя по буквам, чтобы санитар мог заполнить бирку, а Уордл — страницу в блокноте; он также сообщил единственный известный ему адрес: приют Святого Эльма в Хаммерсмите.

— Кто ее нашел?

— Речная полиция выловила, вчера ночью, — сказал Карвер; это была первая фраза, которую он произнес за все время. У него был простецкий лондонский говор, а в голосе звучали нотки враждебности. — Тело обычно всплывает недели через три? — добавил он, адресуя свою реплику (скорее утверждение, чем вопрос) санитару, который осторожно кашлянул и ответил:

— В среднем да, но не удивлюсь, если в этом случае времени прошло меньше. Есть определенные признаки, по которым...

— Ну-ну, это пусть патологоанатом расскажет, — пренебрежительно оборвал его Карвер.

— Точно не три недели, — сказал Страйк, и санитар морга слегка улыбнулся ему в знак согласия.

— Это почему? — спросил Картер.

— Да потому, что я сам покупал ей бургер и картофель фри ровно две недели и один день назад.

— Ммм... — кивая Страйку, начал санитар, стоящий по другую сторону от тела. — Как раз хотел сказать, что большое количество углеводов в пище, поступившей в организм перед смертью, влияет на всплытие тела. Начинается разбухание...

— Именно тогда ты и дал ей визитку? — поинтересовался Уордл у Страйка.

— Да. Странно, что бумага не размокла.

— Визитку нашли в заднем кармане джинсов, в пластиковом чехле, вместе с проездной картой «Ойстер». Благодаря этому текст сохранился.

— А какая была одежда?

— Розовая шубка из искусственного меха. Чисто «Маппет-шоу». Джинсы, кроссовки.

— Когда я покупал ей бургер, она была одета так же.

— В таком случае содержимое желудка должно дать точное... — вклинился санитар.

— А родственники у нее близкие есть, не в курсе? — спросил Карвер у Страйка.

— Есть тетка в Килберне. Имени не знаю.

Сквозь приоткрытые веки Рошели виднелись блестящие глазные яблоки, типичные для утопленников. Под ноздрями остались следы запекшейся крови.

— А что с руками? — обратился Страйк к санитару; тело было открыто только по грудь.

— Да какая разница, что с руками! — рявкнул Карвер. — Спасибо, мы закончили, — громко сказал он санитару, и его слова эхом разнеслись по всему залу; затем он повернулся к Страйку. — Поговорить надо. Машина на улице.

Значит, Страйк теперь оказывал содействие полиции. Помнится, он впервые услышал эту фразу в новостях, когда еще мальчишкой бредил органами правопорядка. Мать всегда винила в этом своего брата Теда, бывшего сотрудника Королевской военной полиции, который постоянно рассказывал увлекательные (по мнению Страйка) истории о путешествиях, тайнах и приключениях. «Оказывать содействие полиции» — когда Страйку было пять лет, он представлял себе такую картину: благородный и бескорыстный гражданин вызывается отдать свои силы и время раскрытию преступления и получает от полиции лупу, дубинку и захватывающую возможность тайных действий.

Но реальность была совсем иной: тесная камера для допросов, чашка кофе, принесенная Уордлом из автомата. Уордл относился к Страйку без тени той враждебности, какая лезла из всех пор Карвера, но и не проявлял былого дружелюбия. Страйк подозревал, что начальник Уордла не знает подробностей их общения.

На небольшом черном поддоне, водруженном на исцарапанный стол, лежали семнадцать пенсов мелочью, одинокий ключ и автобусный проездной билет в пластиковом футляре; визитка Страйка, полинявшая и сморщенная, читалась вполне отчетливо.

— А сумка? — поинтересовался Страйк у Карвера: тот сидел напротив, а Уордл стоял облокотившись на картотечный шкаф. — Серая. Дешевого вида, из пластика. Ее не нашли?

— В ночлежке, наверное, оставила, или где там она канто-
валась, — ответил Карвер. — Самоубийцы обычно пожитки не
упаковывают перед тем, как сигануть.

— Вряд ли она сиганула, — заметил Страйк.

— Надо же, как интересно.

— Я хотел осмотреть ее руки. Она, по ее словам, терпеть не
могла, когда вода попадала на лицо, а положение рук...

— Приятно узнать мнение специалиста, — с дубовой иронией выговорил Карвер. — Я о вас наслышан, мистер Страйк.

Откинувшись на спинку стула, он сцепил пальцы за головой и обнажил застарелые круги пота в подмышках. В ноздри
Страйку через стол ударил тяжелый, луковый дух немытого
тела.

— Он служил в Отделе специальных расследований, —
вставил Уордл от картотечного шкафа.

— Без тебя знаю! — рявкнул Карвер, вздернув присыпанные
перхотью мохнатые брови. — Энстис мне все уши прожуж-
жал — и про ногу его, и про медаль за спасение жизни. Уж такой
пестрый послужной список.

Карвер опустил руки, подался вперед и теперь сцепил пальцы на столе. Свет голой лампочки не украшал его багровую
физиономию с лиловыми мешками под колючими глазками.

— И про старика твоего знаю, и много чего.

Выжидая, Страйк почесал небритый подбородок.

— Хочешь прославиться и разбогатеть, как папочка, да?
Ради этого все затеял?

У Карвера были ярко-голубые воспаленные глаза, которые
у Страйка всегда ассоциировались (после знакомства с неким
майором воздушно-десантного пехотного полка, впоследствии
лишенным звания за причинение тяжких телесных повреждений) с агрессивным холерическим темпераментом.

— Рошель не бросалась в реку. А Лула Лэндри не бросалась
с балкона.

— Бред! — заорал Карвер. — Ты разговариваешь с двумя
офицерами, которые доказали, что Лэндри сама сиганула вниз.
Мы все улики частым гребнем прочесали. Я тебя насквозь вижу. Нашел себе дойную корову, этого несчастного пидора Бристоу, и разводишь его на деньги. Чего скалишься?

— Представляю, какой у тебя будет видок, когда эта история попадет в газеты.

— Залупаться вздумал, козел? — Грубая, широкая физиономия Карвера побагровела, сверкнув голубыми глазами. — Ты по уши в дерьме, понял? Ни знаменитый папенька, ни костяная нога, ни армейские подвиги тебе не помогут. Кто поверит, что эта тупая корова утопилась без твоей помощи? Она ведь ко всему еще психованная была? Вот ты ей и вдолбил, что она совершила плохой поступок и должна себя наказать. Ты был последним, кто видел ее живой. Я тебе не завидую.

— Рошель перешла через Грантли-роуд и, живехонькая, зашагала от меня прочь. Нетрудно будет найти тех, кто видел ее после меня. Такую шубу каждый запомнит.

Отделившись от картотечного шкафа, Уордл подвинул себе жесткий пластиковый стул и тоже подсел к столу.

— Что ж, послушаем, — сказал он Страйку. — Твою версию.

— Девчонка шантажировала убийцу Лулы Лэндри.

— Охренел, что ли? — взъелся Карвер, и даже Уордл театрально хохотнул.

— Накануне своей смерти, — продолжил Страйк, — Лэндри встретилась с Рошелью в том бутике, в Ноттинг-Хилле, причем на пятнадцать минут. Она сразу потащила Рошель с собой в примерочную, где сделала звонок, умоляя кого-то приехать ночью к ней домой. Это слышала продавщица — она находилась в соседней кабинке, а примерочные разделены только занавеской. Продавщицу зовут Мел, рыжеволосая, с татуировками.

— Людишки с три короба наврут, если дело касается знаменитостей, — сказал Карвер.

— Если Лэндри кому-то звонила из примерочной, — вклинился Уордл, — то либо Даффилду, либо своему дядюшке. Судя по распечатке вызовов, она в тот день звонила только этим двоим.

— Зачем ей понадобилось, чтобы во время телефонного разговора рядом стояла Рошель? — спросил Страйк. — Зачем тащить подругу с собой в примерочную?

— Бабы, — сказал Карвер. — Они и в сортир строем ходят.

— Включите мозги, наконец: она звонила с телефона Роше-ли! — взвился Страйк. — Лула проверяла всех своих друзей, чтобы понять, кто сливает сведения прессе. Рошель единствен-ная держала язык за зубами. Лэндри убедилась, что девчонке можно доверять, купила ей мобильный, зарегистрировала на ее имя, но оплачивала сама. Телефон Лэндри до этого взломали, ведь так? Она вбила себе в голову, что ее подслушивают и пре-дают, потому-то и купила эту «нокию» и зарегистрировала на другого человека: только для того, чтобы у нее самой всегда было абсолютно надежное средство связи. Да, это не исключа-ет ни дядюшку, ни Даффилда, так как звонок с другого номера мог служить заранее условленным сигналом. Другой вариант: Лэндри использовала номер Рошели, чтобы позвонить челове-ку, которого не хотела светить перед прессой. У меня есть номер мобильного Рошели Онифад. Узнайте, услугами какой сети она пользовалась, и сможете проверить мою версию. У нее была розовая трубка, «нокия», вся в стекляшках, но трубки вы не найдете.

— Естественно, не найдем, потому что эта фигня сейчас ле-жит на дне Темзы, — поддакнул Уордл.

— Ничего подобного, — возразил Страйк. — Телефон забрал убийца. Перед тем, как столкнуть девчонку в воду.

— Да иди ты! — ухмыльнулся Карвер, а Уордл, который, вопреки здравому смыслу, заинтересовался версией Страйка, покачал головой.

— Зачем Лэндри понадобилось, чтобы во время телефонно-го разговора рядом стояла Рошель? — повторил Страйк. — По-чему не позвонить из машины? Почему Рошель, практически нищая, без крыши над головой, все же не продала свою историю о Лэндри газетчикам? Ей бы хорошо заплатили. Почему она не связалась с прессой после гибели Лэндри, когда той уже было все равно?

— Совесть не позволила? — предположил Уордл.

— Да, это вариант, — сказал Страйк. — Но есть и другой: она шантажировала убийцу и тянула из него деньги.

— Бред! — рявкнул Карвер.

— Да? Шубейка, в которой ее вытащили из реки, стоила полторы тыщи фунтов.

Короткая пауза.

— Наверное, подарок от Лулы, — предположил Уордл.

— Исключено: в январе эта марка еще не поступила в продажу.

— Лэндри была вешалка, у нее вся тусовка шмутьем занималась, епта, — огрызнулся Карвер, как будто сам на себя разозлился.

— Почему... — спросил Страйк, наклоняясь к Карверу, от которого воняло как из помойки, — почему Лула Лэндри, сделав такой крюк, убежала из бутика через пятнадцать минут?

— Торопилась.

— Зачем ей вообще понадобилось туда ехать?

— Уговор был.

— Она заставила Рошель тащиться через весь город — девчонку без гроша в кармане, без крыши над головой, девчонку, которую она после каждой встречи подвозила до приюта на лимузине с водителем, — зазвала ее в примерочную, а сама через пятнадцать минут сдернула, оставив подругу одну добираться назад, — почему?

— Да потому что стерва!

— Возможно; но зачем-то она все же приезжала? Ведь не просто так. А если допустить, что Лэндри не была стервой, то надо признать, что в состоянии стресса она могла совершать несвойственные ей поступки. Есть свидетельница того, что Лула по телефону умоляла кого-то приехать к ней домой после часу ночи. Есть этот голубой листок, который был у нее с собой до прихода в «Вашти», а потом исчез. Куда она его дела? Почему, сидя на заднем сиденье, писала что-то перед встречей с Рошелью?

— Вполне возможно, что это... — начал Уордл.

— Ну не список же покупок, черт побери, — с досадой бросил Страйк, грохнув кулаком по столу, — и не предсмертная записка, потому что никто не пишет такие записки за восемь часов до смерти, с тем чтобы еще отправиться потанцевать! Она *завещание* составляла, неужели не доходит? И взяла с собой в «Вашти», чтобы Рошель засвидетельствовала...

— Бред! — снова процедил Кавер, но Страйк пропустил это мимо ушей и продолжил, обращаясь к Уордлу:

— ...и это полностью согласуется с тем, что она говорила Сиаре Портер о своем намерении оставить все имущество брату, неужели не ясно? Она просто решила оформить все по закону. Как и задумала.

— С чего бы ей вдруг приспичило завещание оформлять?

Задумавшись, Страйк откинулся на спинку стула. Карвер смотрел на него с ухмылкой:

— Что, фантазия иссякла?

Страйк тяжело вздохнул. Сначала ночь, утопившая рассудок в алкоголе; затем ночь любовных излишеств; утром — половина сэндвича с сыром и пикулями, вот и все, что он съел за двенадцать часов; сейчас его придавили опустошенность и бессилие.

— Будь у меня веские доказательства, я бы вам их предоставил.

— У людей из окружения самоубийц высоки шансы рано или поздно покончить с собой, тебе это известно? Эта как ее там Ракель страдала депрессиями. И вот у нее случается неудачный день, она вспоминает, как ее подружка одним махом избавилась от всех проблем, и решает последовать ее примеру — сброситься с высоты. И таким образом, приятель, мы вновь возвращаемся к тебе — мастеру допекать людей и подталкивать их...

— ...к пропасти, да-да, — подхватил Страйк, — я уже это слышал. Но в данном случае это звучит пошловато. Так, а что насчет показаний Тэнзи Бестиги?

— Сколько можно повторять, Страйк? Мы уже доказали, что она не могла ничего слышать, — ответил Уордл. — Это факт.

— Нет, это не факт. — Неожиданно для себя Страйк потерял терпение. — Вы с самого начала капитально облажались и на этом построили все свое расследование. Если бы вы не отмахнулись от Тэнзи Бестиги, если бы сумели расколоть ее и вытащить из нее всю правду, Рошель Онифад была бы жива.

Кипя от злости, Карвер промурыжил Страйка еще час, а затем, дабы напоследок продемонстрировать ему свое презрение, приказал Уордлу проследить, чтобы «Рокби-младший» незамедлительно покинул помещение.

Уордл молча проводил Страйка к выходу.

— У меня к тебе просьба, — сказал Страйк, задержавшись в дверном проеме, сквозь который виднелось темнеющее небо.

— Имей совесть, приятель, — иронически ухмыльнулся Уордл. — Меня теперь этот... — он ткнул большим пальцем за спину, в направлении обозленного Карвера, — неделю из-за тебя долбать будет. Говорю же: это самоубийство.

— Уордл, если не остановить злодея, он угробит еще как минимум двоих.

— Страйк...

— А если я представлю тебе доказательства, что Тэнзи Бестиги в момент смерти Лулы находилась не у себя в квартире, а в другом месте, откуда могла все слышать?

Уордл закатил глаза:

— Ну, коли у тебя есть доказательства, тогда, конечно...

— Пока нет, но через пару дней будут.

Мимо них, болтая и посмеиваясь, прошли двое полицейских. Уордл тряхнул головой: он явно злился, но пока не уходил.

— Если тебе нужна закрытая информация, звони Энстису. Он ведь твой должник.

— В данном случае Энстис мне не помощник. Нужно, чтобы ты позвонил Диби Макку.

— Что? Да с хрена ли?

— Ты меня слышал. Пойми, со мной он разговаривать не станет. А ты представитель власти, да к тому же вроде как нашел с ним общий язык.

— То есть ты утверждаешь, что Диби Макк знает, где была Тэнзи Бестиги в момент смерти Лулы Лэндри?

— Да нет, откуда? Он же тусовался в «Казарме». Меня интересует другое: какие вещи ему переслали из Кентигерн-Гарденз в отель «Кларидж». А конкретно: какие шмотки он получил от Гая Сомэ?

Ради Уордла Страйк решил не утруждать себя французским прононсом.

— Ты хочешь... а тебе на кой?

— Дело в том, что один из бегунов на той записи с камер видеонаблюдения одет в толстовку Диби.

На миг лицо Уордла застыло, но тут же вновь исказилось досадливой гримасой.

— Да такие шмотки каждый второй носит, — чуть помедлив, бросил он. — С лейблом «GS». Костюмчики яркие. Штаны тренировочные.

— Я говорю о толстовке с капюшоном, созданной в единственном экземпляре. Позвони Диби, спроси, что прислал ему Сомэ. Больше я ни о чем не прошу. Уордл, если выяснится, что я прав, на чьей стороне ты предпочтешь оказаться?

— На пушку меня берешь, Страйк?

— Еще не хватало. Я лишь думаю о том, что серийный убийца разгуливает на свободе и замышляет следующее преступление... Но если ты беспокоишься о газетчиках, то им, думаю, не особенно понравится, что, обнаружив и второй труп, полиция продолжает цепляться за версию самоубийства. Позвони Диби Макку, Уордл, пока не появились новые жертвы.

11

— Нет, — тем же вечером решительно сказал в телефонную трубку Страйк. — Это становится опасным. Слежка не входит в обязанности секретаря-референта.

— Равно как и посещение отеля «Мальмезон» или Института востоковедения и африканистики, — заметила Робин, — но по этим пунктам у вас нареканий не было.

— Никакой слежки, Робин. Мэтью тоже этого не одобрит.

Странное дело, думала Робин, сидя в халатике на кровати и прижимая к уху телефон. Босс в глаза не видел ее жениха, но помнил его имя. Опыт подсказывал, что мужчины не забивают себе голову подобной чепухой. Мэтью многих не помнил по имени, даже свою новорожденную племянницу; но Страйка, видимо, научили, как сохранять в памяти такие подробности.

— Я не обязана спрашивать разрешения у Мэтью, — сказала она. — Да и что здесь опасного? Вы же не считаете, что Урсула Мей кого-нибудь убила?

(В конце фразы возникло неслышное «или как?»)

— Нет, не считаю, просто я не должен показывать, что меня интересуют ее передвижения. Убийца может занервничать, а я не хочу, чтобы еще кого-нибудь откуда-нибудь сбросили.

Под тонкой тканью халатика у Робин заколотилось сердце. Она понимала, что Страйк не раскроет имя предполагаемого убийцы; ей было бы даже боязно его узнать, но факт оставался фактом: ни о чем другом она думать не могла.

Это она позвонила Страйку. Прошел не один час после того, как ей на телефон пришло сообщение от босса с просьбой запереть контору в пять часов, поскольку сам он вынужден проследовать с полицейскими в Скотленд-Ярд. Робин не находила себе места. «Ну позвони ему, ты же спать не сможешь», — сказал ей Мэтью, желая не столько поиздеваться, сколько намекнуть, что в данном вопросе он солидарен с полицейскими.

— Послушайте, у меня к вам просьба, — сказал ей Страйк. — С утра первым делом позвоните Джону Бристоу и сообщите ему про Рошель.

— Ладно, — сказала Робин, глядя на большого плюшевого слона, которого восемь лет назад подарил ей Мэтью на их первый День святого Валентина; сам даритель сейчас сидел в гостиной и смотрел вечерний выпуск новостей. — А вы чем будете заниматься?

— Съезжу на киностудию «Пайнвуд», перекинусь парой слов с Фредди Бестиги.

— Как это? — удивилась Робин. — Вас к нему и близко не подпустят.

— Разберемся, — сказал Страйк.

Когда Робин повесила трубку, Страйк еще немного посидел без движения в темноте. Мысль о непереваренном фастфуде в разбухшем трупе Рошель не помешала ему по пути из Скотленд-Ярда умять два бигмака, большой картофель фри и мороженое макфлури. Сейчас желудочные выхлопы перекликались с глухим уханьем бас-гитары в кафе «12 тактов». Звуков бас-гитары Страйк в последнее время просто не замечал: они стали привычными, как его собственный пульс.

Захламленная девчоночья квартирка Сиары Портер, широкий стонущий рот, длинные белые ноги, крепко обхватившие его за спину, — все это осталось в какой-то прошлой жизни. А теперь его мысли занимала приземистая, неуклюжая Рошель Онифад. Он вспоминал, как она, едва распрощавшись с ним, тараторила по телефону и шагала по улице в той же одежде, в какой ее вытащили из воды.

Он был уверен, что составил для себя картину происшедшего. Рошель позвонила убийце и доложила, что за обедом встречалась с частным сыщиком; по сверкающему розовому телефону тут же была назначена встреча; поужинав или просто посидев за бокалом вина, они темными улицами направились к реке. Страйк мысленно рисовал себе тот район, куда якобы перебралась Рошель, и в первую очередь серовато-зеленый с позолотой Хаммерсмитский мост с невысокими перилами — излюбленное место самоубийц над быстриной Темзы. Плавать Рошель не умела. Поздний вечер; влюбленная парочка, шутя, толкается на мосту; вот проехала машина, потом крик, всплеск. Кто мог это видеть?

Никто, если у злодея стальные нервы и ему опять повезет; а этот подонок уже доказал первое и с пугающим безрассудством полагался на второе. Из-за его неслыханной веры в собственную безнаказанность, с какой Страйк еще не сталкивался, сторона защиты, конечно же, будет настаивать на ограниченной вменяемости. Возможно, рассуждал Страйк, там и есть какая-то аномалия, некая форма помешательства, но психология преступника его не интересовала. Как и Джон Бристоу, он хотел одного — справедливости.

В темном кабинете мысли Страйка неожиданно и совсем некстати устремились назад во времени, к самой личной из всех потерь, к той, которая, по ошибочному мнению Люси, довлела над каждым его расследованием, окрашивала каждое дело, — к той насильственной смерти, что расколола их с Люси жизнь на две эпохи: до гибели матери и после. Люси считала, что он бросил все и ушел служить в военную полицию только из-за смерти Леды, что бежал от недоказанности вины отчима, что каждый труп, который он осматривал по долгу службы, неизбежно вызывал у него в памяти образ матери, что в каждом пойманном убийце ему виделась тень отчима; что расследование каждой смерти превращалось для него в личное искупление.

Но нет, Страйк решил посвятить себя этой карьере задолго до того, как в тело Леды вошла фатальная игла; задолго до того, как он понял, что его мать (как и любая человеческая особь) смертна и что убийство — это нечто большее, чем задачка, требующая ответа. На самом-то деле это Люси жила с оглядкой на прошлое, окутанная воспоминаниями, как роем трупных мух; это она проецировала на любую насильственную смерть те противоречивые чувства, которые всколыхнула в ней безвременная кончина матери.

Однако же сегодня он невольно занялся тем, что приписывала ему Люси: стал вспоминать Леду и проводить параллели с нынешним делом. *Леда Страйк, супергрупи.* Именно такая подпись сопровождала самую известную ее фотографию, черно-белую, причем единственную, на которой его родители были изображены вместе. Лицо сердечком, блестящие темные волосы, а глаза как у обезьянки-игрунки. Отца и мать разделяют антиквар (давно наложивший на себя руки), высокородный плейбой (умерший от СПИДа) и Карла Астольфи, вторая жена отца. Сам Джонни Рокби женоподобен и, почти как Леда, длинноволос. Бокалы мартини, сигареты, струйка дыма, вылетающая изо рта манекенщицы, но его мать самая стильная в этой компании.

Похоже, все, кроме Страйка, считали смерть Леды плачевным, но предсказуемым исходом ее рискованной жизни за гранью общепринятых норм. Даже близкие, давние знакомые не сомневались, что она сама вколола себе смертельную дозу. По общему мнению, его мать слишком близко подошла к осклизлому краю жизни, а потому никто не удивился, когда она исчезла из виду и упала в объятия смерти, оставшись лежать в холодной неподвижности на грязной простыне.

Почему она такое сотворила, никто не мог объяснить, даже дядя Тед (молчаливый, подавленный, согнувшийся над кухонной раковиной), даже тетя Джоан (заплаканная, но гневная, обнимавшая возле своего кухонного столика девятнадцатилетнюю Люси, которая рыдала ей в плечо). Передоз легко согласовывался с той жизнью, что выбрала для себя Леда, — скворы, рокеры, разнузданные вечеринки; с убожеством ее последнего романа и жилища; с доступностью наркотиков; с ее безрассудной тягой к острым ощущениям и кайфу. Страйк единственный из всех допытывался, кому было известно, что его мать начала колоться; он один понимал, что баловаться травкой и резко подсесть на героин — это совсем не одно и то же; только у него возникали подозрения и вопросы без ответов. Но кто слушал двадцатилетнего студента?

После суда и оглашения вердикта Страйк просто собрал вещи и забил на все: на недолгую истерию в прессе; на горькое отчаяние тети Джоан по поводу его неоконченной учебы в Оксфорде; на Шарлотту, которая после его исчезновения, дав волю слезам и злости, тут же прыгнула в постель к другому; на сцены и вопли Люси. Только дядя Тед поддержал его намерение пойти в армию, где, как ни странно, пригодились издержки их жизни с матерью: постоянная перемена мест, отсутствие привязанностей, ненасытная жажда новых ощущений.

Но сегодня ему почему-то привиделось душевное родство, связавшее и его мать, и прекрасную, ранимую, неуравновешенную топ-модель, которая разбилась на обледенелой мостовой, и нелепую, никому не нужную бродяжку, лежавшую сейчас в морге. Леда, Лула и Рошель ничем не напоминали таких женщин, как тетя Джоан и Люси; они не оградили себя от жестокости и случайностей, не зацепились за эту жизнь ни ипотекой, ни волонтерством, ни надежными мужьями, ни чистенькими иждивенцами. Их смерть не объявляли «трагической», в отличие от смерти положительных, уравновешенных домохозяек.

До чего же легко рассуждать о склонности человека к саморазрушению, до чего же просто столкнуть его в небытие, а потом отойти в сторонку, пожать плечами и согласиться, что это был неизбежный исход беспорядочной, катастрофической жизни.

Почти все физические следы убийства Лулы давным-давно были стерты, затоптаны или спрятаны под снежным покровом; самой веской уликой, имевшейся в распоряжении Страйка, оставалось зернистое черно-белое изображение двух парней, бегущих от места преступления. Следователи не придали значения этой улике и вскоре отбросили ее вовсе, решив, что в дом проникнуть невозможно, что Лэндри покончила с собой, а камера запечатлела какое-то мелкое уличное хулиганье.

Страйк поднялся со стула. Часы показывали половину одиннадцатого: тот, кому он собирался позвонить, в такое время еще не спал. Включив настольную лампу, Страйк взял телефон и соединился с Германией.

— Огги! — взревел, как из жестяной бочки, голос в трубке. — Как ты там, чертяка?

— У меня к тебе просьба, дружище.

И Страйк попросил, чтобы лейтенант Грэм Хардейкр поделился с ним сведениями об одном военнослужащем инженерных войск: фамилия — Агьемен, имя и звание неизвестны; в первую очередь Страйка интересовали даты его командировок в Афганистан.

12

Лишившись ноги, Страйк почти не садился за руль. Раньше он пытался управлять «лексусом» Шарлотты, но сегодня, стараясь ничем не выдавать свою ущербность, взял напрокат «хонду-сивик» с автоматической коробкой передач.

До Айвер-Хит было меньше часа езды. На территорию киностудии «Пайнвуд» он проник с помощью убеждений, шантажа и предъявления официальной, хотя и просроченной ксивы; охранника, поначалу непреклонного, сразили слова «Отдел специальных расследований», безапелляционный тон и фотография в удостоверении.

— Вам назначено? — спросил он Страйка, глядя на него сверху вниз из своей будки у шлагбаума с электрическим приводом и прикрывая рукой телефонную трубку.

— Нет.

— Вы по какому вопросу?

— По вопросу мистера Эвана Даффилда, — сказал Страйк и увидел, что охранник нахмурился, отвернулся и забормотал в трубку.

Через минуту с небольшим охранник объяснил, как проехать в нужное здание, и жестом показал Страйку, что путь свободен. Следуя мягким изгибам дороги, связавшей все корпуса киностудии, Страйк в который раз отмечал, как удобно время от времени использовать чужую скандальную славу.

Припарковался он через несколько рядов от представительского «мерседеса», занимавшего площадку с указателем «Продюсер Фредди Бестиги», а затем под взглядом шофера, который наблюдал за ним в зеркало заднего вида, неторопливо выбрался из машины и прошел через стеклянную дверь к ничем не примечательной, стандартной лестнице. По ступенькам навстречу ему сбегал молодой человек — облагороженная копия Болта.

— Где мне найти мистера Бестиги? — спросил его Страйк.

— Третий этаж, первая дверь направо.

Фотографии точно отражали отталкивающую внешность продюсера: бычью шею, рябую кожу. Он сидел за письменным столом, отделенный от офисного помещения стеклянной перегородкой, и хмуро вглядывался в экран монитора. В общем зале кипела работа; за столами трудились привлекательные молодые женщины; на колоннах пестрели киноафиши, рядом с графиками просмотров были приклеены фото домашних любимцев. Сидевшая ближе всех к дверям кабинета прелестная девушка подняла глаза на Страйка и, не снимая гарнитуры с микрофончиком, проворковала:

— Здравствуйте, чем могу вам помочь?

— Я к мистеру Бестиги. Не беспокойтесь, я сам.

Не дав ей опомниться, Страйк прошел в кабинет.

Бестиги поднял голову; маленькие глазки смотрели из складок кожи и черных родинок, испещривших смуглую физиономию.

— Ты кто такой?

Он начал выбираться из кресла, держась толстыми пальцами за край стола.

— Корморан Страйк. Частный детектив. Меня нанял...

— Елена! — Бестиги опрокинул кофейную чашку; кофе растекался по лежавшим на столе документам. — Пошел вон! Кому сказано? Вон отсюда!

— ...брат Лулы Лэндри, Джон Бристоу.

— ЕЛЕНА!

Та самая девушка с гарнитурой вбежала в кабинет и, трепеща от ужаса, остановилась возле Страйка.

— Вызови охрану, тупая корова!

Девушку как ветром сдуло. Бестиги, в котором росту было чуть более полутора метров, наконец-то выбрался из-за стола и ничуть не спасовал перед Страйком, как питбуль, защищающий свою территорию от ротвейлера.

Елена оставила дверь открытой; перепуганные сотрудницы застыли, глядя в кабинет.

— Я не одну неделю пытался до вас дозвониться, мистер Бестиги...

— Пеняй на себя. — Бестиги двигался вперед, стиснув зубы и расправив крепкие плечи.

— ...чтобы поговорить о событиях той ночи, когда погибла Лула Лэндри.

Вдоль стеклянной перегородки справа от Страйка бежали двое мужчин в белых рубашках и с рациями: оба молодые, напряженные, в прекрасной форме.

— Вышвырнуть его отсюда! — взревел Бестиги, указывая на Страйка, но охранники застряли в дверях и не сразу ворвались в кабинет.

— А конкретно, — продолжил Страйк, — о местонахождении вашей жены Тэнзи в момент падения Лулы...

— Вышвырнуть его! Звоните в полицию! Как он вообще сюда попал?

— ...потому что мне показали некие фотографии, которые не оставляют сомнения в правдивости показаний вашей жены. Руки убери, — бросил Страйк младшему из охранников, который вцепился ему в плечо, — а то огорчу.

Охранник не отпустил его, но ждал приказа от босса.

Продюсер, буравя глазками Страйка, то сцеплял, то расцеплял хищные пальцы. Через несколько секунд он выговорил:

— Брехня.

Однако нового приказа вышвырнуть посетителя не последовало.

— В ночь с седьмого на восьмое января фотограф стоял на тротуаре, через дорогу от вашего дома. Пока еще он сам не знает, что напал на золотую жилу. Не хотите обсуждать — не надо. Мое дело — сторона; полиция и пресса разберутся. Результат будет один.

Страйк сделал пару шагов к двери; державшие его с двух сторон охранники были так ошарашены, что сами вернули его на прежнюю позицию.

— Пошли вон! — бросил им Бестиги. — Когда понадобитесь — вызову. И дверь закройте.

Охранники вышли. Когда дверь закрылась, Бестиги сказал:

— Ладно... как тебя там... даю тебе пять минут.

Страйк без приглашения сел в черное кожаное кресло лицом к продюсеру, а тот, вернувшись за стол, окинул Страйка холодным, пристальным взглядом, совсем не похожим на тот, которым одарила его опальная жена Бестиги; сейчас на Страйка уставились внимательные глаза профессионального игрока. Достав пачку сигарилл, Бистиги пододвинул к себе черную стеклянную пепельницу и щелкнул золотой зажигалкой.

— Итак, послушаем, что же показывают эти мифические фотографии. — Он щурился за облаком едкого дыма, точь-в-точь как киношный мафиозо.

— Силуэт, — сказал Страйк, — очертания тела сидящей на корточках женщины на балконе вашей гостиной. Женщина выглядит обнаженной, но, как мы с вами знаем, на ней было нижнее белье.

Продюсер, сделав несколько затяжек, опустил сигариллу и сказал:

— Брехня. С улицы ничего не видно. Балкон сложен из каменных плит. Ты блефуешь.

— У вас в гостиной горела люстра. Через просветы между каменными плитами виднелся женский силуэт. А места было предостаточно, поскольку деревца в кадках там еще не стояли, верно я говорю? Человек всегда стремится что-нибудь подправить на месте преступления, даже если он вышел сухим из воды, — светским тоном добавил Страйк. — Вы хотели представить дело так, будто из вашей квартиры вообще невозможно выйти на балкон, верно? Но реальность фотошопом не подправишь. У вашей жены была прекрасная возможность расслышать каждое слово, прозвучавшее на балконе четвертого этажа перед смертью Лулы Лэндри. Вот так мне это видится, — продолжал Страйк, а Бестиги по-прежнему щурился сквозь дымовую завесу. — У вас с женой вышел конфликт, когда она раздевалась на ночь. Вероятно, вы нашли в ванной комнате ее заначку, а может, даже застукали жену, когда она побежала нюхнуть. Чтобы неповадно было, вы решили ее наказать: выставить на балкон при минусовой температуре. Кто-то может спросить: почему на запруженной народом улице никто не заметил, как на балкон вытолкнули полураздетую женщину? Да потому, что в это время валил снег, люди притопывали ногами, чтобы согреться, и все их внимание было направлено в дальний конец улицы, откуда должны были появиться Лула и Диби Макк. А Тэнзи проглотила язык, да? Присела на корточки, скрючилась. Не позировать же полуголой, на морозе, перед тремя десятками папарацци. Вполне возможно, что жена ваша оказалась на балконе именно в тот момент, когда к дому подъехала машина Лулы. Кому интересно смотреть на ваш балкон, когда к дому идет Лула в откровенном наряде?

— Брехня, — повторил Бестиги. — Никаких фотографий у тебя нет.

— А я и не утверждаю, что есть. Я только говорю, что мне их показали.

Бестиги опустил черную сигариллу, но передумал и снова поднес ее к губам. Страйк немного выждал, давая ему возможность заговорить первым, а потом продолжил:

— Должно быть, Тэнзи забарабанила в балконную дверь сразу после того, как мимо нее пролетела Лула. Вы ведь не ожидали, что жена будет визжать и колотить по стеклу, правда? Деваться было некуда: чтобы не выставлять напоказ сцену домашнего насилия, вы открыли дверь. Жена как угорелая с воплями промчалась мимо вас, вылетела из квартиры и бросилась вниз по лестнице, к Деррику Уилсону. Тут-то вы и сами перегнулись через балконные перила и увидели на мостовой мертвую Лулу Лэндри.

Продюсер медленно выпустил дым, не сводя глаз со Страйка.

— Но ваши последующие действия присяжные сочтут подозрительными. Вы не вызвали службу спасения. Не кинулись за полуобмороженной, бьющейся в истерике женой. Вы даже не побежали в ванную комнату, чтобы смыть следы кокаина, что присяжные сочли бы вполне естественным. Нет — прежде чем броситься за женой или позвонить в полицию, вы стали протирать балконную дверь. Чтобы снаружи не осталось отпечатков, доказывающих, что Тэнзи прижималась ладонями к стеклу, точно? Чтобы никто не догадался, как вы силой вытолкали жену на балкон при температуре минус десять. Репутация у вас подмочена: сексуальные домогательства, насилие, да еще, не ровен час, молоденькая подчиненная вот-вот подаст в суд. Как тут обставиться перед прессой и прокурором? Никак. Правильно я говорю? Удалив со стекла все отпечатки, вы сбежали по лестнице и силком поволокли жену назад в квартиру. До приезда полиции вы убедили ее никому не рассказывать, где она была, когда упало тело. Уж не знаю, что вы ей посулили и чем пригрозили, но это сработало. Однако ваша жена была настолько перепугана и подавлена, что вы опасались, как бы у нее не развязался язык. Поэтому вы устроили полицейским скандал из-за опрокинутой вазы с цветами в квартире Диби Макка, надеясь, что Тэнзи за это время опомнится и поведет себя правильно. Так и вышло, да? Одному богу известно, чего вам это стоило, но она даже стерпела нападки и оскорбления прессы. А ведь ее обливали грязью, называли полоумной наркоманкой. Но ваша жена стояла на своем: дескать, она — через звуконепроницаемое стекло, находясь двумя этажами ниже, — слышала, как Лэндри ссорилась с убийцей. Но когда ей станет известно о существовании снимков, доказывающих ее местонахождение в момент убийства, думаю, она с радостью откроет правду. Ваша жена, как может показаться, больше всего на свете любит деньги, но ее мучит совесть. Не сомневаюсь: она расколется очень быстро.

Докурив сигариллу практически до конца, Бестиги медленно затушил ее в пепельнице черного стекла. Секунды замедлили свой бег. Через стеклянную перегородку в кабинет проникали голоса и телефонные звонки.

Бестиги встал и опустил холщовые римские шторы, отгородившись от нервических девиц в офисе. Затем он снова сел и толстыми пальцами стал задумчиво потирать подбородок, косясь то на Страйка, то на опущенные шторы. Страйк почти воочию видел, как хозяин кабинета перебирает разные варианты, словно тасует колоду карт.

— Гардины были задернуты, — проговорил наконец Бестиги. — А без света не видно, кто там прячется на балконе. Тэнзи не изменит своих показаний!

— Посмотрим, — ответил Страйк, вытягивая ноги: протез давал о себе знать. — Когда я объясню ей, что на языке закона ваши с ней действия называются «предварительный сговор с целью воспрепятствовать совершению правосудия» и что чистосердечное признание, хоть и запоздалое, может уберечь ее от тюрьмы, когда я прибавлю, что ей, как жертве домашнего насилия, гарантировано сочувствие общественности, и озвучу примерную сумму, которую она получит за исключительные права на публикацию своих откровений, когда объясню, что она сможет выступить в суде и ей поверят и осудят злодея, убившего ее соседку, тогда даже у вас, мистер Бестиги, думаю, не хватит средств, чтобы заставить ее молчать.

Губы Бестиги нервно дрогнули. Он достал новую пачку черных сигарет, но открывать не стал. В воздухе повисла тишина; Бестиги крутил в руках пачку. Наконец он выговорил:

— От меня ты никаких признаний не дождешься!

Страйк и бровью не повел:

— Знаю, вы хотите как можно скорее позвонить своему адвокату, но при этом можете упустить один выигрышный для себя момент. Конечно, вам будет тяжело признаваться в том, что произошло той ночью, но это куда лучше, чем проходить по делу об убийстве в качестве главного подозреваемого. Придется выбирать меньшее из двух зол. Сказав правду, вы отведете от себя подозрения в убийстве.

— Ну хватит! Убирайся!

Страйку все же удалось завладеть вниманием Бестиги.

— Вы не могли совершить это преступление: ведь если бы именно вы сбросили Лэндри с верхнего этажа, то не успели бы впустить Тэнзи в квартиру через считаные секунды после падения тела. Мне дело видится так: выставив жену на балкон, вы пошли в спальню, легли на кровать, устроились поудобнее — полиция подтвердила, что постель была смята, — и стали поглядывать на часы. Не думаю, что вы собирались поспать. Продержи вы жену на холоде слишком долго, вас бы осудили за непредумышленное убийство. Неудивительно, что охранник Уилсон сказал: тряслась, как собачонка на морозе. Вероятно, это была первая стадия гипотермии.

Еще одна пауза; только пальцы Бестиги легко барабанили по краю стола. Страйк достал блокнот.

— Теперь вы готовы ответить на пару вопросов?

— Да пошел ты!

Продюсер не мог больше сдерживать ярость. Он выпятил челюсть и вздернул плечи. Страйк представил, какого страху нагнал Фредди на свою хлипкую, одурманенную кокаином жену, когда двинулся на нее с вытянутыми руками.

— Ты вляпался по-крупному, — невозмутимо произнес Страйк, — но насколько глубоко ты увязнешь, зависит только от тебя. Можешь все отрицать, можешь вести баталии с женой в суде и в прессе — конец будет один: тебя упекут за лжесвидетельство и препятствование следствию. Или ты можешь начать сотрудничать, прямо сейчас, чтобы заслужить благодарность и расположение родственников Лулы. Тем самым ты подтвердишь свое раскаяние, а это придется очень кстати, когда ты будешь подавать прошение о помиловании. А если твои показания к тому же помогут в поимке убийцы Лулы, то ты, насколько я могу судить, отделаешься частным определением. А вот полицейских общественность и пресса сожрут с потрохами.

Шумно дыша, Бестиги обдумывал слова Страйка. Наконец он прорычал:

— Какой, к черту, убийца? Уилсон обыскал весь дом и никого не нашел. Лэндри сама бросилась вниз. — Он дернул головой. — Наркоманка долбаная, как и моя женушка.

— Убийца есть, — Страйк взял прежний вежливый тон, — и вы лично помогли ему скрыться.

Что-то в его голосе остановило Бестиги, который уже готов был хохотнуть. Черные щелочки глаз выдавали раздумье.

— У вас, говорят, были планы предложить Луле роль в фильме?

Бестиги обескуражил такой поворот темы.

— Одно время подумывал, — пробормотал он. — Правда, она чокнутая была, но до чего хороша, чертовка.

— Вы собирались свести их с Диби Макком в одном проекте?

— Это было бы золотое дно.

— А что за фильм вы задумали после смерти Лулы? Как такая биографическая штука называется — байопик? Говорят, Тони Лэндри был не в восторге.

К удивлению Страйка, одутловатая физиономия Бестиги расплылась в сатанинской ухмылке.

— Кто ж тебе такое сказал?

— Но это правда?

Бестиги впервые почувствовал, что перевес на его стороне.

— Нет, вранье. Энтони Лэндри прозрачно намекнул, что с радостью вернется к этому разговору, как только леди Бристоу отдаст концы.

— Значит, он не был зол, когда позвонил вам для обсуждения этого вопроса?

— «Если подойти к делу тактично» и тэ дэ и тэ пэ.

— Вы хорошо знаете Тони Лэндри?

— Я хорошо о нем осведомлен.

— В каком плане?

Бестиги поскреб подбородок, усмехаясь своим мыслям.

— Он ведь представляет интересы вашей жены в бракоразводном процессе.

— До поры до времени, — сказал Бестиги.

— Думаете, она хочет его отстранить?

— Хочет не хочет, а придется, наверное. — Бестиги самодовольно ухмыльнулся. — Конфликт интересов. Посмотрим.

Страйк бросил взгляд в свой блокнот, размышляя с хладнокровной расчетливостью опытного картежника, не опасно ли продолжать расспросы, не имея никаких доказательств.

— Как я понимаю, — начал он, вновь подняв глаза, — вы не утаили от Лэндри, что вам известно о его связи с женой партнера по бизнесу?

На мгновение Бестиги застыл от удивления, а затем разразился оглушительным, грубым хохотом:

— Надо же, разнюхал!

— Как вы узнали об их романе?

— Нанял такого, как ты. Было у меня подозрение, что Тэнзи ходит на сторону, но выяснилось, что она лишь покрывала свою шлюшку-сестрицу, пока та кувыркалась с Тони Лэндри. Чертовски весело будет смотреть, как Меи разводятся. С обеих сторон — первоклассные адвокаты. Семейный бизнес развалится после стольких лет. Киприан Мей не такой уж тюфяк, каким выглядит. Он защищал интересы моей второй жены. То-то я повеселюсь на славу, глядя на эту заваруху. Полюбуюсь для разнообразия, как адвокаты будут глотки грызть не кому-нибудь, а друг другу.

— Значит, у вас есть реальное средство давления на адвоката, который представляет интересы вашей жены в деле о разводе?

Сквозь сигарный дым было видно, что Бестиги злобно ухмыльнулся:

— Им и в голову не приходит, что я все знаю. А я только жду подходящего случая, чтобы их прижать.

Но тут, по-видимому, Бестиги вспомнил, что у Тэнзи в руках находится более весомый для бракоразводного процесса козырь, и улыбка сползла с его морщинистого лица, оставив только ожесточенность.

— И последнее, — сказал Страйк. — В ту ночь, когда погибла Лула, точнее, после того, как вы спустились за женой в вестибюль и затащили ее обратно, вы слышали снаружи какой-нибудь шум?

— Да ведь вся твоя бредовая версия строится на том, что при закрытых окнах с улицы в квартиру не доносится ни звука! — огрызнулся Бестиги.

— Под словом «снаружи» я имел в виду не улицу, а лестничную площадку. Возможно, Тэнзи подняла такой шум, что ничего и не было слышно, но вдруг вы слышали какие-нибудь звуки за дверью, пока находились в прихожей: ведь вы долго там стояли, пытаясь утихомирить Тэнзи после того, как привели ее обратно? Или ее крики все заглушали?

— Орала как оглашенная, — подтвердил Бестиги. — Ничего я не слышал.

— Совсем ничего?

— Ничего особенного. Разве что Уилсон мимо пробежал.

— Уилсон.

— Ну да, он.

— Когда это было?

— Да как раз в тот момент, о котором ты говоришь. Когда мы вернулись в квартиру.

— Сразу после того, как вы захлопнули дверь?

— Ну да.

— Но Уилсон поднялся наверх, когда вы еще стояли в вестибюле, так ведь?

— Да. — Бестиги еще больше наморщил лоб и скривил рот.

— Значит, когда вы поднялись в свою квартиру на втором этаже, Уилсона уже точно было не видно и не слышно?

— Ну да...

— Но ведь вы слышали шаги на лестнице, как только закрыли входную дверь?

Продюсер не ответил. Страйк видел, что его собеседник впервые пытается нарисовать для себя картину происшедшего.

— Я слышал... ну... шаги. Кто-то пробежал мимо. По лестнице.

— Вот-вот, — сказал Страйк. — Вы смогли различить: там был один человек или двое?

Бестиги нахмурился, устремив невидящий взгляд мимо детектива, куда-то в туманное прошлое:

— Там был... один. И я подумал, что это Уилсон. Но нет... Уилсон еще был на четвертом этаже, обыскивал ее квартиру... он ведь потом спустился... я позвонил в полицию, а затем услышал, как он пробежал мимо... Но точно не помню, — проговорил Бестиги, на долю секунды став почти беззащитным. — Не помню. Столько всего сразу навалилось. И Тэнзи так визжала.

— А вы, конечно же, боялись за собственную шкуру, — не удержался Страйк, убирая блокнот и ручку в карман и поднимаясь с кожаного кресла. — Что ж, не буду отнимать у вас время; вам еще нужно позвонить своему адвокату. Вы мне очень помогли. Надеюсь, до встречи в суде.

13

На следующий день Страйку позвонил Эрик Уордл.

— Переговорил с Диби, — скупо сообщил он.

— И?.. — Страйк жестом приказал Робин дать ему бумагу и ручку. До этого звонка они пили чай с печеньем и обсуждали недавнюю угрозу Брайна Мэтерса, который — уже не в первый раз — обещал вспороть Страйку живот и справить нужду на его кишки.

— Ему доставили изготовленную в единственном экземпляре толстовку с капюшоном. На груди — пистолет из заклепок, на спине — пара строчек его собственного сочинения.

— Одну?

— Одну.

— А еще что? — поторопил Страйк.

— Насколько он помнит, ремень, шляпу-бини и пару запонок.

— А перчатки?

Уордл замолчал — видимо, сверялся с записями.

— Про перчатки ничего не говорил.

— Что ж, это проясняет дело.

Страйк ждал, что полицейский либо бросит трубку, либо добавит что-нибудь еще.

— Дознание — во вторник, — резко бросил Уордл. — В отношении Рошели Онифад.

— Понятно, — отозвался Страйк.

— Тебя, похоже, это мало интересует?

— Совсем не интересует.

— Я думал, ты подозреваешь убийство.

— Так и есть, но дознание ничего не докажет и не опровергнет. Кстати, не знаешь, когда похороны?

— Понятия не имею. — Уордл начал злиться. — А какая разница?

— Думаю сходить.

— Зачем?

— Помнишь, у нее тетка была?

Уордл бросил трубку, причем, как заподозрил Страйк, с отвращением.

Тем же утром, но немного позже Страйку позвонил Бристоу и сообщил время и место похорон Рошели.

— Элисон навела справки, — добавил он. — Потрясающе деловая.

— Это заметно, — сказал Страйк.

— Я собираюсь прийти. В память Лулы. Я ведь ничем не помог Рошели.

— Думаю, такой конец был неизбежен. Вы придете вместе с Элисон?

— Она просится, — без энтузиазма выговорил Бристоу.

— Там и увидимся. Я надеюсь поговорить с теткой Рошели, если та появится.

Когда Страйк сообщил Робин, что подруга Бристоу выяснила место и время похорон, секретарша расстроилась. Страйк поручил ей сделать то же самое, а теперь получалось, что Элисон дала ей сто очков вперед.

— Не ожидал от вас такой профессиональной ревности. — Страйка это позабавило. — Забудьте. Наверняка у нее была фора.

— Какая же?

Страйк в задумчивости смотрел на нее в упор.

— Какая? — с вызовом повторила Робин.

— Хочу, чтобы вы пошли со мной на похороны.

— Ох, — вырвалось у Робин. — Ладно. Только зачем?

По ее расчетам, Страйк должен был сказать, что естественно будет прийти туда парой, точно так же как естественно было прийти в «Вашти» с женщиной. Но вместо этого он заявил:

— У меня к вам будет одно поручение.

Когда он четко и ясно объяснил, что ему нужно, Робин удивилась еще больше:

— Но зачем это?

— Сейчас не могу сказать.

— Почему?

— Этого тоже не могу сказать.

Робин больше не смотрела на Страйка глазами Мэтью, не считала, что он притворяется, или рисуется, или хочет казаться умнее, чем на самом деле. Теперь она даже не думала, что он нарочно нагоняет туману. И все равно она выговорила, как будто не расслышала и решила уточнить:

— Брайан Мэтерс.

— Угу.

— Человек Грозящий.

— Угу.

— Но каким боком, — не поняла Робин, — он связан со смертью Лулы Лэндри?

— Никаким, — почти честно ответил Страйк. — Пока что никаким.

Крематорий на севере Лондона, где через три дня состоялось прощание с Рошелью, выглядел холодным, гнетущим и обезличенным. Его интерьер — начиная со скамей темного дерева и пустых стен, лишенных каких-либо атрибутов веры, и заканчивая витражными окнами с абстрактной мозаикой из ярких цветных квадратиков — был в равной степени чужд приверженцам всех религий. Пока занудливый проповедник тянул свой речитатив, именуя покойницу «Росель», а мелкий дождь испещрял каплями лоскутное одеяло витража, Страйк осознал, зачем в церквях нужны позолоченные херувимы, гипсовые святые, горгульи, ветхозаветные ангелы и усыпанные самоцветами распятья: все это пышное великолепие обещало вечную жизнь или хотя бы достойное поминовение таким, как Рошель. Впрочем, покойная смогла урвать свой кусочек рая на земле: одетая в дизайнерские наряды, она задирала нос перед знаменитостями и кокетничала с красавцами-водителями, но жажда шикарной жизни привела к плачевному результату: семеро поминальщиков и проповедник, не знающий ее имени.

В воздухе витало ощущение неловкости и безучастности; никому не хотелось обсуждать неприглядные подробности жизни покойной. Ни один из пришедших не осмелился сесть в первом ряду. Даже темнокожая толстуха в вязаной шапочке и очках с толстыми линзами (Страйк решил, что это и есть тетка Рошели) выбрала третий ряд, подальше от дешевого гроба. Пришел знакомый Страйку лысоватый вахтер из приюта: в рубашке с расстегнутым воротом и кожаной куртке; за ним сидел свежий, моложавый, тщательно одетый азиат — как предположил Страйк, специалист по групповой терапии, любимец Рошели.

Страйк, в старом темно-синем костюме, и Робин, в деловой двойке, предназначенной для собеседований, устроились в последнем ряду. Через проход от них сидели бледный, жалкий Бристоу и Элисон, чей мокрый двубортный плащ поблескивал в холодном свете.

Раскрылись дешевые шторки, за которые уехал гроб, и тело утопленницы было предано огню. Провожающие молча собрались у выхода из крематория и обменялись натянутыми улыбками: из опасений усугубить и без того вопиющую нелепость этой церемонии поспешным уходом ни один из них не решался сдвинуться с места. Тетка Рошели, чья эксцентричность явно граничила с психической неуравновешенностью, представилась как Уинифред и громогласно, с укоризненными нотками объявила:

— Там... это... сэндвичи в пабе. Я-то думала, народу больше придет.

С властным видом она повела шестерых поминальщиков, склонивших головы под дождем, к заведению «Красный лев», расположенному на той же улице.

Обещанные сэндвичи, сухие и неаппетитные, лежали в затянутом пищевой пленкой поддоне из фольги на угловом столике грязноватого паба. По дороге к «Красному льву» тетушка Уинифред поняла, кто такой Джон Бристоу, и теперь распоряжалась им как своей собственностью: она приперла его к барной стойке и затарахтела. Бристоу по мере возможности вставлял отдельные слова, но при этом ежеминутно бросал все более отчаянные взгляды на Страйка, который беседовал с психиатром Рошели.

Психиатр отражал все попытки завести разговор об участниках его группы и в конце концов пресек любые вопросы о возможных откровениях Рошели, вежливо напомнив о соблюдении врачебной тайны.

— Вы удивились, что она покончила с собой?

— Не слишком. У девушки были серьезные проблемы, а гибель Лулы Лэндри стала для нее большим потрясением.

Вскоре он распрощался со всеми сразу и ушел.

За столиком у окна Робин пыталась разговорить немногословную Элисон, но вскоре сдалась и направилась в дамскую комнату.

Тогда Страйк подсел к Элисон. Та бросила на него неприветливый взгляд и опять погрузилась в созерцание окончательно замордованного Бристоу. Она даже не расстегнула забрызганный дождем плащ. Перед ней стоял стаканчик с напитком, похожим на портвейн, а на губах играла легкая презрительная улыбка, как будто все, что ее окружало, она считала убогим и нелепым. Пока Страйк раздумывал, как бы завязать разговор, она неожиданно изрекла:

— Сегодня утром Джон должен был присутствовать на встрече с душеприказчиками Конуэя Оутса. Но теперь Тони вынужден разбираться с ними в одиночку. Тони рвет и мечет.

Ее тон говорил: в этом виноват Страйк, так пусть же он знает, какие от него неприятности. Элисон пригубила портвейн. Ее жидкие волосы свисали на плечи, а стаканчик казался игрушечным в крупных, мужских руках. При такой внешности любая другая женщина оставалась бы скромной дурнушкой, но эта излучала безграничную самоуверенность.

— Разве Джону, хотя бы для приличия, не следовало сюда прийти? — спросил Страйк.

Элисон издала уничижительной смешок:

— Он ведь ее совсем не знал.

— А вас в таком случае что сюда привело?

— Тони попросил.

Страйк заметил, что имя своего босса она произнесла с застенчивым самодовольством.

— Для чего?

— Чтобы присмотреть за Джоном.

— По мнению Тони, Джон нуждается в присмотре?

Элисон не ответила.

— Они ведь оба вами пользуются, Джон и Тони, правда?

— Что?! — взвилась она.

Страйк был доволен, что сумел вывести ее из равновесия.

— Они оба пользуются вашими услугами? Как секретаря?

— Уф... нет. Мои начальники — Тони и Киприан. Я секретарь-референт старших партнеров.

— Вот оно что! Почему же я решил, что вы работаете и на Джона тоже?

— Я работаю на совершенно другом уровне, — заявила Элисон. — Джону положены только услуги машинописного бюро. На работе нас с ним ничто не связывает.

— Симпатия расцвела вопреки всем препонам из должностей и этажей?

Ответом на его шутку было презрительное молчание. Как видно, Страйк был ей отвратителен и не заслуживал вежливого обхождения: человек не ее круга.

Вахтер из приюта одиноко стоял в углу, жевал сэндвичи и явно выжидал момента, чтобы уйти. Когда в зале появилась Робин, Бристоу поманил ее к себе, ища хоть какой-то защиты от тетушки Уинифред.

— И давно вы с Джоном вместе? — поинтересовался Страйк.

— Несколько месяцев.

— Ваши отношения начались еще при жизни его сестры?

— Чуть позже — он пригласил меня в ресторан.

— Думаю, он был в подавленном состоянии, — заметил Страйк.

— В полном раздрае. — В ее голосе не было ни тени сочувствия — только легкое высокомерие.

— Наверное, он и до этого за вами ухаживал?

Страйк ожидал, что Элисон откажется отвечать, но нет. Она сказала с плохо скрываемым горделивым самодовольством:

— Он поднялся на наш этаж, чтобы увидеться с Тони. Однако Тони был занят, поэтому Джон ожидал у меня в кабинете.

Он заговорил о сестре и не совладал с эмоциями. Я дала ему салфетки, а он пригласил меня поужинать.

Несмотря на ее внешне прохладное отношение к Бристоу, Страйк отметил, что Элисон гордится оказанным ей вниманием, будто неким трофеем. Страйку стало любопытно, была ли Элисон когда-нибудь на свидании до того, как ей подвернулся отчаявшийся Бристоу. Встретились два унылых одиночества: «Я дала ему салфетки, а он пригласил меня поужинать».

Вахтер из приюта застегивал куртку. Поймав на себе взгляд Страйка, он махнул ему рукой и ушел, так и не сказав никому ни слова.

— А как большой начальник смотрит на то, что его секретарша встречается с его же племянником?

— Моя личная жизнь Тони не касается, — отрезала Элисон.

— Действительно, — сказал Страйк. — В любом случае не ему говорить об отношениях на рабочем месте, правда? Если уж он спит с женой Киприана Мея.

Своим обыденным тоном Страйк на мгновение застал ее врасплох. Элисон уже раскрыла рот, чтобы ответить, но осознала смысл услышанного, и от ее самоуверенности не осталось и следа.

— Это неправда! — выкрикнула она, покраснев. — Кто вам такое сказал? Ложь! Наглая ложь! Вранье!

За словами возмущенной женщины он услышал испуганного ребенка.

— Да? Тогда зачем седьмого января Киприан Мей отправил вас в Оксфорд следом за Тони?

— Чтобы... только... Он забыл отдать Тони на подпись кое-какие документы, вот и все.

— А факсом или услугами курьера он не воспользовался, потому что...

— Документы были очень деликатного свойства.

— Элисон, — Страйк наслаждался ее волнением, — мы оба знаем, что это чушь. Киприан небось подумал, что Тони сбежал на сутки с Урсулой?

— Не может быть! У него и в мыслях такого не было!

У бара тетушка Уинифред, как мельница, размахивала руками перед Бристоу и Робин, которые стояли с натянутыми улыбками.

— Вам удалось разыскать его в Оксфорде?

— Нет, потому что...

— В котором часу вы туда приехали?

— Около одиннадцати, но он...

— Должно быть, Киприан отправил вас туда в самом начале рабочего дня?

— Документы были очень срочными.

— Но Тони не оказалось ни в отеле, ни в конференц-зале?

— Мы разминулись, — сказала она, досадуя от собственной беспомощности. — Потому что он уехал в Лондон проведать леди Бристоу.

— Ах да, — протянул Страйк. — Как странно, что он не сказал о предстоящем возвращении в Лондон ни вам, ни Киприану, вы не находите?

— Ничего странного, — ответила она, пытаясь вернуть себе чувство превосходства. — Он все время оставался на связи. Отвечал на звонки. Как всегда.

— Вы звонили ему на мобильный?

Элисон промолчала.

— Может, вы позвонили, а он не ответил?

В том же гнетущем молчании она сделала глоток портвейна.

— В самом деле, зачем в рабочее время отвечать на звонки секретаря — только настроение себе портить, правда?

Он надеялся ее уязвить и не был разочарован.

— Вы гнусный тип. Гнусный, — еле слышно пробормотала Элисон, залившись краской стыда, который она попыталась скрыть под маской гордости.

— Вы живете одна? — спросил он.

— А это тут при чем? — Элисон окончательно растерялась.

— Просто интересно. То есть вас не удивило, что Тони снял на ночь номер в оксфордской гостинице, на следующее утро отправился в Лондон и вернулся в Оксфорд как раз ко времени, когда нужно было выехать из гостиницы?

— Он вернулся в Оксфорд, чтобы присутствовать на конференции, — упрямо стояла на своем Элисон.

— Неужели? Вы его дождались?

— Он там был. — Она ушла от ответа.

— А доказать сможете?

Элисон промолчала.

— Скажите, — обратился к ней Страйк, — что, на ваш взгляд, вероятнее: что Тони провел весь день в постели с Урсулой Мей или что у него вышел какой-то конфликт с племянницей?

У стойки бара тетушка Уинифред поправляла вязаную шапочку и по-новому завязывала пояс. Видимо, она собиралась уходить.

Несколько мгновений Элисон боролась с собой, а потом, словно выдав старую тайну, яростно зашептала:

— Между ними ничего нет. Я это знаю. Такого просто не может быть. Урсулу интересуют только деньги, ничто другое для нее не существует, а Тони далеко не так богат, как Киприан. Урсула не снизошла бы до Тони. Она такая.

— Как знать. Физическое влечение вполне могло затмить все меркантильные интересы. — Страйк не спускал глаз с Элисон. — Всякое бывает. Мне, как мужчине, трудно судить, но Тони довольно привлекателен, вы согласны?

От обиды и злости у нее перехватило дыхание.

— Тони прав... вы пользуетесь... вам лишь бы деньги... Джон не в себе... Лула выбросилась... выбросилась с балкона. У нее были психические отклонения. А Джон похож на свою мать: он склонен к истерии, воображает невесть что. Лула была наркоманкой, совершенно неуправляемой, всех изводила, вечно требовала к себе внимания. Избалованная. Сорила деньгами. Могла купить все и всех, но ей было мало.

— Кто бы мог подумать, что вы ее так хорошо знали.

— Я... Мне Тони рассказывал.

— Он ее терпеть не мог, да?

— Просто он видел ее насквозь. Она была порочной. — Грудь Элисон вздымалась и опускалась под мокрым плащом. — Бывают, знаете ли, такие женщины.

По затхлому пабу пролетел холодный ветер — это распахнулась дверь, выпуская тетку Рошели. Бристоу и Робин проводили ее вымученными улыбками и с облегчением переглянулись.

Бармен куда-то исчез. Они остались вчетвером. Только теперь Страйк обратил внимание, что в тесном зале звучит баллада восьмидесятых: Дженнифер Раш, «The Power of Love». К их столику направлялись Бристоу и Робин.

— Почему же вы не удосужились поговорить с теткой Рошели? — удрученно спросил Бристоу, будто желая знать, за что принял такие муки. — Может, объясните, в чем дело?

По выражениям лиц Робин и Бристоу Страйк понял, что оба винят его за необъяснимое бездействие. Элисон, потупившись, шарила в сумке.

Дождь прекратился, тротуары еще не высохли, а мрачное небо уже грозило новым ливнем. Женщины молча ушли вперед, а Бристоу честно пытался изложить Страйку все, что запомнил из словесного потока тетушки Уинифред. Впрочем, Страйк его не слушал. Он смотрел на спины идущих впереди женщин, одетых в черное: равнодушные прохожие не узрели бы между ними большой разницы. Ему вспомнились скульптурные столбы Ворот королевы Елизаветы, на ленивый взгляд совершенно одинаковые, но нет: с одной стороны изображено живое существо мужского пола, с другой — женского; порода одна, но разница огромна.

Увидев, что Робин и Элисон остановились у припаркованной «БМВ», он предположил, что это машина Бристоу, замедлил шаг и тем самым прервал сбивчивый рассказ о непростых отношениях Рошели с близкими.

— Джон, хочу кое-что уточнить.

— Конечно, пожалуйста.

— Вы утверждаете, что утром, перед смертью Лулы, слышали, как Тони Лэндри заходил в квартиру вашей мамы.

— Это так.

— Вы на сто процентов уверены, что это был именно он?

— Ну разумеется.

— Но его самого вы не видели?

— Я... — Кроличье лицо Бристоу вдруг приняло озадаченное выражение. — Нет, я... кажется, я его не видел. Но я слышал, как он отпирает дверь. Слышал его голос из коридора.

— А не может такого быть, что вы ждали Тони и потому решили, что это и есть Тони?

Еще одна пауза.

Потом, не своим голосом:

— Вы хотите сказать, что его там не было?

— Я просто хочу знать, насколько вы уверены, что это был он.

— Хм... До этой минуты я был абсолютно уверен. Ни у кого другого нет ключа от маминой квартиры. Кто же еще, если не Тони?

— То есть вы слышали, как некто отпирает дверь ключом и входит в квартиру. Вы слышали мужской голос. К кому он обращался: к вашей маме или к Луле?

— Э-э-э... — Бристоу призадумался над этим вопросом, и его верхняя губа открыла крупные передние зубы. — Я слышал, как он вошел. Кажется, обращался он к Луле...

— А как он уходил, вы тоже слышали?

— Естественно. Он прошагал по коридору, захлопнул дверь — я это слышал.

— Когда Лула заглянула к вам попрощаться, она упомянула, что виделась с Тони?

Опять молчание. Бристоу в задумчивости поднес руку ко рту:

— Я... она меня обняла, вот и все, что я... Да, кажется, упомянула... Или нет? Неужели я только потому решил, что она с ним разговаривала... Но если это был не наш с ней дядя, то кто?

Страйк выжидал. Бристоу смотрел на тротуар.

— Нет, это определенно был он. Лула же видела, кто заходил в квартиру, и ничуть не удивилась, значит это мог быть только Тони и больше никто. Ключа ни у кого больше не было.

— Сколько всего существует ключей от квартиры?

— Четыре. Мамин и три запасных.

— Это много.

— Ну как: один для Лулы, один для Тони, один для меня. Мама, особенно когда слегла, хотела, чтобы у нас всегда была возможность к ней зайти.

— Все эти ключи целы и в наличии?

— Конечно... то есть, думаю, да. Полагаю, ключ Лулы со всеми ее личными вещами вернулся к маме. Тони держит свой у себя, мой при мне, а мамин... наверное, где-нибудь в квартире.

— Иными словами, вам неизвестно, чтобы какой-то из ключей был утерян?

— Нет.

— И никто из вас никогда не давал свой ключ посторонним лицам?

— Господи, да с какой стати?

— Я помню, как из ноутбука Лулы, хранившегося в квартире вашей матери, удалили кучу фотографий. Если где-то гуляет лишний ключ...

— Быть такого не может, — сказал Бристоу. — Это... я... почему вы настаиваете, что Тони туда не приходил? Все указывает на то, что он приходил. Он сам говорит, что видел меня из коридора.

— На обратном пути от Лулы вы заехали на работу, верно?

— Да.

— Чтобы забрать папки с документами?

— Именно так. Забежал к себе кабинет, взял папки. Я не задерживался.

— Значит, к маме вы приехали...

— Не позднее десяти.

— А тот человек, о котором мы говорим, — когда он появился?

— Примерно... через полчаса? Не помню, честное слово. Я на часы не смотрел. Но зачем Тони говорить, что он там был, если это не так?

— Ну, если он знал, что вы собираетесь поработать дома, то вполне мог бы сказать, что приходил и не стал вас беспокоить, а прошел прямо по коридору к вашей маме. Она, вероятно, подтвердила его визит полицейским?

— Наверное. Думаю, да.

— Но вы не уверены?

— По-моему, у нас с ней даже речи об этом не было. Мама в тот день находилась в полубессознательном состоянии, мучилась от боли, постоянно задремывала. А на следующее утро мы узнали, что Лула...

— Но вас не удивило, что Тони даже не зашел в кабинет поздороваться?

— Совершенно не удивило, — ответил Бристоу. — Он лез на стенку из-за дела Конуэя Оутса. Вот если бы он зашел поболтать, это удивило бы меня куда больше.

— Джон, не хочу вас пугать, но и вам, и вашей матери, похоже, грозит опасность.

Бристоу заблеял тонким, неубедительным смешком. Страйк видел, что с расстояния метров сорока, сложив руки на груди и не обращая внимания на Робин, за ними пристально наблюдает Элисон.

— Вы... вы шутите? — выдавил Бристоу.

— Нет, я серьезно, и даже очень.

— Но... неужели... Корморан, вы говорите, вам известно, кто убил Лулу?

— Угу, думаю, да... но прежде, чем поставить точку, мне необходимо переговорить с вашей матушкой.

У Бристоу был такой вид, будто он жаждет вытянуть из головы Страйка все, что там есть. Близорукие глаза, испуганные и умоляющие, обшаривали каждый дюйм его лица.

— Она очень слаба. Мне придется пойти с вами.

— Обязательно. Давайте прямо завтра утром?

— Тони разъярится, если я опять отлучусь в рабочее время.

Страйк выжидал.

— Ну хорошо, — сдался Бристоу. — Хорошо. — В десять тридцать.

14

Следующее утро выдалось свежим и солнечным. Страйк приехал на метро в благопристойный, зеленый Челси. Этот район Лондона он знал плохо, потому что Леда, даже в периоды безудержного расточительства, не могла позволить себе хотя бы каморку вблизи здешней Королевской больницы, изящной и бледной в лучах весеннего солнца.

На уютной улице Франклин-роу среди платанов и краснокирпичных зданий находилась огороженная игровая площадка с травяным покрытием, где под присмотром одетых в спортивные костюмы учителей носилась малышня в дорогих голубых футболках и синих шортах. Сонную тишину, в другое время нарушаемую только пением птиц, прорезали счастливые детские вопли; пока Страйк, засунув руки в карманы, шел к дому леди Иветты Бристоу, его не обогнал ни один автомобиль.

На стене, сбоку от входной двери с застекленными окнами, к которой вели четыре белокаменные ступени, висел допотопный бакелитовый щиток со звонками. Страйк убедился, что возле звонка в квартиру «Е» значится имя леди Иветты Бристоу, спустился обратно на тротуар и стал ждать под ласковым утренним солнцем, окидывая взглядом улицу.

К половине одиннадцатого Бристоу не явился. В пределах видимости не было никого, кроме двух десятков первоклашек, бегавших в своей клетке среди обручей и разноцветных конусов.

В десять сорок пять у Страйка в кармане завибрировал мобильный. Пришло сообщение от Робин:

Звонила Элисон. ДжБ задерживается на работе. Просит без него не заходить к леди Б.

Страйк тотчас же написал Бристоу:

На сколько задержитесь? М. б., встретимся позже?

Не успел он отправить сообщение, как раздался телефонный звонок.

— Да, алло?

— Огги? — прогремел из Германии голос Грэма Хардейкра. — Есть информация по Агьемену.

— Обалдеть, какая оперативность. — Страйк вытащил блокнот. — Записываю.

— Джонас Фрэнсис Агьемен, лейтенант инженерных войск. Двадцать один год, холост, убыл к месту несения службы одиннадцатого января. Возвращается в июне. Ближайшие родственники: мать. Братьев, сестер нет, детей нет.

Прижимая телефон щекой к плечу, Страйк торопливо строчил в блокноте.

— С меня причитается, Харди, — сказал он, убирая блокнот. — А фото, часом, нет?

— Могу сбросить по электронке.

Страйк продиктовал Хардейкру электронный адрес офиса, и после обоюдных дежурных вопросов о жизни и пожеланий удачи разговор был закончен.

Часы показывали без пяти одиннадцать. С телефоном в руке, Страйк ждал на тихой зеленой площади; за оградой резвились дети; васильковое небо рассекал белой полосой крошечный серебристый самолетик. Наконец в телефоне еле слышно звякнуло сообщение от Бристоу:

Сегодня никак. Должен ехать в г. Рай. М. б., завтра?

— Ну извини, Джон, — со вздохом пробормотал Страйк, поднялся по ступеням и нажал кнопку звонка леди Бристоу.

В подъезде, тихом, просторном и светлом, несмотря ни на что, висел унылый общественный дух, который не могли развеять ни сухоцветы в большой вазе раструбом, ни темно-зеленый ковер, ни блекло-желтая краска стен, — все это, очевидно, было выбрано по принципу безобидности. Как и на Кентигерн-Гарденз, здесь был лифт, только с деревянными дверцами. Но Страйк решил подняться пешком. В доме ощущалась какая-то захудалость, ничуть, впрочем, не заслонявшая спокойную ауру богатства.

Дверь квартиры верхнего этажа распахнула улыбчивая темнокожая сиделка, присланная из Центра помощи онкологическим больным.

— Вы не мистер Бристоу, — жизнерадостно сообщила она.

— Да, верно, я Корморан Страйк. А Джон скоро будет.

Женщина позволила ему войти. В прихожей у леди Бристоу царил приятный беспорядок. На фоне приглушенно-красных обоев выделялись акварели в старинных золоченых рамах; под стойкой для зонтов стояли трости, на крючках висели пальто. Справа, в конце коридора, за неплотно прикрытой дверью, Страйк разглядел кабинет: массивный деревянный письменный стол и офисное кресло, спинкой к входу.

— Подождите, пожалуйста, в гостиной, а я узнаю, сможет ли леди Бристоу вас принять.

— Да, конечно.

Он оказался в уютной комнате с нежно-желтыми стенами, где было множество книжных шкафов с фотографиями на полках. На приставном столике возле удобного, обитого мебельным ситцем дивана стоял древний дисковый телефон. Убедившись, что сиделка скрылась, Страйк аккуратно сдвинул трубку с рычага.

В эркере на изящном столике для корреспонденции стояла большая фотография в серебряной рамке, изображающая сэра и леди Бристоу в день их свадьбы. Жених, плотный, сияющий бородач, выглядел значительно старше невесты, тоненькой, миловидной, но безжизненной блондинки. Страйк повернулся спиной к дверям, изображая интерес к этой фотографии, а сам выдвинул маленький резной ящичек вишневого дерева. Внутри лежала стопка голубой почтовой бумаги и таких же конвертов. Он бесшумно задвинул ящик.

— Мистер Страйк? Вы можете войти.

Назад, в тот же приглушенно-красный коридор, через короткий проход — и в большую спальню с преобладанием серо-голубого и белого, где все дышало утонченным вкусом. Слева было две распахнутые двери: одна — в небольшую туалетную комнату, а другая, очевидно, в гардеробную. Среди элегантной

мебели французского стиля наглыми проходимцами выглядели атрибуты тяжелой болезни: капельница на металлической
стойке, сверкающее чистотой судно на комоде и целый арсенал
лекарств.

Одетая в стеганое ночное платье цвета слоновой кости, больная полулежала на горке белоснежных подушек и казалась
совсем маленькой на необъятной резной кровати. В этой женщине не осталось ничего от юной, миловидной леди Бристоу.
Из-под сухой, пергаментной кожи выпирали кости. Глаза, мут-
ные, подернутые пеленой, ввалились, а сквозь тонкие, как у
младенца, седые кудельки просвечивал розовый скальп. Исху-
давшие руки застыли поверх одеяла, из вены торчал катетер.
В комнате явственно ощущалось присутствие смерти, как будто она терпеливо и вежливо ждала за портьерой.

В воздухе витал слабый аромат липового цвета, который не
мог перебить запахи дезинфицирующих средств и распада плоти. Эти запахи напомнили Страйку госпиталь, где он, совершенно беспомощный, провалялся несколько месяцев кряду.
В этой комнате тоже был эркер, окно которого слегка приот-
крыли, так что сюда проникал теплый свежий воздух и отдаленный детский гомон. Тронутые солнцем верхушки платанов
заглядывали в стекло.

— Вы детектив?

У нее был слабый, надтреснутый голос; речь звучала невнят-
но. Страйк не знал, что сказал ей Бристоу насчет его рода занятий, и почувствовал облегчение оттого, что хотя бы это можно не объяснять.

— Да, меня зовут Корморан Страйк.

— Где Джон?

— Его задержали на работе.

— Опять, — прошептала она, а потом: — Тони совсем его
загнал. Это несправедливо. — Остановив мутный взгляд на
Страйке, она едва заметным движением пальца указала на небольшой расписной стул. — Садитесь.

Вокруг ее поблекших радужек обозначились белые линии.
Присев на низкий стул, Страйк заметил на прикроватном столике еще две фотографии в серебряных рамках. Его как током
ударило: на него — глаза в глаза — смотрел десятилетний Чар-

ли Бристоу, в школьной рубашке с огромным узлом галстука, круглолицый, с удлиненной гривкой волос, навеки застывший в восьмидесятых. Такой же точно, какой махал на прощанье своему лучшему другу Корморану Страйку, надеясь встретиться вновь после Пасхи.

Рядом с портретом Чарли стояла фотография поменьше: хрупкая девочка с длинными черными кудряшками и большими карими глазами, в синем форменном платьице: Лула Лэндри в возрасте лет шести.

— Мэри, — позвала, не повышая голоса, леди Бристоу, и в спальне тут же возникла сиделка. — Предложите, пожалуйста, мистеру Страйку... кофе? Чай? — спросила она, и Страйк перенесся на два с половиной десятилетия назад, когда в солнечном саду приветливая светловолосая мать Чарли Бристоу приносила им лимонад со льдом.

— Кофе — замечательно, большое спасибо.

— Извините, что не могу приготовить сама, — проговорила леди Бристоу после того, как за дверью смолкли тяжелые шаги сиделки, — но, как видите, я теперь должна зависеть от доброты посторонних. Как несчастная Бланш Дюбуа[1].

Она на мгновение закрыла глаза, будто сосредоточилась на невидимом источнике боли. Страйк не мог определить, насколько сильно она накачана анальгетиками. За ее обходительностью чувствовалась некая горечь, словно запах распада — за ароматом липового цвета, а последняя фраза и вовсе прозвучала странно, ведь Джон Бристоу все свободное время танцевал вокруг больной матери.

— Почему не пришел Джон? — снова спросила леди Бристоу, не размыкая век.

— Его задержали на работе, — повторил Страйк.

— Ах да. Вы же сказали.

— Леди Бристоу, мне хотелось бы задать вам несколько вопросов, и я заранее прошу прощения, если они покажутся слишком личными или огорчительными.

---

[1] *Бланш Дюбуа* — героиня пьесы «Трамвай „Желание"» (1947) американского драматурга Теннесси Уильямса (1911—1983). Ср. опубликованный перевод В. Неделина: «Я всю жизнь зависела от доброты первого встречного».

— Кто испытал все, что выпало на мою долю, — спокойно произнесла она, — того трудно огорчить. Называйте меня Иветта.

— Благодарю вас. Не возражаете, если я буду делать кое-то заметки?

— Ничуть. — Она с отстраненным интересом наблюдала, как Страйк достает блокнот и ручку.

— Если не возражаете, хотелось бы начать с того, как Лула появилась в вашей семье. Перед тем как ее удочерить, вы располагали какими-нибудь данными о ее происхождении?

Недвижно лежащие на одеяле руки были воплощением беспомощности и пассивности.

— Нет, — ответила она. — Я ничего не знала. Возможно, у Алека были какие-то сведения, но он со мной не делился.

— Почему вы думаете, что у вашего мужа могли быть какие-то сведения?

— Алек во всем проявлял дотошность. — При этих воспоминаниях губы леди Бристоу тронула слабая улыбка. — Он был преуспевающим бизнесменом.

— Но о происхождении Лулы он вам ничего не рассказывал?

— О нет, такое было не в его характере. — Похоже, само это предположение казалось ей странным. — Я хотела, чтобы она была моей, только моей, понимаете? Если Алек что-то и выяснил, он оградил меня от ненужных волнений. Знай я, что за ней в любой момент кто-то может явиться, я бы этого не пережила. Я тогда уже потеряла Чарли, и мне очень сильно хотелось девочку; мысль о том, что я могу потерять и ее...

Сиделка внесла поднос с двумя чашками и вазочкой бурбонского печенья.

— Один кофе, — жизнерадостно сообщила она, опуская чашку на ближайший к Страйку прикроватный столик, — и один отвар ромашки.

Женщина поспешила выйти. Леди Бристоу закрыла глаза. Сделав глоток черного кофе, Страйк продолжил:

— В последний год своей жизни Лула начала розыск своих биологических родителей, это так?

— Да, это так, — с закрытыми глазами ответила леди Бристоу. — Как раз в то время, когда мне поставили онкологический диагноз.

Она замолчала; Страйк опустил чашку, слегка звякнув донышком о блюдце, и сквозь открытое окно с площади опять донеслись детские крики.

— Джон и Тони очень, очень рассердились, — сказала леди Бристоу. — Они считали эти розыски совершенно несвоевременными, поскольку я была в очень тяжелом состоянии. Опухоль оказалась запущенной. Мне сразу назначили курс химиотерапии. Джон был очень добр: он возил меня на процедуры и обратно, сидел со мной в самые тяжелые периоды, и даже Тони мне помогал, а Лула, как видно, думала лишь о том... — Она со вздохом открыла блеклые глаза, ища взглядом лицо Страйка. — Тони всегда говорил, что она крайне избалована. Наверное, это моя вина. Но поймите: до этого я потеряла Чарли; ей я ни в чем не могла отказать.

— Вы не знаете, насколько Лула продвинулась в своих поисках?

— Нет, не знаю. Думаю, она понимала, до какой степени меня это ранит. Она со мной почти не делилась. Я, конечно, слышала, что она разыскала эту женщину, свою биологическую мать, — об этом трубили все газеты.. Как Тони предсказывал, так и вышло. Лула всегда была для нее обузой. Ужасная, ужасная особа, — прошептала леди Бристоу. — Но Лула упорно продолжала ее навещать. Я в это время проходила химиотерапию. У меня выпали все волосы...

У нее сорвался голос. Продолжая задавать вопросы, Страйк чувствовал себя негодяем, — возможно, на это и был расчет.

— А что насчет ее биологического отца? Она не упоминала, что нашла о нем какие-то сведения?

— Нет, — слабо сказала леди Бристоу. — А я не спрашивала. Мне казалось, она оставила свою затею, когда нашла эту жуткую мать. Мне вообще была невыносима вся эта история. Она меня просто убивала. И Лула не могла этого не понимать.

— Во время своего последнего посещения Лула ничего не говорила о биологическом отце? — не отступался Страйк.

— Ничего, — тихо произнесла она. — Ничего. Да и посещение было совсем кратким. Помню, она с порога объявила, что торопится. У нее была назначена встреча с Сиарой Портер.

Ее обида облачком долетела до Страйка, подобно исходившему от леди Бристоу запаху прикованного к постели тела: чуть застарелому, чуть передержанному. Было в ней нечто такое, что роднило ее с Рошелью: при всем огромном различии обе несли на себе печать недовольства несправедливостью судьбы и близких.

— Не могли бы вы вспомнить, о чем у вас с Лулой шла речь в тот день?

— Понимаете, меня накачали обезболивающими. Я перенесла тяжелую операцию. Нет, подробностей разговора уже не помню.

— Но сам факт, что Лула появлялась, вы помните? — уточнил Страйк.

— Конечно, — ответила леди Бристоу. — Я спала, и она меня разбудила.

— Может быть, все же удастся вспомнить, о чем вы говорили?

— Естественно, о моей операции, — с некоторой резкостью сказала она. — А потом, совсем немного, про ее старшего брата.

— Про старшего?..

— Про Чарли, — скорбно пояснила леди Бристоу. — Я рассказала ей, как он погиб. Это был самый тяжелый, самый страшный день моей жизни.

Страйк представил, как она, неподвижная и слегка одурманенная, но тем не менее обидчивая, удерживала возле себя дочь рассказами о своих страданиях, а потом и о погибшем сыне.

— Откуда мне было знать, что я ее больше не увижу? — выдохнула леди Бристоу. — Могла ли я подумать, что потеряю второго ребенка?

Ее воспаленные глаза увлажнились. Она моргнула, и по ее впалым щекам скатились две крупные слезы.

— Будьте добры, посмотрите в этом ящике, — она указала морщинистым пальцем на прикроватный столик, — там должны быть мои таблетки.

Выдвинув ящик, Стайк увидел россыпь белых коробочек разной формы и с разными этикетками.

— Которые?..

— Не важно. Там все одинаковые, — сказала леди Бристоу.

Он выбрал первую попавшуюся: на ней отчетливо читалось: «валиум». У больной был такой запас таблеток, которого хватило бы на десять смертельных доз.

— Достаньте, пожалуйста, две штуки, — попросила она. — Я бы запила их чаем, если он уже остыл.

Страйк подал ей чашку и две таблетки; у нее дрожали руки, и Страйк вынужден был придержать блюдце, не к месту вообразив священника, дающего умирающему причастие.

— Благодарю вас, — шепнула она, вновь устраиваясь на подушках и не сводя жалобного взгляда со Страйка, который опускал на столик ее чашку. — Кажется, Джон рассказывал, что вы знали Чарли. Это правда?

— Да, мы с ним дружили, — подтвердил Страйк. — Я всегда о нем помню.

— А как же иначе? Он был чудеснейшим ребенком. Все так говорили. Самый добрый, самый ласковый — я других таких не знала. Дня не проходит, чтобы я о нем не скорбела.

На улице пронзительно кричали дети, шелестели платаны, и Страйк пытался представить, как выглядела эта комната зимним утром, когда за окном чернели голые ветви, а на его месте сидела Лула Лэндри и, возможно, устремляла свои прекрасные глаза на фотографию покойного Чарли, пока ее одурманенная таблетками мать рассказывала его кошмарную историю.

— Лула знала об этом лишь в самых общих чертах. Мальчики катались на велосипедах. Мы услышали вопли Джона, а потом Тони так кричал, так кричал...

До сих пор Страйк не сделал ни единой пометки. Он не сводил глаз с лица смертельно больной женщины, а она говорила:

— Алек запретил мне смотреть, запретил подходить к карьеру. Когда я услышала об этой трагедии, у меня случился обморок. Думала, я этого не переживу. Хотела умереть. Не понимала, как Господь такое допустил. Но время шло, и я стала понимать, что, наверное, получила по заслугам. — Леди Бристоу рассеянно смотрела в потолок. — Вот и сейчас мне, как видно, ниспослана кара. За то, что я их слишком любила. И баловала. Ни в чем не могла им отказать — ни Чарли, ни Алеку, ни Луле. Да, думаю, это кара, потому что все другое было бы невыразимо жестоко, правда? Заставить меня пройти через такое испытание раз, другой, третий...

У Страйка ответа не было. Леди Бристоу требовала, чтобы ее пожалели, но он не чувствовал той жалости, какой она, вероятно, заслуживала. Она лежала на смертном одре, закутанная в невидимый саван мученичества, и выставляла напоказ свою беспомощность и пассивность, которые вызывали у него в первую очередь отторжение.

— Лула была для меня таким желанным ребенком, — продолжала леди Бристоу, — но она никогда... В детстве она была совершенно прелестна. Маленькая красавица. Я на все была готова ради этой девочки. Но она не любила меня так, как любили Чарли и Джон. Наверное, мы опоздали. Наверное, опоздали ее удочерить. На первых порах Джон ревновал. На него так подействовала смерть Чарли... но потом они очень сблизились. Очень. — Пергаментную кожу ее лба прорезали хмурые морщинки. — Значит, Тони все же был не прав.

— Не прав в отношении чего? — ровным тоном уточнил Страйк.

Лежащие на одеяле пальцы задергались. Леди Бристоу сглотнула.

— Тони был против удочерения Лулы.

— Почему же? — спросил Страйк.

— Он вообще не любил моих детей, — сказала Иветта Бристоу. — Мой брат — очень жесткий человек. Холодный. После смерти Чарли он наговорил всяких гадостей. Алек его ударил. Это неправда. Все неправда — все, что он наговорил.

Ее млечный взгляд скользнул по лицу Страйка, и он на мгновение увидел ее такой, какой она, вероятно, была в молодости, пока еще не растеряла свою красоту: чуть назойливое, чуть инфантильное, трогательно беспомощное, невероятно женственное создание, обласканное и защищенное сэром Алеком, который бросался удовлетворять любой каприз, любую прихоть жены.

— И что же наговорил Тони?

— Страшные вещи про Джона и Чарли. Кошмарные. Я не могу, — слабо выговорила она, — не хочу их повторять. А потом, узнав, что мы собираемся удочерить девочку, он позвонил Алеку и сказал, что мы не имеем на это морального права. Алек пришел в бешенство, — она перешла на шепот, — и отказал Тони от дома.

— И вы все это пересказали Луле, когда она заехала вас навестить? — спросил Страйк. — Про Тони, про его выпады в адрес Джона и Чарли, про его отношение к ее удочерению?

Ему показалось, она почувствовала упрек.

— Точно не помню. Я тогда перенесла тяжелейшую операцию. От лекарств у меня был туман в голове. Мне сейчас не вспомнить... — Тут она вдруг резко переменила тему. — Этот юноша напомнил мне Чарли. Друг Лулы. Такой красавец. Как его зовут?

— Эван Даффилд?

— Вот-вот. Знаете, он ведь недавно приходил меня проведать. Буквально на днях. Впрочем, точно не знаю... я потеряла счет времени... Мне назначили столько лекарств. Но он приходил меня навестить. Это было так трогательно. Он всего лишь хотел поговорить о Луле.

Страйк вспомнил, как Бристоу расписывал, что его мать даже не поняла, кто такой Даффилд; теперь приходилось допустить, что леди Бристоу просто устроила небольшой спектакль, дабы подчеркнуть свое бедственное положение и лишний раз сыграть на сыновних чувствах Джона.

— Чарли мог бы вырасти таким же красавцем. Мог бы стать певцом или актером. Он любил показывать сценки, помните? Как мне было жалко этого мальчика, Эвана. Он сидел и плакал вместе со мной. Признался, что ревновал ее к другому мужчине.

— И кто же это был?

— Певец, — туманно ответила леди Бристоу. — Который сочинял о ней песни. Когда мы молоды и красивы, мы бываем очень жестокими. Как мне было его жалко! Он говорил, что чувствует за собой вину. А я сказала, что он ни в чем не виноват.

— А в чем он себя винил?

— В том, что не бросился за ней вдогонку. Не проводил до квартиры. Не зашел. Не спас ей жизнь.

— Иветта, не могли бы мы вернуться немного назад, к дню, который предшествовал этой трагедии?

Она посмотрела на него с укором:

— Боюсь, ничего другого у меня в памяти не осталось. Я рассказала вам все, что помню. Меня только что привезли из больницы. Накачали обезболивающими. Я была не в себе.

— Еще бы! Но я лишь хотел спросить: вы помните, что в тот день вас навещал Тони?

Наступила пауза, и Страйк заметил, что изможденное лицо как-то ожесточилось.

— Нет, я не помню, чтобы в тот день меня навещал Тони, — выговорила наконец Леди Бристоу. — Я знаю, он говорит, что приезжал, но я этого не помню. Возможно, я спала.

— Он утверждает, что находился здесь одновременно с Лулой, — подсказал Страйк.

Леди Бристоу еле заметно пожала хрупкими плечами.

— Все может быть, — сказала она, — но я этого не помню. — Она немного повысила голос. — Когда мой брат узнал, что я при смерти, он стал относиться ко мне гораздо человечнее. Постоянно навещает. Конечно, не упускает случая вставить шпильку в адрес Джона. Так было всегда. Но Джон... выше всяческих похвал. Пока я прикована к постели, он делает для меня такие вещи... каких нельзя требовать от сына. Я бы скорее ожидала этого от Лулы... но она была избалованной девочкой. Я любила ее, но она была крайне эгоистична. Крайне эгоистична.

— Значит, в тот день, когда вы в последний раз видели Лулу... — Страйк упрямо возвращался к главному, но леди Бристоу не дала ему договорить.

— Когда она уходила, я была очень расстроена, — сказала она. — Страшно расстроена. Разговоры о Чарли не проходят для меня бесследно. Она видела, в каком я состоянии, но все равно отправилась на встречу с подружкой. Мне ничего не оставалось, как принять успокоительное, и я заснула. Нет, я не видела Тони; я вообще никого не видела. Он сколько угодно может говорить, что был здесь, но я ничего не помню. Меня разбудил Джон — он принес мне поднос с ужином. Джон был взвинчен. Он меня отчитал.

— За что?

— По его мнению, я пью чересчур много таблеток, — капризно, как маленькая девочка, сказала леди Бристоу. — Бедный Джон, я понимаю, он хочет как лучше, но ему не понять... он не может понять... в моей жизни было столько боли. В тот вечер он сидел со мной очень долго. Мы говорили о Чарли. Проговорили за полночь. И во время нашей беседы... — она понизила голос до шепота, — как раз в это самое время Лула выбросилась... выбросилась со своего балкона. Так что ранним утром на долю Джона выпало сообщить мне эту весть. С рассветом здесь уже была полиция. Он вошел ко мне в спальню и сказал... — Она сглотнула и, едва живая, покачала головой. — Потому-то у меня и произошло обострение заболевания, это точно. Человеческой боли есть предел.

Ее речь становилась все более невнятной. Страйк мог только гадать, сколько таблеток валиума она проглотила до его прихода: у нее слипались глаза.

— Иветта, вы разрешите мне воспользоваться ванной комнатой? — спросил он.

Она сонно кивнула.

Страйк поднялся со стула и с поразительной для человека его габаритов быстротой и бесшумностью скользнул в гардеробную.

Все стены занимали встроенные шкафы красного дерева. Открыв ближайшую дверцу, Страйк заглянул внутрь и увидел перегруженные вешалки с платьями и пальто, на полках — сумочки и шляпки. На него пахнуло ношеной обувью и несвежей тканью. Несмотря на явную дороговизну, содержимое шкафа оставляло впечатление старой благотворительной лавки. Страйк бесшумно открывал одну дверцу за другой и с четвертой попытки нашел новехонькие женские сумочки, все разных цветов, засунутые на верхнюю полку.

Он достал синюю, блестящую, определенно не бывшую в употреблении. На ней стоял логотип «GS», а подкладка пристегивалась на молнию. Быстро ощупав все углы, он вернул сумку в шкаф.

Дальше настал черед белой, со стилизованным африканским принтом на подкладке. В точности как описывала Сиара, отстегнутая подкладка превращалась в декоративный платок с зубчиками молнии по краям, оставляя неприкрытой белую кожаную внутренность сумки.

При беглом осмотре Страйк не обнаружил ничего особенного, но, приглядевшись внимательнее, заметил, что из-под обтянутого материей плотного донышка, позволяющего сохранить форму сумки, торчит бледно-голубая кромка. Приподняв дно, он увидел сложенный листок бледно-голубой бумаги, исписанный неровным почерком.

Страйк сунул внутрь скомканную подкладку, вытащил из внутреннего кармана пиджака прозрачный файл-вкладыш и положил туда голубой листок, расправив его, но не читая. Затем он продолжил открывать дверцы. За предпоследней обнаружился сейф с кодовым замком.

Достав из кармана второй файл, Страйк надел его на руку и стал нажимать кнопки, но, перебрав пару комбинаций, услышал тяжелую поступь. Он торопливо сдернул с руки файл, сунул его в карман, с величайшей осторожностью прикрыл дверцу и, вернувшись в спальню, застал там сиделку, склонившуюся над своей подопечной. Сиделка обернулась на его шаги.

— Дверью ошибся, — сказал Страйк. — Я думал, там туалет.

Он уединился в ванной комнате, заперся и, прежде чем спустить воду и открыть кран, чтобы не вызвать подозрений сиделки, прочел завещание Лулы Лэндри, нацарапанное на почтовой бумаге ее матери и засвидетельствованное Рошелью Онифад.

Когда он вернулся в комнату, Иветта Бристоу лежала с закрытыми глазами.

— Уснула, — мягко сказала сиделка. — Все время задремывает.

— Да, — только и сказал Страйк, у которого в ушах стучала кровь. — Передайте ей, пожалуйста, мои извинения за то, что не попрощался. Но мне пора.

Они вместе вышли в уютный коридор.

— Похоже, леди Бристоу в очень тяжелом состоянии, — отметил Страйк.

— И не говорите, — подхватила сиделка. — В любой момент может отойти. Она совсем плоха.

— Ох, я, кажется, забыл там свою... — неопределенно сказал Страйк и свернул в нежно-желтую комнату, где утром ожидал беседы. Там он повернулся спиной к дверям, загораживая приставной столик от глаз сиделки, и вернул на рычаг телефонную трубку. — Вот, нашел. — Он сунул руку в карман, будто опуская туда какой-то небольшой предмет. — Ну что ж, спасибо за кофе.

Уже держась за ручку входной двери, он спросил:

— Значит, у нее усилилась зависимость от валиума?

Доверчивая, ничего не подозревающая сиделка сочувственно улыбнулась:

— Верно, да только это уже не может ей повредить. Я вам вот что скажу, — добавила она, — докторам этим я собираюсь задать хорошую головомойку. Она к троим обращалась, и каждый ей годами рецепты выписывал — вы посмотрите этикетки на коробочках.

— Вопиющая халатность, — сказал Страйк. — Еще раз спасибо за кофе. Всего доброго.

В радостном возбуждении он припустил к выходу, уже держа в руке мобильный и не разбирая дороги. На повороте лестницы он взвыл от боли: протезированная нога оступилась и Страйк всей своей тяжестью грохнулся на ступени, покатился вниз и остановился только на площадке, раздираемый сокрушительной, обжигающей болью в суставе и культе, как будто ногу отсекли заново, как будто рана еще не зарубцевалась.

— Черт. Черт!

— Что с вами? — За перилами верхнего этажа возникло комично перевернутое лицо сиделки.

— Ничего... ничего! — прокричал он в ответ. — Оступился! Не беспокойтесь!.. Черт, черт, черт! — тихо стонал он, ухватившись за стойку перил и силясь подняться на ноги так, чтобы не опираться на протез.

Кое-как он доковылял до первого этажа и, цепляясь за ручку тяжелой входной двери, практически сполз по ступеням на тротуар.

Набегавшиеся дети в сине-голубой форме цепочкой тянулись к урокам и обеду. Страйк постоял, прислонившись к теплой кирпичной стене, обругал себя последними словами и попытался определить масштабы своего членовредительства. Боль была нестерпимой, рубцевая ткань, и без того чувствительная, похоже, лопнула и горела под гелевой прокладкой, не дававшей никакой защиты. О том, чтобы доковылять до метро, нечего было и думать.

Страйк опустился на ступеньку и вызвал такси, после чего сделал еще несколько звонков: сначала Робин, потом Уордлу и, наконец, в офис компании «Лэндри, Мей, Паттерсон».

Из-за угла вывернуло такси. Превозмогая нарастающую боль, Страйк поднялся со ступеньки, из последних сил запрыгал по тротуару и впервые в жизни отметил, что солидные, неизменно черные машины такси смахивают на маленькие катафалки.

ЧАСТЬ ПЯТАЯ

Felix qui potuit rerum cognoscere causas.

Счастливы те, кто вещей познать сумел основы.

Вергилий. *Георгики. Книга 2*[1]

1

— Мне казалось, — выговорил с расстановкой Эрик Уордл, разглядывая завещание в прозрачном файле, — ты захочешь вначале показать это своему клиенту.

— Ты прав, но моего клиента вызвали в город Рай, а тянуть больше нельзя. Я уже говорил, что намерен предотвратить следующие два убийства. Мы имеем дело с натуральным психом, Уордл.

От боли Страйк обливался потом. В окно бара «Перья» бил солнечный свет; Страйк подталкивал полицейского к решительным действиям, а сам думал, чем обернулось падение с лестницы в доме Иветты Бристоу: вывихом коленного сустава или переломом остатка берцовой кости. В такси, которое сейчас ожидало у тротуара, он, естественно, не захотел осматривать ногу. Счетчик методично сжирал полученный от Бристоу аванс, не обещавший дальнейших вливаний, поскольку до ареста — если, конечно, Уордл соизволит пошевелиться — оставались считаные часы.

— Я допускаю, это может оказаться мотивом...

— «Может»? — переспросил Страйк. — «Может»? Сумма в десять миллионов «может» оказаться мотивом? Обалдеть.

— ...но для суда нужны доказательства, а их я пока не вижу.

— Тебе ясно сказано, где их взять! Хоть раз я облажался? Говорил же: было завещание — и вот оно, тут как тут. — Страйк постучал пальцем по прозрачному файлу. — Оформляй ордер!

Уордл потер щеку, наморщил свое красивое лицо, как будто у него разболелись зубы, и хмуро уставился на завещание.

— Господи прости, — не выдержал Страйк, — сколько раз тебе повторять? Тэнзи Бестиги сидела на балконе, она слышала, как Лэндри сказала: «Я уже это сделала...»

— Ты подставляешься, парень, — сказал Уордл. — Защита тебя в порошок сотрет за обман подозреваемого. Если Бестиги узнает, что никаких фотографий у тебя нет, он станет все отрицать.

— Да и фиг с ним. Зато мадам ничего отрицать не станет. Она созрела. Но если ты будешь поджимать хвост, Уордл, — у Страйка по спине стекал холодный пот, а в уцелевшей половине правой ноги огнем разгоралась боль, — и кто-нибудь из близких Лэндри будет найден мертвым, я тут же пойду к журналюгам. Пусть знают, как я преподнес тебе на блюдечке всю информацию и дал шанс прижать убийцу. А чтобы покрыть расходы, я продам права на свою историю — так и передай от меня Карверу. Держи. — Он подтолкнул к Уордлу клочок бумаги с написанными от руки комбинациями из шести цифр. — Попробуешь для начала вот эти. А теперь не тормози — получай ордер.

Страйк соскользнул с высокого стула. Он еле дошел от бара до такси. Чем больше он нагружал правую ногу, тем сильнее становилась боль.

Начиная с часу дня Робин звонила Страйку каждые десять минут, но он не брал трубку. Звонила она и в тот момент, когда он с огромным трудом, подтягиваясь на руках, начал карабкаться к себе в офис по железной лестнице. Услышав снизу его рингтон, Робин выскочила на площадку.

— Наконец-то! Я звоню, звоню, тут столько... Что такое, вам плохо?

— Я в полном порядке, — солгал он.

— Да вы же... Что стряслось?

Она бросилась ему навстречу. Страйк был бледен как мел, весь в испарине; Робин показалось, что его сейчас вырвет.

— Вы что, пьяны?

— Я не пьян, отвали! — рявкнул он. — Виноват, Робин. Мне больновато. Хочу присесть.

— Что случилось? Можно я...

— Я сам. Все нормально. Доберусь.

Он дотащился до верхней площадки и, тяжело припадая на одну ногу, рухнул всем своим весом на видавший виды диван, в недрах которого, как послышалось Робин, что-то опасно треснуло. Она подумала: надо новый покупать; а потом: это уже без меня.

— Что стряслось? — повторила она.

— Ступеньки пересчитал, — ответил Страйк, не отдышавшись и не находя сил снять пальто. — Как последний придурок.

— Какие ступеньки? Что с вами случилось?

Невзирая на дикую боль, он усмехнулся при виде ее испуга, смешанного с неподдельным волнением.

— Меня не спустили с лестницы, Робин. Оступился — вот и все.

— Понятно. У вас... у вас небольшая бледность. Переломов нет? Я могу вызвать такси... наверное, вам надо к врачу.

— Не надо. У нас таблеток обезболивающих не осталось?

Она принесла ему парацетамол и стакан воды. Он проглотил таблетку, вытянул ноги, содрогнулся и спросил:

— Ну, что у нас происходит? Грэм Хардейкр никаких картинок не присылал?

— Присылал. — Робин заспешила к монитору. — Сейчас.

Щелкнув мышкой, она открыла фото лейтенанта Джонаса Агьемена.

Они молча вглядывались в лицо молодого человека неоспоримо эффектной внешности, которую не портили даже большие оттопыренные уши, унаследованные им от отца. Красночерная с золотом форма сидела на нем как влитая. Немного асимметричная улыбка, высокие скулы, квадратный подбородок, темная, как свежезаваренный чай, бронзового оттенка кожа. В нем было то же самое беззаботное обаяние, какое отличало и Лулу Лэндри, та же неуловимая особинка, приковывающая взгляд.

— Похож на нее, — приглушенно сказала Робин.

— Да, действительно. Еще что-нибудь интересное было?

Робин тут же собралась:

— Ой да, конечно... Полчаса назад звонил Джон Бристоу, сказал, что у него никак не получается с вами связаться. Три раза звонил Тони Лэндри.

— Этого следовало ожидать. И что он сказал?

— Он был совершенно... ну, в первый раз просто хотел с вами поговорить, а когда я ответила, что вас нет, сразу бросил трубку — я даже не успела дать ему номер вашего мобильного. Во второй раз потребовал, чтобы вы немедленно ему перезвонили, и тоже бросил трубку, даже не выяснив, вернулись вы или нет. А в третий раз он был... просто... вне себя от злобы. Разорался.

— Если он вас оскорблял... — грозно нахмурился Страйк.

— Да он, в принципе, не оскорблял. Вернее, *меня* не оскорблял... а все больше вас.

— Так что же конкретно он говорил?

— Нес какую-то околесицу, обзывал Джона Бристоу тупым ублюдком, потом стал кричать, что Элисон как сквозь землю провалилась и будто бы это как-то связано с вами, грозился засудить вас за клевету — я ничего не поняла.

— Элисон не вышла на работу?

— Похоже, так.

— А он не сказал куда... нет, конечно нет, откуда ему знать? — закончил Страйк, обращаясь скорее к самому себе, чем к Робин.

Он посмотрел на запястье. Видимо, при падении он повредил свои дешевые часы: они показывали одиннадцать сорок пять.

— Который час?

— Без десяти пять.

— Уже?

— Да. У вас есть какие-нибудь поручения? Я могу немного задержаться.

— Нет, идите-ка вы лучше домой.

Он сказал это таким тоном, что Робин, вместо того чтобы тут же взять пальто и сумочку, приросла к месту:

— Вы ждете развития событий?

Страйк возился со своей ногой, чуть ниже колена.

— Я ничего не жду. Просто вы в последние дни и так постоянно работаете сверхурочно. Готов поспорить, Мэтью обрадуется, если вы в кои-то веки придете с работы вовремя.

Поправить протез через штанину брюк не удавалось.

— Робин, прошу вас, уходите. — Страйк поднял голову.

Она заколебалась, но все же пошла за своим тренчем и сумкой.

— Спасибо, — сказал Страйк. — До завтра.

Она вышла. Страйк не стал закатывать брючину сразу, а сидел и ждал, пока Робин спустится по лестнице, но металлического лязга все не было. Стеклянная дверь открылась, и на пороге опять возникла Робин.

— У вас назначена встреча, — сказала она, держась за створку двери. — Я права?

— Возможно, — ответил Страйк, — только это не важно. — Он вымученно улыбнулся, видя ее тревогу и напряжение. — За меня не бойтесь. — Видя, что Робин не успокаивается, он добавил: — Представьте, я в армии немного боксом занимался.

У Робин вырвался короткий смешок:

— Знаю, вы рассказывали.

— Разве?

— И не один раз. В тот вечер, когда... ну, вы понимаете.

— А, ясно. И тем не менее. Это чистая правда.

— И все же: с кем у вас...

— Мэтью меня не похвалит, если я вам скажу. Ступайте домой, Робин. Завтра увидимся.

На этот раз она ушла, хоть и с неохотой. Страйк дождался, чтобы хлопнула дверь, ведущая на Денмарк-стрит, повторно закатал брючину, отстегнул протез и осмотрел распухшее колено и конец культи, воспаленный, в кровоподтеках. Он бы предпочел точно знать характер повреждений, но обращаться к специалисту сегодня не оставалось времени.

Он немного пожалел, что не отправил Робин купить ему чего-нибудь поесть. Неуклюже прыгая на одной ноге и придерживаясь по очереди за стол, за шкаф и за подлокотник дивана, он кое-как соорудил себе чашку чая. Сел на стул секретарши и стал пить обжигающую жидкость, заедая диетическим печеньем и не сводя глаз с фото Джонаса Агьемена. От боли в ноге парацетамол помогал мало.

Дожевав печенье, Страйк проверил мобильный. Множество пропущенных звонков от Робин и два — от Джона Бристоу.

Из трех человек, которые могли сегодня вечером нагрянуть к нему в офис, первым, по расчетам Страйка, должен был примчаться Джон Бристоу. Если Скотленд-Ярд хотел получить конкретные доказательства убийства, предоставить их (сам того не зная) мог только Бристоу. Если же его опередит Тони Лэндри или Элисон Крессуэлл, придется... тут Страйк позволил себе немного вздремнуть в пустом офисе, и последним выражением, которое всплыло у него в голове, было: «В ногах правды нет».

Ни в шесть часов, ни в половине седьмого с улицы никто не позвонил. Страйк смазал низ культи мазью и надел протез, скривившись от острой боли, затем, кряхтя, похромал к себе в кабинет, рухнул в кресло у стола и сдался: отстегнул крепления протеза и положил голову на руки, чтобы дать отдых глазам.

2

Шаги на железной лестнице. Страйк распрямился как пружина, не зная, сколько проспал — пять минут или пятьдесят. Кто-то стучался в стеклянную дверь.

— Входите, открыто! — крикнул он и проверил, закрывает ли штанина брюк отстегнутый протез.

К немалому облегчению Страйка, в офис вошел Джон Бристоу. Тот был взволнован и моргал за толстыми линзами очков.

— Приветствую, Джон. Заходите, располагайтесь.

Но Бристоу направился прямиком к нему, багровый от злости, как в первый день их знакомства, когда Страйк отказался взяться за его дело, и вцепился в спинку кресла.

— Тебе было сказано, — его худощавое лицо то бледнело, то вновь наливалось кровью, — тебе было ясно сказано не соваться к моей матери без меня! — Он тыкал пальцем в сторону Страйка.

— Я помню, Джон, но...

— Она подавлена сверх всякой меры. Не знаю, что ты ей наплел, но она позвонила мне и не смогла говорить: ее душили слезы и рыдания!

— Мне очень неприятно это слышать, но она ничуть не возражала, когда я задавал ей...

— Она в ужасающем состоянии! — прокричал Бристоу, обнажив торчащие вперед зубы. — Как ты посмел сунуться к ней без меня? Что ты себе позволяешь?!

— Джон, как я уже сказал после похорон Рошели, мы имеем дело с опасным преступником, который будет убивать и дальше, — ответил Страйк. — Положение стало критическим, и я хочу положить этому конец.

— Надо же, он хочет! А каково мне, по-твоему? — кричал Бристоу, срываясь на фальцет. — Ты соображаешь, сколько от тебя бед? Мама совершенно убита, а теперь еще и моя девушка исчезла в неизвестном направлении, и Тони считает, что виноват в этом ты один! Что ты сделал с Элисон? Куда она пропала?

— Понятия не имею. Вы не пробовали до нее дозвониться?

— Она не берет трубку. Что это за чертовщина? Я сбился с ног, возвращаюсь — а тут...

— Сбились с ног? — Страйк незаметно подвинул ногу, чтобы протез стоял вертикально.

Бристоу упал в кресло, тяжело дыша и жмурясь от яркого предзакатного солнца, бьющего в окно за спиной у Страйка.

— Кто-то, — в бешенстве процедил он, — позвонил сегодня утром моему секретарю, выдал себя за очень важного клиента из города Рай и попросил о срочной встрече. Я примчался туда — и что мне говорят: никакого звонка оттуда мне не поступало. Нельзя ли, — добавил он, загораживаясь ладонью от солнца, — опустить жалюзи? Глаза слепит.

Страйк дернул за шнур, и жалюзи с грохотом упали, погрузив кабинет в прохладный полосатый полумрак.

— Подозрительная история, — заметил Страйк. — Как будто кому-то понадобилось выманить вас из города.

Бристоу не отвечал. Тяжело дыша, он уставился на Страйка.

— С меня хватит! — резко бросил он. — Я прекращаю это расследование. Аванс можешь оставить себе. Я должен думать о маме.

Страйк незаметно достал из кармана мобильный и, нажав пару кнопок, положил на колено.

— Даже не поинтересуетесь, что я сегодня нашел в платяном шкафу вашей матушки?

— Ты посмел... ты посмел рыться у нее в шкафу?!

— Да, решил заглянуть в новенькие сумочки, которые Лула перед смертью получила в подарок.

У Бристоу отнялся язык.

— Ты... ты...

— У этих сумочек отстегивается подкладка. Оригинальная идея, правда? Под подкладкой белой сумочки было спрятано завещание, написанное рукой Лулы на почтовой бумаге вашей матушки и засвидетельствованное Рошелью Онифад. Я тут же передал его в полицию.

ЗОВ КУКУШКИ

У Бристоу отвисла челюсть. На несколько секунд он потерял дар речи, но в конце концов выдавил:

— И что... что в нем было сказано?

— Что все свое имущество она завещает брату, лейтенанту инженерных войск Джонасу Агьемену.

— Кому? Какому еще Джонасу?

— Если интересно — выйдите в приемную и посмотрите на монитор. На экране его фото.

Бристоу встал и как лунатик побрел в соседнее помещение. Страйк увидел, как засветился экран, когда Бристоу пошевелил мышкой. Красивое, ироничное лицо Агьемена выплыло из темноты.

— Боже правый! — вырвалось у Бристоу.

Он вернулся в кабинет, сел на прежнее место и с раскрытым ртом воззрился на детектива:

— Я... я не могу поверить.

— Это тот самый парень, который заснят камерой видеонаблюдения, — сказал Страйк. — Он бежит прочь от места преступления в ночь смерти Лулы. Во время отпуска он останавливался у своей овдовевшей матери. Потому он и мчался по Теобальдс-роуд. Он бежал к себе домой.

Бристоу охнул.

— Мне все говорили, что я заблуждаюсь! — почти выкрикнул он. — Где же я заблуждаюсь, черт побери?

— Нет, Джон, ты не заблуждаешься, — сказал Страйк. — Ты просто псих.

За окнами раздавались звуки Лондона, живого во всякое время суток, грохочущего и рычащего наполовину как человек, наполовину как машина. Но в конторе единственным звуком было прерывистое дыхание Бристоу.

— Прошу прощения? — с издевательской учтивостью произнес он. — Как вы изволили обо мне отозваться?

Страйк усмехнулся:

— Я сказал, что ты просто псих. Убил свою сестру, вышел сухим из воды, а потом нанял меня расследовать ее смерть.

— Ты... ты сам не понимаешь, что говоришь.

— Ну почему же, прекрасно понимаю. Мне с самого начала было ясно, что смерть Лулы выгодна в первую очередь тебе, Джон. Десять миллионов фунтов стерлингов, когда твоя мать

451

отдаст Богу душу. Это ведь не баран начихал, а? Тем более для тебя, который живет на одну зарплату, сколько бы ты ни кичился своим доверительным фондом. Акции «Альбриса» сегодня гроша ломаного не стоят, правильно я понимаю?

Еще несколько мгновений Бристоу не сводил с него глаз, а затем, немного расправив плечи, покосился на задвинутую в угол раскладушку.

— От кого я это слышу? От бомжа, который ночует в конторе? — Голос Бристоу звучал спокойно и ядовито, но дыхание участилось до предела.

— Я знаю, что ты намного богаче меня, Джон, — сказал Страйк. — Но, как ты справедливо заметил, это ни о чем не говорит. А по поводу своей скромной персоны замечу, что пока еще не унизился до того, чтобы расхищать средства клиентов. Сколько же денег Конуэя Оутса ты успел прикарманить, пока Тони тебя не раскусил?

— Ах вот оно что, я еще и растратчик?! — притворно хохотнул Бристоу.

— Да, типа того, — подтвердил Страйк. — Впрочем, мне это по боку. Какая мне разница, по какой причине ты убил Лулу: потому, что надеялся возместить разворованные деньги, или потому, что хотел прибрать к рукам ее миллионы, или потому, что терпеть ее не мог. Пусть это присяжные выясняют. Им подавай мотив.

У Бристоу, как и прежде, задергалось колено.

— Нет, это ты спятил, а не я. — Он еще раз натужно хохотнул. — Откопал завещание, по которому она все оставила не мне, а этому субъекту. — Бристоу ткнул пальцем в сторону приемной, где только что увидел фото Джонаса. — Талдычишь, что его же зафиксировала камера, когда он удирал с места преступления через десять минут после убийства. А убийцей выставляешь меня. Меня!

— Джон, до того как обратиться ко мне, ты уже знал, что на видео изображен Джонас. Тебя просветила Рошель. Она была в «Вашти», когда Лула звонила Джонасу и умоляла о ночной встрече; она же засвидетельствовала завещание, по которому единственным наследником становился Джонас. Рошель вышла на тебя, рассказала обо всем, что знала, и начала тебя шантажировать. Хотела срубить деньжат на квартиру и дорогие шмотки, а взамен обещала помалкивать о том, что наследник Лулы — вовсе не ты. Она не доперла, что ты убийца. Считала, что это Джонас вышвырнул Лулу из окна. Но ее разозлило, что сама она в завещании не упомянута, а также то, что в последний день своей жизни Лула бросила ее одну выбираться из этого бутика. Ей было все равно, что убийца останется безнаказанным, — лишь бы огрести денег.

— Полная чушь! Ты не в своем уме.

— Ты чинил мне всяческие препятствия, чтобы я не нашел Рошель, — продолжал Страйк, как будто не слышал. — Притворялся, что не знаешь ни ее имени, ни адреса, всячески показывал, что для расследования она совершенно не нужна, а чтобы я не узнал, как она выглядит, ты стер фотографии из ноутбука Лулы. Рошель могла прямо указать мне на парня, которого ты хотел подставить, но в то же время знала, что завещание лишило тебя надежды на наследство, тогда как твоей первейшей задачей было создать видимость, будто никакого завещания нет в природе, а самому тем временем постараться его отыскать и уничтожить. И смех и грех: оно всю дорогу лежало у твоей матушки в шкафу. Допустим, Джон, ты бы его уничтожил. А дальше что? По твоим сведениям, Джонас знал, что является наследником Лулы. А кроме того, был еще один человек, знавший о завещании, хотя ты об этом не догадывался. Это Брайони Рэдфорд, визажистка.

Страйк заметил, что Бристоу облизнул пересохшие губы. Он почувствовал, что адвокат напуган.

— Брайони не хочет признаваться, что совала нос куда не следует, но она видела это завещание у Лулы дома — та не успела его спрятать. Однако Брайони страдает дислексией. Она увидела «Джонас», а прочла «Джон». Припомнила, как Сиара упоминала, что Лула собирается все завещать брату, и решила никому не рассказывать о том, что разнюхала, потому как деньги так или иначе отписаны тебе. Порой тебе дьявольски везло, Джон... А потом твой извращенный ум подсказал тебе выставить Джонаса убийцей. Получи он пожизненный срок, наличие завещания, равно как и осведомленность Джонаса и чья бы то ни было еще, уже не сыграло бы никакой роли, потому как деньги бы в любом случае приплыли к тебе.

— Курам на смех, — задыхаясь, выговорил Бристоу. — Бросай свои расследования и садись писать сказки, Страйк. У тебя нет ни крохи доказательств...

— Ну почему же нет? — перебил его Страйк; Бристоу мгновенно умолк, и даже в сумраке кабинета было видно, как он побледнел. — Видео с камеры наблюдения.

— На видео Джонас Агьемен удирает с места преступления — ты сам только что это признал!

— Там есть еще один персонаж.

— Значит, у него был сообщник — на стреме стоял.

— Интересно, Джон, какое именно психическое отклонение будет приписывать тебе защита? Нарциссизм? Комплекс Бога? Ты твердо веришь в свою неуязвимость: гений среди обезьян, да? Второй человек, бежавший с места преступления, не был знаком с Джонасом, не стоял на стреме и не собирался угонять машину. Он даже не чернокожий. Это был белый, но в черных перчатках. Это был ты, Джон.

— Нет! — вырвалось у Бристоу. В этом единственном слове звучала паника, но потом Бристоу с почти видимым усилием изобразил презрительную ухмылку. — Как же это мог быть я? Я был в Челси, у маминой постели. Моя мать сама тебе об этом сказала. Да и Тони меня там видел. Я был в Челси.

— Твоя мать — смертельно больной человек с зависимостью от валиума. В тот день она почти все время спала. В Челси ты вернулся только после убийства Лулы. Как мне видится, ты зашел в спальню к матери, когда было далеко за полночь, переставил часы, а потом разбудил ее и сделал вид, что пора ужинать. Думаешь, ты криминальный гений, Джон? Но до тебя такие вещи проделывали миллион раз, правда не с такой легкостью. Твоя мать даже не распознает дней недели: ей дают столько опиатов, что организм ее полностью отравлен.

— Я весь день пробыл в Челси, — повторил Бристоу, дергая коленом. — Весь день, только на минуту заскочил в офис за документами.

— Из квартиры второго этажа в доме Лулы ты взял толстовку и перчатки. В них тебя зафиксировала камера, — пропустив мимо ушей его возражения, продолжил Страйк, — и это был твой серьезный промах. Толстовка существовала в единственном экземпляре. Модельер Сомэ создал ее для Диби Макка.

Кроме как из той квартиры, этажом ниже Лулы, ей неоткуда было взяться, так что нам известно, где ты прятался.

— У тебя нет абсолютно никаких доказательств, — сказал Бристоу. — Я жду доказательств.

— Оно и видно, — попросту сказал Страйк. — Разве ни в чем не повинный человек стал бы сидеть и слушать такие вещи? Он бы давно возмутился и ушел. Но ты не волнуйся. Доказательства у меня есть.

— Блефуешь, — хрипло выговорил Бристоу.

— Мотив, средство, возможность. Все это у тебя было, Джон. Давай начнем сначала. Ты же не отрицаешь, что с утра первым делом заехал к Луле...

— Конечно нет.

— ...потому что тебя там видели. Но не думаю, что контракт с Сомэ, которым ты воспользовался, чтобы миновать пост охраны, дала тебе сама Лула. Могу предположить, что ты его сцапал заранее. Уилсон разрешил тебе подняться, и через считаные минуты вы уже скандалили с Лулой на пороге ее квартиры. Этого ты отрицать не можешь: вас слышала уборщица. На твое счастье, английским Лещинская владеет крайне слабо, а потому подтвердила твою версию: будто бы ты взбесился из-за того, что Лула снова сошлась со своим дружком — пьяницей и наркоманом... На самом же деле, думаю, поругались вы из-за того, что Лула не дала тебе денег. Ее друзья — те, кто поумнее, — говорили мне, что ты давно положил глаз на ее капиталы, но в тот день тебя, как видно, припекло всерьез, если ты хитростью проник в дом и устроил ей скандал. Как видно, Тони обнаружил утечку средств со счета Конуэя Оутса? И тебе нужно было срочно покрыть недостачу?

— Безосновательные измышления, — сказал Бристоу, все еще подергивая коленом вверх-вниз.

— В суде разберемся, насколько они безосновательны, — ответил Страйк.

— Я никогда не отрицал, что мы с Лулой повздорили.

— После того как она отказалась выписать чек и захлопнула дверь у тебя перед носом, ты стал спускаться и заметил, что дверь в квартиру номер два стоит нараспашку. Уилсон с мастером по ремонту сигнализации проверяли пульт, Лещинская находилась где-то в глубине квартиры, наверное пылесосила, и этот гул позволил тебе незамеченным пробраться за их спинами в прихожую. Впрочем, особого риска не было. Застукай они тебя в квартире, ты бы сделал вид, будто зашел поблагодарить Уилсона, который пропустил тебя в дом. Пока они копались в предохранителях, ты прокрался по коридору и спрятался в этой просторной квартире. Там полно места. В пустых шкафах. Под кроватью.

Бристоу помотал головой в знак безмолвного отрицания. Страйк продолжал как ни в чем не бывало:

— Должно быть, ты услышал, как Уилсон распорядился, чтобы Лещинская установила сигнализацию на один-девять-шесть-шесть. Наконец Лещинская, Уилсон и парнишка-техник ушли; вся квартира осталась в твоем распоряжении. Но тебе не повезло: Лула успела куда-то уехать, и ты не смог подняться наверх, чтобы все-таки вытрясти из нее деньги.

— Полный бред, — фыркнул адвокат. — Никогда в жизни ноги моей не было в квартире номер два. Мы с Лулой расстались, и я поехал в офис, чтобы взять папки с документами...

— ...у Элисон; ты сам так сказал, когда мы впервые обсуждали твои передвижения в течение того дня, припоминаешь? — спросил Страйк.

На жилистой шее Бристоу вновь проступили красные пятна. Слегка замявшись, он прочистил горло и ответил:

— Не помню... знаю только, что я торопился. Хотел поскорее вернуться к матери.

— Как думаешь, Джон, что будет, когда в суде Элисон станет давать показания и откроет присяжным, как ты убедил ее тебя прикрыть? Разыграл перед ней роль скорбящего, убитого горем брата, затем пригласил ее поужинать, и бедная дуреха тут же согласилась — исключительно в пику Тони. А через пару дней ты уговорил ее подтвердить, что утром, в день трагедии, заходил к ней в офис. Якобы ты просто перенервничал и всего боишься, ведь так? Она поверила, что на тот день у тебя и так есть железное алиби, которое может подтвердить ее обожаемый Тони. Так почему бы чуток не приврать ради твоего спокойствия? Но вот ведь какая незадача, Джон: Элисон в то утро на месте не было, и отдать тебе папки она никак не могла, потому что Киприан отправил ее в Оксфорд на поиски Тони. После похорон Рошели до тебя дошло, что я это просек, и ты слегка задержался, да?

— Элисон довольно бестолкова, — медленно сказал Бристоу; он подергивал коленом и как будто мыл руки под невидимой струей. — Дни перепутала, не иначе. И превратно истолковала мои слова. Я никогда не просил ее говорить, что она видела меня в офисе. Тут ее слово против моего, вот и все. Может, она хочет мне отомстить, потому что мы разбежались.

Страйк рассмеялся:

— Да, тебе однозначно дали отлуп, Джон. После того, как сегодня утром моя помощница позвонила, чтобы выманить тебя в городок Рай...

— Твоя помощница?

— А кто же еще? Мне совершенно не хотелось, чтобы ты путался под ногами, пока я буду обыскивать квартиру твоей матери. А имя клиента нам подсказала Элисон. Видишь ли, я позвонил ей и ввел в курс дела; в частности, упомянул, что у меня есть доказательства романа Тони с Урсулой Мей, а тебя вот-вот упекут за убийство. Она, вероятно, сделала вывод, что нужно срочно искать себе нового возлюбленного и новую работу. Надеюсь, она уехала к матери в Сассекс — именно это я ей и посоветовал. Ты только потому держал Элисон при себе, что она, с твоей точки зрения, обеспечивала тебе и надежное алиби, и лазейку в мысли Тони, которого ты боишься. Но в последнее время я забеспокоился, как бы она не утратила для тебя свою полезность и не упала откуда-нибудь с высоты.

Бристоу попытался ехидно засмеяться, но вышло неестественно и глухо.

— Получается, что никто не видел, как ты в то утро заскочил в офис за документами, — продолжил Страйк. — На самом же деле ты в это время прятался в средней квартире дома восемнадцать по Кентигерн-Гарденз.

— Меня там не было. Я был в Челси, с матерью, — вклинился Бристоу.

— Думаю, тогда ты еще не планировал убивать Лулу, — спокойно продолжал Страйк. — Наверное, придумывал, как бы ее подкараулить, когда она вернется. В офисе тебя никто не ждал, поскольку в тот день ты должен был работать дома, чтобы не оставлять мать одну. Холодильник в квартире номер два был полон, да к тому же ты знал, как войти и выйти, не потревожив сигнализацию. Из окна хорошо просматривалась улица: появись у подъезда Диби Макк со свитой, у тебя оставалась уйма времени, чтобы выбраться из квартиры, спуститься и наплести, будто ты ждал сестру. Риск был один: в любой момент мог прибыть курьер с какой-нибудь доставкой; и верно: туда привезли здоровенную вазу и охапку роз, но никому и в голову не пришло, что в квартире прячется посторонний. Однако же, просидев не один час в одиночестве среди такой роскоши, ты начал задумываться об убийстве. Как, например, было бы удачно отделаться от Лулы, пока она не составила завещание, ведь о нем прежде даже речи не заходило, правда? Ты не сомневался, что больная мать ни в чем тебе не откажет, когда ты останешься единственным отпрыском. Да и вообще, эта идея сама по себе грела душу, ведь так, Джон? Как славно быть единственным ребенком, которого не затмевают более красивые, более любимые братья и сестры, а?

Даже в сгущающихся сумерках он разглядел кроличьи зубы Бристоу и напряженный взгляд его подслеповатых глаз.

— Сколько ты ни лебезил перед матерью, сколько ни изображал преданного сына, ты никогда не был первым, ведь правда? Она всегда больше любила Чарли. И остальные точно так же, в том числе и дядя Тони. А когда Чарли погиб и ничто больше не мешало тебе стать центром внимания, случилось непредвиденное. В семье появилась Лула, и все начали ходить на цыпочках вокруг Лулы, заботиться о Луле, обожать Лулу. Возле смертного одра вашей матери даже нет твоей фотографии — там только портреты Чарли и Лулы. Ее любимчиков.

— Да пошел ты, — взорвался Бристоу, — пошел ты, Страйк! Что ты понимаешь? У самого мать — последняя шлюха, а он еще пасть разевает. Загнулась небось от сифилиса, скажешь, нет?

— Неплохо, — покивал Страйк. — Как раз собирался спросить, изучал ли ты мою личную жизнь, когда искал себе марионетку. Зуб даю, ты думал: раз моя собственная мать умерла молодой при сомнительных обстоятельствах, я посочувствую бедному, скорбящему Джону Бристоу, скажешь, не так? Ты думал, что уж со мной-то разыграешь свой гнусный план как по нотам... Ну ничего, Джон: если твои адвокаты не докажут, что ты психопат, бьюсь об заклад, они свалят все на твое воспитание. Нелюбимый. Отверженный. В тени брата и сестры. Всегда чувствовал себя обделенным, ведь так? Я заметил это еще при нашей первой встрече, когда ты так трогательно разрыдался, вспоминая, как маленькую Лулу по дорожке внесли в твой дом, в твою жизнь. Родители даже не взяли тебя с собой, когда поехали за ней, верно? Тебя, как щенка, оставили дома — сына, которого после смерти Чарли им стало мало, сына, который вот-вот должен был снова отойти в тень.

— Я не собираюсь это слушать, — прошипел Бристоу.

— Тебя никто не держит, — ответил Страйк; в сгущающихся сумерках он больше не мог разглядеть глаза Бристоу за толстыми линзами очков. — Что ж ты не уходишь?

Но адвокат так и сидел в ожидании доказательств, подергивая одной ногой и, как под краном, потирая руки.

— Второй раз было легче? — тихо спросил детектив. — Убить Лулу оказалось проще, чем убить Чарли?

Бристоу открыл было рот, обнажив кроличьи зубы, но не проронил ни звука.

— А Тони ведь знает, что это ты, правда? Вранье, что после смерти Чарли он говорил гадкие, жестокие вещи. Тони был поблизости: он видел, как ты на велосипеде уматывал с того места, откуда столкнул Чарли. Это ведь не кто-нибудь, а ты подначил брата проехать по самой кромке? Ты позволил ему подъехать близко к краю? Я знал Чарли: он легко велся на любые подначки. Тони увидел на дне карьера тело Чарли и сказал вашим родителям, что, по его мнению, это сделал ты, правильно? Вот почему отец дал ему пощечину. Вот почему мать упала в обморок. Вот почему Тони отказали от дома: не потому, что он сказал, будто бы твоя мать вырастила преступника, — он этого не говорил; он сказал своей сестре, что она растит психопата.

— Это... Нет! — прохрипел Бристоу. — Нет!

— Но Тони не стал полоскать грязное белье. Он держал рот на замке. Правда, слегка запаниковал, когда услышал о намерении твоих родителей взять на воспитание девочку, ведь так? Он звонил им, пытался отговорить. У него были все основания для беспокойства, согласен? Думаю, ты всегда побаивался Тони. Какая злая ирония судьбы: он сам себя загнал в угол, когда вынужден был подтвердить твое алиби при расследовании смерти Лулы.

Бристоу промолчал. Его дыхание участилось.

— Ему понадобилось обставиться: якобы в тот день он был в другом месте — в любом другом месте, только не в отеле, где развлекался с женой Киприана Мея, вот он и выдумал, что ездил обратно в Лондон проведать больную сестру. А потом до него дошло, что как раз в это время в квартире его сестры находились вы с Лулой. Но племянница уже погибла и не могла вывести его на чистую воду; ему не оставалось ничего другого, кроме как притвориться, что он видел тебя через дверь кабинета, но не заглянул поздороваться. А ты его поддержал. Вы оба нагло врали, пытаясь разгадать, что задумал другой, но боялись задавать вопросы. Думаю, Тони твердил себе, что разберется с тобой после смерти сестры. Вероятно, успокаивал свою совесть. Но все же ему было неспокойно, вот он и попросил Элисон за тобой приглядывать. А ты тем временем впаривал мне, как вы с Лулой трогательно обнялись и примирились перед ее возвращением домой.

— Я был там, — хрипло прошептал Бристоу. — Я находился в квартире матери. Если Тони там не было, это его проблемы. Тебе не доказать, что меня не было.

— Я доказываю утверждения, а не отрицания, Джон. Речь лишь о том, что все твои алиби развеялись в прах, если не считать показаний твоей оглушенной таблетками матери. Но чисто теоретически давай все же предположим, что в то время, когда Лула сидела у вашей полуживой матери, а Тони трахал Урсулу в каком-то отеле, ты по-прежнему прятался в квартире номер два и обдумывал более радикальный способ решения своих финансовых проблем. Ты выжидал. Потом нашел в шкафу черные кожаные перчатки, присланные кем-то в подарок Диби, и надел, чтобы нигде не оставить своих пальчиков. А вот это уже выглядит подозрительно. Не ровен час, кто-нибудь подумает, будто ты замышлял действия насильственного характера. Наконец, вскоре после полудня, Лула возвращается домой, но, к сожалению для тебя — а ты наверняка смотрел в глазок, — не одна, а с подругами. В итоге, — голос Страйка стал жестче, — твое положение становится совсем незавидным. Защита, конечно, могла бы настаивать на версии непредумышленного убийства: несчастный случай, легкая стычка — и Лула падает с балкона. И все было бы хорошо, но есть одна загвоздка: ты слишком долго просидел в засаде, зная, что у сестры гости. Человек, помышляющий лишь о том, чтобы вытрясти из сестры кругленькую сумму, мог бы, конечно, дождаться, когда она останется одна, но ты уже это пробовал — и ничего не вышло. Так почему было не подняться к ней домой: она, скорее всего, повеселела да к тому же не стала бы скандалить в присутствии посторонних. Уж сколько-нибудь выписала бы, чтобы только отделаться.

Страйк почти физически ощущал волны страха и ненависти, исходящие от скрываемой мраком фигуры по другую сторону стола.

— Но вместо этого, — сказал он, — ты ждал. Ждал весь вечер, видел, как она вышла из дому. К тому времени ты, должно быть, уже был на взводе. Но зато успел наметить предварительный план. Ты наблюдал за улицей; точно знал, кто есть в здании, а кого нет; прикинул, можно ли будет смыться по-тихому, без свидетелей. Ну и напомним для справки: ты уже убивал. А это меняет дело.

Бристоу резко дернулся, даже нагнулся вперед; Страйк напрягся, но Бристоу остался сидеть на месте, а Страйк ощутил незакрепленный протез, прислоненный к ноге.

— Глядя из окна, ты увидел, как Лула одна вернулась домой, но у входа все равно толпились папарацци. Вот тут ты приуныл, да? И вдруг — о чудо! будто сама судьба решила помочь Джону Бристоу! — они разошлись. Почти уверен, им что-то шепнул постоянный водитель Лулы. Его хлебом не корми — дай пообщаться с прессой. Улица опустела. Момент настал. Ты натянул толстовку Диби. Большая ошибка. Но признай, тебе столько раз везло, что хоть где-то должен был случиться прокол. И тогда — здесь я отдаю тебе должное, потому что долго ломал над этим голову, — ты вытащил из вазы несколько белых роз, правильно? Вытер стебли — не так тщательно, как следовало, но все же, — вышел с цветами из квартиры номер два, снова оставив дверь приоткрытой, и по лестнице поднялся на этаж выше. Кстати, ты не заметил, что со стеблей немного накапало. Уилсон потом даже поскользнулся. Ты постучался в дверь. Лула смотрит в глазок — и что она видит? Белые розы. До этого она стояла на балконе и смотрела на улицу — поджидала своего новообретенного брата, а он тут как тут — умудрился зайти так, что она и не заметила! В волнении она открывает дверь — и ты уже в квартире!

Бристоу застыл. Даже колено перестало дергаться.

— И ты ее убил — точно так же, как убил Чарли, так же, как потом убил Рошель: сначала толкнул, сильно и неожиданно, — возможно, даже слегка оторвал от пола, — но она была застигнута врасплох, как и те двое. Ты стал орать, что из-за нее лишен денег, подобно тому как всегда был лишен родительской любви. В ответ она закричала, что ты, даже убив ее, не получишь ни пенни. В разгар борьбы, пока ты толкал ее через гостиную в сторону балкона, она выкрикнула, что у нее есть другой брат, родной, что он уже едет к ней и что она составила завещание в его пользу. «Слишком поздно, я уже это сделала!» — кричала она. А ты назвал ее лживой тварью и выбросил с балкона навстречу смерти.

Бристоу боялся дышать.

— Думаю, розы ты сразу бросил на пол у входной двери. На обратном пути ты их поднял, сбежал по лестнице в квартиру номер два и сунул их обратно в вазу. Ну и везунчик ты, черт подери. Вазу случайно своротил полицейский, а розы были единственной уликой, подтверждающей, что в квартире кто-то был: счет времени шел на секунды, ты просто не мог поставить каждый цветок в точности на то же место, которое отвел им флорист, — тебе нужно было уносить ноги. А дальше от тебя потребовалась изрядная выдержка. Ты ведь не мог предвидеть, что кто-то мгновенно забьет тревогу, но, как оказалось, на балконе второго этажа в это время сидела Тэнзи Бестиги. Услышав ее вопли, ты сообразил, что времени у тебя еще меньше, чем ты рассчитывал. Уилсон выбежал на улицу посмотреть, что с Лулой, а затем (ты ждал у двери и смотрел в глазок) побежал на последний этаж. Тогда ты включил сигнализацию, вышел из квартиры и перегнулся через перила. Муж и жена Бестиги орали друг на друга у себя в квартире. Ты побежал вниз — тебя услышал Фредди Бестиги, хотя в тот момент у него были совершенно другие мысли... В холле никого не было — ты выскочил на улицу, где валил снег. И припустил что есть мочи. Натянул капюшон, скрыл лицо, лихо работал руками в перчатках. А добежав до угла, ты увидел еще одного человека, который тоже бежал во всю прыть от того места, где у него на глазах только что разбилась его сестра. Вы друг друга не знали. Не думаю, что ты хотя бы отдаленно подозревал, кто он такой. Ты бежал во весь дух, в толстовке, похищенной из квартиры Диби

Макка, мимо камеры видеонаблюдения, которая зафиксировала вас обоих, а дальше, на Холливелл-стрит, камер больше не было — говорю же, ты везунчик. Толстовку и перчатки ты, очевидно, выбросил в мусорный бак и схватил такси, правильно? Полицейским даже в голову не пришло разыскивать белого мужчину в костюме, разгуливавшего по улицам в такое время. Ты приехал в Челси, приготовил еду, перевел часы и разбудил мать. Она до сих пор верит, что вы вдвоем всю ночь проговорили о Чарли; как трогательно, Джон: аккурат когда Лула разбилась насмерть. А ведь тебе это могло сойти с рук. Ты мог бы позволить себе всю жизнь откупаться от Рошели. Такой везунчик, как ты, мог бы даже рассчитывать, что Джонас Агьемен погибнет в Афганистане; согласись, каждое газетное фото чернокожего солдата вселяло в тебя надежду, так? Но ты не захотел пускать дело на самотек. Ты, чокнутый, самонадеянный засранец, решил подстраховаться.

Повисло долгое молчание.

— Доказательств нет, — выдавил наконец Бристоу. В офисе было так темно, что Страйку едва был виден его силуэт. — Доказательств ноль.

— Вот тут ты, боюсь, ошибаешься, — сказал Страйк. — Полицейские, надо думать, уже получили ордер.

— На что? — спросил Бристоу; он наконец обрел уверенность и захохотал. — На обыск мусорных баков Лондона с целью обнаружения толстовки, которую, по твоим словам, выкинули три месяца назад?

— Ну зачем же: на осмотр сейфа твоей матери, разумеется.

Страйк задумался, сможет ли он достаточно быстро поднять жалюзи. До выключателя ему было не дотянуться, а в кабинете стало совсем темно. Он не хотел отрывать взгляд от едва видимой фигуры Бристоу. Ему не верилось, что тройной убийца мог прийти безоружным.

— Я дал им на пробу несколько комбинаций, — продолжил Страйк. — Если не сработают, думаю, им придется вызвать специалиста. Но на спор я бы выбрал ноль-три-ноль-четыре-восемь-три.

Шуршание, взмах бледной руки, и Бристоу бросился вперед. Острие ножа царапнуло Страйка по груди, когда тот отбрасывал Бристоу в сторону; адвокат сполз со стола, откатился вбок и снова атаковал; на этот раз Страйк упал вместе с креслом назад и оказался зажат между стеной и столом, а Бристоу навалился сверху.

Страйк стиснул запястье Бристоу, не видя, где нож, и в темноте с такой силой двинул ему кулаком в челюсть, что у того запрокинулась голова и слетели очки; Страйк ударил снова, и Бристоу врезался в стену; Страйк попытался сесть, но Бристоу нижней частью тела вдавил в пол его пульсирующую культю и пырнул Страйка ножом в предплечье. Лезвие раскроило плоть, из раны хлынула теплая кровь, и руку каленым железом пронзила резкая боль.

В блеклом свете, падавшем из окна, он успел заметить, как адвокат занес руку. Еле поднявшись под весом Бристоу, Страйк увернулся от второго удара ножом, сбросил с себя противника и попытался прижать его к полу, но тут из брючины вывалился протез, и горячая кровь залила все вокруг; Страйк так и не понял, где сейчас нож.

Под тяжестью Страйка стол опрокинулся; детектив надавил здоровым коленом на тщедушную грудь Бристоу, неповрежденной рукой пытаясь на ощупь найти нож, и тут в глаза ему ударил резкий свет, и кабинет огласился истошным женским криком.

Ослепленный, Страйк все же заметил нож, взлетающий к его животу; схватив валявшийся рядом протез, он принялся, как дубиной, колотить им Бристоу по лицу, раз, другой...

— Нет! Корморан, ПЕРЕСТАНЬ! ТЫ ЕГО УБЬЕШЬ!

Страйк откатился от Бристоу, застывшего без движения, выронил протез и растянулся на спине возле перевернутого стола, зажимая кровоточащую рану.

— Я же сказал, — хрипло выдавил он, не видя Робин, — чтобы ты шла домой.

Но она уже набирала номер службы спасения:

— Срочно полицию и «скорую»!

— И такси вызови, — проскрипел он с пола; от долгих разговоров у него пересохло в горле. — Я с этим куском дерьма в одну «скорую» не сяду.

Он дотянулся до мобильного, который валялся в стороне. Дисплей был разбит, но запись продолжалась.

ЭПИЛОГ

Nihil est ab omni
Parte beatum.

Ведь не может счастье
Быть совершенным.

Гораций. *Оды. Книга 2*[1]

[1] Перевод А. П. Семенова-Тян-Шанского.

Десять дней спустя

Британская армия требует от военнослужащих такого отречения от личных нужд и привязанностей, какое трудно понять гражданским умом. Она считает, что нет ничего выше ее требований. Непредсказуемые переломные моменты человеческой жизни — рождения и смерти, свадьбы, разводы, болезни — обычно влияют на планы военных не больше, чем камешки, стучащие в днище танка. И все же бывают исключительные случаи; благодаря одному из таких исключительных случаев вторая афганская командировка лейтенанта Джонаса Агьемена завершилась досрочно.

Главное управление полиции потребовало его срочного возвращения в Великобританию. Хотя армия обычно не ставит интересы полиции выше своих собственных, на этот раз она пошла навстречу органам правопорядка. Обстоятельства смерти сестры Агьемена получили освещение в международном масштабе, и суета прессы вокруг безвестного доселе сапера не шла на пользу ни вооруженным силам, ни ему самому. По этой причине Джонаса посадили в самолет и отправили на Британские острова, где армия расстаралась, чтобы поставить заслон жадным до сенсаций хроникерам.

Читатели газет в большинстве своем полагали, что лейтенант Агьемен будет рад-радешенек, во-первых, оказаться дома, вдали от боевых действий, а во-вторых, подготовиться к получению такого богатства, какое ему и не снилось. Однако же молодой офицер, с которым Страйк встретился после полудня в пабе «Тотнем» через десять дней после ареста убийцы, держался почти агрессивно и, казалось, еще не оправился от первоначального шока.

Эти двое в разные периоды жили одинаковой жизнью и ходили под одинаковой смертью. Человеку гражданскому этого не понять; первые полчаса они говорили только об армии.

— Значит, ты «пиджаком» был? Надо же такому случиться, чтобы «пиджак» испоганил всю мою жизнь.

Страйк улыбнулся. Он не счел это неблагодарностью, хотя швы на руке болезненно тянуло, когда он поднимал свою пинту.

— Моя мать хочет, чтобы я сделал заявление, — сказал офицер. — Твердит, что только так и можно выпутаться из этой заварухи.

Это стало первым, пусть косвенным, упоминанием причины, которая сейчас свела их вместе, а до этого оторвала Джонаса от армейской жизни, выбранной им самим.

А потом его вдруг прорвало, как будто он не один месяц дожидался Страйка.

— Она понятия не имела, что у моего отца был другой ребенок. Он ей так и не признался. У него даже не было уверенности, что эта бабенка, Марлен, и вправду забеременела. Перед самой смертью, когда жить ему оставалось считаные дни, он мне сказал: «Давай не будем расстраивать маму. Я, — говорит, — рассказываю тебе об этом только потому, что мой час пробил, а я даже не знаю, есть ли у тебя где-нибудь единокровный брат или сестра». Сказал, что та женщина, белая, исчезла с концами. Вполне возможно, сделала аборт. Тут я просто обалдел. Знал бы ты моего отца. Каждое воскресенье ходил в церковь. На смертном одре причастился... Я мог чего угодно ожидать, только не этого. У меня и в мыслях не было посвящать маму в эту историю. И вдруг как гром среди ясного неба — телефонный звонок. Слава богу, я был здесь, в отпуске. Правда, Лула, — он произнес ее имя с осторожностью, как будто не знал, есть ли у него такое право, — сказала, что повесила бы трубку, подойди к телефону моя мама. Сказала, что не хочет никому делать больно. Мне показалось, неплохая девушка.

— По-моему, она такой и была, — заметил Страйк.

— Не спорю... но хоть убей, странно как-то. Вот ты бы, к примеру, поверил, если б тебе позвонила какая-нибудь топ-модель и сказала: «Я твоя сестра»?

Страйк подумал о своей причудливой семейной истории.

— Отчего ж не поверить? — сказал он.

— Ну, в принципе, всякое бывает. А с чего ей выдумывать? Это я как бы сам себе сказал. Короче, дал я ей свой номер мобильного, и, когда у нее была возможность встретиться с этой подружкой, с Рошелью, мы с ней не раз трепались. Она все продумала, чтобы только газетчики не докопались. А меня это устраивало. Я не хотел маму огорчать.

Агьемен вытащил сигареты «Ламберт энд Батлер» и стал нервно вертеть в руках пачку. Наверняка куплены по дешевке, понял Страйк в приливе воспоминаний; в полковом чипке как пить дать.

— Так вот, звонит она мне накануне... перед тем как... это случилось, — продолжал Джонас, — и просит приехать. А я уже ей сказал, что в этот приезд встретиться не выйдет. Черт, у меня просто крышу сносило. Моя сестра — топ-модель. А мама очень волновалась: как это я полечу в Гильменд. Ну не мог я ее огорошить: мол, у отца был другой ребенок. Думаю, успеется как-нибудь. Потому и сказал Луле, что в этот приезд встречи не будет. Тут она прямо умолять стала. Похоже, неприятности у нее были. Ладно, говорю, только попозже, когда мама спать ляжет. Если что, скажу ей: мол, с приятелем по-быстрому выпить собираюсь или что-нибудь в этом роде. А Лула просила приехать как можно позже, за полночь уже. — Джонас смущенно почесал в затылке. — Ну, собрался я к ней. Дошел до угла... и вижу, как она... — Он утер губы рукой. — Вот тут-то я и припустил. Так припустил... Не знал, что и думать. Просто не хотел, чтобы меня там увидели, а то бы пришлось объяснения какие-то давать. Я ведь помнил, что у нее психические проблемы, что голос по телефону был расстроенный, вот я и подумал: это она меня специально заманила, чтоб видел, как она с балкона бросится. В ту ночь я глаз не сомкнул. Честно скажу, только порадовался, когда пришла пора в часть возвращаться. Укрыться от этой чертовой шумихи.

В обеденное время в пабе стало быстро прибывать народу.

— Думаю, она так настойчиво просила тебя о встрече в связи с тем, что утром рассказала ей мать, — сказал Страйк. — Леди Бристоу принимала большие дозы валиума. Видимо, ей хотелось любой ценой удержать Лулу при себе, поэтому она открыла ей все то, о чем годами твердил Тони: что это Джон столкнул младшего брата в каменоломню, задумав его убить. Вот почему Лула так нервничала, выйдя от матери. Она стала названивать Тони, чтобы выяснить, есть ли в словах матери хоть крупица правды. А тебя она позвала для того, чтобы рядом был хоть кто-то любимый и надежный. Ее мать лежала при смерти, да и вообще была тяжелым человеком, своего дядю Лула ненавидела, а вдобавок ко всему узнала, что ее брат, тоже усыновленный, — убийца. Она впала в отчаяние. И думаю, испугалась. Ведь накануне Бристоу вымогал у нее деньги. Она даже думать боялась, каким мог стать его следующий шаг.

В пабе звякали столовые приборы, шумели голоса, звенели бокалы, но голос Джонаса прозвучал громко и отчетливо:

— Хорошо, что ты сломал этому ублюдку челюсть.

— И нос, — радостно сообщил Страйк. — Удачно, что он задел меня ножом, иначе мне впаяли бы «превышение необходимой обороны».

— Он пришел с оружием, — задумчиво проговорил Джонас.

— Ничего удивительного, — сказал Страйк. — Перед похоронами Рошели я поручил своей секретарше как бы случайно обронить при нем, что меня засыпает письмами один псих, который грозится вспороть мне брюхо. Это засело у Бристоу в голове. Он решил в случае чего свалить мою смерть на беднягу Брайана Мэтерса. После чего, наверное, отправился бы домой, перевел часы у матери в спальне и попытался разыграть тот же трюк. У него не все в порядке с мозгами. Но все равно — изобретательный, гад.

Похоже, все уже было сказано. Выходя из паба, где Агьемен с нервозной настойчивостью оплатил все их заказы, он осторожно предложил Страйку деньги: в прессе постоянно указывалось, что у детектива нет ни гроша. Страйк наотрез отказался, но не счел себя оскорбленным. Он понимал, что молодой военный инженер еще не проникся идеей нежданного большого богатства, что оно свалилось на него вместе с огромной ответственностью, предъявляло совершенно новые требования, подталкивало к каким-то решениям, вызывало к нему повышенное внимание, провоцировало издевки; до поры до времени парень был скорее ошеломлен, чем доволен. Естественно, его не оставляла жуткая мысль о причине получения им этих миллионов. Страйк догадывался, что Джонас Агьемен разрывается между воспоминаниями о своих боевых товарищах, оставшихся в Афганистане, мечтами о спортивных машинах и видениями трупа своей сестры, лежащего на снегу. Кто, как не солдат переменчивой удачи, понимает, насколько прихотлив бывает жребий?

— Но он точно не сможет выкрутиться? — внезапно спросил Агьемен, когда они уже были готовы распрощаться.

— Абсолютно точно, — ответил Страйк. — Газетчики еще этого не разнюхали, но полиция нашла мобильный телефон Рошели в сейфе его матери. Бристоу не решился от него избавиться. Он сменил код на другой, известный ему одному: ноль-три-ноль-четыре-восемь-три. Пасхальное воскресенье восемьдесят третьего года — день, когда он убил моего друга Чарли.

Наступил последний день работы Робин. Страйк звал ее с собой на встречу с Джонасом Агьеменом, которого удалось разыскать ее усилиями, но Робин отказалась. Страйк подумал, что она сознательно отстраняется от этого дела, от работы и от него. Сегодня днем Страйк был записан на прием к врачу в Центре ампутации при госпитале имени королевы Марии, и Робин могла уже уйти к моменту его возвращения из Роухэмптона. На выходные Мэтью собирался отвезти ее в Йоркшир.

Прихрамывая, Страйк пробирался через бесконечный хаос дорожных работ и раздумывал, увидит ли еще свою временную секретаршу, но сам в этом сомневался. Не так давно временный характер их совместной работы был единственной причиной, примирявшей его с присутствием Робин, но теперь Страйк был уверен, что будет скучать. Как-никак именно Робин отвезла его на такси в больницу, замотав ему кровоточащую руку своим пальто.

Повышенный интерес общественности к аресту Бристоу совсем не повредил бизнесу Страйка. Ему и в самом деле вскоре мог понадобиться секретарь-референт. Превозмогая боль в ноге, Страйк взбирался по лестнице и слышал голос Робин, которая разговаривала по телефону.

— ...к сожалению, только во вторник, потому что в понедельник мистер Страйк весь день будет занят... Да... совершенно верно... Тогда я записываю вас на одиннадцать. Да. Спасибо. До свидания.

Когда Страйк вошел, Робин развернулась на вращающемся стуле.

— Как держался Джонас? — спросила она.

— Вполне прилично, — ответил Страйк, опускаясь на хлипкий диван. — Эта ситуация его выматывает. Но пусть терпит, иначе Бристоу прикарманил бы десять миллионов.

— Звонили трое потенциальных клиентов, — доложила Робин, — но насчет последнего есть некоторые сомнения. Вполне возможно, это очередной журналист. Он явно стремился поговорить о тебе, а не о своих делах.

Подобных звонков уже было немало. Пресса с жадностью ухватилась за эту историю, в которой имелось много разных аспектов, лакомых для журналистов. Из Страйка сделали главного героя. С газетных полос смотрели его портреты десятилетней давности — еще армейских времен, и это его грело; однако журналисты также вытащили на свет фотографии рок-идола, его жены и супергрупи.

Во многих материалах полицию критиковали за халатность. Карвера сфотографировали в тот момент, когда он бежал по улице в распахнутой куртке, с пятнами пота на рубашке; зато к Уордлу, красавчику Уордлу, который помог Страйку вывести Бристоу на чистую воду, проявляли снисхождение, особенно девушки-журналистки. Однако больше всего средства массовой информации смаковали убийство Лулы Лэндри; каждая версия этой истории пестрела фотографиями безупречного лица и стройного, грациозного тела погибшей топ-модели.

Робин продолжала говорить, но Страйк не слушал: его внимание переключилось на пульсацию в руке и ноге.

— ...запись всех файлов и твой ежедневник. Тебе понадобится секретарь. Невозможно самому заниматься всем сразу.

— Угу, — согласился он, с трудом поднимаясь с дивана. Он хотел сделать это позже, дождавшись ее ухода, но сейчас у него был повод встать. — Послушай, Робин, я толком не поблагодарил тебя...

— Нет, почему же, — торопливо ответила она, — ты сделал это в такси, по дороге в больницу, — да и вообще, в этом нет необходимости. Мне самой было интересно. Честное слово, мне понравилось.

Страйк, прихрамывая, прошел в свой кабинет и не услышал, как дрогнул ее голос. Подарок, упакованный кое-как, был спрятан на дне рюкзака.

— Вот, — сказал он, — это тебе. В одиночку я бы не справился.

— Ох, — сдавленно произнесла Робин; Страйк был тронут и немного встревожен при виде ее слез. — Ну зачем...

— Дома посмотришь, — сказал Страйк, но было поздно: упаковка буквально рассыпалась у нее в руках.

На стол выскользнуло что-то ярко-зеленое. Робин выдохнула:

— Ты... О боже, Корморан!

В руках у Робин было то самое платье, которое она примеряла в «Вашти» и потом не могла забыть. Раскрасневшись, она сияющими глазами смотрела на Страйка поверх платья:

— Ты не можешь позволить себе такую покупку!

— Могу, — сказал Страйк, прислонившись к перегородке, — по крайней мере, так было удобнее, чем сидеть на диване. — Бизнес идет в гору. Ты проявила себя потрясающе. Новому работодателю повезло заполучить такой кадр.

Робин яростно терла глаза рукавами блузы. У нее вырывались всхлипы и невнятные слова. Она вслепую дотянулась до бумажных салфеток, купленных ею на деньги из офисной жестянки (больше в расчете на таких клиентов, как миссис Хук), высморкалась, промокнула глаза и сказала, забыв о платье, свисавшем с ее колен:

— Не хочу уходить!

— Я не смогу платить тебе, Робин, — спокойно проговорил Страйк.

Он уже думал об этом; минувшей ночью, ворочаясь на раскладушке, Страйк мысленно производил расчеты, чтобы найти такое решение, которое не было бы оскорбительным по сравнению с зарплатой, предлагаемой медиаконсалтингом. Такой возможности не нашлось. Оттягивать платежи по самому крупному займу он больше не мог; арендная плата со дня на день грозила взлететь; а самое главное — нужно было срочно подыскать жилье. Ближайшие планы, конечно, обнадеживали, но долгосрочные перспективы оставались туманными.

— Никто не ждет, что ты будешь платить мне те же деньги, что предлагают на новом месте, — хрипло проговорила Робин.

— Я даже не приближусь к этой сумме, — ответил Страйк. (Робин хорошо знала состояние его финансов и уже понимала, что золотых гор ждать не приходится. Накануне вечером, когда Мэтью застал ее в слезах по поводу предстоящего ухода, Робин озвучила ему размер зарплаты, на которую могла рассчитывать у Страйка.

— Но пока он тебе вообще ничего не предложил, — сказал Мэтью, — так ведь?

— Да, но если Страйк...

— Как хочешь, — сухо сказал Мэтью. — Это твое личное дело. Решай сама.

Робин знала его мнение. Пока Страйк лежал на операционном столе, Мэтью не один час просидел в приемном покое, чтобы отвезти Робин домой. Он довольно сдержанно признал, что она поступила правильно, однако после этого замкнулся в себе и больше не высказывал ничего похожего на похвалу, особенно когда их друзья настойчиво требовали мельчайших подробностей всего, что появлялось в газетах.

Но Страйк совершенно определенно должен понравиться Мэтью, если их познакомить. И потом, Мэтью сам сказал, что это ее личное дело...)

Робин расправила плечи, снова высморкалась и деловитым тоном, хотя и слегка всхлипывая, объяснила Страйку, за какие деньги готова остаться.

Страйк немного подумал. Он смог бы потянуть такую сумму: пять сотен туда, пять сотен сюда — это приемлемо. Как ни крути, Робин — просто клад, никто ее не заменит. Есть только одна небольшая загвоздка...

— Пожалуй, — сказал он. — Угу. Я могу соответствовать.

Зазвонил телефон. Просияв, Робин сняла трубку, и по ее радостному тону можно было подумать, что этого звонка она с нетерпением ждала много дней.

— О, здравствуйте, мистер Гиллеспи. Как поживаете? Мистер Страйк уже выписал чек, сегодня утром я сама отправила его по почте... Все задолженности и еще немного сверху... Нетнет, мистер Страйк категорически настаивает, чтобы выплатить всю сумму полностью... Это очень любезно со стороны мистера Рокби, но мистер Страйк предпочитает расплатиться. В течение нескольких месяцев он надеется погасить долг...

Час спустя, сидя с вытянутой ногой на жестком пластиковом стуле в Центре ампутации, Страйк думал: знать бы, что Робин останется, — ни за что не купил бы это зеленое платье. Он был уверен, что Мэтью не одобрит такого подарка, особенно когда увидит Робин в этом наряде и узнает, что не так давно она крутилась в нем перед боссом.

Тяжело вздохнув, Страйк взял со столика номер журнала «Прайвит ай». Когда консультант в первый раз выкликнул его имя, он не отозвался: его вниманием завладела страница под заголовком «Лэндримания»: здесь приводились образчики журналистских изысков, рожденных в связи с тем делом, которое распутали они с Робин. Щелкоперы настолько часто использовали сравнение с Каином и Авелем, что журнал даже поместил целую статью на эту тему.

— Мистер Стрик! — вторично вызвал консультант. — Мистер Камерон Стрик здесь?

Страйк с усмешкой встал и отчетливо произнес:

— Страйк. Мое имя — Корморан Страйк.

— Ох, прошу прощения... заходите...

Когда Страйк хромал вслед за врачом, у него из глубин подсознания всплыла фраза, которую он впервые прочел задолго до того, как увидел первый фронтовой труп, до того, как замер, пораженный, перед африканским водопадом, до того, как заглянул в лицо убийцы, который грохнулся в обморок, осознав, что его поймали.

«Стал именем я славным».

— На стол, пожалуйста. Снимите протез.

Откуда она взялась, эта фраза? Страйк вытянулся на столе, уставился в потолок и не замечал, что над ним склоняется консультант, бережно ощупывая то, что осталось от ноги, и бормоча что-то себе под нос.

Так прошло несколько минут, и Страйк все же извлек из памяти строки, что выучил давным-давно.

> Мне отдых от скитаний, нет, не отдых —
> Я жизнь мою хочу испить до дна.
> Я наслаждался, я страдал — безмерно,
> Всегда — и с теми, кем я был любим.
> И сам с собой, один. На берегу ли
> Или когда дождливые Гиады
> Сквозь дымный ток ветров терзали море, —
> Стал именем я славным...[1]

---

[1] Альфред Теннисон. Улисс. Перевод К. Д. Бальмонта.

СОДЕРЖАНИЕ

Гэлбрейт Р.

Г 98   Зов Кукушки : роман / Роберт Гэлбрейт ; пер. с англ.
Е. Петровой. — М. : Иностранка, Азбука-Аттикус, 2014. —
480 с. — (Иностранная литература. Современная классика).
ISBN 978-5-389-06735-6

Когда скандально известная топ-модель, упав с заснеженного балкона своего пентхауса, разбивается насмерть, все решают, что это самоубийство. Но брат девушки не может смириться с таким выводом и обращается к услугам частного сыщика по имени Корморан Страйк.

Страйк прошел войну, пострадал физически и душевно; жизнь его несется под откос. Теперь он рассчитывает закрыть хотя бы финансовую брешь, однако расследование оборачивается коварной ловушкой. Углубляясь в запутанную историю юной звезды, Страйк приоткрывает тайную изнанку событий — и сам движется навстречу смертельной опасности...

Захватывающий, отточенный сюжет разворачивается на фоне Лондона, от тихих улиц благопристойного Мэйфера до обшарпанных пабов Ист-Энда и круглосуточно бурлящего Сохо. «Зов Кукушки» — незаурядный и заслуженно популярный роман, в котором впервые появляется Корморан Страйк. Это также первое произведение Дж. К. Роулинг, созданное в детективном жанре и подписанное именем Роберта Гэлбрейта.

УДК 821.111
ББК 84(4Вел)-44

Литературно-художественное издание

РОБЕРТ ГЭЛБРЕЙТ

ЗОВ КУКУШКИ

Редактор Александр Гузман
Художественный редактор Илья Кучма
Технический редактор Татьяна Раткевич
Компьютерная верстка Ирины Варламовой
Корректоры Светлана Федорова, Лариса Ершова

Подписано в печать 27.12.2013. Формат издания 60 × 90 $^1/_{16}$.
Печать офсетная. Тираж 50 000 экз. Усл. печ. л. 30.
Заказ № 6632/14.

ООО «Издательская Группа „Азбука-Аттикус“» —
обладатель товарного знака «Издательство Иностранка»
119991, г. Москва, 5-й Донской проезд, д. 15, стр. 4

Филиал ООО «Издательская Группа „Азбука-Аттикус“»
в Санкт-Петербурге
191123, г. Санкт-Петербург, наб. Робеспьера, д. 12, лит. А

ЧП «Издательство „Махаон-Украина“»
04073, г. Киев, Московский пр., д. 6 (2-й этаж)

Отпечатано в соответствии с предоставленными материалами
в ООО «ИПК Парето-Принт».
170546, Тверская область, Промышленная зона Боровлево-1, комплекс № 3А.
www.pareto-print.ru

KAIL1471401R

ПО ВОПРОСАМ ПРИОБРЕТЕНИЯ КНИГ ОБРАЩАЙТЕСЬ

В Москве:
ООО «Издательская Группа
„Азбука-Аттикус“»
Тел.: (495) 933-76-00,
факс: (495) 933-76-19
E-mail: sales@atticus-group.ru
info@azbooka-m.ru

В Санкт-Петербурге:
Филиал ООО «Издательская Группа
„Азбука-Аттикус“» в г. Санкт-Петербурге
Тел.: (812) 327-04-55
факс: (812) 327-01-60
E-mail: trade@azbooka.spb.ru
atticus@azbooka.spb.ru

В Киеве:
ЧП «Издательство „Махаон-Украина“»
тел./факс: (044) 490-99-01
E-mail: sale@machaon.kiev.ua

Информация о новинках и планах,
а также условия сотрудничества
на сайтах

www.azbooka.ru
www.atticus-group.ru